Nécropolis

Nécropolis, c'est la « Cité des morts » : New York, sillonnée par les fous, les mythomanes et les drogués, les assassins et les paumés de toute sorte ; en proie aux intrigues de la municipalité et aux trafics d'influence ; quadrillées par les voitures de police et les ambulances dans un grand concert de hululements de sirène et de crissements de pneus. Avec comme destination finale : la morgue. Presque toujours.

Paul Konig, médecin légiste en chef de la Ville, est au centre de ce roman et des différentes histoires policières qui s'y entrecroisent, comme il est le Maître qui règne sur les énormes dépôts macabres, ces charniers « propres » qui symbolisent en quelque sorte l'inhumanité et la violence de la plus grande métropole du monde.

Depuis les chambres froides où il procède aux autopsies et livre aux policiers les premiers renseignements qui leur permettront de proche en proche d'identifier les corps et de reconstruire leur vie, Paul Konig, sorte de héros shakespearien délirant et fort, mais étonnamment humain — et qui donne au livre sa vraie dimension littéraire — surveille New York, sa ville, mène au besoin l'enquête, recherche sa fille Lolly qui a disparu, suit inlassablement des pistes, lui-même tourbillon au sein de toute cette démence.

Nécropolis n'est pas seulement l'un des sommets de la littérature policière, c'est aussi un extraordinaire document pour lequel Herbert Lieberman a passé plus d'une année à enquêter dans les morgues de Manhattan. C'est surtout, comme la presse américaine l'avait souligné lors de la parution, « sans aucun doute le plus beau livre jamais écrit sur New York ».

Né à New Rochelle, dans l'état de New York, Herbert Lieberman est aujourd'hui directeur de publication au Reader's Digest Book-Club. *Son roman* Nécropolis *(Grand Prix de littérature policière 1978) l'a mis au premier rang des auteurs internationaux de romans noirs. Cinq autres romans ont été publiés au Seuil, dont* La Nuit du solstice *(1985) et* Le Tueur et son ombre *(1990).*

Herbert Lieberman

Nécropolis

roman

TRADUIT DE L'AMÉRICAIN
PAR MAURICE RAMBAUD

Éditions du Seuil

TEXTE INTÉGRAL.

EN COUVERTURE : photo Francisco Hidalgo.

Titre original : *City of the Dead*
© 1976, Herbert Lieberman.

ISBN 2-02-005883-9
(ISBN 1re publication : 2-02-004658-X.)
© 1977, Éditions du Seuil, pour la traduction française.

J'aimerais exprimer ma gratitude au docteur Yong-Myun Rho, médecin-chef de l'Institut médico-légal de la ville de New York, qui a joué ici, en quelque sorte, le rôle de conseiller technique.

Le psychiatre sait tout et ne fait rien.
Le chirurgien ne sait rien et fait tout.
Le dermatologue ne sait rien ni ne fait
rien .
Le médecin légiste sait tout, mais un jour
trop tard.

Vieil adage.

Excepté Mahatma nul ne connaît les mal-
heurs de Mahatma.

Anonyme.

1

Vendredi 12 avril. 8 heures 15. FDR Drive.

GÉMISSEMENTS de sirènes. Hurlements de voitures de
police qui se ruent vers le nord. Ambulances qui foncent dans leur sillage. En avant, la toile d'araignée
grise du Queensboro Bridge. Sur l'autre rive, zébrées
comme des sucres d'orge, les cheminées de l'usine Con
Ed de Ravenswood, qui vomissent leurs fumées vers le
ciel. Et juste au-delà, Queens, muraille hideuse qui
barre l'horizon. Des péniches et des remorqueurs
remontent paresseusement le courant. Des mouettes
tournoient et piaillent dans le ciel.

Un flou au moment où les voitures de police plongent sur le toboggan de la 90ᵉ Rue, traversent en trombe
l'ombre noire et humide, puis surgissent en plein soleil
de l'autre côté. Surpris, des automobilistes braquent,
se rangent en hâte pour dégager la chaussée.

Virage à gauche dans la 96ᵉ Rue, puis droit vers
l'ouest jusqu'à Madison. Ensuite, de nouveau vers le
nord et tout droit jusqu'à Harlem — 108ᵉ, 116ᵉ — puis à
gauche dans la 126ᵉ, petite rue crasseuse, coincée entre
des immeubles sordides flanqués de perrons. C'est le
territoire de la 6ᵉ Brigade criminelle — un secteur célè-

bre par son taux de criminalité, le plus élevé de la ville de New York. La rue aux trottoirs jonchés d'ordures est bloquée par la circulation. Des gamins dépenaillés, cartable sous le bras et musette graisseuse en bandoulière, braillent et se bousculent au pied des perrons, ravis de l'événement imprévu.

Plus haut dans la rue, les voitures de police se faufilent à travers la cohue — mur mou qui s'écarte de mauvaise grâce devant le gémissement des sirènes, les gyrophares et les cars de police au nez camus.

La voiture de tête braque et s'engage dans un périmètre isolé par des cordes, tandis que le gémissement de sa sirène s'éteint lentement. Le fourgon de l'équipe médico-légale est déjà à pied d'œuvre, hayon grand ouvert. Une douzaine d'agents contiennent à grand-peine la foule qui se presse en avant.

Un grand type grisonnant s'extirpe de la banquette arrière de la voiture de tête, pour se retrouver soudain face à un mur de visages noirs — mornes, angoissés, rancuneux.

« Allons... en arrière... reculez... Allons, reculez.

— Allez... laissez-le passer.

— Par ici, docteur. »

La foule hésite, se fige un instant, tandis que le grand type, bâti en force, avance en boitillant. Puis, lentement, elle se referme derrière lui. Un silence lourd de menaces s'abat sur la rue. L'hostilité est à couper au couteau.

Au 315, 126ᵉ Rue Est — un hall d'entrée sordide aux murs tatoués de graffiti : « Shaz 135... Fezito le Dur... Putain de ta mère. » Puanteur de poisson frit et d'urine. Visages craintifs aux aguets derrière des portes

14

entrebâillées; deux étages plus haut, dans l'escalier, d'autres visages aux aguets derrière les rampes branlantes. L'homme que tout le monde appelle docteur doit littéralement repousser et fendre la foule silencieuse pour gravir l'escalier.

« Allons... Laissez passer.

— Par ici, docteur... Tout en haut.

— T'as fini de pousser, toi?

— Allez dégage, du-con... dégage.

« Allez... rentrez tous. Retournez vous mettre au lit. Allez vous offrir un petit déjeuner. Compris? »

Le docteur suit ses guides dans un couloir étouffant et nauséabond — plancher jonché de détritus, portes closes, murs défigurés par d'autres graffiti; ils s'arrêtent devant un appartement dont la porte est ouverte.

A l'intérieur, la pièce grouille déjà d'agents et d'inspecteurs. Lueur blanche des flashes qui explosent de tous côtés; experts du laboratoire qui, à genoux sur le plancher, relèvent les empreintes; dessinateurs qui griffonnent avec application des croquis sur leurs blocs, dans un crissement affairé de crayons.

Le docteur avance lentement et pénètre dans ce qui est manifestement une chambre à coucher. Un matelas nu et souillé est jeté à même le plancher. Au-dessus du matelas, une ampoule nue pend accrochée au bout d'un cordon électrique tout effiloché. A côté du lit, sur une feuille de papier graisseux, un morceau de poisson frit à moitié moisi, auquel personne n'a touché.

« Salut, docteur.

— Alors, qu'est-ce que vous avez déniché, Flynn? »

Le sergent inspecteur Edward Flynn parcourt la petite pièce sordide d'un regard furibond.

« Un sacré bordel. V'là ce que j'ai déniché.

— Epargnez-moi vos soupirs et vos jérémiades, d'accord, Flynn?

— Soupirs et jérémiades, mon cul. Neuf heures du matin, et j'en ai déjà ma claque — six homicides, une bande de cinglés à cheveux longs qui manifestent autour du commissariat, et je viens d'avaler au moins une douzaine de Maalox.

— Vos problèmes personnels ne m'intéressent pas, Flynn. J'ai assez des miens. Alors, où est-il?

— Dans les W.-C., bougonne Flynn. Reniflez et suivez la piste. Pouvez pas le manquer. »

Deux solides agents, des costauds, s'écartent à son approche. Le grand type grisonnant pénètre dans un ignoble petit réduit — minables toilettes communes à l'image de l'appartement minable —, un réduit humide et puant dont la peinture s'écaille, pourvu d'une fenêtre enfoncée où s'accrochent encore des éclats de verre meurtriers. Le plus caractéristique est une cuvette de faïence gluante juchée sur des pieds courbes, à l'élégance incongrue. La cuvette est à demi remplie d'eau et, dans l'eau, est assis un beau jeune homme, un Noir — vingt-sept à trente ans —, yeux ouverts, mâchoires serrées, bouche tordue par un sourire hideux qui donne l'impression que le mort se moque du plafond. Le manche d'un pic à glace saille au milieu de sa poitrine. Le sang qui suinte de la blessure a teinté l'eau tiédasse en rose pâle.

Le grand type grisonnant marmonne quelque chose, se penche avec raideur pour prendre appui sur un genou et, quelques instants plus tard, tandis que les flashes fusent et explosent de tous côtés, il entreprend d'examiner la blessure béante au milieu de la poitrine. Le pic, enfoncé jusqu'à la garde, a transpercé le sternum.

« Superbe, Flynn.

— J'étais sûr que vous apprécieriez. »

Toujours cassé en deux près de la cuvette, le docteur griffonne en hâte sur son calepin. Il note le degré de rigidité cadavérique qui lui permettra de déterminer l'heure de la mort; examine la gorge en quête de marques de strangulation; inspecte le blanc des yeux pour repérer des traces d'hémorragie sous-cutanée.

Alors qu'il range son calepin dans la poche intérieure de sa veste, son œil décèle une petite entaille qui marque la face interne du poignet gauche du jeune homme; puis une autre sur la face interne du pouce droit.

« Regardez ça, il s'est défendu, murmure pensivement le docteur.

— Le pauvre connard n'avait pas une chance », observe l'inspecteur qui le suit comme son ombre.

Le docteur se redresse péniblement.

« Je vous le laisse. Quand vous aurez fini, passez-moi un coup de fil au bureau. Dites-leur de me l'emballer et de me l'expédier. Et veillez à ce qu'on enveloppe les mains. J'ai l'intention d'examiner les mains d'ici ce soir. »

Tandis qu'il quitte la pièce au milieu des éclairs des flashes, les experts du labo de l'équipe médico-légale envahissent déjà l'immonde petit réduit; ils s'agenouillent aussitôt devant la silhouette contemplative coincée dans la cuvette et époussettent le manche du pic à glace pour y chercher des empreintes.

Dans le couloir, la foule grommelle et reflue de mauvaise grâce devant le grand type grisonnant.

« Allons... rentrez... c'est fini.

— Reculez... dégagez le passage. »

Deux flics chargés d'un sac de grosse toile dépassent le docteur.

« Vous avez le temps d'en voir un autre ? demande le lieutenant Morello, chef des inspecteurs.

— Où est-il ?

— A deux pas d'ici... 113ᵉ Rue.

— D'accord, soupire le docteur. Allons-y. »

Il se retourne un instant vers la petite silhouette de l'inspecteur Flynn qui griffonne avec fureur sur un calepin.

« Appelez-moi cet après-midi, Flynn. J'aurai sans doute le résultat de l'examen sérologique. Allez ramasser ce salaud maintenant. Et, au fait Flynn... laissez tomber le Maalox. Ça constipe. »

De nouveau la rue, et tandis que la voiture fend la foule centimètre par centimètre, le bruit des coups de poings qui martèlent l'aile arrière résonne dans tout le véhicule. Silencieux, mornes, les occupants ne prennent même pas la peine de jeter un coup d'œil en arrière.

8 heures 45. 113ᵉ Rue, entre la 7ᵉ et la 8ᵉ Avenue. Là encore, des embouteillages. Des cars de police. Des voitures de ronde, sirènes et gyrophares en action. Des cordons de policiers munis de porte-voix. Dehors, sur les toits, six étages plus haut, les têtes des agents qui surveillent la rue embouteillée et jonchée d'ordures.

Six étages plus haut sur un palier immonde, près d'une porte qui donne sur le toit, d'autres inspecteurs, d'autres experts du labo, d'autres explosions de flashes.

« Alors ? » demande le docteur.

Le sergent responsable consulte les papiers d'identité trouvés dans un méchant petit portefeuille en vinyle rouge :

« Rosales, Barbara. Dix-neuf ans. Tapineuse. Tout le monde la connaît dans le coin. »

Pour la seconde fois ce matin-là, le docteur se penche — cette fois sur les restes déchiquetés et recroquevillés d'une jeune femme, plutôt moche et vulgaire, une Espagnole à la vilaine peau.

« Et camée, avec ça, constate le docteur, en lâchant le bras encore souple et piqueté de traces d'aiguilles qui retombe sur le sol froid du palier.

— Probable qu'elle était montée se faire un miché, dit Morello en jetant un coup d'œil à la ronde. Mais cette fois, elle est tombée sur un bec.

— Les risques du métier. »

Le docteur s'agenouille, enregistre mentalement une série de détails tout en examinant le corps.

La fille est moitié assise, moitié couchée sur le flanc, épaule droite appuyée contre le mur, sous les dessins et les graffiti obscènes gribouillés à même le plâtre moisi. Enfoncé dans sa bouche et jusqu'au fond de la gorge, un gros paquet de Kleenex. Un lambeau de papier tout effiloché, un seul, pendille à la commissure des lèvres. Le slip de rayonne noire de mauvaise qualité a été arraché et pend au-dessous des genoux qui, couverts de sang et de vilaines meurtrissures, témoignent des efforts de la fille pour échapper à son agresseur. De grandes éclaboussures de sperme séché souillent l'intérieur des cuisses et le bas-ventre; coincée entre les fesses, une bouteille d'une demi-pinte de Southern Comfort où stagne un peu de liquide, le goulot enfoncé jusqu'au col dans le rectum.

« O.K. Ça va. »

Le docteur, son examen achevé, se relève.

« Sitôt que vous aurez fini, vous m'emballez ça et vous me l'envoyez.

— Hé! toubib, dit un agent, un Italien costaud, penché sur le cadavre, qu'est-ce que vous dites de ces drôles de petits trous sur son visage?

— Morsures de rats, dit le docteur, en se retournant vers son chauffeur. Bon, fichons le camp. »

A peine a-t-il tourné les talons que le gros flic italien arrache la bouteille de Southern Comfort à son nid douillet et tend le goulot à son collègue.

« Hé! Fazello — tu t'en envoies un coup? »

De gros rires rauques fusent et cascadent dans l'étroit escalier, poursuivant la haute silhouette grisonnante.

De nouveau l'intérieur de la voiture de police, qui se faufile sur F.D.R. Drive. Le docteur est tassé au fond de la banquette arrière. Ses longues jambes raides allongées en oblique pour être plus à l'aise, il regarde défiler la large coulée sombre de l'East River qui se déroule derrière la vitre comme un tapis sale. Une expression perpétuellement renfrognée marque son visage. Il donne l'impression d'être dur, vindicatif. L'homme n'a rien d'un mou ni d'un libéral. Il a vu trop de meurtres. Il abhorre la violence et déplore que soit révolue l'ère de la chaise électrique. C'est un homme pétri de moralisme — œil pour œil, dent pour dent —, un moralisme digne de l'Ancien Testament. Il a plus de soixante ans, mais à vingt-neuf ans déjà, son métier lui avait donné des cheveux gris.

Avril est de retour. L'éveil du printemps. Le temps des feuilles d'impôts et le mois des suicides. Finis mars et avril, la saison des noyés qui, lorsque fond la glace sur les rivières gelées, apporte sa récolte hivernale de camés, de vagabonds et de prostituées. Juillet et août approchent — les mois des couteaux. Canicule et meurtres. Blessures par balles, blessures par lames, strangulations fatales — sinistre cortège vomi par les ghettos torrides du centre de la ville. Puis viendra septembre — le début de l'automne —, saison de la décrépitude, des remords, des deuils inexplicables. Petits enfants roués de coups et victimes d'hématomes sous-épidermiques et d'hémorragies sous-cutanées. Ensuite, octobre... paisible, aimable, et la fournaise des rues de la ville diminuera tandis que la mort observera une courte trêve, épuisée par tant de carnage. Pour bientôt repartir de plus belle à l'assaut tout au long de novembre et décembre. La saison des vacances. Thanksgiving et le Prince de la Paix. Alors les suicides recommencent.

Comme tant d'autres entreprises prospères, celle de Paul Konig est cyclique. Il a sa morte saison et sa saison de pointe. Sa saison fraîche et sa canicule. Ses bons moments qui, il le sait, proclament immanquablement la certitude des mauvais jours imminents. Il est, après tout, soumis aux mêmes pressions et aux mêmes aléas que tout homme d'affaires, mais son métier est unique. Il est médecin légiste. Le chef de l'Institut médico-légal de la ville de New York.

2

9 heures 15. Bureau du chef
de l'Institut médico-légal.

KONIG, assis à son bureau. Les derniers cristaux de sucre
de son doughnut fondent sur ses lèvres. L'amertume
matinale du gobelet de café et du premier cigare lui
empâte le palais. Eparpillés devant lui, des piles de
rapports. Un semainier où la date du jour, 12 avril, est
entourée d'un trait rouge — onze heures, conférence et
laboratoire à l'université; quatorze heures, audience au
palais de justice. Sur le bureau, outre l'habituelle avalanche de la correspondance qu'il entretient avec des
médecins dispersés aux quatre coins du monde, le tra-
ditionnel assortiment d'invitations à participer à des
conférences, d'offres de postes dans des universités
prestigieuses, de lettres reçues des antipodes, lettres de
coroners, de spécialistes, de médecins missionnaires
qui réclament son avis sur de minuscules, de subtils
points de pathologie. Conscient de l'absurdité de tout
cela, il aimerait pourtant répondre personnellement à
chacune de ces lettres, convaincu que les médecins,
comme les prêtres, ont au moins le devoir de feindre
une science qu'en fait ils ne possèdent pas. Pour sa

part, plus il continue à pratiquer et à étudier, plus forte et plus irrémédiable est sa conviction de ne rien savoir. Rien qui compte vraiment.

Sur son bureau, également, le budget de son service, qu'il doit mettre au point avant de le soumettre aux experts fiscaux de la municipalité; un certain nombre de factures, parmi lesquelles la traite d'une hypothèque sur une villa de bord de mer, à Montauk; et une liasse de rapports récents, des certificats de décès : « Le cadavre est celui d'un Blanc, bien bâti et bien nourri, âge approximatif vingt-six ans, taille 1,70 m... » Enfin, à l'écart du reste, une enveloppe qui porte la mention « Personnel ». C'est celle-là qu'il prend en premier, avec des doigts qui tremblent de façon pathétique sur le rabat avant de le déchirer. Dans l'enveloppe, une carte d'anniversaire — la caricature bizarre d'un gros ours hirsute affublé d'une toge de médecin, un stéthoscope autour du cou. En guise de signature, un gribouillis de grosses lettres rouges : « Cher Papa, Pardon, Pardon, Pardon. Tendrement. »

Une fois de plus, il rallume les cendres froides de son cigare à la flamme d'un bec Bunsen, rumine la carte, puis s'empare d'une cafetière qui bout sur un réchaud derrière lui. Il commence alors à lire et à feuilleter ses rapports. Quelques instants plus tard, il se lève et se met à circuler à travers son bureau, un arrosoir à la main, pour arroser la jungle de pots et de bacs qui bordent la baie vitrée sur toute la longueur du mur — bégonias et azalées, narcisses, jacinthes qu'il élève en serre, lantans énormes, ophrys araignées, longues rangées boueuses d'acanthacées et l'extraordinaire profusion vert-rose des hirnéoles. Ses gestes sont empreints d'un rythme précis — quelques pas, une giclée, quelques pas, une giclée. Il passe de pot en pot, cigare rivé aux lèvres, ne s'arrêtant que le temps d'arracher d'une main preste une fleur flétrie ou une feuille morte. Il progresse lentement et sans hésitation à travers le chaos impeccablement ordonné de son bureau, à travers la pagaille contrôlée, passe devant un bac rempli de formol où flotte un cerveau, une table où s'entassent d'innombrables prélèvements de tissus, une montagne de rapports d'autopsie qui grimpe jusqu'au plafond — avalanche croulante qui représente quinze ans de labeur. Tout cela empreint d'un ordre et d'un rythme dont lui seul est conscient.

Au beau milieu du rituel tri-hebdomadaire de l'arrosage, le téléphone sonne. Il décroche et entend dans l'écouteur la voix rauque de Carver, qu'au même instant il entend parler dans l'antichambre, de l'autre côté de la porte.

« A onze heures, vous avez votre amphi à l'université et vous êtes convoqué au tribunal à deux heures.

— Je sais. Et alors?

— Vous m'aviez chargée de vous le rappeler, alors je vous le rappelle.

— Eh bien, voilà qui est fait. Un bon point pour vous.

— Les Skardon sont arrivés. Vous voulez les voir? »

Il pousse un soupir lugubre.

« Ma foi, le plus tôt sera le mieux. »

« Là-bas sur l'autoroute. »

Konig rallume une fois de plus les cendres froides de son cigare.

« Un peu au nord de Pelham — à environ seize cents mètres de la bretelle de sortie. »

Par-dessus la flamme du briquet, les yeux de Konig

scrutent les visages angoissés de deux personnes — un homme et une femme — installées en face de lui.

« A dix mètres de la route environ, dans les buissons. Aucune idée de ce qu'elle pouvait faire là-bas ?

— Où ça ? aboie l'homme. Dans les buissons ?

— Non. Sur l'autoroute.

— Elle rentrait de son école. Elle revenait à la maison pour passer les vacances de printemps. »

La femme geint doucement, le nez dans un mouchoir. Des yeux larmoyants, rougis par l'insomnie, pointent au-dessus du tissu de luxe. Pur fil, note au passage Konig, qui demande :

« Auto-stop ?

— Je suppose, dit l'homme avec un hochement de tête impatient. Elle faisait toujours du stop. Pour économiser, disait-elle. Mais savoir pourquoi diable elle tenait à économiser, ça je ne... »

La femme éclate en sanglots. L'homme la foudroie du regard.

« Pour l'amour de Dieu, Emily, vas-tu nous foutre la paix et cesser de pleurnicher. Nous ne savons même pas si cette fille est bien... »

Konig pousse un grognement.

« Vous dites qu'elle a disparu depuis environ trois jours ?

— C'est ça, dit Mr. J. Phelps Skardon. Elle est partie vendredi soir, sitôt la fin de ses cours. »

A l'abri du front ridé et des sourcils broussailleux, les yeux inquisiteurs de Konig continuent à jauger soigneusement les Skardon. Bonne bourgeoisie. Protestants blancs. Riches, aucun doute. Fortune de famille, à son avis. Jamais eu à lever le petit doigt, ces salauds. Skardon, présume Konig, exerce une profession libérale. Avocat, probablement, à en juger par la façon

25

dont l'homme l'a questionné au début de leur entretien, par ses manières abruptes, impatientes, à croire que de se voir convoquer pour identifier ce qui pouvait être les restes de sa fille représente pour lui une gêne et un contretemps. A l'égard de Konig, le médecin fonctionnaire, son attitude est empreinte d'un vague mépris.

Mrs. Skardon est une petite femme, jolie. Une expression perplexe, épouvantablement effrayée, se lit dans ses yeux. Neurasthénique, suppose Konig, affligée d'innombrables troubles psychogéniques — palpitations, sueurs froides, insomnies, constipation chronique —, tous sans aucun doute engendrés par vingt-cinq années de mariage sous le joug d'un tyran. Konig distingue clairement le tyran maintenant, qui se contient à grand-peine sous l'enveloppe de l'homme, mais que commence déjà à trahir le flux sanguin qui empourpre le cou au-dessus du col de chemise et les lèvres quelque peu couperosées. Mrs. J. Phelps Skardon n'en a pas pour plus de deux ans, parierait Konig, un coup de sang l'emportera.

« Aucune idée de ce qu'elle portait comme vêtements en quittant l'école ? demande Konig.

— Bon dieu, dites-moi un peu comment je pourrais le savoir ? » explose Skardon qui, à certaine lueur dans les yeux calmes et froids du médecin, en rabat aussitôt, dompté, déconfit, vaguement penaud.

« Nous ne savons pas ce qu'elle portait. La fille en question, qu'est-ce qu'elle portait, elle ?

— Pas grand-chose », dit Konig.

La femme gémit et Konig se lève.

« Eh bien, je pense que nous devrions aller y jeter un coup d'œil. »

Les Skardon se lèvent à leur tour, lui d'un bond, elle de façon plus hésitante.

« Toi, reste ici, beugle l'homme.

— Mais je veux...

— Inutile, coupe Skardon, d'un ton qui ne souffre pas de réplique. Ça ne prendra qu'une minute. »

Une petite bouffée d'air veule s'échappe des lèvres de Mrs. Skardon, un mot avorté, et elle se tasse de nouveau au fond de son fauteuil. Lorsque Konig referme la porte derrière eux, elle gémit toujours.

Sans échanger un mot, ils traversent une salle d'accueil et gagnent une petite pièce située à l'arrière du bâtiment. La pièce est nue, à l'exception d'un long panneau rectangulaire en verre dépoli, derrière lequel s'amorce le large puits gris d'un monte-charge. Konig appuie sur un bouton encastré dans la paroi à côté de la fenêtre. Aussitôt, un moteur gémit, les câbles d'acier se mettent en branle derrière le panneau de verre, et bientôt le plateau du monte-charge surgit d'un des étages en contrebas, porteur du cadavre jaune et cireux d'une jeune fille. Le moteur se tait et le plateau s'arrête à leur niveau derrière la vitre.

Ils demeurent de longs instants sans parler. Puis Skardon, les yeux rivés sur la forme visible à travers la vitre, demande soudain :

« A-t-elle été violée ? »

Son visage est devenu blanc, couleur de parchemin.

« Plusieurs fois, dit Konig en le dévisageant froidement. Nous avons relevé en elle trois types de spermes différents. »

Quelques instants, il contemple le visage vilainement meurtri d'une fille d'environ dix-sept ans, les traits tordus par le rictus d'une mort cruelle et violente. Visiblement elle avait été jolie, une enfant pleine de vie, une étudiante de première année issue d'un milieu privilégié et devant laquelle le monde commençait seulement

27

à s'ouvrir. Elle avait été férocement rouée de coups.

Les yeux dilatés, Skardon contemple le corps de l'autre côté de la vitre, puis son visage se crispe de haine.

« Des salauds de nègres, pas vrai ?

— Je vous demande pardon ?

— Les fauves qui ont fait ça à ma fille. C'étaient des sales nègres ? Ils aiment faire ces trucs-là. »

Konig dévisage posément l'homme qui lui paraît friser l'apoplexie.

« Je crains de ne pouvoir me prononcer. Je peux vous préciser le type du sperme. Et donc le groupe sanguin. Mais je crains bien que la science n'ait pas encore trouvé le moyen de distinguer physiologiquement le sperme noir du sperme blanc. »

Skardon reste immobile, adossé au mur vert, hébété. Konig pousse un soupir las.

« Les indices que j'ai pu rassembler ne me permettent pas de dire qui étaient ses assaillants. D'ailleurs, l'affaire est désormais entre les mains de la Brigade criminelle. »

Barricadé dans un silence contraint, Konig raccompagne les Skardon jusqu'à la sortie côté 1ʳᵉ Avenue. Parvenus à la porte, ils s'arrêtent un instant, pieds raclant le sol, en évitant de se regarder. Personne ne parle. A la fin, J. Phelps Skardon pousse un grognement, et brutal jusqu'à la dernière seconde, dévale quatre à quatre l'escalier, plaquant là la pauvre Mrs. Skardon qui, tremblante, affolée, le suit d'un pas incertain.

Et brusquement, sans savoir pourquoi, stupéfait de sa propre colère, Konig lance à l'adresse de deux silhouettes qui au même moment se penchent pour s'engouffrer dans un taxi :

« Mais pour l'amour de Dieu, pourquoi l'avoir laissée faire du stop? »

Skardon se retourne et le contemple d'un regard fixe. Et c'est à cet instant que l'homme se met à pleurer.

Presque dix heures du matin maintenant et, en même temps que le soleil d'avril qui pénètre à flots par la grande porte, surgit un torrent d'individus anxieux et maussades — médecins, policiers, techniciens du labo, journalistes, et, naturellement, les familles en deuil. Les gens en deuil sont toujours les plus faciles à repérer. Ils portent leur angoisse et leur chagrin comme des œillets épinglés à leurs revers.

Des ambulances et des cars de police stationnent à l'arrière et tout autour du bâtiment. Partout, des voitures de ronde. On amène des civières; on sort des sacs de grosse toile. « La tournée du boucher », comme disent les flics.

A l'intérieur, le long des couloirs verts, le bruit est assourdissant. Fracas, claquement des portes de métal. Jargon incompréhensible des interphones qui lancent sans arrêt leurs appels avec, en fond sonore, l'électricité statique et le crépitement des fils.

Konig se faufile au milieu de ce torrent, en claudiquant légèrement à cause de sa douleur à la jambe Sciatique. A.P.C. et valium. Rien à faire que d'attendre que ça se calme. Il salue au passage divers collègues qui descendent aux salles d'autopsie — les médecins légistes adjoints —, Pearsall l'affable, Bornetz le mélancolique, Delaney le snob (n'accepte de toucher qu'à des cadavres blancs), et puis, bien entendu Strang, Carl Strang aux yeux sournois, pompeux et grandiloquent, qui épie le moindre des faits et gestes du médecin-chef et convoite son poste.

Et puis d'autres encore — des Indiens, des Asiatiques, des Slaves —, de braves types accourus des quatres coins du monde pour venir étudier sous la direction du patron. Une fournée de stagiaires nommés depuis peu, pleins de zèle et d'importance, soucieux de plaire, et des carabins qui se pavanent en toges froissées, arborant leurs stéthoscopes de façon que personne ne puisse éviter de les voir — comme un insigne de leur rang. Konig s'interroge sur l'utilité d'un stéthoscope dans une morgue, et sourit en aparté.

Konig descend maintenant vers les salles d'autopsie, empruntant un petit escalier en colimaçon qui débouche sur une lumière verdâtre. De long couloir vert en long couloir vert il descend. Vert aquarium. Vert municipal. Vert bureaucratique. Carrelages verts et humides — froids comme la glace en hiver, torrides en été. Il s'enfonce dans une pénombre douce et verte — l'Enfer de la 1ʳᵉ Avenue. Croise l'Achéron d'un gardien assoupi, traverse le Styx de la grille de fer du vestibule, qui s'ouvre en gémissant devant lui, et claque sur ses talons. Le gong de lourdes portes d'acier se répercute dans les tunnels sonores carrelés de vert.

Il poursuit sa descente, plus bas, encore plus bas, une volée de marches, une autre, tandis que le cliquetis lent de sa démarche claudiquante ricoche contre les murs et les plafonds. Une autre grille s'ouvre en couinant, les gongs claquent derrière lui, et il se retrouve enfin dans le sous-sol baigné d'un vert plus sombre. Ici l'atmosphère est chargée des lourds relents de l'aldéhyde formique.

L'odeur d'une salle d'autopsie est bizarre. Odeur de mort et d'assa fœtida. De formol et de peur. Qui la sent une fois ne l'oublie jamais. Cette odeur — qui représente presque quarante années de sa vie — fait tellement partie de Konig qu'il ne la remarque même plus. Elle imbibe ses vêtements, ses cheveux, sa peau. Sa voiture et les placards de sa maison en sont imprégnés. Du vivant de sa femme, elle lui interdisait de s'approcher avant de passer sous la douche.

Konig pénètre maintenant dans une grande salle grise et fraîche remplie par le bourdonnement aigu des moteurs électriques qui alimentent les chambres froides. Sur sa gauche, déjà alignés, une série de chariots en acier inoxydable, chacun chargé d'un volumineux sac de toile cerclé par une sangle — étalage sinistre de la macabre moisson de la nuit. Du sol au plafond un mur entier est garni de casiers frigorifiques, caveaux provisoires où reposent les anonymes, ceux que personne ne réclame, dont personne ne veut. Identifiés par de simples numéros, deux ou trois chiffres officiels impersonnels et glacés, ici gisent les morts, tous abandonnés à la froide indifférence de leurs tiroirs respectifs. Tous dans l'attente du scalpel du médecin.

Konig descend trois marches, les dernières, pousse une porte à deux battants qui donne accès à une salle éclairée d'une lumière blanche et crue. Ici, des assistants drapés de vert circulent à pas silencieux — acolytes encapuchonnés qui semblent participer à quelque antique rite druidique. Konig aperçoit au passage des bassins d'acier remplis de foies cirrhotiques, un poumon malade qui gargouille dans une cuve de formol. Chaque fois que Konig accomplit cette descente, chaque fois qu'il pénètre dans cet abattoir, ce charnier qu'embrument, toujours plus épaisses des vagues de miasmes putrides, il se sent submergé par l'impression bizarre, et pourtant parfaitement appropriée, qu'il rentre une fois de plus chez lui.

Déjà une activité fébrile règne dans la salle — douze tables sont utilisées en même temps. Cadavres nus, écorchés, membres sectionnés. Visions qui paraissent irréelles. Ouverts, dénudés, les organes luisent comme des fruits de cire.

Un tumulte et une rumeur de ruche humaine animent la salle d'autopsie. On se croirait dans l'atelier d'un fabricant de robes prospère, peuplé de coupeurs affairés penchés sur leurs établis.

Tous sont là, les médecins, qui coupent, pèsent, diagnostiquent; les sténographes de la police, qui griffonnent sur leurs blocs sous la dictée. Les étudiants en médecine qui papillonnent de table en table, débordants de questions. Les garçons de salle — les auxiliaires comme on les appelle — chargés de recoudre les cadavres à l'aide de fil noir et de grosses aiguilles dès que les médecins ont terminé leur tâche. Drôle de race, ceux-là. L'un d'eux en particulier, un petit Albanais noir de peau et aux yeux fuyants, naturalisé depuis peu et tout juste capable de baragouiner deux mots d'anglais; Konig le tient à l'œil, celui-là, car il sait qu'il aime s'occuper des cadavres de jeunes femmes, qu'il aime les déshabiller, les préparer pour le scalpel. Et qu'il s'attarde souvent devant les carcasses écorchées, longtemps après la fin de l'autopsie et le départ des autres, ostensiblement sous prétexte de les recoudre.

Et puis, bien entendu, il y a les cadavres, douze cadavres alignés sur les tables d'acier — les objets de la quête. Ici, un homme, un Noir, la gorge tranchée d'une oreille à l'autre, les cartilages du larynx luisant doucement au fond de la plaie béante, bouche distendue en un sourire macabre. Sur la table voisine, une vénérable

petite dame toute ridee, aux pieds et aux mains deli
cats, quatre-vingts ans passés. Le corps est ratatine, le
visage bizarrement enfantin est bleui de cyanose, ses
yeux paraissent contempler le Paradis. La nuit dernière
quelqu'un l'a assassinée à coups de marteau dans une
chambre d'asile de nuit, pour lui voler soixante *cents*.

Un peu plus loin, un vagabond en haillons, au visage
de saint entouré par une énorme auréole de cheveux
gris. Celui-là a été torturé sous un porche de Canal
Street. Puis deux homicides — sans doute deux de la
demi-douzaine qu'a récoltée Flynn la nuit précédente
—, trois blessures par balles, une gorge tranchée et une
strangulation. Puis une splendide jeune fille, traits et
linéaments d'un mannequin de mode, morte à vingt-
deux ans à la suite d'une absorption de barbituriques.
A côté, une prostituée noire, une noyée qui a séjourné
plusieurs jours dans l'eau, dont on a détaché les cheveux du cuir chevelu pour pouvoir les soulever comme
une casquette. De petites bulles d'écume blanche suin-
tent du nez et le corps est gonflé, distendu par les gaz
qui imprègnent les tissus.

Il n'est guère de choses que l'on puisse cacher au
médecin. Mais à ce point, il est désormais inutile de
vouloir les cacher. Toutes les raisons de rien cacher ont
disparu. Les seules questions qui subsistent sont de
nature académique. Devant un cadavre nu et écorché,
le médecin est pareil à un vieux shaman qui déchiffre
les augures dans les viscères du mouton sacrificiel.

« Embolie de l'artère coronaire gauche. »

« Insuffisance aortique. Aorte montante dilatée par
une série de rugosités longitudinales sur la paroi
interne. »

« Hypertrophie du foie par suite de stéatose. »

« Testicules, 30 grammes. »

33

« Lésions rectales — dilatation marquée du rectum et traces de sperme frais. »

Inutiles désormais la honte ou le mensonge. A ce point, la honte paraît tellement dérisoire. Tout est écrit là, sous les yeux du médecin, comme si les organes étaient une espèce de papyrus où s'inscrivent les hiéroglyphes absurdes de nos vies.

Sous la lueur crue et froide des tubes fluorescents suspendus au plafond, Konig s'arrête pour observer Arthur Grimsby, un jeune stagiaire, occupé à découper la calotte crânienne de ce qui a jadis été un homme de race blanche, d'environ quarante, quarante-cinq ans, groupe sanguin O —. Un bijoutier abattu à coups de revolver dans son magasin de Delaney Street.

La scie bourdonne et des particules d'os et de cheveux ripent sous la lame en une jolie torsade.

« Joli travail! » murmure Konig tandis que, d'une main sûre, Grimsby tranche la moelle et les nerfs crâniens en guise de préliminaire à l'ablation du cerveau.

Déjà les yeux gris et avides de Konig ont repéré le point d'entrée de la balle. En plein front, juste à la racine des cheveux. Bien avant Grimsby, il a repéré le point de sortie, sur la nuque, et également la trajectoire suivie par la balle entre les deux points. Les brûlures de poudre qui marquent la peau lui ont permis de se faire une idée de la distance à laquelle le coup de feu a été tiré, de même que l'angle de pénétration de la balle lui permet de savoir approximativement dans quelle posture se trouvait le bijoutier au moment de sa mort.

A l'aide d'une pince, Grimsby extrait plusieurs fragments de plomb qu'il extirpe un à un et tend vers la lumière comme des pierres précieuses, pour que tous puissent les voir.

« Joli travail, murmure de nouveau Konig. Attention à ne pas bousiller les traces de balles. »

Le docteur ne manque jamais de s'arrêter devant les cadavres d'enfants. Ce n'est pas qu'il y tienne, simplement il ne peut s'en empêcher. Quelque chose l'y contraint, quelque chose de plutôt morbide, a-t-il fini par conclure, dans la mesure où, il le sait, ce genre de pathétique spectacle n'a littéralement plus rien à lui apprendre. Il n'en a que trop vu de son temps. Tous racontent la même lugubre histoire. Mais n'empêche que, depuis près de quarante ans qu'il exerce, qu'il contemple les témoignages les plus monstrueux de l'inépuisable génie que l'homme manifeste pour la cruauté, il n'a jamais pu se blinder devant le spectacle d'un enfant mutilé. Il faut dire que quand le boulot est bien fait, comme si souvent c'est le cas, le spectacle est effrayant.

Celui qu'il est en train de contempler, mutilé et roué de coups à en être méconnaissable, est un bébé. Dans les deux ans tout au plus, dont les traits du visage ont été littéralement gommés au moyen d'un lourd instrument contondant.

Au spectacle de la petite silhouette brisée et déchiquetée qui gît sur la table, Konig revoit soudain sa propre fille, Lolly — Lolly tout enfant sur la plage, Lolly qui trottinait vers lui avec son seau et sa pelle sur lesquels gambadaient des dauphins émaillés; Lolly à la montagne, petite fille effrontée à califourchon sur une jument grise; Lolly lors de son premier voyage à l'étranger, une photo jaunie et fanée, usée par le temps, qui montre une gamine de dix ans perchée sur la lisse d'un paquebot français.

McCloskey, le cadet de l'équipe, est penché sur le petit cadavre. Konig s'attarde derrière lui, un peu embarrassé de sa personne, et regarde. A plusieurs reprises, le jeune médecin, pareil à un lapidaire occupé à sculpter une miniature, s'interrompt dans sa tâche méticuleuse et appliquée, et lève les yeux vers les verrières du plafond.

« Joli, pas vrai ? murmure Konig par-dessus l'épaule du jeune homme.

— Dégueulasse, réplique McCloskey qui, sans se retourner, se replonge dans sa tâche. Pas loin d'une centaine de contusions. Foie éclaté. Visage en bouillie. Tous les os pratiquement brisés — même les doigts.

— Et comment, les doigts, raille Konig, une note de fureur cynique dans la voix. Jamais ils n'oublient les doigts. C'est souvent ça le plus douloureux. Surtout chez les jeunes enfants. Les parents racontent que le gosse est tombé de son berceau. »

Konig glousse.

« De grâce, ne me parlez pas des parents. »

La puissante carrure de McCloskey paraît enfler.

« Si jamais je tombe dessus... s'ils me tombent sous la main...

— Je suis prêt à parier que la maman est déjà en cloque du prochain. »

Konig éclate de nouveau de rire et se demande pourquoi il se sent mieux.

« Je vais terminer à votre place. »

McCloskey rougit.

« Si vous le permettez, patron, je tiens à terminer moi-même. »

Konig passe sans s'arrêter devant une embolie, échange quelques mots avec un jeune stagiaire plongé dans un examen artériel extrêmement délicat, puis s'arrête un instant pour regarder le sous-chef du service, le médecin légiste Carl Strang qui s'active sur les restes de ce qui fut jadis un digne Libanais. Strang est occupé à insérer l'aiguille d'une seringue au coin de l'œil du cadavre, sur quoi, avec une grande dextérité, il prélève quelques centimètres cubes d'humeur vitreuse.

« Il me faut une analyse de ce truc-là, aboie-t-il à l'adresse d'un jeune stagiaire. Et dites que je suis pressé... Oh! salut, Paul. »

Le sourire, le sourire perfide, jaillit, ponctué d'un coup d'œil critique et sans indulgence.

« Ça va ?

— Très bien.

— Vous avez l'air un peu vidé.

— Je suis debout et au boulot depuis ce matin cinq heures. »

Il étudie Strang, scrute le visage aux traits finement ciselés.

« J'ai l'impression que je vais être convoqué devant le jury d'enquête.

— Oh ?

— Pour l'affaire Robinson.

— Ils ne s'aviseront pas de poursuivre, Paul.

— Vraiment pas ?

— Trop compliqué — trop politique. »

Konig savoure l'amertume qui lui monte à la gorge.

« Carl, dites-moi une chose... Blaylock n'a pas bavardé avec vous à un moment ou à un autre, avant que vous vous occupiez de l'affaire Robinson.

— Certainement pas.

— Et vous pensez toujours que votre diagnostic d'asphyxie par strangulation tiendra ?

— Je n'ai aucun doute là-dessus. »

Le sourire de Strang est plus radieux que jamais.

Mais pour le médecin-chef, ce sourire est de trop. Brusquement il éclate :

« Mais bon dieu, vous auriez au moins pu effectuer un examen des tissus.

— Inutile. Les écorchures étaient superficielles.

— Superficielles ? Sur le pourtour de la tête — superficielles ? »

La voix de Konig se durcit. Plusieurs docteurs indiens qui travaillent à proximité se retournent.

« Oh ! laissons tomber. »

Il baisse le ton et s'aborde dans la contemplation du digne Libanais allongé sur la table.

« Et celui-là, qu'est-ce que c'est ?

— Diabète... lésions du pancréas... traces d'insuline.

— Voyez la cicatrice de chancre sur le ventre.

— Elle est vieille — au moins dix ans.

— C'est précisément pourquoi je ferais une lombaire — il est syphilitique. »

Le sourire impertinent flotte sur le visage de Strang et accompagne Konig qui brusquement pivote et quitte la salle à grandes enjambées.

Dix heures trente maintenant et toute une théorie de personnages forts de leur bon droit défile dans le bureau de Konig. D'abord, un expert en assurances qui réclame à grands cris un verdict de suicide sur un certificat de décès. Konig ne porte pas les compagnies d'assurances dans son cœur, avec leurs tables de mortalité et leurs experts mielleux et obséquieux. Toujours promptes à prélever leur dîme annuelle au moment où la prime arrive à échéance, mais qui gigotent avec l'énergie du désespoir, traînent la patte, essaient de se défiler et de ruser lorsque vient le moment de débourser. Il est résolu à en faire baver au type.

Puis un jeune médecin, frais émoulu de l'internat et débordant de ce genre d'idéalisme dont Konig ne sait que trop qu'il ne tardera pas à disparaître. Puis un voyageur de commerce messianique qui représente une firme de fournitures médicales et cherche à placer du matériel de luxe en prêchant la « nouvelle technologie ». « Révolutionnaire », comme il dit. « Capable de tout changer. » Il est près de onze heures lorsque Konig se laisse fourrer diverses brochures entre les mains et arracher la promesse de les lire le soir même, tout ça en repoussant doucement mais fermement l'homme vers la porte.

Enfin il enfile avec un soupir las son veston et se prépare à parcourir à pied la courte distance qui sépare la 1ʳᵉ Avenue de l'université où l'attendent ses étudiants.

3

11 heures 30. Laboratoire de pathologie,
Faculté de médecine de l'université de New York.

« MESDAMES et messieurs, la salle d'autopsie est un lieu austère. »

Konig parle, baigné par un cône de lumière blanche, au centre d'un amphithéâtre situé au rez-de-chaussée de la faculté de médecine de l'université. Il est chargé du cours 320, le cours de médecine légale. Depuis près d'un quart de siècle qu'il l'enseigne, il a vu défiler toute une génération d'étudiants en médecine dont la plupart, rêvant déjà de spécialités plus lucratives, ne manifestaient que peu d'intérêt ou d'aptitude pour le sujet et n'assistaient à son cours que parce que l'université leur faisait une obligation d'y assister — au moins pendant un an.

Sur les gradins, cent cinquante visages juvéniles et attentifs contemplent Konig tandis que, d'un geste de prestidigitateur, il escamote le drap qui dissimule le cadavre cireux d'un homme entre deux âges, plutôt beau.

« Ici, tout se ramène aux éléments les plus fondamentaux, poursuit Konig, et à l'inverse du diagnosticien, qui peut s'offrir le luxe d'explorer des hypothèses, le pathologiste explore seulement l'ultime vérité. La cause de la mort est ici l'unique problème à résoudre. »

Tandis qu'il parle, ses yeux examinent le cadavre des pieds à la tête et enregistrent une foule de détails.

« Tout ce que nous savons de cet aimable personnage, poursuit Konig, c'est son âge, quarante-cinq ans, et qu'il n'avait jusqu'à présent présenté aucun trouble cardio-vasculaire. Aucune mention d'hypertension, ni d'apoplexie, ni d'épilepsie dans son dossier. Il n'avait pas de diabète et ne suivait aucun traitement. Il s'offrait un bilan de santé annuel, dont le dernier en date remonte a trois semaines; son interniste l'avait déclaré frais comme un gardon, et la dernière fois que sa femme a bavardé avec lui, il y a deux jours, il avait excellent moral. »

Souriant, Konig promène son regard sur les visages attentifs de son public juvénile, puis adresse un signe de tête à un assistant.

« Eh bien, mesdames et messieurs, je crois que cette fois nous pouvons commencer. »

A l'aide d'un scalpel de vingt centimetres, Konig pratique trois incisions, en trois gestes vifs comme l'éclair. Les deux premières, qui partent des pointes des omoplates, se recoupent quelque part au-dessus du sternum et, de là, plongent droit jusqu'à la symphise pubienne. Les trois entailles expertes forment un grand V allongé — plaisanterie quelque peu cosmique, non, que ce V, pour désigner un homme déjà marqué par le verdict du destin. Comme le V de Vous.

Encore quelques coups de lame et Konig dénude les muscles du cou et de la poitrine. A l'aide de pinces à os, il tranche les cartilages qui raccordent les côtes au sternum, déboîte une série de petites articulations de la clavicule, puis, avec un bruit de déchirure à soulever le cœur, arrache d'une secousse tout le devant de la poitrine. En une minute à peine, la chose livide et raide étendue sur la table a été fendue comme un poulet et, dans l'ouverture, tous les organes internes luisent comme des fruits au fond d'une coupe.

Déjà le sang suinte dans les étroites rigoles qui bordent la table et se rassemble en petites flaques tièdes. D'un mouvement circulaire de son scalpel, Konig racle l'intérieur du maxillaire inférieur, sectionnant la langue. Il tire d'un coup sec le muscle vers le bas et libère le larynx, qu'il extirpe alors par l'ouverture béante pratiquée dans le cou. Une nouvelle incision sectionne la trachée-artère et deux ou trois autres lui suffisent pour libérer le cœur et les poumons. Il soulève alors la macabre guirlande et, l'extirpant par la trachée, la montre à toute la salle — une fois de plus, il est pareil au magicien cosmique qui fait surgir ses lapins de son gibus.

Un frémissement d'admiration parcourt la salle, ponctué de quelques applaudissements, tandis qu'il laisse choir le tout dans un bassin d'acier que lui présente un assistant.

Le bassin est déposé dans un évier, sous un robinet, et tandis que l'eau ruisselle sur les organes, Konig entreprend de les examiner. Il entaille la langue et le larynx pour détecter des traces de vomissures ou d'hémorragie. Il fait tourner le cœur dans sa main, exposant les cavités, rinçant le sang, inspectant les valves pour y déceler les points faibles. Enfin, il prend une paire de ciseaux et débride les unes après les autres les artères, en quête de caillots ou de traces d'embolie, puis se livre à la même opération dans les vaisseaux sanguins du cœur lui-même.

« Rien de particulier », annonce-t-il.

Revenant au corps, il entreprend de retirer les viscères, et examine tour à tour chaque organe avec le même soin méticuleux. Il prélève un échantillon du bol alimentaire et le dépose dans un petit pot, puis recueille un spécimen d'urine en pressant simplement la vessie. Il les remet alors à son assistant.

« Un petit travail pour le laboratoire de toxicologie, au cas où il y aurait eu empoisonnement. »

En quelques gestes habiles, il enlève la rate et le foie, les débite en tranches comme une miche de pain frais, et en laisse choir les fragments dans divers bacs en carton disposés sur la table et qui servent à recueillir et à transporter les organes.

« Tout ça m'a l'air parfait », lance-t-il.

L'évier en acier est maintenant aux trois quarts plein d'organes qui baignent dans l'eau rougie. Cette fois Konig est prêt à donner le coup de grâce — un simple trait de lame sur la calotte crânienne, qui ouvre le scalp d'une oreille à l'autre. Plusieurs entailles supplémentaires réduisent le scalp à deux pans de chair qu'il rabat d'une secousse sur le visage de l'homme comme s'il retirait une paire de gants.

Il promène alors sa scie sur le pourtour du crâne, légèrement au-dessus du niveau des oreilles, et soulève enfin la calotte crânienne, comme le couvercle d'une boîte de gâteaux secs. Les poches des membranes qui contiennent le cerveau luisent maintenant sous la lumière blanche et froide. Il les incise, puis glisse ses doigts gainés de caoutchouc sous les lobes frontaux du cerveau, qu'il arrache enfin, entier et intact, à son logement situé à la base du crâne. Quelques instants lui suffisent alors pour séparer la moelle allongée de l'épine dorsale, après quoi il laisse le cerveau glisser en bloc dans un bassin d'acier placé sous le robinet et l'inspecte soigneusement tout en le lavant à grande eau.

« Tout ça paraît parfaitement normal, mesdames et messieurs. Nous voici donc en face d'une petite énigme », annonce-t-il, bien qu'en réalité l'énigme n'ait à ses yeux rien de bien compliqué. L'hémorragie diffuse à la base du crâne lui a appris tout ce qu'il a besoin de savoir.

Il entreprend de découper le cerveau en tranches régulières.

« Ah ! — je m'excuse. Finalement, il n'y a rien là de bien mystérieux. »

Il brandit un morceau de cortex dégoulinant de sang.

« Rupture d'anévrisme sacculaire dans le cercle de Willis — une vulgaire panne, mesdames et messieurs. Ni plus, ni moins. »

A l'aide de petits couteaux, il dissèque soigneusement et extrait la portion endommagée de l'artère à la base du cerveau, en désignant la paille dans la paroi, le point pas plus gros qu'un petit pois où s'est produite la fatale rupture.

« Une paille minuscule, mais une paille mortelle dans une machine par ailleurs en parfait état de marche. C'est ainsi que le destin nous fait la nique », conclut-il en promenant un regard souriant sur son public.

11 heures 45. Bureau du médecin-chef légiste.

LE chaud soleil rédempteur d'avril tape en plein sur les épaules de Konig qui s'entretient d'une voix basse au téléphone avec l'adjoint au maire.

« Je le sais parfaitement.

— Vous le savez? Eh bien, croyez-moi, j'espère que c'est vrai parce que, je vous en fiche mon billet, vous serez obligé d'être là.

— Je ne demande que ça. Je ne voudrais pas qu'il en soit autrement.

— Je suis heureux de voir que vous prenez les choses ainsi, Paul, geint l'adjoint au maire d'un ton nasillard et quelque peu hystérique. Le maire ne veut plus — je répète, il *ne veut plus* d'histoires. Des histoires, il en a sa claque. On en est à peine au quatrième mois de l'année et il y a déjà eu sept suicides à la prison des Tombs, et en voilà un autre — il est clair que tout ça va se terminer par une catastrophe. J'ai eu sur le dos le bureau du gouverneur, l'A.C.L.U., le N.A.A.C.P., le B'nai B'rith, la Commission de rééducation, une demi-dou-zaine de groupements pour la Défense des Droits civi-ques et une charmante organisation fraternelle qui se baptise les Crânes sauvages; ils font le siège de mon bureau. Ils menacent d'enfoncer ma porte. Ils m'envoient des ultimatums et des assignations à comparaître. Ils se baladent dans les couloirs en hurlant des obscénités.

— Ma foi, dit Konig, distraitement, l'esprit obsédé par certaines particularités de bizarres petites coupures qu'il a constatées ce matin à Harlem sur le pouce et le poignet du jeune Noir, c'est bien dommage.

— Dommage? »

Au bout du fil, un crachotement, puis un éclat de rire étranglé par la fureur.

« Nom de dieu, comme vous dites, c'est dommage.

— Que voudriez-vous que je vous dise? Je me rends parfaitement compte que vous avez des raisons d'être inquiet. Je regrette. Mais n'empêche que je n'ai pas l'intention de revenir sur mon diagnostic d'asphyxie par pendaison.

— Pourquoi refusez-vous de dire lequel de vos hommes a pratiqué l'autopsie?

— Savoir qui a pratiqué l'autopsie est sans importance. Mon service a conclu au suicide par pendaison, ça suffit et je n'en démordrai pas.

— Je vous en conjure, Paul, vous, l'homme intelligent que je connais depuis vingt-cinq ans, dites-moi qui a pratiqué l'autopsie de Robinson? C'est Strang, n'est-ce pas?

—. Désolé, Maury. Vous gaspillez votre salive. Secret professionnel, je refuse de le divulguer. Ni à vous, ni au maire. »

Konig tressaille et écarte son oreille de l'écouteur qui maintenant crache et siffle un flot d'injures.

« Parfait... parfait. Vous avez le goût du martyre. Vous l'avez toujours eu. Mon bon ami, saint Paul le martyr. Eh bien, vous l'aurez, votre martyre, parce que, mon cher, maintenant que nous avons l'autorisation de faire procéder à l'exhumation et à une nouvelle autopsie du petit Robinson, je pense qu'il est grand temps que vous sachiez qu'un certain nombre de gens se sont juré d'avoir votre peau.

— Je sais parfaitement lesquels.

— Bravo. Dans ce cas vous savez aussi qu'ils ont le bras long et s'il y a la moindre chose de louche dans cette histoire — je dis bien, *la moindre chose* — vous allez vous voir traîner devant un jury d'enquête et si vite que vous en resterez pantois. Si vous vous imaginez pouvoir vous en tirer comme d'habitude au baratin, Paul — comme, nous le savons tous, vous avez l'art de le faire en nous inondant sous un flot de charabia technique — je suis ici pour vous dire que vous êtes salement...

— Je vous l'ai dit — je ne demande pas mieux que de comparaître devant le jury d'enquête.

— Je le sais, bon dieu de bon dieu, soupire avec lassitude l'adjoint Benjamin. Je ne le sais que trop. Le Christ sur la croix. Prêt pour les lances et la couronne d'épines. Eh bien, ne craignez rien, le Calvaire approche. Et vous y aurez droit. Et vous le savourerez de la première à la dernière minute. Au revoir. »

Konig, bouillant de fureur, raccroche brutalement, et à peine a-t-il empoigné ses notes pour préparer la déposition qu'il doit faire cet après-midi devant le tribunal, que le téléphone sonne de nouveau.

Il marmonne et laisse sonner, comptant sur Carver pour décrocher dans le bureau voisin. Mais Carver ne décroche pas. Il se souvient alors qu'il est midi et qu'elle est déjà partie déjeuner.

Il décide de ne pas répondre et de continuer à trier

47

ses notes. La sonnerie persiste une bonne douzaine de secondes, avec une régularité exaspérante qui peu à peu se charge d'une agressivité quasi humaine. Konig serre les dents, décidé à tenir bon. Mais c'est une guerre d'usure et il est en train de la perdre.

« Nom de dieu, aboie-t-il, en empoignant le combiné.

« Ici Konig, gronde-t-il, mais il n'entend rien.

« Allô. Ici l'Institut médico-légal. Ici Konig. Qui est à l'appareil ? »

Toujours rien, sinon, sur la ligne, une sonnerie lointaine et étouffée.

« Allô — allô. »

Il est sur le point de plaquer le combiné sur le support quand son bras se fige tandis que, sous ses cheveux gris acier, la peau du crâne commence à le picoter. Puis il perçoit comme un soupir — une expiration, longue, lasse dirait-on, et à l'instant même, il sait qui est à l'autre bout.

« Allô — Lolly ? »

Nouveau soupir.

« Lolly — Lolly — c'est toi ? »

Il attend. Aucune réaction, sinon le bruit d'une respiration plutôt agitée. Cette fois aucun doute ne subsiste dans son esprit. Il sait — il est absolument certain qu'il s'agit d'elle. C'est elle, là-bas, quelque part, perdue dans l'immense désert de la grande ville, elle, qui essaie de l'atteindre.

« Lolly... Lolly, ma chérie — n'aie pas peur, dit-il, terrifié à l'idée qu'elle risque de raccrocher. Dis-moi allô. Je t'en prie, dis-moi allô. Tu me manques tellement. »

Il attend, mais il n'entend rien — rien que le bruit de la respiration.

« Lolly — j'ai reçu ta carte ce matin. Je l'ai trouvée drôle. »

48

Il prend la carte sur le bureau et contemple le gros ours hirsute drôlement affublé en médecin.

« Il me semble que je lui ressemble un peu. En moins hirsute malgré tout — je me suis rasé la barbe. Finalement, c'était idiot à mon âge de me laisser pousser la barbe. En tout cas — je suis heureux que tu n'aies pas oublié. Ce n'était pas la peine, mais n'empêche que je suis heureux que tu y aies pensé. Tu vas bien ? »

Pas de réponse, mais la respiration est toujours là. Plus lente et plus faible, dirait-on. Il a l'impression qu'elle l'écoute avec sa respiration. Et ça lui suffit.

« Pourquoi ne dis-tu pas quelque chose ? Seulement allô, tiens — allô pour qu'au moins je puisse entendre ta voix. Je serais si heureux d'entendre ta voix, ma chérie. Tu ne pourrais pas me faire de plus beau cadeau d'anniversaire. »

Il attend. Toujours rien.

« Lolly, si tu ne veux pas me parler, pourquoi ne pas m'écrire. Poste-moi une lettre de Grand Central. Personne ne pourra remonter jusqu'à toi. Tout ce que je demande, c'est de savoir que tu vas bien. Ce n'est pas tellement exorbitant, pas vrai ? Si tu as besoin d'argent, je t'en enverrai. Poste restante. A une boîte postale. Tout ce que tu voudras. Veux-tu quelque chose ? Des vêtements ? De quoi manger ? Je t'en prie, ma chérie — dis-moi seulement que tu vas bien. C'est tout ce que je demande. Je ne me mêlerai pas de ta vie. Je ne l'ai que trop fait déjà. Maintenant j'ai compris. J'ai eu le temps de réfléchir, le temps de repenser à tout ça, et je sais que j'ai eu tort. J'ai toujours eu tort. Je suis obtus. Un crétin, une vraie tête de mule qui s'imagine savoir mieux que tout le monde ce qu'il faut faire. Mon Dieu, quel âne je fais. »

Brusquement il se met à rire.

« Tu veux savoir ce que je me suis dit ? »

De nouveau il éclate de rire, un rire un peu forcé cette fois.

« Depuis des semaines un souvenir me hante, toi, à l'époque où tu n'avais que quelques semaines. Je te prenais toujours sur mes genoux pour te faire jouer, et toi, à tous les coups tu te mettais à pleurer et maman essayait de m'expliquer que c'était à cause de ma grosse voix qui te faisait peur. Mais moi, pauvre crétin et cabochard que je suis, je ne la croyais pas, et je continuais à jouer avec toi, tu continuais à pleurer. Lolly... »

Quelque chose se coince dans sa gorge et il se met à tousser violemment.

« Je me sens si misérable quand je pense à toi — il tousse — bon dieu, si désolé — Nouvelle quinte de toux — désolé... si désolé. »

Il tousse. Il tousse. Sa voix se fêle et meurt dans une lamentation.

« Ta mère, poursuit-il au hasard, fébrilement maintenant, parce qu'il faut qu'il parle, terrifié à l'idée que, s'il s'arrête, elle risque de raccrocher, ta mère, que Dieu ait son âme — ta mère... » et soudain, le temps d'un instant, il imagine son enfant, là-bas, dans un appartement sordide éclairé par une ampoule nue, au milieu des draps douteux de lits encore défaits. Il la voit tassée devant le téléphone quelque part là-bas dans la jungle de la grande ville — le joli visage frêle et sensible aux grands yeux craintifs — les yeux de sa mère — qui écoute sa voix étouffée par la toux. Il l'imagine dans un quartier aux maisons crasseuses peuplées d'une humanité déchue et aigrie, de prédateurs aux aguets. Froide, orgueilleuse, terrifiée et tellement mal

50

armée pour survivre dans ce milieu — une biche dans une contrée infestée de léopards.

« Lolly — Lolly, enchaîne-t-il précipitamment, ça fait déjà cinq mois. Pourquoi ne pas faire la paix ? Depuis que maman et toi êtes parties, la maison est tellement vide. Je pense à la mettre en vente. Pour prendre un appartement. Je n'arrive pas à m'en occuper. Trop grande. La nuit, je rôde à travers les pièces comme un fou. Je parle aux ombres. Je ne suis plus capable d'y vivre. Elle est pleine de fantômes. Ne peut-on pas se voir ? »

Il espère qu'elle va s'attendrir, guette un signe, mais rien ne vient.

« Je t'en prie, Lolly. Je t'en supplie. Je n'ai pas honte de supplier... »

La boule lui monte à la gorge et de nouveau il recommence à tousser. A l'autre bout la respiration s'arrête brusquement. Et pendant un horrible instant il croit qu'elle est partie. Qu'elle lui a raccroché au nez.

« Lolly — tu es là ? Lolly, ne t'en va pas. »

Il attend, et une fois de plus, comme pour répondre à sa question, la respiration reprend.

« Lolly, j'ai eu une idée. Tu sais que je dois faire ce mois-ci le dernier versement sur la maison de la plage. »

Maintenant son débit se précipite, les mots ruissellent de sa bouche, il halète un peu, tout ça pour essayer de l'empêcher de raccrocher.

« Je me suis dit, ma chérie... je me suis dit... tu sais bien, puisque maintenant maman n'est plus là... aucune raison pour que la maison ne soit pas désormais à toi. Je veux dire, de toute façon, elle t'a toujours été destinée. C'est pour toi que maman et moi l'avons achetée. Aucune raison que tu attendes ma mort pour en profiter. »

Il laisse échapper un rire absurde.

« Je sais à quel point tu l'aimes, cette maison, et maintenant, tu peux t'y installer. Face à l'océan, là où tu as toujours eu envie de vivre. Je vais faire tout repeindre dès le mois prochain. Et construire un patio face à la mer. Tout est payé. Il n'y aurait que les impôts à ta charge. Je veux dire, c'est moi qui paierais les impôts... mais la maison serait à toi. Rien qu'à toi. Si tu es d'accord je signerai l'acte de transfert dès aujourd'hui. Elle est à toi, tu n'as qu'un mot à dire. Tu peux t'y installer pour de bon, toute seule ou avec qui tu voudras. Même avec ton ami. »

Automatiquement sa voix baisse, comme s'il redoutait que quelqu'un l'entende.

« Je ne me mêlerai pas de tes affaires, Lolly. Je te le promets. Jamais plus je ne me mêlerai de tes affaires. Nous venons de traverser de mauvais moments, ma chérie. Mais tout ça, c'est du passé. La seule chose qui compte désormais, c'est que nous redevenions des amis, et... »

Il est sur le point de continuer lorsque, soudain, il perçoit un cliquetis, éloquent et impitoyable, puis une sonnerie lointaine, plutôt aiguë, retentit sur la ligne.

« Lolly — Lolly — Lolly... »

Il hurle, comme s'il espérait pouvoir la ramener par la force et l'autorité de sa voix. Mais elle est partie, une fois de plus engloutie dans le gouffre immense de la ville. Et soudain il se sent furieux, quelque chose qui ressemble à de la rage explose en lui. Ou n'est-ce pas plutôt de la haine ? Il ne sait pas si c'est Lolly ou lui-même qu'elle vise. Il s'est humilié au téléphone, a imploré comme un vieillard veule, imploré quelqu'un qui n'a même pas daigné lui parler. Peut-être ne s'agissait-il même pas d'elle, mais d'un quelconque inconnu.

Une erreur de numéro ou un con qui par inadvertance avait été branché sur sa ligne, s'était pris d'intérêt pour son histoire et l'avait laissé s'épancher jusqu'au bout. Mais, bien entendu, il sait qu'il n'en est rien. Il sait qu'il a parlé à sa fille, qu'il l'a retrouvée quelques précieux instants pour aussitôt la perdre de nouveau, engloutie par cet anonymat irréel et impénétrable où désormais elle a choisi de vivre.

Il plaque le combiné sur son support, et sans savoir exactement où il va, il se lève. Mais l'instant d'après il retombe, se tasse dans son fauteuil, les jambes molles et tremblantes. Il a l'impression que pleurer lui ferait du bien. Il demeure quelques instants immobile et essaie de pleurer, mais il ne peut pas. Rien ne vient. D'ailleurs, il n'est pas le genre d'homme à pleurer. Du moins pas ouvertement. Même lorsque Ida est morte, il n'a pas été capable de pleurer. Au lieu de ça, il a joué au poker — toute la nuit.

Tout à coup, il se met à trembler. Et bientôt, il tremble des pieds à la tête, et reste là solitaire dans le grand immeuble aux bureaux vides figé dans le silence de midi, secoué de grands frissons, inondé d'une sueur froide, attendant patiemment que finisse par se calmer l'émotion qui déferle en lui comme un raz de marée.

Quelques instants plus tard, il a retrouvé un minimum de contrôle de lui-même — retrouvé le comportement du professionnel pur, qui, depuis près de quatre décennies lui permet d'affronter la vie. Mais il se sent las et vidé. Quelque part tout au fond de lui palpite la douleur d'un vieux chagrin.

L'instant d'après il plonge la main dans le tiroir inférieur droit de son bureau et en tire un stéthoscope. Il déboutonne sa chemise, insère d'une main ferme les embouts dans ses oreilles et écoute. Ce qu'il entend, le bruit qui monte des catacombes et des tunnels cachés sous son épiderme, c est le tic-tac fatal de sa propre vie. Car là tout en haut, au sommet de son cœur, il perçoit, très net, le sifflement impitoyable d'une valve mitrale sérieusement endommagée, pareil au chuintement d'un pneu qui se dégonfle lentement.

Quelques instants plus tard, il traverse comme un fou le couloir et s'engouffre dans le bureau de Haggard. Le commissaire responsable du Service des Personnes disparues, comme tout un chacun à cette heure, est sorti déjeuner. Konig bout d'indignation. De quel droit Haggard n'est-il pas là ? De quel droit l'adjoint au maire lui parle-t-il sur ce ton ? De quel droit Lolly... Il se sent trahi et bout d'amertume.

Le bureau de Haggard disparaît sous un fouillis monstre. Une montagne de paperasses. Liasses de rapports sur des personnes disparues. Photos anthropométriques. Empreintes digitales. Certificats de décès. Notes personnelles.

« Ortega, Luisa — 8 ans... taille 1,30 m, poids 30 kg, disparue le 3 janvier 1972... aperçue pour la dernière fois près de... »

« Barthelemy, Miguel... 37 ans, taille 1,69 m, poids 78 kg. Disparu le... selon sa femme... présumé mort. »

« Jackson, LeRoy... »

Au-dessus du bureau, épinglés sur un tableau de liège, une galerie de visages. Photos anthropométriques, clichés d'empreintes de pouces et d'index. Toute une diaspora de disparus et d'errants; un musée de personnes égarées ou assassinées. Tous les visages ont quelque chose d'un peu fantomatique, comme de vieux daguerréotypes de gens depuis longtemps décédés.

Konig feuillette en marmonnant les paperasses éparpillées devant lui. Puis il déniche un bloc-notes et gribouille en hâte ces mots : « Elle vient d'appeler de nouveau. » Il arrache la feuille, l'agrafe à la carte d'anniversaire et accote le tout à la lampe de bureau de façon que le commissaire ne puisse manquer de la voir en entrant.

L'instant d'après, il est dehors.

5

12 heures 15. Un banc sur la promenade en bordure de l'East River.

L'ÉCLAT tout neuf du soleil printanier. Des amateurs de footing trottinent laborieusement le long de la berge; sur un banc voisin deux amoureux de race différente se pelotent avec ardeur; un peu plus loin sur un autre banc, un vieux clochard endormi marmonne des propos indistincts à l'abri du *Daily News* de la veille.

Konig puise dans un sac en papier qu'il a préparé à la va-vite avant de partir de chez lui. Un œuf dur. Une tomate crue. Une carotte crue. Le tout assaisonné de sel de régime enveloppé de cellophane et arrosé de café noir tiédasse.

Sur l'eau noire et lourde, des remorqueurs et des péniches remontent ou descendent le courant. Des mouettes décrivent de grands cercles dans le ciel tandis que Konig ressasse ses griefs, indifférent à son déjeuner à peine entamé. Il aurait pu accompagner les autres chez Adolpho pour s'offrir un repas italien indigeste et hors de prix, en buvant du mauvais vin et en écoutant Strang pérorer au milieu d'une cour de bouffons et de flagorneurs. Mais cette perspective lui avait coupé l'appétit. Bizarre comme les gens ne tardent pas à sentir d'où vient le vent. Les jeunes médecins légistes et les stagiaires entre autres qui, devinant déjà de quel côté penchera le plateau de la balance, gravitent dans la bonne direction comme de la limaille de fer sur un champ magnétique. Bien entendu, Konig avait encore le choix. Il lui incombait de désigner son successeur. Strang était indiscutablement le plus mal qualifié pour le poste. Certes comme médecin, il était loin d'être incompétent, mais c'était surtout un extraordinaire arriviste ; un m'as-tu-vu qui adorait se pavaner devant les journalistes et distribuer les poignées de mains. Il s'y entendait pour trouver de l'argent et se confondre en sourires dès que le maire était dans les parages. L'équipe de Konig comptait d'autres médecins beaucoup plus compétents et beaucoup plus dévoués, mais Strang était la super-vedette du service, il écrasait tout le monde, s'arrangeait toujours pour attirer l'attention du maire, pondait une quantité prodigieuse de « mémos » tous « motivés par une inquiétude sincère » et qui, invariablement, et à son « plus grand regret », incriminaient les collègues dont il était jaloux et dont il se méfiait. Oui, le choix incombait à Konig, mais Strang disposait déjà de partisans influents bien décidés à appuyer de tout leur poids sa candidature à la succession de Konig.

Peut-être était-ce pour cette raison que Konig choisissait de plus en plus souvent de déjeuner en solitaire. Pour puiser quelque réconfort dans sa solitude. Pour chercher un peu de calme et de répit et oublier le chaos de son existence. Pourtant n'était-ce pas se montrer mauvais joueur que de se lamenter maintenant, après plus de quarante ans, de la tournure qu'avait prise sa vie. Après tout, personne ne lui avait forcé la main. Lui, le brillant interne en cardiologie, un jeune homme de vingt ans promis au plus bel avenir, il avait brusquement abandonné une voie sûre et confortable pour bifurquer vers le désert inconnu d'une spécialité obscure et misérablement rémunérée — la médecine légale. Deux conférences de Banhoff auxquelles il avait assisté par pur hasard et en fait sans autre motivation qu'une vague curiosité, et soudain le monde s'était renversé. Banhoff, comme Spillbury qui avait dirigé ses études, était un génie. Un ascète et un érudit, qui ne vivait que pour son travail et qui, comme son maître Spillbury, était mû par une impitoyable passion de la vérité. Quant aux moyens nécessaires pour l'atteindre, il ne s'en souciait pas. C'était là l'homme qui avait formé Konig. Les gens qui se vantaient d'avoir connu Banhoff (des menteurs pour la plupart — Banhoff, bien que célèbre dans le monde entier, admettait peu de gens dans son intimité) affirmaient que Konig ressemblait point pour point au maître. De façon fantastique. Konig s'était même mis pendant quelque temps à affecter une pointe d'accent allemand et à fumer la même marque de cigares. Il avait également la même approche méthodique et pointilleuse que le maître, la même mémoire terrifiante alliée à la même extraordinaire intuition. En travaillant avec Banhoff, prétendaient-ils tous, Konig avait accepté de conclure une espèce de pacte à la Faust. Il avait vendu son âme, avait été promu chef du service, et sa vie privée était devenue une sorte de légende. Mais maintenant, on aurait dit que le diable le guettait en coulisse.

Maintenant, près de quarante ans plus tard, assis là sur son banc, les narines pleines de la puanteur de la marée basse et des égouts du fleuve, un goût de cendres dans la bouche, Konig éprouve une étrange amertume. Pourquoi? se demande-t-il.

A quoi bon tout ça ? Pourquoi les choses avaient-elles tourné ainsi ? Une carrière si prometteuse avait paru s'ouvrir à lui. « Le cardiologue qui vaut un million de dollars par an », comme tout le monde l'appelait à l'époque. Avoir choisi cette voie, cette vocation minable et prosaïque de médecin fonctionnaire. Avoir passé sa vie dans une succession de bureaux miteux, à la limite du sordide, entouré de ronds-de-cuir maussades et aigris. Au milieu d'un bric-à-brac de vieux instruments archaïques, et aussi d'instruments flambant neufs, parfaitement inutiles, mystérieusement échoués là, alors que personne ne les avait commandés. Sans oublier, bien entendu, le méchant bureau au mobilier branlant, les ordures et les débris sans nom, les murs et les plafonds lépreux qui formaient l'horizon de sa vie.

Ida lui avait dit un jour en riant (mais elle avait été déçue par sa décision) que tout venait de sa morbidité naturelle, de sa « fatale fascination pour le grotesque.. de son quasi-amour pour la mort compatissante », avait-elle ajouté en parodiant le poète. Et c'était vrai, il y avait un peu de ça, un petit grain de vérité irritant. Et lui avait beau se tordre et se tortiller, essayer de détourner les yeux de ce fait déconcertant, il n'en demeurait pas moins. Et toujours aussi irritant.

Tout aurait pu être tellement plus facile, se disait-il, en mâchonnant avec découragement le jaune pâteux et insipide de son œuf. Il aurait pu faire comme Nachtigal, son vieux camarade de faculté, le dermatologue de Park Avenue qui s'était fait une clientèle de vedettes de cinéma et de politiciens angoissés, et qui passait ses journées à soigner les pellicules et à enlever d'affreux petits kystes, à prélever des cheveux sur les crânes pour les transplanter sur les fronts dégarnis, à prescrire à tour de bras de la cortisone, pour l'acné comme pour l'alopécie, sans oublier en même temps de placer de mauvais shampooings. Les astucieux petits flacons d'élixir tous marqués de chiffres magiques et mystérieux — XX34-2(p) — (3 xg). Toute la pacotille et le baratin malhonnête du grand prêtre qui marmonne ses formules cabalistiques sur les crânes menacés de calvitie des messieurs, les lèvres moustachues des dames.

Il aurait pu en faire autant. Il en serait aujourd'hui, comme Bernard Nachtigal, à son troisième million. Quelle était donc l'irrémédiable faille, l'absurde perversité qui l'avaient poussé sur la trajectoire fatale qui l'avait conduit à la morgue.

12 heures 45. Trop tôt pour le tribunal; trop tard pour repasser au bureau. Konig froisse son sac en papier souillé de graisse encore à demi plein et l'expédie dans une poubelle en grillage fixée au banc par une chaîne. Le clochard marmonne, toujours endormi, sa tête roule sur son épaule, un filet de bave aigre et verdâtre suinte sur son menton tandis que Konig s'éloigne en boitillant.

Il vient de décider de se rendre à pied au tribunal. Cinq kilomètres jusqu'au palais de justice, 100 Centre Street. Au diable la sciatique. Bien sûr, la marche n'arrangera rien, mais il se sait incapable de rester longtemps immobile dans un taxi. Il sait que jamais rien ne pourra le décider à affronter les horreurs sans nombre des transports en commun. Il refuse de se prélasser dans la limousine que lui a attribuée la ville, l'immense corbillard noir frappé du majestueux écusson bronze qui peut rendre la vie si facile, même dans le chaos des rues. Aussi ira-t-il à pied, car le temps est beau, et en outre, il a à faire en route.

Délibérément et avec une résolution farouche, il se

promet de suivre la promenade en bordure du fleuve jusqu'au centre de la ville. Mais, il le sait, alors même qu'il se proclame cette implacable décision, à un certain moment, il obliquera carrément vers l'ouest à travers les quartiers surpeuplés et grouillants de l'East Village et du Lower East Side — Avenues B et A, Houston, Essex, Hester Streets — puis piquera vers le sud pour rejoindre Little Italy et Canal, et de là s'enfoncera dans les ruelles tortueuses et animées comme des ruches de Chinatown, progressant vers le sud à travers un vrai labyrinthe, hangars et entrepôts, parkings à camions, magasins miteux, quincailleries, plomberies, boutiques d'électriciens aux vitrines ornées de géraniums morts à demi flétris, boucheries de quartier où des carcasses écorchées de porcs et de lapins pendent à des crochets d'acier, un filet de sang suintant de leurs minuscules narines roses.

Il avait souvent emprunté cet itinéraire depuis cinq mois. Et chaque fois il avait choisi d'aller à pied, au mépris de sa fatigue, plutôt que de prendre une voiture. Attiré là irrésistiblement, comme par une laisse invisible. Il rôdait par les rues. Fouillait des yeux les ruelles sombres, les porches aux relents d'urine, comme pour sonder du regard les briques patinées de crasse des immeubles presque centenaires et depuis longtemps déchus. Comme pour voir ce qui se cachait derrière les gens entassés sur les perrons, et au-delà, dans les couloirs sombres et puants, où rôdaient des silhouettes louches, et plus loin encore, dans les réduits minuscules et ignobles peuplés d'une humanité prisonnière et misérable entassée dans les recoins obscurs et fétides. Quelque part dans cet ignoble labyrinthe, il le sent, est tapie son enfant disparue.

Il avance maintenant comme dans un rêve, porté par

une marée grouillante — chiens perdus, mioches braillards, immense puanteur suffocante des poissonneries en plein vent. des *bodegas,* des marchands des quatre-saisons. Un rideau grisâtre et graisseux se boursoufle devant la fenêtre d'un rez-de-chaussée d'où s'échappe une odeur de poisson frit et de tapisseries moisies. Konig lève les yeux; une vénérable dame, énorme, le nez marqué d'un kyste, somnole devant la croisée, appuyée sur deux bras robustes, tête dodelinant sur la poitrine. Une sibylle endormie. Peut-être pourrait-il l'accoster, l'amadouer par des offrandes votives, et solliciter ses oracles : « Où faut-il que j'aille ? Que dois-je faire ? Comment revenir en arrière ? »

Il s'était souvent dit que, s'il pouvait s'en remettre à la magie et aux sorciers locaux, aux chapelets et aux talismans, tout se passerait bien. Il irait consulter un astrologue, mâcherait des aliments macrobiotiques, s'adonnerait à la contemplation et au Zen — n'importe quoi. Si seulement il pouvait surmonter le cynisme qui le rongeait, se laver de quarante ans de scepticisme et d'orgueil, atteindre le havre d'une petite oasis verdoyante pour y retrouver le goût de l'espoir, peut-être pourrait-il encore se sauver.

Dans Chinatown, il s'arrête un instant devant une vitrine bourrée de canards accrochés à des collets de fil de fer, la tête grotesquement penchée; puis devant une autre vitrine bourrée de pots et de boîtes pleines d'herbes sèches derrière laquelle un mandarin septuagénaire et ridé au crâne coiffé d'une calotte noire le contemple avec un sourire serein.

Il se détourne découragé, et s'éloigne à pas lourds.

6

13 heures 45. Palais de justice de Manhattan.

Couloirs vétustes et miteux, relents de détritus et de lais-
ser-aller bureaucratique; foule où se mêlent vagabonds
et quémandeurs, victimes et délinquants, déchets
humains et magistrats.

Konig est en avance de quinze minutes. Il pénètre de
son pas claudicant dans une des petites salles d'attente
réservées aux magistrats et qu'il est autorisé à utiliser
à titre de haut fonctionnaire. L'endroit est vide, sans
autres traces du passage des magistrats que la brume
tenace laissée par la fumée de cigares de luxe, l'odeur
de cuir véritable et craquelé qui imprègne une pièce
dont les fenêtres souillées de fiente n'ont pas été ouvertes depuis des décennies.

Tressaillant de douleur, Konig hisse sa mauvaise
jambe sur un tabouret gainé de cuir fauve et avale un
Valium. Le tribunal le rend toujours nerveux; les inter-
rogatoires le mettent physiquement mal à l'aise. Questions et réponses, insinuations, récriminations et
menaces, le regard perçant du procureur, les sanglots
étouffés des plaideurs effondrés. Depuis tant d'années

qu'il hante tribunaux et jurys d'enquête, Konig se sent toujours pareil à un débutant lorsqu'il pénètre dans le prétoire, frappé de crainte et d'étonnement devant la casuistique et les mensonges éhontés, l'onction, les paroles mielleuses de ces hommes trop habiles, la quasi-certitude que justice ne sera pas rendue.

Il ne lui reste que le temps de jeter un dernier coup d'œil sur ses notes, de revoir son rapport en prévision de l'interrogatoire. Publiés dans les revues médicales et les bulletins de médecine légale, traduits dans une douzaine de langues, les rapports de Konig sont célèbres dans le monde entier. Il en a déjà rempli trois volumes, et ils font l'objet d'interminables correspondances qu'il entretient avec une foule de savants et de spécialistes éparpillés aux quatre coins du monde — des gens qui font appel à lui pour trancher —, car il est, dans le domaine qu'il s'est choisi, l'autorité suprême.

Rédigés dans le style du professeur Virchow, prosecteur de la morgue de l'hôpital de la Charité de Berlin pendant toute la deuxième moitié du xixe siècle, les rapports de Konig sont des merveilles de précision et de lucidité. Dénués de toute prétention littéraire, ils n'ont ni éloquence ni grâce; ce sont de simples relations de faits bruts et présentés sans fard, fastidieux pour qui les considère un à un, mais accablants dans leur quête implacable et systématique de l'ultime vérité.

Konig se plonge maintenant dans l'étude de son rapport :

AFFAIRE BENJAMIN WILTON

Le corps est celui d'un Blanc dans l'ensemble bien développé. Sans doute un homme de 20 ans, taille 1,65 m. Blessure par balle à la tête. Mort survenue au bout de dix-huit heures à la suite d'un œdème du poumon. L'autopsie révèle le point d'entrée de la balle, au-dessus de l'arcade sourcilière gauche. Le trajet de la balle relie le lobe frontal gauche au lobe occipital droit du cerveau. Œdème généralisé des poumons. Nombreuses constatations sans rapport entre elles : traces de dilatation de l'arc de l'aorte; endocardite mitrale; zona; chylification des intestins.

Age de B.W. : 21 ans. Emploi au moment de la mort : vendeur de voitures, mais connu comme placier en drogues dures. Aucune trace d'usage de drogue ni symptômes de toxicomanie décelables sur le cadavre. Blessure par balle à la tête; projectile tiré par un petit pistolet de fabrication artisanale, calibre 38. Point d'impact au-dessus et au milieu de l'arcade sourcilière gauche. Inconscient au moment de son arrivée à l'hôpital, le 3 janvier 1974, à 6 heures du matin. Respiration stertoreuse; pouls à peine perceptible; tension artérielle- 6-3; relâchement de la vessie; violents râles trachéaux; battements du cœur à peine audibles; ni albumine ni sucre dans les urines; pupille gauche plus dilatée que la droite. Suintements périodiques de substance blanc grisâtre par la plaie. A minuit, le pouls était légèrement remonté; respiration toujours stertoreuse bien que sensiblement moins oppressée. De bonne heure le lendemain matin, aggravation notoire de l'état du blessé. Décès survenu à midi.

Autopsie du cadavre (durée totale, deux heures quarante-cinq minutes) pratiquée le 4 janvier 1974.

1. Corps de coloration pâle dans l'ensemble. Flancs, scrotum et gland de teinte uniforme, violet rougeâtre.
2. Le corps une fois retourné sur le ventre, une grande quantité de liquide brun jaunâtre mêlé de particules brun foncé s'échappe de la bouche.
3. Rigidité cadavérique marquée aux extrémités des membres et aux muscles du cou. Légère odeur cadavérique, nettement perceptible.
4. Chevelure abondante, bouclée, marron foncé. Barbe fournie; taches rouges dans les cheveux sur le côté du crâne; cheveux très emmêlés, racines enduites de sang séché et coagulé.
5. Point d'impact de la balle sur le front, juste au-dessus et au milieu de l'arcade sourcilière gauche, petit trou noirâtre, de 9 millimètres de diamètre, avec un liséré de peau brûlée couleur marron rougeâtre, lui-même entouré par une auréole de points de poudre dans un rayon de 10 centimètres.
6. Cils marron foncé; pupilles rondes, iri bleu-gris pâle. Incisives et canines en parfait état, de teinte jaunâtre. Molaires défectueuses et cariées. Dents légèrement déchaussées.
7. Paupières en partie fermées; cornées fermes et transparentes. Narines obstruées par de gros caillots de sang séché.
8. Mains grandes; ongles longs et bleuâtres, bords encrassés de matière noire. Cou en partie bloqué. Abdomen légèrement scapoïde.

9. Pénis de petite taille; très contracté; absence quasi totale de prépuce; aucune cicatrice d'aucune sorte. Le gland et ce qui subsiste du prépuce sont de teinte rouge sombre et plutôt rabougris. Scrotum petit et ridé. Des deux côtés et à l'extérieur, traces de sang.
10. Pourtour de l'anus abondamment souillé d'excréments marron. Anus fermé.

Quelque part dans la pièce une mouche bourdonne. La tête de Konig se relève, comme si quelqu'un venait brusquement de l'appeler. Il se fige sur son siège, comme pétrifié par le frôlement d'une aiguille le long de sa colonne vertébrale. Une sueur froide lui picote la peau du crâne et soudain un pressentiment sournois l'envahit.

« Allons, Lolly. Allons, chérie. Avance vers papa. »

« Paul, tu espères vraiment que cette enfant va marcher? C'est à peine si elle est capable de se traîner à quatre pattes. »

« Elle marchera — elle marchera pour me faire plaisir. Tiens, regarde. »

La mouche bourdonne toujours, s'insinue dans la boucle du store et entreprend d'escalader en se dandinant le bout effiloché du cordon. Comme hypnotisé, le regard de Konig suit la progression de la mouche, mais ce n'est pas la mouche qu'il voit; ce qu'il contemple se trouve bien au-delà.

EXAMEN INTERNE

11. Ouverture du scalp au moyen d'une incision intermastoïde reliant les deux oreilles. Enlève-

ment de la calotte crânienne. Os difficiles à scier. De six à huit millimètres d'épaisseur.

12. Sinus frontal gauche rempli d'une matière pulpeuse... caillots rouge sombre, sinus frontal droit. Vaisseaux pleins de sang et distendus...

« Allons, Lolly. Par ici. »

« Non, papa, tu te trompes. Je suis sûre qu'on est venus par là. A travers ce petit taillis derrière l'église... »

... débris à l'intérieur du crâne. Profondes lésions et traces d'hémorragie abondante le long du trajet de la balle.

« Quatre brasses et puis tu relèves la tête. Quatre brasses, relève la tête. Quatre brasses... »

« Je sais, mais je n'arrête pas d'avaler de l'eau. »

« Tant pis pour toi, bon Dieu. Je te jure qu'on ne s'arrêtera pas avant que... »

... la tête soulevée et basculée vers l'avant, extraction d'une balle de plomb déformée, calibre 38, logée sous l'oreille droite. Extraction du cerveau, dont la base est imbibée de sang.

« Compravao, compravi, comprava, compravamo, compravate, compravano. »

« Bien... Voyons le passé absolu. »

« *Mais, papa, on n'en est pas encore au passé absolu.* »

« *Et alors ? Aucune loi n'interdit d'aller plus vite que les autres. Allez... vas-y...* comprai, comprasti, compro... »

13. ... incision continue du menton à la symphise pubienne. Enlèvement du sternum.

14. Cœur approximativement de la taille d'un poing fermé. Très raide... « *Lolly, ta mère et moi avons décidé...* » Environ 40 centimètres cubes de sang s'échappent de l'oreillette droite, sous forme d'un petit caillot luisant... « *de nous séparer. Mais provisoirement, attention. Histoire disons de prendre des vacances chacun de son côté...* » Valvule mitrale très rétrécie, seul le bout de l'auriculaire peut s'y infiltrer...

La mouche bourdonne, coupe un rai de soleil, décrit plusieurs cercles au-dessus de la tête de Konig et se pose sur le revers de son veston où, brusquement calmée, elle reste à se frotter les pattes antérieures. Konig inspecte du regard un couloir plongé dans une pénombre grise, qui pue le plâtre moisi et l'urine; ses yeux glissent sur les murs et les poutres et s'arrêtent sur un petit réduit sordide...

15. Une épaisse mousse sanguinolente s'échappe en abondance de la bronche gauche.

16. Langue rétractée derrière les mâchoires, cou-

verte d'une gangue marron sale... traces de mucus sanguinolent dans le pharynx. *Lolly à genoux, tapie dans l'ombre moite, Lolly qui gémit doucement. Une énorme masse noire, qui avance, glisse, se faufile vers la petite silhouette prostrée sur le sol...*
Ouverture de la glotte. Larynx et conduits respiratoires remplis d'une écume épaisse contenant des particules brun jaunâtre. *L'ombre d'un tranchoir qui avec un sifflement horrible décrit une série de cercles au-dessus d'elle.*

17. Rate, 120 grammes. Bile — rouge brunâtre. Rein gauche, 130 grammes. Vessie normalement distendue. Urine claire, environ 80 centimètres cubes au total. *Lolly gémit, un petit bêlement, le bêlement d'un animal blessé et pris au piège, qui sait qu'il va se faire dévorer. Elle lève les mains au-dessus de sa tête comme pour se protéger.*

18. Foie, 1500 grammes. Vésicule biliaire remplie de bile vert sombre dans l'ensemble fluide malgré quelques filaments.

« Oh ! papa. Papa. »
« Viens, chérie. Tu peux y arriver. »

19. Estomac distendu. Contient environ 150 centimètre cubes d'un épais liquide verdâtre.
    Lolly à genoux, en prière aux pieds de son bourreau.
20. Partie supérieure du duodénum remplie d'un liquide blanchâtre. Abondante sécrétion de

bile jaune verdâtre par l'orifice biliaire. Pancréas normal, de couleur pâle.

Le couperet hésite, à l'apogée de sa trajectoire ascendante...

21. Portion supérieure de l'intestin remplie d'un liquide grisâtre de la consistance du gruau, légèrement teinté de bile.

... et amorce sa descente rapide, irréversible.

Partie inférieure de l'iléon chargé de matière fécale très fluide. A partir de la valvule iléo-cæcale, le gros intestin est engorgé de matières fécales épaisses et pâteuses. *Le cri de Lolly déchire l'air comme la lame d'un couteau à cran d'arrêt. Il croit voir surgir l'image de sa tête — séparée du corps — tranchée au ras du tronc — yeux grands ouverts, globes blancs et exorbités, pupilles révulsées sous les paupières... un côté de la tête est couvert de sang et de meurtrissures.*

Konig est debout, il tournoie à travers la pièce, virevolte, happé par la colonne de soleil où dansent des poussières, comme lancé à la poursuite d'une image fugitive. Il y a déjà quelques intants qu'il est debout, mais il ne s'en rend pas compte; sous ses aisselles, sa chemise est imbibée d'une sueur froide et poisseuse, et il tournoie, il tournoie... tournoie.

La porte s'ouvre brusquement. Un petit huissier aux yeux myopes passe la tête dans l'entrebâillement et se fige, quelque peu médusé au spectacle de Konig qui pirouette comme un dément. Konig s'arrête brusquement et les deux hommes se dévisagent.

« Et alors, que diable venez-vous faire ici ? »

Le regard toujours ahuri derrière les épaisses lunettes, l'employé déglutit :

« C'est à vous, docteur, on vous attend. »

« C'est exact.

— Et vous êtes dûment habilité à exercer la médecine et la chirurgie ?

— C'est exact.

— Dans quel Etat ?

— L'Etat de New York. »

Le *voir dire* déroule sa litanie mécanique et fastidieuse.

« Depuis combien de temps êtes-vous qualifié pour exercer la médecine ?

— Depuis 1935.

— Exercez-vous actuellement votre profession ?

— Oui. Je suis chef de l'Institut médico-légal de la ville de New York. »

Le soleil pénètre à flots par les grandes fenêtres striées de suie de la salle d'audience où règne une atmosphère lourde et confinée. Le juge, affalé sur son siège, paraît assoupi derrière ses lunettes. Les jurés, qui s'ennuient ferme et pensent à autre chose, suffoquent dans la salle étouffante et poussiéreuse, en rêvant au moment où ils pourront rentrer chez eux. Leurs regards font lentement la navette entre le témoin et le procureur, au rythme précis du dialogue qui va suivre.

Un journaliste judiciaire, minuscule et tout ridé, dont les pieds arrivent à peine au plancher, pianote sans arrêt sur les touches d'un petit magnétophone. La rumeur de la circulation monte de la rue. Quelque part dans la ville, vers le sud-ouest, du côté du fleuve, des sirènes de pompiers et de police gémissent et lancent leur sinistre message. Mais ici, dans la salle d'audience, la voix nasillarde du procureur ronronne inlassablement au fil de l'après-midi qui s'avance.

Q : Si bien que, pour résumer, docteur, vous êtes absolument convaincu que les balles proviennent d'un pistolet — calibre 38 — et ont été tirées par quelqu'un qui se trouvait à gauche de Wilton ?

R : C'est exact.

Q : Et qu'il y a eu deux impacts ?

R : Oui. L'un au-dessus du sein gauche, superficiel, une blessure en séton. L'autre au-dessus et au milieu de l'arcade sourcilière gauche, la balle s'est logée derrière l'oreille droite. Cette seconde blessure n'avait rien de superficiel.

Q : Et, docteur, vous avez bien témoigné, n'est-ce pas, que les coups de feu ont été tirés d'une distance de 45 à 50 centimètres par rapport à la tête de la victime ?

R : Les examens balistiques et les brûlures de poudre relevées autour du point d'impact confirment cette hypothèse.

Q : Et que la balle a pénétré dans le crâne de haut en bas selon un angle d'environ 50 degrés ?

R : L'examen balistique et le trajet du projectile à travers le cerveau permettent de déterminer cet angle.

Q : Et étant donné l'angle de pénétration de la balle et la taille de la victime, estimée à 1,54 m, vous êtes prêt à soutenir que l'agresseur faisait au moins 30 centimètres de plus que la victime ?

R : Ce point, bien entendu, est relativement plus difficile à déterminer avec certitude. Mais si l'on suppose que la victime n'était pas assise au moment de l'agression — et dans la mesure où aucune chaise n'a été retrouvée à proximité immédiate du corps, je suis contraint de conclure qu'elle était debout, ou du moins sur ses pieds — dans ce cas la distance à laquelle le coup de feu a été tiré et l'angle de pénétration de la balle me permettent de conclure que la taille de l'agresseur se situait entre 1,84 m et 1,90 m.

Q : Quelqu'un de grand, diriez-vous donc ?

R : Oui monsieur.

Q : Approximativement de la taille du jeune homme assis à côté de...

L'AVOCAT : Objection, Votre Honneur.

LE JUGE : Objection valable. Je prie l'accusation d'éviter à l'avenir ce genre de questions orientées.

Q : Le témoin est à vous, maître.

Quelqu'un ronfle au fond de la salle. La colonne de soleil qui pénètre par la fenêtre s'est inclinée vers l'est de plusieurs degrés. L'atmosphère lourde et accablante s'est faite plus épaisse et plus confinée; déjà des ombres violettes s'accumulent dans les recoins de la salle.

Konig a l'impression que sa tête va éclater. Ils en sont arrivés à la phase qu'il déteste — la phase qui le rend physiquement malade — lorsque les autres s'évertuent à déformer ses paroles, que toutes il a choisies et pesées avec tant de soin, pour ensuite leur faire dire ce qui les arrange.

Mais quand bien même le procédé le rend physiquement malade, au point qu'il vit dans l'appréhension des moments où il devra venir déposer à la barre, il n'empêche que, dans sa profession, il passe pour un témoin redoutable; dans le jargon des avocats, c'est « un client qui ne s'en laisse pas conter. ». Il ne trébuche jamais. Personne n'a jamais soupçonné ni entrevu chez lui ce côté vulnérable. Il n'en a jamais rien montré. Face au tribunal, il affiche une maîtrise extraordinaire. Une arrogance glaciale. Même lorsqu'en dedans il bouillonne de fureur, la façade est sereine.

Q : ... Dans ce cas, ne convient-il pas de noter, docteur Konig, que vous avez soigneusement évité de vous prononcer autrement que de façon très approximative sur des points essentiels tels que...

Konig sait ce qui va suivre. L'esprit légal est parfaitement prévisible, incapable de réserver de grandes surprises.

Q : ... la taille de l'agresseur? Vos estimations ne reposent-elles pas sur de simples suppositions? Ne devriez-vous pas admettre...

R : Oui. C'est exact. Je crois avoir souligné que toute hypothèse sur la taille de l'agresseur serait difficile à établir avec certitude. Je ne propose que des approximations. Pour l'instant la science de la médecine légale n'est pas capable d'aller plus loin. Nous ne sommes pas des dieux...

Q : Je suis tout disposé à tomber d'accord sur ce point.

Des rires discrets fusent dans la salle. Au même instant, Konig pose par hasard les yeux sur l'agresseur supposé, un jeune voyou à l'air hargneux, plusieurs fois déjà incarcéré pour violences et voies de fait. A voir le grand sourire qu'il affiche, il semble que lui aussi, comme toute la salle, apprécie la petite plaisanterie que l'avocat vient de s'offrir aux dépens de Konig. Le juge qui rumine sur son banc se secoue le temps d'abattre son marteau et de réclamer le silence. Konig poursuit, en apparence impassible :

R : ... mais je tiens également à faire respectueusement observer à la cour que ces approximations se situent toutes à l'intérieur de paramètres relativement étroits, si bien que leur valeur en tant qu'éléments d'information n'est nullement négligeable.

Q : Mais vous devez néanmoins reconnaître...

LE JUGE : La cour est consciente du caractère partial des questions posées par la défense et lui demande de s'abstenir de toute tentative pour dénigrer ce qui aux yeux de la cour constitue un témoignage médical pertinent et hautement qualifié.

Konig savoure une petite bouffée de plaisir. Ce n'est pas la première fois qu'il affronte cet avocat et tous deux ont de vieux comptes à régler. Cette fois, sans paraître ni pompeux ni prétentieux, Konig vient de marquer quelques points en faveur de l'intégrité et de la franchise de l'Institut médico-légal, tandis que l'avocat n'a rien gagné d'autre à leur joute que de paraître sournois et passablement chicaneur.

Q : Mais il semble maintenant clair d'après votre

témoignage qu'on ne peut attribuer la cause de la mort aux conséquences de cette unique blessure par balle.

R : Oui, monsieur le juge. C'est exact. J'ai pris le plus grand soin de préciser que la victime a survécu dix heures après son hospitalisation, et que la mort avait été entraînée non par les lésions infligées au cerveau mais par les lésions des poumons, c'est-à-dire, pour être plus précis, par suffocation.

Q : Est-ce inhabituel ?

R : Pas du tout. Pas avec ce type de blessure. En fait, c'est assez courant. Il arrive souvent que les blessures à la tête consécutives à des contusions provoquent un œdème souvent mortel du poumon.

Q : Et c'est le cas ici ?

R : Oui, monsieur, c'est le cas.

Q : Ce qui fait que la balle qui a endommagé le cerveau du jeune Wilton n'a pas suffi en soi à provoquer sa mort ?

R : Pas en soi, mais il ne fait aucun doute qu'elle en a été le facteur déterminant.

Q : Et si je peux me permettre un petit retour en arrière, docteur, vous n'éliminez pas entièrement l'hypothèse d'un suicide ?

R : Je ne l'élimine pas. Je dis seulement qu'étant donné l'angle de pénétration de la balle au-dessus de l'arcade sourcilière gauche, et le fait que le coup a été tiré sur la gauche de la victime, où l'arme a été par la suite retrouvée, et également la distance qui séparait la victime de l'arme, et les brûlures de poudre, et le fait que la victime était droitière...

Q : Comment savez-vous que la victime était droitière ?

R : Eh bien, monsieur, en premier lieu, nous avons pratiqué une série de microradiographies sur la denture de Wilton. L'angle des striures de brosse sur l'émail est typique d'un droitier. En second lieu, le fait est mentionné dans le dossier médical que nous a communiqué son médecin de famille.

Une petite onde d'approbation court dans l'assistance, le défenseur reste un instant déconfit.

Q : Que je comprenne bien. Etes-vous en train de dire que la victime n'aurait pas pu se suicider en se servant de sa main droite pour faire feu ?

R : Je ne dis pas qu'elle ne l'aurait pas pu. Je dis que c'est extrêmement improbable. La chose est plus facile à comprendre si vous essayez de loger votre index droit dans la détente d'un revolver imaginaire et ramenez votre main droite au-dessus de votre œil gauche selon un angle tel que la balle sortirait sous votre oreille droite.

Konig illustre le point en mimant lui-même le geste.

« Cet angle exige un mouvement extrêmement peu naturel, vous le constatez. De plus, si vous gardez la même position et écartez votre main de 8 à 10 centimètres, en la pointant vers le bas selon l'angle plutôt aigu de 50 degrés, l'angle selon lequel cette arme a été pointée, je pense que vous admettrez que c'est presque impossible.

A mesure que Konig poursuit sa demonstration et s'efforce de prouver l'invraisemblance de cette position, un nouveau frisson de plaisir passe sur la salle.

Manifestement, il a impressionné son public. Mais non le défenseur, qui affiche un sourire entendu.

Q : Mais bien entendu vous n'éliminez pas, n'est-ce pas, docteur, l'éventualité que la victime ait elle-même fait feu en se servant de sa main gauche?

R : Vous ne parlez pas sérieusement, n'est-ce pas?

Q : C'est moi qui pose les questions ici, docteur, et croyez-moi, je suis on ne peut plus sérieux.

R : Vous voulez dire qu'après avoir été droitière toute sa vie, la victime aurait brusquement décidé pour l'occasion de se servir de sa main gauche?

Q : Pourquoi pas? Vous avez vous-même mentionné que l'arme a été retrouvée par terre, à gauche de Wilton. Ceci ne signifierait-il pas qu'il s'est servi de sa main gauche?

R : Je n'ai jamais, en quarante années de pratique, entendu dire qu'un droitier se soit brusquement transformé en gaucher dans le seul but de se suicider.

Q : Mais vous n'avez pas répondu à ma question, docteur. Je vous ai demandé s'il était possible pour un droitier de se tirer une balle en se servant de la main gauche.

R : Je ne me souviens pas d'avoir jamais...

Q : Docteur, contentez-vous de répondre à la question. Est-ce possible? Oui ou non?

Un calme soudain, palpable, s'abat sur la salle tandis que la cour, les yeux fixés sur Konig, attend. Tous, raclements de gorge, reniflements, tout se fige le temps d'un silence angoissé tandis qu'à la barre le témoin pèse sa réponse.

En même temps qu'il réfléchit, les yeux de Konig se posent une nouvelle fois sur l'agresseur supposé — le jeune voyou — qui affiche maintenant un mélange de gloriole et de défi en se voyant l'objet de l'attention générale. Soudain leurs regards se croisent et, une fraction de seconde, Konig voit l'immonde petit, sourire passer une nouvelle fois sur le visage — un sourire à la fois arrogant et railleur. La morgue méprisante d'un enfant convaincu de son invulnérabilité. Erreur fatale, ce sourire, car au même instant, une vague de haine et le désir féroce de coincer le gosse submergent Konig.

R : Oui, monsieur, c'est possible. Mais pas dans le cas qui nous intéresse. Parce que, dans ce cas, on a constaté que la victime avait gardé la main gauche crispée sur la première blessure, au-dessus du sein gauche. Dans la mesure où Wilton a perdu connaissance sitôt après avoir été blessé à la tête, il ne fait aucun doute qu'à l'instant précis où il a perdu connaissance, sa main gauche avait fort à faire pour tenter de stopper le flot de sang qui s'échappait de sa poitrine. Si je comprends bien votre théorie, maître, et suppose que Wilton s'est effectivement suicidé, la seule possibilité est qu'il se soit tiré une balle au-dessus de l'arcade sourcilière gauche à l'aide de sa main gauche, puis ait lâché l'arme et plaqué cette même main sur sa blessure à la poitrine. Ce serait impossible, dans la mesure où tout le monde sait qu'il a perdu connaissance sitôt après avoir été touché à la tête et qu'en raison des lésions massives provoquées aux centres moteurs du cerveau, il s'est instantanément trouvé paralysé, et que sans aucun doute il n'a pu par la suite remuer un seul muscle. Si par conséquent il n'a pas pu se servir de sa main droite, comme je l'ai démontré, en raison de l'angle de tir, ni de sa main gauche, dans la mesure où on l'a retrouvée crispée sur son sein gauche, il s'ensuit alors que le coup de feu a nécessairement été tiré par quelqu'un d'autre.

Konig sourit d'un air affable en direction du jeune agresseur. Le gosse blêmit et aussitôt le sourire railleur commence à s'estomper rapidement. Le médecin-chef se lève et quitte la barre, saluant d'un hochement de tête cordial, d'abord le juge, puis l'avocat, qui le contemple bouche bée et agite vainement les mâchoires. Konig quitte la salle à grandes enjambées, en proie à un sentiment d'intense satisfaction.

Une fois encore le médecin-chef a gagné. Sa réputation de redoutable témoin demeure intacte. Les journaux vont relater l'incident et le porter aux nues. Félicitations et congratulations rejailliront sur l'Institut médico-légal tout entier. Qu'importe que Konig ait délibérément induit le tribunal en erreur. Triché un peu. Cette histoire de la main gauche, un peu tirée par les cheveux malgré tout, a laissé la défense complètement désarçonnée. Sur ce point, il le sait, il n'a pas été tout à fait franc. A supposer que Wilton se soit tiré une balle de la main gauche, un simple spasme involontaire eût suffi pour que cette même main se plaque sur le sein gauche après que Wilton aurait lâché l'arme et sombré dans l'inconscience, en dépit de la paralysie motrice entraînée par la seconde blessure.

Mais les choses ne s'étaient pas passées ainsi, et Konig le savait. Le petit avocat sournois, papelard et pointilleux le savait lui aussi. De même que le juge et toute la cour. Mais vu la nature du système, personne n'y pouvait rien. Personne sauf Konig, qui n'était pas sans pouvoir.

Au plus profond de son instinct, le médecin-chef sait que le jeune chacal au sourire railleur, là devant lui à la barre, est coupable d'un crime abominable. Depuis tant d'années qu'il hante les tribunaux et les morgues, il sait tout ce qu'il y a à savoir sur ce gamin. Le passé et l'avenir. Il pourrait même prédire le moment où les redoutables fantasmes enfantins qui gouvernent sa vie lui vaudront de se retrouver dans un des grands tiroirs réfrigérés de la morgue — non sans qu'auparavant beaucoup d'autres innocents soient morts. Et ça, Konig ne peut pas — il ne veut pas le tolérer. Aussi quelle importance qu'il ait triché un peu ? Ce ne serait ni la première ni la dernière fois. Il recommencerait, et sans hésiter, s'il estimait avoir des raisons de le faire. Et d'ailleurs ce n'était pas totalement un mensonge. Tout aurait parfaitement pu se passer comme l'avait décrit Konig. Très probablement cela s'était passé ainsi. Konig en est convaincu. Son sens de la justice le lui dit, et, après tout, cela lui suffit. Il l'avait eu, le salaud.

7

« ELLE a raccroché, oui ou non ?
— Je t'ai dit que oui.
— Je sais, mais il y a une minute, tu m'as dit le contraire.
— J'ai dit qu'elle avait raccroché une minute après avoir entendu le déclic.
— Non, Paul. Tu as dit qu'elle avait raccroché sitôt après le déclic. Sitôt après, ça ne fait pas une minute. Une minute après sitôt après, ça fait cinquante-neuf secondes. »

**4 heures 15. Institut médico-légal,
Service des personnes disparues.**

Konig est assis en face d'un homme grand et musclé, pas loin de la soixantaine, peau cuivrée et tannée comme du cuir, beau visage buriné et grêlé, petits yeux d'un bleu vif, des yeux de porcelaine. L'homme est en manches de chemise et porte un étui d'épaule. Son visage enfantin et sa crinière floconneuse couleur filasse lui donnent l'air d'un homme qui aurait prématurément blanchi en l'espace d'une seule nuit.

« Mais, bon dieu, qu'est-ce que ça y change ? beugle Konig.

— Beaucoup de choses, mon ami, beaucoup de choses. Et cesse de me gueuler dessus. »

Un rai de soleil où dansent des poussières pénètre par la fenêtre située derrière Francis Xavier Haggard, glisse sur son bureau jonché de paperasses et tombe en plein sur une fiche blanche format 6 × 9 modèle DD13. La fiche tremble imperceptiblement dans la main aux doigts longs et osseux de Haggard, une main qui a quelque chose de curieusement artistique — une main de sculpteur ou de musicien, certainement pas une main de policier.

« Elle sait qu'on recherche à repérer l'endroit d'où elle appelle. »

Le visage de Konig vire à l'écarlate.

« Quand ce truc-là se met en branle, ça fait autant de boucan qu'une saloperie de tambour.

— Mais n'empêche qu'elle continue à appeler — d'accord ?

— D'accord. Mais je veux qu'on débarrasse ma ligne de ce truc-là. Et pas seulement ici, également chez moi.

— Parfait. Enlève-le. Mais si tu le laisses tomber, moi aussi je laisse tomber — d'accord ? Je plaque toute l'affaire, d'accord ?

— Je ne veux pas que tu plaques. Je veux que tu continues.

— Oh ! non, mon vieux. Pas question. Je fais comme je l'entends ou je ne fais rien du tout.

— Il y a cinq mois que tu fais comme tu l'entends.

— Et alors ? Peut-être qu'il faudra encore cinq mois de plus.

— Oh! non. Non, pas question.

— Parfait. Comme tu voudras. Je m'en lave les mains. »

De désespoir, Konig brandit brusquement les mains au-dessus de sa tête.

« Ces saloperies d'écoutes ne servent à rien. Ça la bloque. Elle n'acceptera jamais de me parler si...

— Il n'y a pas une minute, tu disais qu'elle savait qu'il y avait un mouchard sur ta ligne — d'accord?

— Bien sûr, mais...

— J'en ai marre de tes « mais ». Tu l'as dit — pas vrai?

— Ma foi, faudrait être un sacré foutu crétin pour ne pas...

— Il est donc clair qu'elle se fiche que ta ligne soit sur écoutes ou pas... d'accord?

— Vas-tu oui ou non cesser de dire « d'accord » toutes les deux minutes?

— Elle téléphone, d'accord? Voyons un peu... elle a appelé... »

Implacable comme le destin, le long doigt osseux de Haggard court sur les lignes noires sur la DD13 : Konig, Lauren. 22 ans. Sexe féminin. Race blanche. Taille 1,67 m. Poids 53,500 kg... Aperçue pour la dernière fois...

« Six fois au cours des trois derniers mois — d'accord? Ce qui fait que, mouchard ou pas mouchard, elle continue d'appeler — d'accord?

— Bien sûr. Et dès que cette saloperie de déclic se déclenche, elle raccroche.

— Ça ne signifie rien. J'ai vu suffisamment d'histoires de ce genre dans ma vie pour savoir que, si cette gosse appelle, ce n'est pas sans raison. Elle a besoin d'entendre une voix amie. Et cette carte... »

Haggard saisit la carte d'anniversaire de Lolly et l'examine.

« Tu sais, eh bien, ce sacré bon dieu d'ours, il te ressemble un peu.

— Seigneur ! »

Konig se lève d'un bond, tressaille sous la douleur qui lui mord la jambe, puis se met à arpenter la pièce.

« Je veux des résultats. Je veux que quelque chose se passe, et vite.

— Bien entendu. Bien entendu. Moi aussi. Mais, je te l'ai dit, ça ne sera pas facile. Pas de carte de Sécurité sociale. Pas de dossiers d'employeurs. Un faux nom. Si elle se planque, si elle ne s'attire pas d'histoires, dis-moi, bon dieu, comment on peut s'y prendre.

— Tu peux t'y prendre comme tu veux, je m'en fous.

— Il y a huit millions d'habitants dans cette ville — dix-huit mille gosses par an en cavale.

— Qu'il y en ait dix — quinze — cinquante millions, je m'en fous. Fais-moi grâce des statistiques. Je veux récupérer ma gosse. »

Les petits yeux bleus contemplent posément Konig.

« Et puis ça n'est pas tout, Paul. Ta gosse n'est plus une gosse.

— Ma gosse...

— Faudra bien que tu te fasses à cette idée. Elle a plus de dix-huit ans maintenant. Quand on a plus de dix-huit ans, quitter le foyer paternel n'est pas un délit aux yeux de la loi. Du point de vue de la loi, et techniquement parlant, elle n'est même pas disparue.

— Eh bien, dans ce cas... »

Le visage de Konig est maintenant dangereusement empourpré.

« Dans ce cas, je voudrais bien, nom de dieu, que tu me dises exactement ce qu'elle *est.* Une jeune fille qui

86

n'a pas reparu chez elle depuis cinq mois, qui n'a pas une seule fois tenté de prévenir sa famille ni de donner de ses nouvelles... »

Le commissaire fait lentement rouler un crayon sous sa paume.

« Tu sais ce qu'elle est ? Je vais te le dire, moi, ce qu'elle est... Je ne demande que ça. C'est une jeune fille de bonne famille, une jeune fille de vingt-deux ans, qui a perdu sa mère, la meilleure amie qu'elle ait jamais eue, et du coup, elle a perdu les pédales. Ce qui fait qu'elle se réveille un beau matin, retire deux mille cinq cents dollars de la banque, toutes ses économies personnelles, et décide qu'elle en a marre de vivre chez elle. Du point de vue de ce service, elle n'enfreint aucune loi. C'est une bonne citoyenne — d'accord ? Ecoute, en bas, les réfrigérateurs sont bourrés de gosses dont les plus jeunes ont à peine dix ans et qui ont quitté le fin fond de l'Ouest, le Texas, la Californie, pour venir goûter à la Grande Ville, et là-bas les parents hurlent pour qu'on leur fournisse un indice quelconque, une identification claire et nette. Ce que je fais pour toi, je ne le fais pas parce que je suis un policier. Je le fais parce que tu es mon ami, un ami cher, un ami intime que je connais depuis plus de vingt-cinq ans. Et quand je dis que je veux que ton téléphone reste sur table d'écoute...

— Mais bordel de dieu ça ne sert à rien, hurle Konig, mi-furieux, mi-implorant. Elle n'appelle pas de sa chambre ni du bout de son couloir.

— Ça c'est vrai. Elle appelle d'une cabine extérieure.

— Ce qui fait qu'elle pourrait aussi bien appeler de la lune. Jamais on ne la trouvera.

— Allons Paul... pour l'amour de Dieu... »

Haggard jette la carte d'anniversaire sur le bureau.

« Ce machin-là ne porte pas le cachet de la lune. La gare de Grand Central n'est pas la lune, nom de dieu. Cette gosse est là. Dans cette ville. Au coin de la rue, si ça se trouve.

— Si elle n'appelle pas toujours du même endroit, du même quartier général, alors bon dieu dis-moi un peu à quoi rime de garder cette saloperie de mouchard?

— On le garde, grogne le commissaire avec lassitude, parce que ça nous donne une idée de ses déplacements.

— Pour ça, faudrait que vous ayez la chance de faire un repérage, avant qu'elle raccroche.

— Je te le répète, cette gosse souhaite que nous la retrouvions. Sinon, pourquoi t'appellerait-elle ici, alors qu'elle sait parfaitement que ta ligne est placée sur écoutes? »

La question pique Konig au vif. Ses doigts labourent avec exaspération ses cheveux.

« Réponds-moi, Paul. Pourquoi? Tu ne peux pas me répondre, parce que tu sais que je dis vrai. Elle veut que nous la repérions.

— Foutaises.

— On a fait deux repérages, pas vrai?

— Deux sur six — drôle de bilan.

— Le premier, une cabine publique à l'angle de la 1ᵉ Avenue et d'East Houston. Le deuxième, un snack d'Astor Palace. C'est un bilan ça, non?

— Tout l'East Village du carrefour de la 1ᵉ Avenue et d'East Houston à Astor Palace? s'esclaffe Konig méprisant. Ça pourrait aussi bien être en Bulgarie.

— D'accord. C'est plutôt minable. Mais c'est un bilan. Au prochain repérage on pourra trianguler — resserrer le filet. Et puis quelque chose me dit que maintenant qu'il commence à faire chaud, cette gosse appellera plus souvent. Quelque chose me dit qu'elle commence à avoir le cafard et qu'elle a envie de rentrer. Et plus elle appellera, plus nous aurons de chances de mettre le doigt dessus. On a envoyé des fiches de recherches — DD13 et DD26 — dans tous les districts et dans tous les secteurs, tous les commissariats connaissent « Lauren Konig, 22 ans ». Ils ont des photos d'elle sur leurs murs. En fait, tu es plus verni que la plupart des gens. Tout le monde sait qu'il s'agit de la gosse du médecin-chef. Ils s'arrangent pour que ça ne s'ébruite pas, mais ils gardent tous l'œil ouvert. C'est pour ça que je dis qu'on laisse le mouchard sur ta ligne.

— On le fout en l'air, hurle Konig en brandissant le poing. Et toi aussi, nom de dieu, tu peux aller te faire foutre.

— D'accord. Ravi. A partir de maintenant, de cette minute même, je m'en lave les mains.

— D'accord moi aussi. Bordel, je me sens capable de me débrouiller cent fois mieux tout seul.

— Te gêne pas, mon pote.

— Merci. Compte sur moi. »

Konig pivote et se dirige vers la porte.

« Un vrai plaisir de travailler avec toi. Bon anniversaire. »

La porte claque. Le mur tremble et un cadre se décroche, s'écrase sur le plancher. Le choc est tel que quelques instants après le départ de Konig, l'atmosphère lourde et confinée de la pièce vibre encore.

Haggard reste paisiblement assis à son bureau, baigné par les chauds rayons obliques de l'après-midi finissant, ses yeux bleu acier fixés sur la petite fiche format 6 × 9.

Konig, Lauren, 22 ans. Taille 1,67 m... Corpulence moyenne. Cheveux marron clair. Yeux bleus. Teint clair. Taches de rousseur sur le nez et les joues. Deux cicatrices de vaccins sur le haut du bras gauche.

Cicatrices : mince cicatrice blanche au-dessus du sourcil droit. Cicatrice d'appendicectomie, vieille d'environ treize ans.

Signes particuliers : petit grain de beauté noir sur la pommette gauche. Nævus couleur framboise sur l'omoplate droite. A peut-être une cicatrice sur le dos de la main gauche provenant...

Soudain, il fait pivoter son fauteuil et plonge la main dans la poche intérieure de sa veste drapée sur le dessus d'un classeur poussiéreux. Il tire de la poche une feuille de papier jaune et froissée, un télex de police, daté du jour même.

REFERENCE-DD26; 12 avril 1974. Femme de race blanche, âge 22 à 25 ans, ressemble à photo jointe votre avis de recherches, DD26, 14 décembre 1973; repérée en train de promener petit chien, noir et blanc, secteur Houston Street et Varick Street. Domicile présumé 324 Varick, immeuble ateliers d'artistes — sans doute sous le nom d'Emily Winslow. Avons été alertés suite plaintes habitants du quartier protestant contre activités groupe paramilitaire opérant dans secteur sous le nom de « Milice du Nouveau Monde »-MNM. Intéressée aperçue plusieurs fois en compagnie membres du groupe. L'intéressée n'est pas soupçonnée d'activités criminelles mais tenue sous surveillance depuis trois jours, conformément à vos instructions. Procédons à vérifications dossier d'employeurs, Sécurité sociale, archives FBI — Emily Winslow.

Attendons instructions complémentaires.

Sergent Leo Wershba
17ᵉ commissariat.
Police de New York.

Les yeux du commissaire s'attardent quelques instants sur le feuillet froissé du télex. Un instant plus tard, il écrase lentement le papier dans son poing. Son fauteuil grince sur son pivot et, décrivant un arc de 180 degrés, le ramène une fois de plus face à son bureau et le dos au soleil; il tend la main pour décrocher le téléphone.

8

4 heures 45. Laboratoire de toxicologie.

ALAMBICS. Vases à filtration. Fioles. Cornues remplies de liquides bouillonnants. Bacs en carton où nagent des cerveaux, des foies, des reins, des èstomacs. Sacs en plastique pleins de sang et d'urine; bocaux pleins de matières fécales, de matières vomies, de résidus de bol alimentaire. Sachets de cheveux, d'ongles, de membranes, de rognures d'ongles. Ronronnement aigu des broyeurs électriques qui liquéfient les cerveaux et les foies destinés aux alambics et·aux chromatographes qui les distilleront; ensuite les extraits seront analysés en quête de traces d'alcool, de morphine, de barbituriques, d'hypnotiques, d'amphétamines, de vapeurs d'acide cyanhydrique, de cyanure de potassium, de chlorure d'éthyle, de phosgène, d'hydrocarbure, d'éthylène, d'Avertine; toute la gamme des acides dérivés du phénol : nitrique, muriatique, sulfurique, oxalique, carbolique; les poisons métalliques : sels arsenicaux, arséniate de plomb, arséniate de calcium, acétate de cuivre, anhydride arsénieux, vulgairement baptisé mort-aux-rats. Bichlorure de mercure. Plomb. Antimoine. Phosphore. Bismuth. Thallium. Strychnine. Nicotine. Les belladones, ou les « trois sœurs du rêve » — atropine, scopolamine, hyoscine. Les dérivés de l'opium — morphine, héroïne, codéine, papavérine, parégorique, laudanum. Les hypnotiques — hydrate de chlore et paraldéhyde, et le groupe des acides barbituriques — barbital, Nembutal, Amytal, Ipral, Phénobarbital, Seconal. Les « drogues dures » — cocaïne et morphine, Benzédrine, Déxédrine, caféine. Les hallucinogènes, entre autres l'acide lysergique. Puis la marijuana (haschisch), les alcaloïdes, la cocaïne — et le plus dangereux, l'aconit, connu aussi sous le nom de capuchon-de-moine ou d'herbe à loup.

Konig est assis en face du docteur Ozowaka, le chef toxicologue, dans un brouillard nauséabond de vapeurs d'acide urique qui surgissent par bouffées du laboratoire de chromatographie installé dans la pièce voisine où, dans des centaines de cornues, bouillonnent les urines en cours d'analyse d'individus décédés. La teneur en ammoniaque de l'atmosphère est si forte que leurs yeux pleurent et que leurs narines les piquent.

Penchés en avant, en manches de chemise, Konig et Ozowaka travaillent dans cette atmosphère viciée, en comparant les résultats des examens toxicologiques aux conclusions des autopsies. On dirait deux vieux amis qui échangent des propos sans importance. Ozowaka parle strychnine, Konig, convulsions; Ozowaka, hyoscine, Konig dilatation des pupilles; Ozowaka, cyanure, Konig, bave buccale; Ozowaka, arsénite, Konig, ulcères de l'intestin grêle; Ozowaka, barbituriques, Konig, cyanose et œdème des poumons.

Ils commentent tranquillement les altérations du teint relevées sur des victimes d'empoisonnements par strychnine, aniline et nitrobenzène; les suffusions rouge cerise des empoisonnements par monoxyde de carbone et cyanure; les dilatations des pupilles dues à la scopolamine, les rétrécissements dus à l'héroïne, l'émaciation causée par les poisons métalliques, les horribles brûlures des acides corrosifs, l'odeur d'eau-de-vie de pêche du cyanure, l'odeur d'ail de l'acide oxalique.

La voix d'Ozowaka poursuit son énumération monotone au fil de l'après-midi qui s'avance, martelant sèchement les syllabes par souci de précision.

« Evans, Rebecca. 19 ans. DOA. Morphine, 2 milligrammes dans le sang, les urines, le cerveau et les vomissures. Whittaker, Otis. 13 ans. DOA. Morphine, 3 milligrammes dans les urines, le cerveau et les matières fécales. Perriguex, Willi. 14 mois. Plomb... »

Ozowaka détache un instant ses yeux de la petite fiche blanche format 6 × 9, et le soleil étincelle sur les verres de ses lunettes.

« Aucune trace de violences sur l'enfant?

— Aucune, confirme Konig en secouant la tête. Simple intoxication saturnine. »

Ozowaka hoche l'immense dôme glabre de sa tête, puis poursuit :

« Peruda, Miguel. 23 ans. Déxédrine, Benzédrine, je soupçonne également la présence d'acide lysergique, bien que nous n'ayons pu en trouver trace. »

Konig note le renseignement sur son bloc.

« Sans doute devait-il planer la plupart du temps. »

Ozowaka hoche la tête d'un air endormi.

« Kowalski, Peter. 18 ans. DOA. Traces d'alcool dans le sang et les urines, 3 p. 100. Amytal, 7 grammes. Cooper, Margaret. 41 ans. Infusions de Lysol — absorption volontaire. »

Ozowaka fait une moue dégoûtée. Un bruit de klaxons et la rumeur de la circulation montent de la rue en contrebas.

« Campbell, Eugène. 29 ans. Oh! un cas intéressant, celui-ci. Nous avons tout d'abord cru à un cas aigu d'intoxication par l'alcool. Pas loin de 5 p.100 d'alcool éthylique dans le sang et les urines — phénoménal. Et puis nous sommes tombés sur de l'acétate de cuivre.

— Vert de Scheele — drôlement raffiné.

— On a déniché ça dans les reins et les tissus osseux.

— Et aussi dans les cheveux et les ongles, je parie ?

— Un peu partout.

— Je me disais bien que ces ulcérations iléo-cæcales avaient quelque chose de bizarre.

— Sitôt après avoir lu votre rapport, je me suis mis à chercher l'arsenic. Quelqu'un a dû lui refiler une saloperie. »

Konig grogne et griffonne une note sur son bloc, pour ne pas oublier d'appeler Flynn.

« Continuez.

— Oh! oui. Où en suis-je... (Les yeux d'Ozowaka parcourent la liste d'un regard endormi.) Le type dont la voiture a basculé par-dessus le talus et explosé...

— Oh!... Doblicki.

— Oui, votre torche humaine.

— J'ai bien peur qu'il ne nous reste plus grand-chose sur quoi travailler, pour celui-ci.

— L'examen sérologique nous a quand même fourni un échantillon de sang. 4 centimètres cubes environ. Teneur en alcool éthylique 4 p. 100.

— Etonnant qu'il ait réussi à prendre le volant et à conduire, mais pas tellement étonnant qu'il se soit flanqué à la flotte avec la foutue bagnole. Et la teneur en CO ?

— Nulle. »

Suit un silence tandis que les yeux du chef se relèvent lentement et s'arrêtent sur ceux d'Ozowaka.

« Nulle ? »

Déconcerté, Ozowaka consulte de nouveau sa fiche.

« D'après le rapport des agents, ils ont trouvé des bouteilles d'alcool dans la carcasse de la bagnole. Les examens prouvent que l'homme était incontestablement ivre.

— Je le sais qu'il était ivre, et je me fous de ce qu'ont pu dire ces connards de flics, lance Konig d'une voix soudain stridente. Mais personne ne grille vivant à moins d'avoir une dose de CO relativement élevée dans le sang. A moins, bien entendu... »

Les yeux jaunâtres d'Ozowaka paraissent perplexes.

« ... d'avoir déjà cessé de respirer.

— Je suis quasiment certain de ce que j'avance, mais je peux retourner vérifier. Il n'y avait aucune trace notable de CO dans le sang.

— Pas plus qu'il n'y avait de suie ni de cendres dans le larynx ou la trachée. »

Cette fois Konig s'est levé, il hurle et quitte la salle à grands pas.

Abasourdi, Ozowaka se lève à son tour et le suit.

« Où allez-vous ?

— Essayer de récupérer ce fichu cadavre.

— Où est-il ?

— Dans le New Jersey. Quelqu'un l'a réclamé là-bas, je ne sais pas qui. Il faut que je fasse un nouvel examen. »

Brusquement, il éclate d'un rire menaçant.

« Les salauds ont bien failli nous avoir. Le Doblicki, il était mort avant même qu'on le fourre dans cette saloperie de bagnole. »

9

« Vous voulez dire que vous l'avez toujours su?
— Depuis au moins trois ans.
— Et vous n'avez rien fait?
— Fait? Qu'aurais-je dû faire selon vous? Flanquer la pagaille dans le service? Débusquer le type? Déclencher un scandale administratif pour vous faire plaisir, à vous et au *New York Times*? »

5 heures 15. Bureau de Konig.

Les ombres se font plus denses. La journée tire à sa fin. La voix du médecin-chef résonne dans la pièce à l'atmosphère confinée.
« Répondez-moi, Carl? Qu'aurais-je dû faire? »
Strang est assis jambes croisées, glacial, impavide, de l'autre côté du bureau; derrière lui, une montagne de rapports d'autopsie recouverts de poussière.
« Quand vous en êtes-vous rendu compte?
— Je vous l'ai dit. Il y a à peu près trois ans. Et, nom de dieu, pas la peine de prendre ce ton insolent et constipé avec moi. »

97

Konig jette une liasse de papiers en vrac sur le bureau.

« Pourquoi vous obstiner à me servir cet innocent numéro de petit saint, Carl ? On dirait un foutu boy-scout. Vous connaissez ce racket aussi bien que moi. Le coup du copain bidon. La demande bidon de funérailles aux frais de la municipalité. L'intervention bidon d'un quelconque entrepreneur de pompes funèbres en quête d'un macchabée en souffrance pour pouvoir l'enterrer aux frais de la municipalité. Cinq cents dollars net pour lui et peut-être une ristourne de cinquante, soixante-quinze dollars...

— Destinés à un quelconque salaud qui travaille ici même, gronde Strang. Dans notre service. C'est lui qui fournit tous les mois au type la liste des corps laissés pour compte. C'est ça qui me tracasse. Vous ne voyez donc pas de quoi il s'agit, Paul ? Il s'agit d'un racket de vol de cadavres. Et tout ça à notre barbe. Quelqu'un escroque des milliers de dollars à la municipalité, et nous, nous sommes complices de ces salauds d'entrepreneurs de pompes funèbres. S'il arrive par malheur que les journaux aient vent de cette histoire...

— Si jamais ça arrive... »

Plus un bruit dans la pièce. Puis Konig reprend, d'une voix soudain très calme :

« Si jamais ça arrive, j'aurai ma petite idée sur l'identité de l'informateur. Ça ne serait pas la première fois, pas vrai, Carl ?

— Dites donc, douce...

— Pas la première fois que votre sens exacerbé de la probité vous pousserait à envoyer en douce des petits mémos aux journaux ou au maire. »

Strang accuse le coup. Ses lourdes poupières tressaillent tandis que, du col de sa chemise jusqu'à son menton, son cou vire à l'écarlate.

« J'ai bien peur que toute cette histoire ne soit désormais plus de mon ressort, Paul.

— Comment ça — plus de votre ressort ?

— Parce que, tout simplement, le type s'est pointé ici ce matin... »

Strang est désarçonné, mais il s'efforce de retrouver son assurance.

« Et il venait de loin, de Salt Lake City. Exprès pour réclamer le corps de son cousin.

— De son cousin ?

— Oui, Kaiser.

— Le type qu'on a ramassé la semaine dernière sous un porche ?

— C'est ça. Un poivrot. Un clodo. Un gibier d'asile de nuit. Qui serait allé s'imaginer que quelqu'un prendrait la peine de réclamer les restes ?

— Cet homme, le type de Salt Lake City ? Comment s'appelle-t-il ?

— Wilde.

— C'est bien ça — Wilde. Comment a-t-il appris ?

— Pour Kaiser ? Il prétend qu'il a lu l'annonce dans la rubrique nécrologique d'un canard local. Savoir comment diable ces trucs atterrissent dans les journaux à trois mille cinq cents kilomètres d'ici. Bref, il lit l'annonce et il se pend aussitôt au téléphone. Il saute dans le premier avion et, sitôt débarqué, il se pointe illico ici. Il trimbalait encore sa valise. »

Derrière les verres de ses lunettes, les yeux de Konig se plissent en une expression sagace. Il écoute Strang avec un calme déconcertant, sans cesser de hocher la tête.

« D'après le Kaiser en question... son cousin... avait disparu depuis quarante ans, se hâte d'enchaîner

Strang. Paraît qu'il s'est levé un beau matin et a tout laissé en plan, sa femme, sa famille, son boulot. Paraît que tout le monde avait tiré un trait dessus depuis des années. Tout le monde le croyait mort, jusqu'au jour où l'annonce est parue dans le journal. Y m'a dit qu'il demandait qu'une chose, pouvoir ramener le corps pour l'enterrer dans leur caveau de famille à Salt Lake City. Et puis, quand je lui ai dit que quelqu'un d'autre, un « ami », était déjà venu réclamer le corps, avait fait toutes les démarches habituelles pour le faire enterrer comme indigent aux frais de la municipalité, le type a bien failli sauter au plafond. Kaiser n'avait rien d'un indigent. Apparemment, la famille a du fric et elle exige qu'on luï rende le corps. Il m'a sommé de téléphoner sur-le-champ à l'« ami ». De découvrir qui il était...

— Ce qui fait que bien entendu vous avez passé un coup de fil au type dont le nom figurait sur le formulaire rempli par le requérant. »

Konig se laisse aller contre son dossier, les bouts des doigts joints en forme d'arche.

« Et que comme par hasard, le pseudo « ami » vous a dit qu'il n'avait jamais entendu parler d'un quelconque Kaiser.

— C'est ça. C'est exactement ça, Paul. Et je préfère vous le dire tout de suite, le Wilde en question n'a rien d'un ballot ni d'un crétin. Ce n'est pas le genre à se laisser bousculer ni mener en bateau.

— Nous n'avons jamais bousculé ni mené personne en bateau. Nous avons toujours essayé de...

— Je n'ai pas dit le contraire. Je disais simplement qu'il ne fallait pas espérer que le type attendrait les bras croisés qu'on lui concocte une histoire. Quand il est sorti, il était rouge comme un coq et il a filé tout droit chez le procureur du district.

— Je parie que c'est vous qui lui avez fourni l'adresse. »

Le silence tombe sur la pièce; l'atmosphère est à couper au couteau.

« Désolé de voir que vous prenez les choses ainsi.

— Moi aussi je suis désolé, dit Konig d'une voix soudain contrite. Je n'avais aucune raison de dire ça. J'ai eu une journée dégueulasse et...

— Dites-moi une chose, le coupe brutalement Strang, avez-vous au moins l'intention de chercher à démasquer le salaud qui se charge de renseigner les types des pompes funèbres? »

Une fois de plus, les yeux de Konig se portent sur les chiffres minuscules et les colonnes de son budget fiscal.

« Je sais déjà qui c'est. »

Il n'a pas relevé les yeux, mais il devine néanmoins que Strang s'est pétrifié et, bouche bée, le contemple stupéfait. Il recommence à pointer les chiffres et bientôt entend Strang se lever et le martèlement sec de ses pas tandis qu'il sort précipitamment du bureau.

2 postes à plein temps d'adjoints au
    chef de l'Institut médico-légal,
    au salaire de $ 40 500
2 postes de médecins légistes associés,
    au salaire de $ 33 000
Demande de promotion au rang de
    médecin légiste associé pour deux assistants avec augmentation de salaire de $ 13 000

Le téléphone sonne. Konig fait un bond sur son siège. La mine de son crayon se casse et, tandis que le téléphone s'obstine à sonner, il grave de grands cercles furibonds sur sa feuille, en pesant de tout son poids avec rage sur le moignon de son crayon.

« Allô.

— Allô — docteur? C'est vous?

— Non. Je suis déjà rentré. Vous parlez à un répondeur automatique. Bon dieu, Flynn, qu'est-ce que vous voulez?

— Ecoutez; faut que vous veniez.

— Pas question. Il est six heures passées. Je ne suis pas...

— Il le faut. On est tombés sur un cimetière. Une vraie boucherie. Des bras. Des jambes. Des couilles. Le grand jeu.

— Oubliez ça. Je me prépare à partir.

— Impossible, hoquette Flynn hors d'haleine. Je veux dire, c'est tout simplement impossible. Ça se trouve au bord du fleuve. La marée monte. J'ai peur qu'on perde la moitié de ces foutues saloperies. Faut que quelqu'un qui s'y connaît vienne sur place pour jeter un coup d'œil sur ces saloperies avant qu'on ne les enlève. Vous auriez personne sous la main que vous pourriez nous expédier?

— Tout le monde est parti. Il est six heures passées. Bon dieu, qu'est-ce que vous croyez que c'est ici — un garage ouvert vingt-quatre heures sur vingt-quatre? »

Temps mort. Chacun des deux hommes guette la respiration de l'autre. Finalement Konig rompt le silence :

« C'est profond tout ça?

— Non, pas trop. Entre quatre-vingts centimètres et un mètre. Y se peut qu'au début l'eau ait été plus profonde, mais la marée n'a pas arrêté de tout brasser. Y en a un peu partout et j'ai bien peur qu'on finisse par perdre...

« — D'accord... d'accord, soupire Konig. Où diable êtes-vous donc ?

— Coentis Slip. Juste au bout de Water Street — au bord du fleuve.

— D'accord. Envoyez une voiture.

— Sans doute qu'elle sera déjà devant votre porte, glousse Flynn. Je l'ai envoyée il y a vingt minutes. Vous me prendrez à l'angle de South et de Cuyler. On se tiendra compagnie. »

10

6 heures 45. Angle de Coentis Slip et de South Street.

« Le type sorti promener son chien, vous m'suivez ? Sur la berge. Sur le coup de six heures du matin. Il lui avait retiré sa laisse et le chien cavalait de tous les côtés, vous m'suivez ? Et le type, lui, y se remplissait les poumons. Y savourait le soleil levant...

— Assez de poésie, voulez-vous, Flynn ? Donnez-moi plutôt les détails. »

Flynn semble un instant mortifié par l'impatience de Konig, mais il poursuit :

« Bon, eh bien, v'là que le type siffle Rover. Et le chien se met à courir vers lui, vous m'suivez ? En agitant la queue. Même qu'il a l'air fou de joie. Seulement, il tient une saloperie de main dans sa gueule.

— Une main ?

— Ouais — une main humaine. »

Konig et Flynn foncent sur Coentis Slip en direction du fleuve. La voiture file le long de Jeannette Park et de Seamen's Church. A l'héliport, ils virent à gauche puis ralentissent pour se faufiler parmi la cohue qui se presse vers un endroit brillamment illuminé un peu plus en avant. La sirène de la voiture de patrouille mugit à tout rompre et un passage s'ouvre, s'élargit devant eux.

Un nouveau virage, et ils pénètrent dans un grand cercle interdit aux badauds, isolé par un cordon de voitures de ronde, de fourgons, de chevalets, d'agents exténués. Une légère brume mauve pâle pèse d'un poids presque tangible sur cette fin de journée. Les balises et les fanaux de l'héliport luisent déjà et se reflètent sur l'eau brune et lourde du fleuve.

Entre l'héliport et le Old Slip, la police a dressé un certain nombre de projecteurs portatifs. De plus, les lampes à arc d'une équipe mobile de télévision viennent de s'allumer, perçant la pénombre indigo du crépuscule.

A l'extrême bord du fleuve, où l'eau danse et clapote le long de la berge, une douzaine d'hommes, jambes gainées de caoutchouc jusqu'aux hanches, coiffés de casques de mineurs et armés de pelles, pataugent jusqu'aux mollets dans l'eau boueuse, avec la grâce d'un troupeau de vaches en train de saccager une prairie. C'est à l'intérieur de ce cercle éclairé d'une lumière crue que pénètrent Konig et Flynn.

« Qu'avez-vous dégoté ? demande Konig à un jeune flic irlandais, un costaud au visage rubicond qui semble diriger les opérations.

— Une échine. Une rouelle. Un paleron. Des côtelettes. Du filet mignon. De la gibelotte. Au choix, y a de tout. »

Des rires et de grosses plaisanteries fusent. Konig fronce les sourcils et fonce vers l'endroit où plusieurs agents paraissent monter la garde devant un amas de paquets informes enveloppés de sacs de plastique transparent, jetés à même le sol.

« V'là un petit cadeau pour vous, docteur. »

Une lueur espiègle dans l'œil, Flynn tend un des sacs à Konig. Il contient une main tranchée au poignet, aux ongles enduits d'une horrible couche de laque écarlate.

Impassible, le regard sombre, Konig contemple d'abord la main, puis Flynn.

« Bon... Voyons un peu ça.

— Servez-vous, docteur. »

Le jeune flic costaud jette aux pieds de Konig un paquet contenant ce qui à première vue ressemble à un gros morceau de viande de bœuf. Plusieurs de ses collègues éclatent de rire en se dandinant nerveusement.

Konig met un genou à terre et, comme le matin, les élancements de sa sciatique explosent dans ses reins et lui taraudent la jambe. Il ouvre le sac et, sous la lumière crue des lampes à arc, en examine le contenu, tandis qu'un hélicoptère décolle du terminal tout proche dans un vrombissement de frelon.

Là devant lui, vomis par le sac, s'étalent les restes d'une portion de thorax férocement mutilée. Une grande quantité de peau et de chair a été arrachée, mais malgré l'éclairage défectueux et d'un simple coup d'œil, Konig repère plusieurs plaies superficielles, des traces de coups de couteau, dont l'un au moins, il le parierait, a transpercé le péricarde.

« C'est encore tout récent », dit-il, en notant mentalement le degré de putréfaction.

Il se relève lentement et, tour à tour, passe les autres paquets en revue. Ici une jambe privée de pied; là un avant-bras; ensuite une cuisse couverte d'une gangue de boue et de limon, dont les artères et les petits vaisseaux ont été sectionnés et pendent comme des fils déconnectés. Le paquet suivant renferme un morceau de pelvis. Puis une série de paquets contenant de gros morceaux de chair et d'entrailles découpés au hasard dans diverses parties du corps. En outre, une collection de morceaux plus petits, un peu de tout, orteils et oreilles, un organe génital mâle au grand complet, dont les testicules éventrés luisent d'un éclat gris-blanc, pareils à des œufs cassés.

D'autres sacs de plastique sont maintenant remontés du fleuve et rejoignent le tas. Konig les examine à leur tour. Un fouillis, un monceau informe de fragments et de morceaux disparates. Il n'a aucune idée du nombre de corps que représentent ces fragments. Mais déjà son regard clinique a noté certaines constantes. De grandes quantités de chair ont été arrachées à presque tous les morceaux; les corps sont vidés de leur sang; et il n'y a aucune tête. Les corps ont été systématiquement écorchés pour compliquer toute tentative d'identification. L'absence des têtes aurait pour résultat de les rendre pratiquement impossibles.

« Jamais rien vu de pareil, murmure derrière Konig un vieux flic italien, en secouant une tête incrédule.

— Pas de têtes ? aboie Konig.

— Pas encore. On continue à chercher. »

Le docteur se relève avec lassitude, ruminant ce que viennent de lui apprendre les sacs de plastique, le degré de calcification des épiphyses, la configuration des os du pelvis, la taille des os du sacrum, tandis qu'autour de lui explosent les flashes des photographes et que les équipes d'experts passent les alentours au peigne fin.

Un certain nombre d'inspecteurs et d'agents stationnent à proximité, contemplant muets de stupeur ce spectacle incompréhensible. Konig sait ce qu'ils pensent. Il peut lire leurs pensées comme si elles étaient inscrites sur du parchemin. Le miracle, le mystère de tout cela, de ces morceaux et de ces fragments déchiquetés éparpillés là sous la lumière blanche et froide comme autant de jouets brisés jadis dotés de vie. Jadis doués de parole et de mouvement. Incompréhensible.

« Vous m'avez étiqueté tout ça, les gars? demande Konig.

— Tout a été étiqueté et porté sur le plan, répond le jeune flic costaud.

— Et tout a été récupéré dans le même coin?

— Oui, là-bas. »

Un autre flic désigne l'endroit où les hommes en cuissardes et casques de mineurs pataugent dans l'eau peu profonde.

« A marée basse, c'est à découvert.

— L'emmerdant c'est que cette saloperie de marée est en train de remonter, dit Flynn. La moitié des trucs vont nous filer sous le nez.

— Probable que vous en avez déjà perdu la moitié. A quelle heure la marée haute? demande Konig.

— Vers vingt heures.

— Ça serait une bonne idée de ramasser ce qui reste avant que le courant en emporte trop.

— On fait ce qu'on peut, docteur, dit le flic irlandais. On a isolé le secteur et y a une douzaine de gars qui creusent depuis ce matin. A mon avis, on a déjà enlevé le plus gros. Y doit plus rester grand-chose là-dessous.

— Il en reste encore, glisse sans insister Konig, les yeux fixés sur les paquets sanglants. Les gars, vous êtes tombés sur un vrai cimetière. »

Flynn l'interroge du regard.

« Primo, reprend Konig, davantage pour lui-même que pour ceux qui l'entourent, ces restes ne proviennent pas tous du même corps. Je dirais à vue de nez que les morceaux rassemblés ici proviennent de deux

108

ou trois corps différents. Secundo, tous ces morceaux sont restés enterrés à peu près le même temps. »

Il pousse du pied un bout de fémur déchiqueté qui émerge de l'un des sacs.

« Le degré de putréfaction de cette cuisse, par exemple, est identique à celui de ce morceau de thorax. Il s'agit d'une jambe jeune, en plus, à en juger par le degré de calcification. Je dirais qu'elle appartenait à un homme jeune, d'une vingtaine d'années tout au plus...

« Et toutes ces couilles, toubib, raille un des jeunes flics.

— Drôlement bien monté, eh, Whitey ? »

De nouveau, des rires et des plaisanteries grasses.

« Et tertio », reprend mécaniquement Konig qui, comme une machine à calculer, additionne les faits, les collationne, les trie dans sa tête, au point que c'est à peine s'il remarque les sarcasmes bruyants et cyniques des hommes épuisés qui l'entourent.

« Et tertio, l'individu qui a procédé au démembrement était doté d'un certain bagage de connaissances — pas énorme certes, mais enfin, il connaissait son anatomie et savait où couper. Il s'est servi d'une scie à métaux. Tenez, vous voyez les marques des dents sur ce fémur...

— D'ailleurs, on a la scie », dit Flynn.

Arraché pour la première fois à ses paisibles méditations, Konig lève vivement les yeux.

« Où ça ?

— Suivez-moi », l'invite Flynn avec un sourire radieux.

Revenant sur leurs pas, ils traversent le cordon de policiers et la foule des badauds, attirés par le spectacle des équipes de télévision qui s'activent à la lueur des projecteurs. Ils suivent la berge à pas lourds, lais-

109

sent derrière eux l'héliport grouillant d'activité, pareils à deux vieux amis qui après dîner s'octroient une petite balade au bord de l'eau. De l'endroit où ils se trouvent, ils aperçoivent le flot ininterrompu des phares qui ruissellent sur le pont de Brooklyn et les files de voitures qui affluent vers le Brooklyn Tunnel. Loin sur l'autre rive, les lumières des Brooklyn Heights étirent leur ruban jusqu'à Erie Basin et scintillent d'un éclat magique.

« Bon dieu, mais où m'emmenez-vous donc ? gronde Konig, que sa jambe élance.

— A deux pas, tenez, là-devant, vous voyèz les lumières. »

Ils suivent la berge jusqu'à une minable petite baraque tapie comme un champignon à la lisière de l'eau. A l'intérieur, luit une faible lueur orange et plusieurs agents stationnent sur le seuil, en fumant et bavardant paisiblement.

Tandis que Flynn et Konig émergent de la pénombre ouatée, les cigarettes s'éteignent en hâte et les hommes s'écartent pour les laisser passer.

« Comment diable avez-vous déniché cet endroit ?

Konig se baisse pour passer sous le linteau anormalement bas et entre.

« Rover, le petit chien qui a trouvé la main, explique Flynn avec un sourire débordant d'autosatisfaction. Il a reniflé la main, et là-dessus y a rien eu à faire pour l'arrêter. On l'a lâché sur la berge et il nous a conduits tout droit jusqu'à la porte. »

Quelques inspecteurs circulent dans la pièce obscure qui grouille encore de photographes et d'experts du labo.

Ils se trouvent dans un ignoble appentis bas de plafond qui date du début du siècle et pue le moisi et le chat en chaleur. Une seule pièce au plancher pourri, le

110

genre de lieu qui servait de hangar aux pêcheurs en des temps plus paisibles, mais que notre époque n'a pas tardé à condamner à la désuétude — havre pour les épaves et les squatters. Des boîtes de bière vides et des cadavres de bouteilles de gros rouge jonchent le sol. Deux chats maigres et galeux déambulent en miaulant au milieu des détritus nauséabonds éparpillés un peu partout. Sur le sol, plusieurs sommiers rouillés et aux ressorts cassés, couverts de minces paillasses sans drap et imbibées d'urine; la bourre sort par touffes des déchirures béantes de l'étoffe. De vieux numéros jaunis du *Daily News* plaqués sur les fenêtres aux vitres brisées servent d'écran contre la pluie et le vent. Quelques boîtes de conserve à demi vides, haricots et maïs, gisent tristement sur le plancher, couvertes de filaments pelucheux de moisissure verte, vaguement phosphorescente.

« Ça embaume, hein, dit un des flics.

— On se croirait aux chiottes, renchérit Flynn, un mouchoir plaqué sur le nez.

— Probable que c'était des chiottes, dit Konig en fouillant des yeux la pénombre puante. Ni w.-c., ni eau courante.

— Les plus grands w.-c. du monde passent là, juste devant la porte », lance une voix.

L'inspecteur principal Morello émerge d'un recoin d'ombre et agite la main en direction de l'East River.

« Salut, docteur.

— Tiens, vous aussi on vous a traîné ici, Morello?

— Pas question qu'il aille retrouver sa bourgeoise et ses mômes ce soir, raille Flynn. Pas tant que j'aurai du pain sur la planche. »

Du bout de son soulier Konig farfouille presque timidement dans un tas d'ordures.

« A qui ça appartient, tout ça ?

— On est parti se renseigner au Bureau de l'enregistrement pour retrouver l'acte, dit Morello.

— Je sais pas qui était le propriétaire, fait Flynn en passant le bras dans une guirlande de toiles d'araignées, mais en tout cas, le ménage était pas son fort.

— Je parierais que ça appartient à la ville, dit Morello qui griffonne avec application sur son calepin. De toute façon, c'est un taudis. On dirait que des squatters et des poivrots se sont terrés là tout l'hiver. Ils auront filé aux premiers rayons de soleil. »

Konig inspecte la pièce d'un regard lugubre.

« Qu'est-ce qui vous fait croire que tous ces jolis paquets viennent d'ici ? »

Flynn grimace un sourire et agite le bras en direction d'un des recoins d'ombre.

« Venez voir un peu. »

Konig s'approche et suit des yeux le faisceau de la torche que Flynn braque sur le fond d'une vieille baignoire en faïence, sans doute récupérée dans le bric-à-brac d'un immeuble abandonné et livré à la pioche des démolisseurs, puis transportée ici apparemment dans le seul but de servir d'ornement. Ses flancs sont généreusement éclaboussés de sang séché. Dans la baignoire elle-même, stagnent des éclats d'os, des touffes de cheveux, des caillots de sang.

« Voilà l'établi, dit Flynn.

— Et les outils sont dans ce coin », lance Morello du fond de la baraque.

Ils rebroussent chemin jusqu'à une petite table de bridge bancale couverte d'un vrai bric-à-brac — bricoles de toutes sortes, bijoux de pacotilles — rien de bien dangereux, sinon qu'au milieu gisent une hache, une herminette, des burins et un démonte-pneu.

« Voilà votre scie à métaux. »

Flynn pointe fièrement le doigt vers une vieille scie rouillée, à la lame incrustée de sang séché. Konig enregistre d'un coup d'œil la taille et la forme des dents, les comparant mentalement aux empreintes qu'il a observées tout à l'heure sur les os au bord du fleuve.

« Des empreintes ?

— Je sais pas trop ce qu'on aura trouvé, dit Morello. Dès qu'on aura tout ramené au labo, on y verra plus clair.

— Pas de pistes ?

— Y a un ou deux types du quartier qui prétendent avoir vu un officier de l'Armée du Salut aller et venir de temps en temps dans les parages.

— Un officier de l'Armée du Salut ? » s'exclame Konig, en dévisageant Flynn bouche bée.

L'inspecteur hausse les épaules avec lassitude.

« C'est ce qu'ils prétendent. »

Ils sortent sur la berge, croisent une équipe d'opérateurs de la télévision qui se dirigent vers la baraque sans la moindre discrétion. Le battement sourd d'un rotor d'hélicoptère brasse l'air au-dessus de leurs têtes. En aval, les hommes en cuissardes et casques de mineurs remontent à pas lourds de l'eau boueuse, où la marée, maintenant trop haute et trop forte, empêche de poursuivre les recherches sans danger. Konig et Flynn se retrouvent au centre du grand cercle inondé de lumière blanche où les hommes, absorbés par une multitude de tâches, s'activent au milieu d'un monceau croissant de macabres sacs en plastique.

« Jamais rien vu de pareil. »

Le vieux flic italien contemple toujours la scène, stupéfait et hébété, en hochant la tête avec incrédulité.

« En trente ans de métier, jamais rien vu de pareil.

— D'accord, d'accord. »

Konig referme sèchement son calepin et jette un dernier coup d'œil à la longue rangée de paquets soigneusement étiquetés.

« Dès que vous aurez fini, emballez-moi tout ça et envoyez-le-moi. »

Il pivote et se dirige en boitillant vers sa voiture qui l'attend.

« Hé! docteur », lance Flynn derrière lui.

Konig se retourne et voit l'inspecteur qui brandit dans sa direction le sac qui renferme la main aux ongles laqués de pourpre.

« Dites donc au revoir à la petite dame.

— Les mains, on s'en fout, Flynn, mais retrouvez-moi les foutues têtes. »

Konig, l'air furibond, s'engouffre dans la voiture.

11

« Cartes postales. Photos. Crayons. Jolies vues. »

7 heures 50. Un restaurant italien de Minetta Lane.

Konig est installé dans une petite *trattoria* enfumée — claies blanches autour des portes, guirlandes de fleurs artificielles dans le treillage, et sur les murs, de mauvaises lithos de Pompéi et de la baie de Naples.

Un jardin en plein air prolonge la salle, ornée d'un jet d'eau et d'une tonnelle décorée de lanternes vénitiennes, où de jeunes couples discutent avec passion, tête contre tête, en savourant la douce soirée printanière.

Konig est assis solitaire à une table de coin, pensif, à l'écart du bruit de la rue. Une assiette à laquelle il n'a pas touché refroidit devant lui, tandis que, coudes sur la table, il rêvasse devant un verre de vin blanc.

« Cartes postales. Photos. Crayons. Jolies vues. »

Le crépuscule, le long ruban d'une plage déserte. La silhouette solitaire d'un pêcheur en short et cuissardes, plongée jusqu'aux hanches dans l'écume bouillonnante; il se penche en avant pour résister au vent qui souffle par rafales et, armé d'une canne à lancer, projette l'ap-

pât de plomb bien au-delà de la ligne du ressac. Assise derrière lui, une jolie jeune fille à l'air pensif, quinze ou seize ans, suit avec des yeux fascinés la haute trajectoire courbe du plomb et de la ligne qui filent par-dessus les vagues furieuses, puis remontent peu à peu sous l'effort du moulinet, puis repartent. Soudain la ligne tremble violemment et se tend.

« Cartes postales. Photos. Crayons. Jolies photos. »

« *Dépêche-toi, Lolly. Vite. Je le tiens.* »

La jeune fille se lève en hâte. S'avance en trébuchant.

« *Tendu. Plus tendu, nom de dieu.* »

« *Papa, je ne peux pas. Je ne peux pas.* »

« *Tendu — plus tendu, bonté divine. Tu vas le laisser filer. Tu vas...* »

« Voulez pas m'acheter une carte postale? »

Konig jette un coup d'œil par-dessus le bord de son verre.

« Pardon?

— Voulez pas m'acheter une carte postale ou une photo?

— Une photo?

— Oui, des photos — des vues de Greenwich Village. De New York City. »

Konig contemple éberlué le visage d'une jeune fille.

« Y en a de très jolies. Washington Square. L'Arch. Les Mews.

— Non, marmonne Konig qui se replonge dans le réconfort de son verre de vin.

— L'Empire State Building. Le George Washington Bridge. La tombe de Grant.

— Non... non, merci.

— Des crayons alors.

— Non plus. Non, vraiment. »

Il se détourne avec brusquerie pour la congédier, mais ignorant la rebuffade, elle reste obstinément plantée devant lui.

« Votre assiette refroidit.

— Pardon ?

— Je dis que votre assiette refroidit.

— Oh ! »

Konig grommelle, écrase son cigare dans le cendrier, empoigne sa fourchette et se prépare à manger. Mais, l'instant d'après, quelque peu excédé, il repose la fourchette.

« Je ne suis pas encore tout à fait prêt à manger.

— Ça vous ennuie que je m'assoie ? »

Abasourdi, Konig relève vivement les yeux ; la fille est toujours plantée devant lui, et sourit avec une certaine impudence.

« Vous voulez dire ici ? Vous asseoir ici ?

— C'est une côtelette de veau, ça, non ? murmure la fille, en s'insinuant dans le fauteuil d'en face.

— Hé ! attendez un...

— Ça sera froid si vous tardez trop. Et cette salade...

— Voulez-vous bien me faire le plaisir de filer en vitesse et...

— Regardez, cette laitue est en train de se faner dans le saladier. Une honte.

— Ecoutez, personne ne vous a invitée à...

— Tenez, je vais vous ravigoter cette salade avec un peu d'huile et de vinaigre. »

Konig promène un regard impuissant sur la salle en quête du maître d'hôtel. La salle a beau être pleine de gens qui rient et bavardent, personne ne semble remarquer son dilemme.

117

« Hé ! attendez une minute. »

Konig arrache un flacon de vinaigre aux mains de la fille, mais elle a déjà arrosé sa salade qui baigne dans une épaisse mixture huileuse.

« Mais qu'est-ce qui vous a pris, bon dieu ? Vous avez noyé cette foutue salade.

— Désolée. J'voulais seulement la ravigoter un peu.

— Personne vous a rien demandé, non ? Si j'avais voulu qu'on la ravigote, je l'aurais ravigotée moi-même. Et je n'ai besoin ni de crayons ni de cartes postales. Alors si vous voulez bien...

— Qu'est-ce que vous diriez — de nouveau le petit sourire impudent, provocant même — d'une goutte de citron sur ce veau et...

— Allez-vous filer ? »

Konig a forcé la voix. Il cherche désespérément la maître d'hôtel des yeux.

« Si ce veau vous dit rien... »

Il repère enfin le maître d'hôtel, esquisse un mouvement pour se lever et lui faire signe.

« Je demande pas mieux que de le manger à votre place. »

Pour la première fois, Konig se retourne et regarde la fille bien en face. Un petit visage de gamine, joli mais hâve. Sans doute n'a-t-elle pas plus de quinze à seize ans, mais le regard railleur, les jeans et le pull qui lui collent à la peau ont déjà quelque chose de carrément équivoque. Comme si elle voulait proclamer hardiment et sans honte ce qu'elle est. Pourtant, derrière l'impudence du regard enjoué, les petits éclairs provocants, la sexualité éhontée, se devine aussi une note de frayeur et peut-être même de désespoir. Désespoir qui se fait plus visible à mesure que le petit maître d'hôtel irascible s'approche en toute hâte, débordant et crachotant d'indignation.

Konig discerne une petite lueur de prière dans les yeux de la fille en même temps qu'il remarque dans ces mêmes yeux la contraction révélatrice des deux pupilles bleu-gris.

Tandis que le maître d'hôtel s'avance d'un pas résolu, elle force la voix. Elle rit et jacasse avec une espèce d'allégresse pathétique :

« Alors comme ça, j'y ai dit à c'te petite idiote...

— Allez... filez, et en vitesse, fulmine le petit Napolitain aux grosses moustaches. Vite. Foutez-moi le camp. »

La fille jette un coup d'œil lugubre à l'assiette où refroidissent les côtelettes.

« Je suis affreusement désolé, monsieur, dit-il en empoignant la fille par le bras. Et vous, combien de fois vous ai-je dit que je ne voulais pas vous voir ici ? C'est pas le genre de la maison. Cette fois, je vais appeler un flic. »

Il se met à secouer la fille pour la contraindre à se lever.

« Affreusement désolé, monsieur. »

Il continue à la secouer, et il s'ensuit une affreuse pagaille. Les assiettes et les couverts s'entrechoquent. Le verre de vin manque de se renverser. Konig plonge avec l'énergie du désespoir et le rattrape in extremis.

« Ça suffit. »

Il a cruellement conscience que la salle tout entière s'est arrêtée de manger et les regarde.

« Je vous dis que tout va bien. Elle peut rester.

— Rester ? fait l'Italien qui n'en croit pas ses oreilles. Vous voulez qu'elle reste ?

— Oui... ça va comme ça. »

Mortifié par le scandale qu'ils viennent de susciter, Konig a l'impression que sa voix lui parvient à travers des espaces infinis. Le visage de l'Italien sue la désapprobation.

« Ça va bien, poursuit Konig, de plus en plus fébrile. Elle est avec moi. Servez-moi un autre verre de vin, je vous prie. »

Il congédie l'homme d'un geste.

Déconcerté, l'Italien s'éloigne en grommelant, et soudain, Konig et la fille se retrouvent seuls. Soupirant et encore bouleversé, il la regarde découper sa côtelette et enfourner de grosses bouchées.

« Parfaite, cette côtelette, dit-elle.

— Tant mieux. J'espère que vous vous régalez.

— Merci, réplique la fille en contemplant lugubrement le fond de son assiette.

— N'y pensez plus. Contentez-vous de finir et de filer. »

Il y a quelque chose de famélique, de presque sauvage, dans la façon dont la fille tient les yeux rivés sur son assiette et mâche, tandis que sa fourchette fait vivement la navette de la côtelette à la salade. De plus, elle mâche vite, avalant sans mastiquer de gros morceaux de nourriture, tassée sur son assiette comme pour la protéger, pareille à un chien affamé qui se hâte d'engloutir sa pitance de peur que quelqu'un vienne la lui arracher.

Le garçon revient pour servir à Konig son deuxième verre de vin et foudroie la fille du regard. Toujours outré de la voir mendier sa nourriture, il s'éloigne en marmonnant.

Une fois sa côtelette et sa salade terminées. elle s'attaque au pain et au beurre.

« Vous voulez quelque chose à boire ? grommelle Konig, du lait ? Un soda ?

— Rien du tout. »

La fille lâche un hoquet, essuie sa bouche souillée de beurre avec un coin de la serviette, puis extirpe une cigarette à demi consumée du revers de son jean. Elle se penche vers la chandelle posée sur la table et allume sa cigarette, le visage soudain illuminé par la flamme jaunâtre.

« Désolée de ne pas pouvoir vous en offrir. »

Elle aspire à fond la fumée.

« Ça ne fait rien. Je ne fume jamais. »

Elle se carre contre son dossier. Repue. Immensément satisfaite, elle laisse errer son regard sur la salle et contemple les jeunes couples qui bavardent avec animation, indifférents à ce qui les entoure. Puis tout à coup, c'est lui que de nouveau elle regarde, d'abord du coin de l'œil, puis carrément, bien en face, les yeux de nouveau impudents et équivoques. Toutes traces de désespoir et de prière ont disparu. Elle le dévisage hardiment, mais tout ça est plutôt bidon. Des poses et des attitudes qui sortent tout droit de minables feuilletons de la télé et de mauvais films.

« Alors, comme ça, vous ne mangez pas ?

— Non, je n'ai pas faim.

— Désolée de toute cette histoire. »

Elle glisse un coup d'œil au garçon, qui continue à fulminer en silence dans un coin de la salle.

« D'ailleurs, c'est un vrai salaud. Excusez le vocabulaire.

— Pas d'importance. N'y pensez plus.

— V' voulez pas m'acheter une ou deux cartes postales ?

— Non. Merci. »

Elle pousse une pile de cartes dans sa direction.

« Jetez-y quand même un coup d'œil.

— Non, je vous ai dit que...

— Allez — rien qu'un petit coup d'œil.

— Oh ! Seigneur ! »

Il soupire et rafle le paquet de cartes, les feuillette machinalement. Des vues du George Washington Bridge. De la Statue de la Liberté. De l'Empire State Building. Du Shea Stadium. Du Marché aux poissons de Fulton. Puis, tout à coup, une photographie glacée, format carte postale, qui représente une fille nue sur un lit, jambes en l'air et écartées. Puis une autre, la même fille, à plat ventre, croupe remontée, pointant agressivement vers le haut.

Konig lève les yeux sur la fille qui de l'autre côté de la table l'épie avec un sourire vicieux, tandis que deux spirales de fumée s'échappent de ses narines.

« Si elles vous plaisent, je vous les laisse pour vingt dollars.

— Oh ? »

Konig sent une jambe frôler la sienne sous la table.

« Je crains bien que non. »

Il feuillette les autres, des vues des Halles et de Times Square la nuit.

« Si vous trouvez que c'est trop cher, je pourrais peut-être vous faire un petit rabais — disons dix-huit.

— Non, vraiment, ça ne me dit rien.

— Quinze ?

— Ce n'est pas une question de prix, s'esclaffe Konig, qui se sent un peu stupide. Mais ce n'est plus de mon âge.

— Oh ! allons, allons, papa, le raille-t-elle doucement. Vous vous débrouillerez très bien. Laissez-moi faire. Je vous donnerai du bon temps. Ça vous plaira, et drôlement. »

En dépit de ses efforts pour paraître ferme, Konig éprouve un léger vertige. La pensée de sa vieille carcasse fatiguée au lit avec cette gosse, qui feindrait la passion, se démènerait pour paraître amoureuse, est risible.

« J'parie que vous êtes un terrible, s'esclaffe la fille, j'parie que vous êtes un terrible. »

Konig sourit malgré lui.

« Vous devez avoir quinze ans tout au plus.

— J'ai dix-neuf ans.

— Oh ! allons donc.

— Vrai. J'ai dix-neuf ans.

— Si vous avez dix-neuf ans, alors moi j'en ai vingt et un. Et puis d'où êtes-vous ? Du Texas ? Je parie pour le Texas, avec cet accent.

— Pas du Texas, boude la fille. Mais vous vous trompez pas de beaucoup.

— De l'Oklahoma, dit Konig et il devine à son regard qu'il est tombé juste ; de l'Oklahoma, pas vrai ?

— Ça vous regarde pas.

— Je connais l'accent. J'ai passé assez longtemps là-bas dans l'Armée. Mais pourquoi tous ces mystères ?

— Y a pas de mystères. Sinon que j'ai pas envie de le dire. »

La fille boude, bras croisés et butée.

« Allez, papa. Quinze dollars et les cartes sont à vous. Un prix d'ami. Les trois positions. A la papa, à la française, à la grecque.

— C'est tout à fait ce qu'il me faut, gémit Konig. Probable que j'en mourrais.

— Faut pas dire ça. V's êtes pas si vieux que ça.

— Plus vieux que ça encore. Je pourrais être votre grand-père.

— Je parie que vous êtes un vrai démon au lit. Je sens ça rien qu'à vous regarder. D'ailleurs j'aime les hommes plus vieux que moi. J'ai connu un vieux mec dans le temps à Tulsa... »

Elle voit la lueur de triomphe qui passe dans l'œil de Konig et, brusquement, sa voix se casse.

« Vous vous croyez fortiche, pas vrai. Pas la peine de prendre cet air malin. Y a des années que j'ai pas mis les pieds à Tulsa.

— Comment vous appelez-vous ?

— Heather.

— Heather ?

— Heather Harwell. »

Konig l'enveloppe d'un long regard sceptique.

« Et alors, qu'est-ce que vous avez à y redire ? » proteste la fille.

Soudain Konig éclate d'un rire énorme. Les gens se retournent et les dévisagent. L'irascible petit Napolitain les foudroie du regard.

« Heather Harwell, glousse-t-il plus calmement. Ça alors, on peut dire que vous avez bon goût.

— Qu'est-ce qu'y a de si marrant ?

— On dirait un nom d'héroïne de bande dessinée. Les Aventures de Heather Harwell, la Petite Vendeuse de Cartes Postales, le Bébé Tapin.

— Chut, chut. »

La fille jette des regards inquiets à la ronde.

« Quel est votre vrai nom ? »

La fille ne bronche pas et pince les lèvres.

« Vous avez de la famille à Tulsa ?

— Ben mon vieux, vous en posez des questions.

— Heather Harwell n'est pas votre vrai nom. Y a pas

124

de Heather Harwell à Tulsa. Minnie Turl, c'est des noms comme ça que les filles portent là-bas.

— C'est le nom que je prends pour travailler.

— Pour travailler? raille Konig. Vous voulez dire le nom que vous prenez pour tapiner?

— Chut. Elle s'efforce de nouveau de le faire taire. Pour l'amour de Dieu, cessez de hurler ce truc-là. C'est le nom que je prends quand je pose comme modèle. Je suis modèle.

— Pour des photos porno? » s'esclaffe sans pitié Konig.

Les yeux de la fille flambent de défi.

« Pour des revues de mode. Ma photo a paru dans *Vogue* et dans *Harper's...*

— Oh! à d'autres.

— Si, c'est vrai. Et peut-être qu'un jour je passerai à la télé pour des bandes publicitaires. J'ai un ami qui dit qu'il connaît des gens capables de m'aider.

— Ça m'étonne pas. Mais pour l'instant, il s'agit de photos porno.

— Ça, c'est un à-côté, aboie la fille. Et d'ailleurs, elles sont pas porno. La pornographie est...

— ... dans l'œil de celui qui regarde, la raille Konig, implacable; je vois.

— Allons, petit père. Cessons de nous bagarrer. Heather va vous emmener chez elle.

— Vos parents ont idée de ce que vous faites ici? »

Konig voit quelque chose qui ressemble à de la peur passer dans les yeux de la fille.

« Je parierais qu'ils ne savent même pas où vous êtes.

— Allez, petit père. Heather a une piaule juste au coin de la rue; douze dollars cinquante — un prix d'ami.

125

— Répondez-moi, insiste Konig, soudain brutal. Votre famille ne sait pas que vous êtes ici. »

Elle tente de se lever, mais il la repousse sans ménagements et elle retombe sur son siège.

« Vous vous êtes sauvée de chez vous, pas vrai ?

— Pourquoi que vous posez toutes ces questions ?

— Y a longtemps que vous êtes en cavale ?

— Vous êtes un peu flic ou quoi ?

— Je ne suis pas flic. »

Konig sent maintenant une espèce de fureur l'envahir.

« Y a combien de temps que vous n'avez pas parlé à vos parents ?

— Fichez-moi la paix », dit la fille, soudain cramoisie.

Au même moment, le maître d'hôtel, furieux et indigné, s'avance résolument vers eux et jette l'addition sur la table.

« Je ne vous ai encore rien demandé », aboie Konig, et le petit Napolitain bat en retraite, terrorisé par la mine féroce du docteur.

Konig se retourne vers la fille.

« Répondez-moi.

— Qu'est-ce que vous voulez que je réponde ? »

Elle tripote le tissu de sa manche, à la fois timide et provocante.

« Personne m'a jamais posé autant de questions stupides. Et d'abord, j'ai dix-neuf ans. Je suis ce que la loi appelle une adulte responsable. Je suis pas en cavale. Pour se cavaler, faut avoir quelque chose à laisser derrière soi. Une maison ou des parents. Et moi, c'est clair, je n'ai rien de tout ça, parce que j'ai perdu mes parents dans un accident d'avion.

— Je suis désolé », marmonne Konig, un instant

trompé par la douceur, la candeur presque enfantine de la fille. Puis tout à coup, son œil exercé et quelque peu blasé perce à jour l'hypocrite petite comédienne aux aguets derrière le front plissé, le masque lugubre et faussement tragique.

« Je vous en veux pas, concède la fille avec un stoïcisme feint. Vous vous faisiez sincèrement du souci. Et je suis touchée. Maintenant, chéri, laisse Heather t'emmener. Dix dollars. Pour un billet de dix. Le grand jeu. Tu me plais et je vais te gâter. Mais faudra le dire à personne. Allons-y. »

Elle le tiraille par la manche.

« Laisse Heather te rendre heureux. Je te ferai voir le Paradis. »

Konig la dévisage un long moment, pousse un soupir las et éclate de rire.

« D'accord, allons-y. »

Elle le contemple quelques instants ahurie, sans trop y croire. Puis elle se rend à l'évidence. Son visage s'éclaire; ses yeux brillent.

« Tu parles sérieusement?

— Tout à fait. Pourquoi pas? Ça me fera du bien.

— Attends-moi une minute. »

Elle se lève d'un bond.

« Où vas-tu?

— Faire un tour aux toilettes — un petit pipi. »

Elle s'éloigne précipitamment, fait précipitamment demi-tour.

« Tu vas pas filer?

— Bien sûr que non. Je ne bouge pas d'ici, assure Konig en tirant plusieurs billets de son portefeuille. Dépêche-toi. »

Elle pivote, s'éloigne, puis se retourne de nouveau, souriante.

127

« Tu le regretteras pas.

— Je sais... je sais, grommelle-t-il. Grouille-toi. »

Konig détache plusieurs billets de la liasse, les pose sur l'addition, sans cesser de regarder le petit portefeuille de vinyle blanc que, sans méfiance, la fille a laissé sur la table avec ses cartes et ses crayons. L'instant d'après le portefeuille se retrouve dans sa main et il le fouille, feuillette sans s'arrêter une liasse de vieilles photos jaunies gainées de plastique sale — une vieille maison de bois décrépite avec, au premier plan dans la cour, un moulin à vent, un chien assoupi, un gros corniaud aux yeux tendres, une photo de Heather en maillot de bain, une autre qui la montre au volant d'une vieille Plymouth Sport à la capote déchirée, puis plusieurs photos de Heather en compagnie de divers jeunes gens, tous du même type calamistré et tatoué. Puis brusquement, il trouve ce qu'il cherche — un permis de conduire établi au nom de Molly Sully, Boîte postale 382, RFD, Tulsa, Oklahoma. Date de naissance : 3/5/58.

Soigneusement, il glisse le permis dans son étui de plastique et remet le portefeuille sur la table.

Et tout à coup Heather Harwell, née Molly Sully, est de retour, souriante, visage récuré, bouche luisante d'une couche toute fraîche de rouge à lèvres appliquée à la diable.

« Allez, papa — on file. »

12

20 heures 40. Un atelier d'artiste au troisième étage d'un entrepôt de Varick Street.

Bras croisés et pensif, Francis Xavier Haggard est planté devant un grand mur lépreux et étudie le bizarre slogan qui barbouille le plâtre.

L'inscription, peinte à la bombe dans le style graffiti en grandes lettres inégales rouge sang, couvre le mur sur toute sa longueur et va pratiquement du plancher au plafond. Au pied du mur et sous le slogan, une bombe de peinture « Diable Rouge » gît sur le flanc, vide et abandonnée.

L'OMBRE DE LA FAUX EST SUR VOUS

Les yeux bleu acier de Haggard se fixent pensivement sur les mots, dans l'espoir de déchiffrer leur message hermétique, vaguement sinistre. On dirait un homme perdu dans une profonde rêverie.

Derrière lui, deux jeunes gens attendent en silence sur le seuil d'une porte ouverte. L'homme est un petit Grec trapu, à la carrure puissante, du nom de Tsacrios, vingt-cinq ans environ, d'une beauté sombre, aux cheveux bouclés en bataille et aux yeux mornes; la femme est une jeune Noire gracile du nom de Cynthia, à l'ossature et aux traits de mannequin. Elle est accotée au chambranle, vêtue d'une toge d'homme en soie sauvage étroitement serrée à la taille par une écharpe à glands; visiblement, elle ne porte rien dessous. Une expression où se mêlent la méfiance et la crainte marque leurs visages.

Le commissaire se détourne puis, à pas lents et félins, se met à fureter dans l'atelier où règne une affreuse pagaille. On dirait que la pièce a été mise à sac; tiroirs arrachés, vêtements de femme éparpillés sur le sol, meubles disloqués, lampes brisées, vaisselle et cendriers de céramique fracassés contre le mur, plâtre crevé par endroits.

Dans un angle, deux petits bat-flanc de l'armée où des gens ont dormi récemment. Des douzaines de tubes de peinture acrylique aux couleurs criardes ont été vidés de leur contenu qui a ruisselé, suinté sur les draps et les couvertures en désordre, les marquant d'arabesques agressives et démentes. Au milieu de ce chaos, les restes de douzaines de fins pinceaux de crin, tous brisés et réduits en morceaux, puis des cadres et des toiles, crevés et lacérés de façon irrémédiable. Haggard s'enfonce plus avant dans le grenier, se baissant pour se faufiler sous des solives et des tuyaux où perlent des gouttes d'eau froide, courbant la tête pour éviter de se cogner aux ampoules nues qui pendent du plafond. Sa quête le conduit vers les sinistres recoins d'ombre tout au fond de l'atelier. Là, en guise de w.-c., masqué par un vulgaire rideau, sans même une simple porte, un petit réduit lugubre mais propre que, dans un effort pathétique, quelqu'un s'est récemment appliqué à embellir en tentant de camoufler une fenêtre noire de suie sous un joli store de bambou.

De l'autre côté, un minuscule coin-cuisine qui

contient un petit réchaud électrique et un évier de zinc surmonté d'une planche où s'aligne une série de pots, café soluble, beurre de cacahuètes, confiture, lait en poudre, savon liquide, une boîte de crackers Ritz, et deux boîtes de biscuits. Sous l'évier gît le cadavre ratatiné et grouillant de vers d'un petit chien, un bâtard noir et blanc, museau poisseux de sang.

Courbé en deux pour se faufiler sous les poutres et les tuyaux, Haggard achève son lent périple autour de l'atelier et se retrouve une fois de plus devant les débris immondes, empilés au milieu de la pièce. Tandis que les deux jeunes gens l'observent toujours du seuil, il farfouille du bout de sa chaussure dans cet infâme bric-à-brac, un vrai cimetière de tableaux démantibulés, des douzaines de tableaux, lacérés et en lambeaux, à croire que quelqu'un s'est acharné à fracasser les cadres et à crever délibérément les toiles une à une, avant de les piétiner.

La violence dont témoigne la pièce a quelque chose de dément. Tout a été systématiquement, intégralement ravagé. Mais il est encore possible de décrire la forme et le contenu de la plupart des toiles, qui, toutes, paraissent d'une inspiration indubitablement nautique — mers et ciels, tantôt sereins, tantôt déchaînés, plages, dunes, bois flottés, flore marine, cahutes rongées par les intempéries, filets, poissons morts échoués sur le sable, carcasses de vieilles barques jetées à la côte et incrustées de coquillages, dont le ventre fracassé, lépreux, boursouflé pointe vers le soleil.

Au milieu de ce bric-à-brac dément, une toile accroche l'œil de Haggard. Une silhouette solitaire au crépuscule, un homme en short et cuissardes, enfoncé jusqu'aux hanches dans l'écume bouillonnante, saisi au moment précis où son immense canne à lancer, ramenée au maximum en arrière, vibre dans la fraction de seconde qui précède le geste qui la projettera comme un fouet en avant. Et quelque chose dans cette silhouette solitaire perdue sur cette plage vouée à ce qui paraît être un éternel crépuscule, quelque chose dans la carrure puissante, l'inflexible rigidité du corps tendu contre le vent de mer qui souffle en rafale vers la côte et fait claquer ses vêtements, quelque chose dans cette silhouette paraît familier au commissaire. Dans l'angle inférieur gauche de la toile, une signature, d'une écriture minuscule et timide — Emily Winslow.

« J'espère que vous allez le coincer, ce salaud. »

Une voix fracasse la méditation. Il se retourne; le jeune Grec trapu et la jolie jeune Noire l'observent toujours du seuil.

« Quand vous le coincerez, j'aimerais bien que vous me préveniez. Officieusement, bien sûr, juste avant de le boucler. Ça me ferait plaisir de passer un moment en tête-à-tête avec Warren. Vous l'avez vu, le pauvre petit cabot, là-bas dans le fond?

— Ouais. Je l'ai vu. »

Haggard contemple tristement le jeune homme au visage rond et poupin, un visage de prince du Quattrocento. Tirant la fiche modèle DD13 toute froissée de sa poche intérieure, il s'approche.

« Vous êtes bien sûr que c'est la fille dont nous avons parlé? »

Les deux jeunes gens examinent la photo fixée à la fiche de police.

« Aucun doute, c'est bien elle, dit Tsacrios. Elle paraît un peu plus jeune là-dessus. Mais aucun doute, c'est elle — pas vrai Cynthia?

— C'est elle. Pas d'erreur. Mais nous, on l'appelait jamais Lauren. On l'appelait Emily.

132

— Emily Winslow? demande Haggard qui ne quitte pas la jeune fille des yeux.

— C'est ça, répond la fille, un rien gênée par l'intensité du regard fixé sur elle.

— Elle a habité longtemps ici?

Le jeune homme se gratte le dessus du crâne.

« Oh! disons trois, quatre mois. Elle donnait l'impression d'une môme qu'avait roulé sa bosse. Voyez ce que je veux dire? »

Haggard le fixe d'un regard ironique.

« Comme si elle avait jamais défait ses valises, ajoute la jeune fille en guise d'explication. On aurait dit qu'elle était pas installée, qu'elle se tenait prête à filer d'un moment à l'autre.

— Et effrayée, peureuse comme un lapin, renchérit avec compassion Tsacrios. Une bonne gosse malgré tout. Le genre de fille qui donne l'impression d'avoir eu la poisse. »

Le commissaire hoche la tête, puis reste quelques instants sans rien dire.

« Et donc c'est hier soir que vous avez entendu tout ce raffut...

— Sur le coup de sept heures et demie huit heures. Quelque chose comme ça. Pas vrai, Cyn?

— Ouais... quelque chose comme ça, confirme la jolie Noire qui contemple Haggard fascinée, comme en hypnose. Un raffut terrible.

— Pourquoi n'avez-vous pas appelé les flics?

— Oh! vieux... ça va pas, non... les flics... »

Le jeune Grec se détourne à demi, plaque sa paume sur son front, puis de nouveau lui fait face.

« S'il avait fallu qu'on appelle les flics chaque fois que ce genre de truc arrivait...

— Ça arrivait souvent?

133

— Souvent? Ben, vieux — disons une nuit sur deux. Il avait l'habitude de la tabasser.

— Il la frappait?

— Sûr qu'il la frappait. Il la dérouillait, et salement. Pas vrai, Cyn? »

Les yeux écarquillés, la fille contemple la pièce ravagée.

« Sûr, vieux, c'était affreux. Je veux dire, fallait entendre comme elle hurlait et pleurait.

— Vous ne connaissez pas son nom de famille, par hasard, à ce... — il consulte brièvement ses notes — à ce Warren?

— Je sais rien de plus. Elle l'appelait toujours Warren. Pas vrai, Cyn?

— C'est vrai — Warren. Mais les mecs qui venaient toujours le voir... ses potes, disons. Y en avait qui l'appelaient Keedro je crois bien.

— Keedro? répète Haggard en notant le nom. On dirait un nom espagnol.

— Non, vieux, fait Tsacrios en sęcouant la tête avec vigueur. C'est pas un Espagnol. Je les connais, les Espagnols. Ce mec-là, il est pas espagnol. Je dirais plutôt qu'y vient du Midwest. Cheveux clairs... un blond. Y roule ses r. Drôles de petites lunettes à monture d'acier. Il est pas de par ici.

— Quel âge?

— Vingt-huit trente ans, la trentaine peut-être, qu'est-ce que t'en penses, Cyn?

— Ouais — trente, peut-être trente et un ou trente-deux. Pas mal. Très raffiné, en un sens. Disons que je peux voir ce qu'elle lui trouvait. Mais ses yeux, ça, vieux...

— Qu'est-ce qu'ils avaient ses yeux?

— Fous. »

La jeune fille frissonne violemment et resserre l'écharpe autour de sa taille.

134

« Fous. Ça vous flanquait la trouille de le regarder dans les yeux, pas vrai, Tony? Et sa voix. Calme, vieux. Si calme. Si douce, pas vrai, Tony?

— Ouais. Très douce. Seulement voilà, il aime dérouiller les nénettes. Voyez le topo?

— Ouais, dit Haggard en griffonnant des notes. Je vois le topo. Au fait, où est-ce qu'elle l'avait rencontré, ce type? »

Tsacrios consulte la jeune Noire du regard.

« Qui sait? Sans doute dans une *cafeteria*. Elle y passait une partie de ses soirées. Et ce cinglé de Warren, c'est le genre de boîte où il aime traîner. Il y passait ses nuits à bourrer le crâne aux petites connes de banlieusardes avec son baratin sur la « révolution du peuple » — *Angst, Schmerz*, et *Weltangschauung*. Vous voyez le genre. Là-dessus il se les envoyait et leur piquait leur fric. »

Haggard soulève son Borsalino gris perle et se gratte le dessus du crâne. Quelque chose le tracasse et le ronge. Pour lui, dans cette histoire, quelque chose ne colle pas. Lorsque enfin il parle, il parle tout haut, mais davantage pour lui-même qu'à l'intention des deux jeunes gens qui l'observent :

« Je pige pas. Cette fille — Lauren — Emily —, elle était plutôt évoluée. Je ne la vois pas en train de gober ce genre de baratin.

— C'est vrai. Vous avez raison, opine avec énergie la jeune Noire. Mais, je vous le répète, il avait quelque chose. Et quand il était là, on aurait dit qu'elle était droguée. Elle avait plus sa tête à elle.

— Ou peut-être qu'elle avait peur de lui, médite encore tout haut Haggard, mais qu'elle ne savait pas comment s'en débarrasser.

— Ça se peut, fait Tsacrios en hochant les épaules.

Comme je vous le dis, il aimait dérouiller les nénettes. Ça l'aidait à prendre son pied. Un jour que j'étais sorti, il est descendu ici et il s'est mis à faire du gringue à Cynthia. Elle l'a envoyé se faire foutre et il était sur le point de cogner dessus quand je suis entré. »

Haggard note la brusque lueur qui flambe dans les yeux du jeune Grec et sourit.

« Je l'ai empoigné par la peau du cou et je l'ai foutu dehors. J'y ai dit que si jamais je le retrouvais chez moi, je lui tannerais le cul. Lui, il a pas dit un mot. Il a filé sans demander son reste. Je vous l'ai dit, sans ses larbins, c'est un dégonflé. Un petit rigolo.

— Moi je le trouvais pas tellement rigolo, dit Cynthia. Surtout avec son flingue. Ça, j'ai jamais trouvé que c'était tellement rigolo. »

Haggard dresse l'oreille.

« Il portait un revolver ?

— Un revolver ? gronde le jeune homme, en pivotant à demi et se plaquant la paume sur le front selon son habitude. Des revolvers, m'sieur. Revolvers, au pluriel. *Mucho* revolvers. Histoire de soigner son image. Il en avait toujours un accroché sous sa veste. Y restait là assis peinard à ruminer en tripotant son revolver. Y disait jamais rien. Y restait assis là. Allez savoir ce qui lui passait par la tête. Pendant que ses potes étaient là en haut à se pavaner avec leurs bérets et leurs bottes de paras en brandissant leurs flingues et en blablatant sur les cochons de fascistes et d'ennemis capitalistes, ce mec-là, lui, y restait là peinard à réfléchir.

— Qui c'étaient ses potes ?

— Des salauds, tranche Cynthia avec une grimace de dégoût. Des fainéants, des parasites. Une bande de pique-assiettes. Tout juste bons à passer leurs journées à jouer avec leurs revolvers et à discuter de « la guerre

136

du peuple ». Mais jamais rien d'un peu intelligent...
rien de sensé. Rien que des conneries. De vraies conneries. Des cinglés, ces mecs.

— Un jour y en a deux qui se sont ramenés avec de
la dynamite, marmonne Tsacrios.

— De la dynamite ?

— Ouais, vieux, comme je vous le dis. Des bâtons de
dynamite. »

Une fois de plus, les petits yeux perçants de Haggard
glissent sur le mur couvert de graffiti : L'OMBRE DE
LA FAUX EST SUR VOUS.

« Ce Warren, dit-il après quelques instants, il a un
boulot ? Il fait quelque chose pour gagner sa croûte ?

— Y racontait toujours qu'il dirigeait un journal,
s'esclaffe avec mépris Tsacrios.

— Un journal ?

— Ouais. Une publication clandestine ou je sais pas
quoi. Mais s'il a publié quelque chose, moi j'ai jamais
rien vu. Et toi, Cynthia ? »

La fille hausse les épaules.

« Un dingue, ce mec. Mais comme je dis, moi je peux
voir ce qu'elle lui trouvait. Il avait quelque chose. Une
espèce de fièvre. Tiens, par exemple, quand il se mettait
à parler... »

Elle se tait brusquement, incapable de préciser, puis
poursuit :

« Je sais pas... très calme... et puis ses yeux, des yeux
lents qu'on aurait dit — même que pour un peu on
l'aurait cru.

— A condition de ne pas écouter de trop près,
grogne le jeune Grec. Suffisait de réfléchir un peu pour
voir que tout ça c'était des foutaises. Mais c'te gosse,
Emily — quel est son vrai nom déjà ?

— Aucune importance, élude Haggard. Continuez.

137

— Bon eh bien, c'te nénette — il l'avait complètement embobelinée. Il lui piquait tout son fric. »

Le commissaire saisit le mot au vol.

« D'où tirait-elle son fric ?

— De ses toiles, vieux. »

Tsacrios enjambe les débris qui jonchent le plancher et s'approche du monceau de toiles fracassées et crevées ; il les contemple :

« Rien qu'à cause de ça, j'aimerais bien mettre le grappin dessus.

— Vous voulez dire qu'elle vendait ces trucs-là ? demande Haggard.

— Les vendait ? Vieux, mais elle commençait à percer. Un peu partout. Elle exposait dans une galerie. Elle avait des clients. Y avait des gens bourrés de fric qui s'intéressaient à elle. C'était pour ça qu'il a pas pu se retenir de tout bousiller. »

Tsacrios s'agenouille près du monceau de carcasses, les effleure tendrement du bout du doigt, le visage assombri par une expression de chagrin inconsolable.

« C'est pas une honte ça non ? De si jolis trucs. Lui ça le foutait en rogne. Elle avait du talent. Vraiment. Et lui et ses potes, les clandestins bidon, c'étaient de parfaits ratés. « Bourgeoise », qu'ils appelaient sa peinture. Ce cinglé, il en avait plein la bouche du mot « bourgeois ». Y disait à Emily que les gens qui lui achetaient sa peinture étaient des « bourgeois » et que le fric qui leur servait à acheter ses toiles, ils l'avaient volé « au peuple ». Ce qui fait que, bien entendu, il se sentait le droit de lui faucher le fric que lui rapportaient ses toiles pour le restituer « au peuple ».

— Je pense pas que « le peuple » en ait souvent vu la couleur », glisse Cynthia.

Haggard opine.

138

« Vous avez parlé d'une galerie, non ?

— Sûr, elle exposait dans une galerie de banlieue.

— Vous savez laquelle ?

— Non. Quelque part dans l'East Side. Plutôt chic. Tu sais où, toi, Cyn ? »

La jeune fille secoue la tête, en fixant Haggard d'un regard navré.

« Vous tracassez pas pour ça, dit le commissaire. Je retrouverai la galerie. Ce qui m'intéresse pour le moment c'est de savoir où il l'a emmenée. Vous n'avez aucune idée, pas vrai ? »

Son regard passe de l'un à l'autre, si perçant et si farouche qu'ils ne savent plus où se mettre.

« Tout ce que je sais, dit enfin la jeune fille, c'est qu'en tout cas, elle n'avait pas envie de le suivre. Il a fallu qu'il la traîne.

— Lui et ses copains ?

— Ouais. Hier soir y s'est ramené avec trois de la bande. Et puis on a entendu des cris et des bruits de coups. Et des trucs qui s'écrasaient par terre.

— Vous n'êtes pas monté ?

— Ça mon vieux, non, dit le Grec en exécutant son demi-tour. Je vous l'ai dit, quand on entend ce genre de truc six, sept nuits par semaine, au bout d'un moment on finit par plus rien entendre. Et de toute façon, ajoute-t-il en se détournant, les yeux baissés et honteux, ils étaient trois ou quatre. Et c'est de vrais dingues, ces mecs. Flingues et tout.

— Peux pas dire que je vous blâme », dit Haggard en refermant sèchement son calepin.

Tsacrios coule un regard vers la jeune fille, déconfit, un peu contrit.

« Elle voulait que je monte et que j'essaie de les calmer. Mais avec le temps on apprend à pas fourrer

139

son nez dans les affaires des autres. N'empêche que si jamais je le revois, sans ses larbins...

— Bien sûr, dit Haggard. Je comprends. V's auriez pas un téléphone, faut que je passe un coup de fil.

— En bas dans l'atelier, marmonne Tsacrios.

— L'atelier?

— Ouais — j'ai un atelier en dessous. Je suis sculpteur.

En bas, quelques instants plus tard, Haggard se retrouve dans un autre local qui possède exactement les mêmes dimensions que l'atelier dévasté du dessus. C'est, lui aussi, un atelier d'artiste, mais qui évoque plutôt l'arrière-salle d'un atelier de carrosserie. Les vestiges d'une bonne douzaine de bagnoles accidentées et irrécupérables jonchent le sol, toutes en cours de démolition — pare-chocs écrabouillés, capots enfoncés, portières arrachées, cardans et colonnes de direction rouillés, calandres — tous ressoudés et torturés en formes démentes, grands arbres pareils à des piques, fragiles fleurs marines, longues structures hérissées comme des pelotes d'épingles, filigranes délicats comme des toiles d'araignées, tout en chrome et acier martelé.

« Là-bas au fond », fait le jeune Grec avec un vague geste en direction du fond de la pièce plongé dans la pénombre, sur le mur. Il guide le commissaire médusé à travers un labyrinthe de débris — épaves sinistres, chalumeaux à acétylène, riveteuses, masques à souder, longs tuyaux de caoutchouc blancs accrochés comme des treilles au plafond, vissés à d'énormes réservoirs de métal vert remplis d'oxygène pur.

« Faites comme chez vous. »

Tsacrios pousse Haggard plus avant dans la pénombre, puis fait volte-face et l'abandonne, éreinté et perplexe, près d'un téléphone accroché au mur.

Quelques instants plus tard, il a formé le numéro du commissariat du 17ᵉ secteur et parle au planton.

« Allô... Wershba... je vous appelle de Varick Street. Ouais, vous aviez raison. C'était bien ici, mais la fille a filé. »

En quelques mots il fait le point de la situation et rend compte de ce qu'il a vu.

« Ce qu'il me faut, et en vitesse, c'est un topo sur tout ce que vous avez pu dégoter sur cette bande, la Milice du Nouveau Monde. Je veux les noms, les casiers judiciaires, les empreintes digitales — tout ce que vous avez. En particulier sur un dénommé Warren. Non, pas de nom de famille. Warren, c'est tout ce que je sais. Un Blanc. Taille moyenne. Cheveux blonds. Entre vingt-cinq et trente-quatre ans. Porte des lunettes. Peut-être originaire du Midwest. Voyez ce qu'ont les Fédés. Et vous, si vous arrivez à mettre la main sur les autres, n'importe lesquels, vous les ramassez pour les cuisiner. Ici c'est un vrai bordel et, franchement, ça se présente mal. Le dénommé Waren a emmené la fille. Ouais — la nuit dernière. Il faut envoyer un ou deux gars du labo ici, tout de suite. Histoire de voir ce qu'ils pourront relever comme empreintes dans ce foutu bordel. Et aussi, je veux une liste de toutes les galeries d'art... c'est bien ça, Wershba... les galeries d'art. Art... a-r-t. Toutes les galeries, celles du centre, celles de l'East Side, qui ont entendu parler d'une artiste peintre du nom d'Emily Winslow ou ont été en rapport avec elle. Et, Wershba — écoutez-moi. Et ouvrez bien vos oreilles. Pas un mot à personne. Il s'agit de la gosse du docteur. C'est ça — la fille de Konig. Alors fermez votre

141

clapet. Pas question de le mettre au courant avant de dégoter quelque chose de plus précis. Après ce que j'ai vu ici, et tout ce qu'on vient de me raconter, j'ai l'estomac tout retourné. »

Revenu au centre de l'atelier, Haggard s'arrête et contemple médusé la masse énorme d'une calandre d'Oldsmobile 1953, qui a été décortiquée à la lampe à souder et remodelée pour former une structure de chrome qui évoque un porte-chapeau. Une petite étiquette blanche l'identifie : APOCALYPSE CINÉTIQUE n° 3. Il soulève une fois de plus son Borsalino et se gratte le dessus du crâne.

« Et ça, qu'est-ce que c'est censé être ?

— Qu'est-ce qui est censé être quoi ? »

Tsacrios, occupé à se bagarrer avec le bouchon d'une demi-bouteille de chianti lève un instant les yeux.

« Apocalypse Cinétique n° 3.

— Oh ! ça. »

Le bouchon sort avec un plof triomphant.

« En fait ça ne signifie rien de précis — c'est simplement un nu de Cynthia. »

Haggard compare tour à tour la silhouette souple et sinueuse de la belle jeune Noire et la structure de chrome, acérée et menaçante ; il hausse les épaules :

« Ma foi, si vous le dites. »

Le jeune Grec lui tend un verre de vin :

« Ça vous tente ?

— Merci, décline le commissaire avec un sourire de regret. Je n'ai pas encore déjeuné. Je crois que je vais filer manger un morceau à la cafétéria du coin. »

13

« C'EST ici que je m'arrête. »

Le visage effronté et boudeur se lève vivement et l'épie sous la lueur orangée et diffuse du lampadaire.

« Mais t'avais dit...

— T'occupe pas de ce que j'ai dit. On se sépare ici. »

21 heures 15. Quelque part dans le West Village.

Konig et la fille sont arrêtés dans l'ombre moite et indécise d'un immeuble en partie éventré voué à la pioche des démolisseurs. Une ordonnance de police en lambeaux informe les habitants d'avoir à évacuer les lieux dans un certain délai. Çà et là au-dessus, aux fenêtres des derniers occupants — les obstinés et ceux qui ne savent où aller —, des lumières désolées tremblotent dans la nuit d'avril tamisée de brume.

« Mais t'avais dit...

— Je sais ce que j'ai dit, coupe Konig d'un ton hargneux, bourru, un peu agressif même. Mais c'est comme ça. »

Un mélange d'étonnement et de chagrin voile les

yeux de la fille. Une enfant qui se voit refuser un cadeau depuis longtemps désiré.

Il y a quinze minutes que Konig a réglé l'addition dans le petit restaurant italien de Minetta Lane, pour suivre la fille qui l'a entraîné jusque chez elle, à l'ouest, près du fleuve. Maintenant qu'il est parvenu à destination, il a ce qu'il voulait. Une adresse. En cours de route, ils ont bavardé et ri. Ils ont plaisanté sans contrainte. Elle était tout heureuse, secrètement ravie d'elle-même et fière d'avoir réussi à le décider aussi facilement. Du coup, elle s'est trouvée subtile et l'a pris pour un idiot. Un idiot, mais gentil. Elle ne craint pas qu'il tente de la brutaliser, comme d'autres ont voulu le faire.

Mais voilà que, brusquement, c'en est fini de rire. Il est sombre, dur, sévère. Et même, il y a quelque chose d'un peu menaçant dans la façon dont il la regarde. Comme s'il lui en voulait.

« Ah ! voyons, viens donc. »

Elle se plaque contre lui dans l'ombre et ses lèvres d'enfant cherchent avec avidité sa bouche de vieil homme. Le geste est si obscène que, révolté, il la repousse.

« Allez viens, papa. N'aie pas peur.

— Je n'ai pas peur, et cesse de me donner ce nom ridicule. Je ne suis pas ton père. »

Il lève les yeux et contemple les murs crasseux et éventrés, le fouillis de briques et de ferraille rouillée tapi au-dessus d'eux.

« C'est ici que tu habites ? »

La fille paraît tout à coup accablée de chagrin, désorientée, incapable de s'expliquer cette soudaine rebuffade.

« Et maintenant, monte », dit Konig plus doucement, d'une voix qui a perdu de sa hargne.

Elle le dévisage sans comprendre, l'air craintif et perplexe. Puis elle se détourne.

Konig la suit des yeux, et soudain il la hèle :

« Il y a longtemps que tu t'es mise à la drogue ? »

Elle fait volte-face, bouche bée, cherchant vainement ses mots.

« Il y a longtemps que tu te cames ? insiste Konig d'une voix plus dure. Réponds.

— Vous êtes flic ?

— Réponds, j'ai dit.

— Vous êtes flic. J'en étais sûre. »

Elle avance vers lui, implorante.

« Oh !... ben, écoutez... je...

— Non, écoute-moi, bon sang, reprend-il, la repoussant à bout de bras, je ne suis pas un flic

— Comment que vous savez alors ?

— Pas besoin d'être flic. Il me suffit de regarder tes yeux. »

Tout à coup, la fille se met à trembler. Konig la secoue sans ménagements.

« Écoute-moi bien. Continue à prendre cette saloperie et tu finiras à la poubelle. »

Il lève les yeux, contemple la façade de briques et de plâtras croulants, les fenêtres crevées, les graffiti gribouillés par les petits voyous des rues.

« A dire vrai, tu as déjà fait la moitié du chemin. Ça va, monte. »

Il lui fourre de force vingt dollars dans son minuscule poing glacé.

La fille contemple le billet, bouche bée, les épaules tassées par la défaite. Il devine le conflit qui se déroule en elle. Elle aimerait lui flanquer son billet à la figure, mais il sait qu'elle n'en fera rien. A cause du manque dont, déjà, il le voit, elle ne peut plus se défaire. La fille, il le sait, ne gardera pas longtemps l'argent. En ce moment même, il devine le placier qui les guette dans l'ombre, les yeux brûlants de convoitise, tapi derrière le mur de briques avec ses précieux petits paquets d'oubli, impatient de le voir s'éloigner.

« Et puis, prends ça aussi : lorsque tu te sentiras prête à laisser tomber, viens me voir. Je ferai mon possible pour t'aider », ajoute Konig, en tirant une petite carte blanche de son portefeuille.

21 heures 20. Konig traverse une nouvelle fois la ville de son pas claudicant, en proie à une énorme fureur sourde et mal définie. Il va au hasard. Sans savoir vers quelle destination le poussent ses pas incertains. Vanné et pourtant résolu à ne pas rentrer chez lui. Pourquoi rentrerait-il ? Il redoute la maison vide et les fantômes qui la hantent. Indifférent à la douleur qui lui déchire la jambe, il franchit en boitillant le labyrinthe vert-rouge et géométrique des feux qui clignotent sur toute la longueur de la Sixième Avenue, puis enfile la 4ᵉ Rue Ouest sans se douter qu'au même moment, derrière la devanture en verre dépoli jaune qu'il longe et à travers laquelle clignotent les lumières criardes de lampes Tiffany de pacotille, Francis Xavier Haggard, tassé misérable sur son siège devant un espresso amer comme de la rhubarbe, s'efforce de rassembler, de déchiffrer les propos incohérents, les bribes de renseignements dépourvues d'intérêt que lui débite fébrilement et en un anglais horriblement haché le jeune serveur arménien qui gesticule devant lui.

Konig dérive dans la nuit d'avril moite et vaporeuse, poursuit sa route sous la lumière crue des lampadaires coiffés de halos transparents et fantomatiques, croise au passage une marée de visages jeunes et animés. Ici le monde entier est jeune et du coup, lui, il se sent vieux. Une vieille chose obscène, abandonnée, rejetée. Débordant d'une jalousie et d'un mépris étranges, le cœur brisé. Leur vitalité le raille. Il scrute leurs visages, ardents, avides, qui cherchent la vie au fil des trottoirs souillés d'immondices. Il les scrute, sans se douter qu'en fait il cherche, qu'il guette, un certain visage. Brusquement, la petite figure effrayée de Heather Harwell, Molly Sully pour l'état civil, de Tulsa, Oklahoma, ondoie un instant devant ses yeux. Il se demande, maintenant qu'il est débarrassé d'elle, ce qui l'a poussé à se montrer si cruel. La brutalité, l'absolue cruauté avec lesquelles il l'a rejetée, il s'en rend compte maintenant, lui ont procuré une joie étrange et suspecte. Tout comme le désir de l'humilier encore plus avec le billet de vingt dollars, offert pour rien — de façon purement gratuite — avec un mépris quasi royal. L'odeur un peu grasse des cheveux de la fille, mêlée de relents de mauvais parfum, s'accroche encore à lui, tandis que le souvenir des petits os frêles, pathétiquement enfantins, plaqués contre lui dans le noir — non par désir, comprend-il brusquement, mais par un besoin enfantin d'une chaleur protectrice — l'accable d'une soudaine tristesse.

Tout au long de Broadway et jusqu'à St. Marks Place il se traîne dans la nuit criarde, avec ici ou là une pause aux devantures jaune-orange, bars et cafétérias, petits bistrots et stands de bouquinistes, boutiques, magasins de souvenirs japonais qui empestent l'encens, décorés de lanternes en papier, bourrés de faux jade et de bibelots de pacotille, immenses pizzerias tout en longueur, minuscules gargotes grecques nichées dans des recoins de murs, relents d'agneau grillé, de pilaf graisseux, de

147

saucisses qui cuisent en plein vent, innombrables odeurs qui dardent sous les porches béants comme des langues moites et aigres. Et partout, les jeunes. Un raz de marée de jeunes — étudiants, amoureux, peintres, poètes manqués, adolescents barbus complotant la naissance d'un monde meilleur dans de minables cafétérias ouvertes vingt-quatre heures sur vingt-quatre, camés hébétés par la drogue tapis comme autant de chacals hâves et faméliques dans l'ombre des porches, ruminant des solutions désespérées pour leurs problèmes sans espoir. Les yeux de Konig embrassent et scrutent ces visages juvéniles.

« *Oh! Lolly. Rentre à la maison, ma chérie. Je t'en prie, maintenant rentre.*

« B'soir, docteur. »

Konig lève les yeux et se trouve nez à nez avec le visage souriant et rubicond du veilleur de nuit.

« Travaillez tard ce soir, pas vrai, toubib? »

Konig regarde tout autour de lui comme un étranger. Un peu surpris de se retrouver là.

« Oh! non, ce n'est rien, Scanlon. Rien qu'un peu de paperasserie à finir. Je ne serai pas long.

— Prenez votre temps. Si vous avez besoin de moi, je ne bouge pas. »

Un petit rire celtique fuse et s'éteint derrière Konig; l'écho de ses pas se répercute au fil des longs couloirs verts et déserts; une fois de plus, Paul Konig vient de pénétrer dans la pénombre verte et rassurante de l'univers qu'il connaît le mieux.

14

1 poste à plein temps d'adjoint au
chef de l'Institut médico-légal   40 500 $
5 postes à plein temps de médecins
légistes associés   33 000 × 5, soit 165 000 $

10 heures du matin. Bureau de Konig.

Le silence. Aucun bruit hormis le tic-tac de la vieille pendule Regulator accrochée au mur, le gargouillis de la cafetière, le chuintement paisible du bec Bunsen qui soupire dessous. Konig complète le budget annuel de l'Institut et sa plume court en crissant sur les feuilles du grand registre municipal.

8 postes à plein temps de médecins
légistes adjoints   10 500 × 8 soit 84 000 $

Et puis, au diable Strang, Strang et Hayloft. Mérite-raient tous les deux d'être foutus à la porte... faudrait les liquider ces deux-là.

1 poste à plein temps de
chef-toxicologue   19 500 $

Pas d'examen des tissus, nom de dieu — pas de mention d'ecchymoses dans le rapport d'autopsie.

1 poste à plein temps d'hématologue, 4 postes d'adjoints et...

Mériterait d'être coffré à Yonkers. Ça lui ferait les pieds. Les autres le boufferaient tout cru. Carslin et les petits malins de l'A.C.L.U. Penser que je dois encaisser toutes ces foutaises de la part de Benjamin. Et lui qui joue les gros bras. Et qui me menace du jury d'enquête. Qui la ramène avec son titre de premier adjoint au maire et toutes ces conneries. — J'ai pas oublié le temps où il courait après les ambulances. « Le maire ne veut pas — je répète, il ne veut pas — d'autres histoires. » Eh bien, au diable cet enculé de maire. Et le premier adjoint au maire. Tous des enculés.

Morgue : 12 garçons de salle
7 500 × 12 soit   90 000 dollars

Traces de calcification sur la symphise pubienne. Le fragment de pelvis repêché aujourd'hui dans le fleuve. Pas très fraîche, la poulette. Bien sûr, elle avait séjourné pas mal de temps dans l'eau.

3 postes à plein temps de conducteurs de fourgons.

Besoin urgent de deux fourgons neufs. Si j'en touche un pour remplacer ces foutues guimbardes, je pourrai m'estimer verni. Et ce con de Strang qui me fait la morale à propos de mes devoirs, de mes responsabilités. L'insupportable poseur. L'abruti. Un lèche-bottes prêt à tout pour me faucher mon job. Et toujours à s'inquiéter de ma santé. A m'épier. A me tenir à l'œil. Comme si je n'étais pas au courant de cette connerie de foutu racket. Le con — pas de traces d'oxyde de carbone dans le sang. Pas de cendres dans le larynx ni la trachée. Bande d'idiots. Bande d'idiots. Pourvu qu'on me récupère ce cadavre.

1 autoclave Prince-Hauser, neuf	16 500 $
1 chromatographe à gaz Barschah, neuf	12 500 $

Et ce salaud de poseur au tribunal aujourd'hui. Suicide? Seigneur, O Seigneur Tout-Puissant. Non mais, quel culot! Solennel et pompeux avec ça. La prochaine fois que ce jeune gorille tuera quelqu'un, tant mieux si... Oh! Lolly, Lolly... Et puis cette main avec son vernis à ongles. Bizarre. La gauche ou la droite? J'ai oublié. Curieux. Cartes postales. Photos. Jolies vues.

Konig rit tout haut. Il lève les yeux, surpris par l'écho de son rire qui se répercute dans le silence de la nuit.

Foutue gosse, idiote. Cartes postales et photos porno. Bourrée de hasch jusqu'aux ouïes. Un de ces jours, je serai modèle, un modèle célèbre. Je lui donne pas plus d'un an à vivre, et encore... Oh! Seigneur, Lolly. Ne choisis pas de faire des études de médecine pour me plaire. Seulement si ça te plaît à toi. S'il y a autre chose qui te plaise mieux, fais-le. Mais fais-le pour toi.

Soudain, comme répondant à un appel, il se lève, et sans trop savoir pourquoi, il sort de son bureau. Bruits de pas dont le long couloir vide répercute l'écho. Il a laissé la porte de son bureau ouverte et un rectangle de lumière jaune pâle ruisselle dans le corridor sombre.

Cette foutue main a quelque chose de bizarre.

Il avance, traînant la jambe, la douleur lui taraude la cuisse jusque dans le mollet, longue lame de souffrance froide et effilée. Il descend. Descend l'escalier D, longue spirale qui s'enfonce dans l'univers verdâtre de la morgue chichement éclairée par de rares veilleuses et envahie par une pénombre grise. Pour Konig, pourtant, c'est sans importance. Il connaît le chemin par cœur. Il pourrait s'orienter les yeux fermés. Quelle paix, maintenant que tout le monde est parti. Pour un peu, il préférerait ça. Il est comme le vieux Banhoff. C'est là son univers. Son fief. Tous les autres y sont des intrus. Tout est calme maintenant. Paisible. Ni questions, ni réponses. Ni garçons de salle ni collègues pour fouiner et jouer les mouches du coche. Tout est paisible, immaculé. Récuré, sans trace du carnage quotidien. Carrelage blanc et acier inoxydable. Longues rangées de chariots Gurney alignés bien en ordre, débarrassés de leurs sinistres fardeaux enfermés dans les sacs. Tout est briqué, fonctionnel, prêt. Dans l'attente du flot matinal d'épaves mutilées.

Une unique ampoule nue illumine la salle, éclaboussant les murs d'ombres profondes comme des cavernes. Aucun bruit à part le bourdonnement aigu des moteurs des chambres froides où congèlent les cadavres. Konig ouvre un des casiers et y plonge son regard. Là dans l'ombre froide, entouré de bouffées de vapeur glacée, gît le cadavre de la jeune Espagnole découverte le matin même à Harlem dans l'escalier. Hier encore elle vivait. Dès demain matin elle passera sur la table étincelante.

Konig avance. Le suivant, un cadavre en état de

décomposition avancée découvert cet après-midi dans le zoo du Bronx. Il n'en reste pas grand-chose — un crâne et une mâchoire, séparés l'un de l'autre. Torse et extrémités des membres couverts d'une chemisette blanche, pantalon de toile bleu foncé, ceinturon de cuir noir, à grosse boucle de métal. Le corps, déjà très momifié, disparaît sous un grouillement de vers, morts ou vivants, et une abondante couche de moisissures vertes et blanches. Malgré le froid, l'odeur cadavérique est marquée. Celui-ci aussi passera demain matin sur les tables.

Ensuite, le corps d'une femme noire, une adulte. Bien développé. Bien nourri. Age approximatif, trente ans. Taille 1,58 m environ, poids 60 kg. Les yeux ouverts plongent dans les ténèbres glacées de son caveau. Les conjonctives sont pâles; les cornées voilées; les iris marron avec des traces de *tache noire*. Quelque part sur sa rétine est gravée l'image de son bourreau — sa dernière vision. Béante, une longue entaille s'amorce en dessous du sternum et court jusqu'à la symphise pubienne, l'éventrant quasiment. Une grappe assez volumineuse d'intestins grêles boursoufle les lèvres de la blessure, étrange excroissance qui ressemble à une fleur, à une anémone rouge épanouie entre les seins.

Plus loin, le jeune homme découvert le matin meme dans une baignoire pleine d'eau, un pic à glace fiché dans la poitrine. Le pic a disparu maintenant, envoyé pour expertise au labo. Et le jeune homme gît là, toujours aussi beau, conservant jusque dans la mort une étrange vitalité. Un jeune roi noir plongé dans le rêve. Sur le point de s'éveiller pour reprendre sa route.

Enfin, le casier qu'il cherche. Comme les trois suivants, il renferme les restes soigneusement empaquetés exhumés cet après-midi de la berge boueuse au pied de Coentis Slip. Tout est là, bras et jambes, portions de torses et de pelvis, amas de bras et d'organes génitaux, mâchoires et oreilles, morceaux de chair. Le tout soigneusement empaqueté dans des sachets de plastique et méticuleusement étiqueté, prêt pour la tâche épuisante et le plus souvent vaine de l'identification.

Et là parmi les autres sacs, dans un récipient à part, ce qu'il cherche, ce qui depuis des heures le préoccupe, sans qu'en réalité il s'en doute, la main aux ongles hideusement laqués de fuchsia. Elle repose sur la tranche dans le sac de plastique, cireuse et rigide — pétrifiée par le froid, comme saisie par un sculpteur dans une pose exquise. Pareille dirait-on à la main de plâtre d'un suppliant arrachée à un fragment de statue pieuse.

Konig sort le paquet de la chambre froide et une fois de plus contemple l'horrible chose peinte. Il la tire de son sachet, la retourne dans sa main, l'examine sous la lumière. Quelqu'un a essayé, il le voit maintenant, de mutiler le bout des doigts en les frottant sur une lime ou contre une surface rugueuse, pour compliquer toute tentative d'identification. Assez banal. Il a déjà vu ça. Mais il y a autre chose à propos de cette main. Autre chose de beaucoup plus intéressant qui soudain s'impose à lui, une idée qu'il a ruminée toute la soirée, qui l'obsède depuis l'instant où il a posé les yeux sur la main repêchée dans le fleuve, encore toute dégoulinante de boue et de limon. Cette main que sur le moment, et comme d'ailleurs tous les autres, il a sans hésitation attribuée à une femme, pourrait fort bien être, il s'en rend compte maintenant, une main d'homme.

Soudain, il se retourne, en même temps qu'il lève la

tête et que son regard se porte sur un point indéterminé. Un bruit de pas tinte faiblement sur les marches de métal de l'escalier D. Il écoute quelques instants encore, puis reporte son attention sur la main, rejetant comme par trop improbable l'idée que quelqu'un pourrait descendre ici à cette heure de la nuit.

Et soudain un autre pas. Une pause. Puis une nouvelle série de deux ou trois pas, hésitants et furtifs.

En une fraction de seconde, il a refermé le sac et rangé la main dans le casier, et pousse sans bruit la porte à deux battants de la salle d'autopsie.

Quelques instants il reste là aux aguets dans l'ombre immense et sinistre, imbibée de formol. L'endroit où il se dissimule, derrière l'une des portes, est un poste d'observation idéal et, à travers une petite lucarne encastrée dans la porte, il distingue tous les casiers. Konig attend, écoutant le bruit oppressé, quelque peu poussif, de sa propre respiration. Il attend pendant ce qui lui paraît durer une éternité. Au point qu'il finit par se dire qu'il s'est laissé abuser par son imagination, qu'il va rester là à attendre jusqu'à la fin des temps, en écoutant craquer et gémir vaguement les marches de l'escalier dont la structure de métal se rétracte et se dilate sans arrêt.

Plusieurs fois, il jette un coup d'œil par la lucarne, sans rien voir d'autre que les longues rangées impassibles de casiers gris. Il est prêt à renoncer, mais quelque chose lui souffle d'attendre. Car outre ce que vient de lui révéler la main mutilée, il lui reste encore une autre affaire à régler.

L'instant d'après, le visage d'un homme s'encadre dans la petite lucarne. Un visage de vieil homme fatigué, profondément buriné, plein d'appréhension, quelque peu terrifié, et pourtant en même temps excité

155

de se retrouver à cette heure tardive en ce lieu bizarre. D'ailleurs le visage n'a rien de déplaisant, plutôt un bon visage de vieil oncle. Le visage d'un Italien entre deux âges que Konig en personne a embauché il y a plus de vingt ans.

L'homme se déplace d'une démarche furtive, comme une petite souris qui se risque hors de son trou; il se glisse vers les casiers et s'arrête plusieurs fois, jetant des regards inquiets à la ronde, avant d'arriver à destination. Là ses yeux déchiffrent fébrilement les numéros des étiquettes qui identifient chacun des casiers. Puis, systématiquement, il compare les numéros des casiers avec une liste de noms et les inscrit sur une feuille.

Bientôt, il s'arrête devant un casier. Sans hésiter, il lève le bras, ouvre un tiroir et le cadavre de Barbara Rosales apparaît une fois de plus à la lueur des veilleuses.

Konig observe l'homme penché sur le corps recouvert de son drap. On dirait qu'il examine le visage de la morte, tiraillé entre la pitié et la terreur. Puis, d'une main tremblante, il rabat lentement le drap, exposant le corps nu et meurtri.

C'est le moment que choisit Konig pour surgir de la salle d'autopsie plongée dans l'ombre.

« Ça suffit, Angelo »

La tête pivote brusquement et l'homme se fige, tassé sur lui-même, le souffle coupé, le visage soudain livide, couleur de champignon cru.

Un instant les deux hommes se dévisagent immobiles. Puis Konig parle :

« Montez dans mon bureau, Angelo, je vous rejoins. »

156

« Cessez de pleurer, lance Konig, cramoisi, à la silhouette échevelée effondrée en face de lui sur son siège. Pour l'amour de Dieu, cessez de pleurer. Ce n'est pas ça qui nous aidera. »

Angelo Perriconi se tasse plus profond dans son siège, comme pour se fondre au bois et disparaître. Il cache son visage derrière ses mains tremblantes et sanglote comme un bébé, ne s'arrêtant que pour essuyer de temps à autre son nez qui coule sur sa manche.

« Oh! mon Dieu, mon Dieu.

— Laissez donc le Bon Dieu tranquille, Angelo. Dites-moi ce que vous foutiez en bas. »

Des gémissements étouffés filtrent derrière les mains du vieil homme.

« Répondez-moi. Qu'étiez-vous en train de foutre...

— *Dio mio, Dio mio.* Cette fois, je vais perdre mon travail. Je vais tout perdre cette fois.

— Nom de dieu, allez-vous cesser de brailler comme ça et...

— Qu'est-ce que je vais faire?

— Ecoutez-moi. Je vais vous dire ce que...

— Qu'est-ce que je vais faire?

— Ecoutez-moi, tonne Konig, si fort que le petit homme éperdu s'arrête court et le regarde bouche bée.

« Je vais vous dire ce que vous allez faire, Angelo. D'abord vous allez me donner la liste de tous les entrepreneurs de pompes funèbres de cette ville à qui vous avez vendu des noms de cadavres non réclamés.

— Des cadavres non réclamés? s'exclame l'homme en se redressant à demi. Je n'ai jamais... jamais je...

157

— Ça suffit Angelo. Assez de baratin. Il y a des années que je suis au courant de votre petit racket...

— Oh! non, patron. Je le jure... jamais je...

— Angelo! mugit Konig, dont le poing s'abat sur le bureau; des paperasses volent, des verres tintent, des crayons roulent à terre.

— Oh! non, patron. Non. Jamais... je le jure... jamais je... »

Le petit homme se cache de nouveau le visage derrière les mains, il tremble comme une feuille, incapable de maîtriser ses sanglots éperdus.

« Angelo, reprend Konig, plus posément, plus calme, ou bien vous me donnez ces noms ou bien je rédige un rapport officiel sur ce que j'ai vu ce soir en bas.

— Oh! non. Non, je vous en prie, patron. Non, pas ça.

— Si j'envoie ce rapport, martèle Konig implacable, il sera impossible d'étouffer l'affaire. Votre femme, votre famille, tout le monde sera au courant. »

Le vieil homme gémit derrière l'écran de ses mains :

« Si je vous donne ces noms, ils me briseront les jambes.

— Angelo, il me les faut, ces noms.

— Y me casseront la tête... y me tueront.

— Personne ne vous tuera.

— *Dio mio, Dio mio.* »

Le vieil homme geint comme une âme éperdue.

« Ecoutez-moi, Angelo.

— *Ma che vergogna, ma che disgrazia.*

— Ecoutez-moi. »

La voix de Konig tonne une nouvelle fois à travers le bureau. L'homme courbe l'échine, se tasse comme un sac de chiffons sur son siège, et tandis qu'il continue à geindre doucement, en secouant avec incrédulité la tête d'avant en arrière, Konig se plante devant lui comme un Dieu de colère et parle :

« Bon, voilà ce que nous allons faire. Primo, vous ne serez pas mis à la porte. Vous démissionnerez pour raison de santé. J'appuierai votre demande. Vous n'êtes plus qu'à un an de la retraite. Je suis quasiment certain de pouvoir vous obtenir une pension complète. »

Le petit Italien essaie de protester, mais Konig le coupe d'un geste.

« Secundo, vous allez me donner cette liste de noms... »

Angelo Perriconi recommence à gémir tout haut.

« La ferme, Angelo. Laissez-moi terminer. Vous me donnerez cette liste et personne n'en saura jamais rien. C'est votre santé qui vous pousse à donner votre démission — compris ? » insiste Konig sans le lâcher des yeux.

L'homme renifle et secoue la tête.

« Ce qui fait, enchaîne Konig, que personne n'ira faire de rapprochement entre votre démission et ce foutu racket de vol de cadavres. Vous comprenez ? »

Gémissant, reniflant, l'homme hoche la tête et Konig poursuit :

« A vrai dire, dans toute cette histoire, je suis autant à blâmer que vous. Il y a bien trois ans que je sais que vous êtes en cheville avec des individus louches, que vous leur vendez des noms et encaissez des pots-de-vin. Je m'étais dit que vous aviez besoin d'arrondir vos fins de mois. Je sais que vous avez des gosses, une grande famille. Je sais que vous avez un fils qui poursuit ses études. Je suppose que j'ai préféré ne pas regarder les choses en face, en espérant que vous laisseriez tomber de vous-même. J'ai eu tort. Dès que j'ai eu découvert le

159

pot aux roses, j'aurais dû vous obliger à arrêter. Oh!
bon dieu, allez-vous cesser de renifler. »

Le petit Italien sursaute, comme un enfant qui se
recroqueville sous un coup, ce qui fait que Konig se
sent encore plus furieux contre lui-même, plus désolé.
Fuyant le spectacle pathétique du vieillard accablé
par la honte, les yeux de Konig parcourent désespérément la pièce et se pose finalement sur la cafetière.

« Un peu de café ? »

Angelo secoue la tête et s'incruste dans son siège.

« Vu la situation, poursuit lugubrement Konig, je
parierais que nous avons un bon petit scandale sur les
bras. Les journalistes vont fondre sur cette histoire
comme des vautours. Ils ne lâcheront pas prise. Ça,
c'est mon affaire. Je m'en charge.

— Ma femme... mes gosses... qu'est-ce qu'ils vont
dire, bon dieu ?

— Ils ne diront rien, pour la bonne raison qu'ils ne
sauront jamais rien. »

Les sanglots se taisent brusquement et la silhouette
pathétique et effondrée lève un visage stupéfait vers
Konig.

« Je n'ai certainement pas l'intention de leur en parler, moi, poursuit Konig. Et vous ? »

Toujours perplexe, incertain de ce que mijote l'autre
l'homme secoue négativement la tête.

« Et vous, Angelo ?

— Non, monsieur.

— Bon. Dans ce cas, le secret reste entre nous.
D'accord ? »

Une fois de plus l'homme secoue la tête, déconcerté,
mais déjà un rayon d'espoir éclaire son visage.

« Un secret entre nous... d'accord, Angelo ?

« — D'accord. »

Secoué de gros sanglots rauques, les épaules voûtées, l'homme incarne l'humiliation et la défaite.

« Et maintenant, rentrez chez vous, Angelo. Vous êtes fatigué. »

L'homme lève les yeux sur Konig, des yeux rouges et larmoyants, ses lèvres s'agitent vainement. Mais en matières d'excuses et de faux-fuyants, Konig n'a plus rien à apprendre et, fermement, il pose son gros index sur les lèvres du petit·Italien.

« Vous avez entendu, rentrez chez vous. »

De nouveau enfermé dans la solitude de son bureau, Konig, secoué et épuisé, se replonge avec lassitude dans·le budget de son service, les colonnes et les lignes innombrables, les chiffres interminables, actif et passif, manipulations et tours de passe-passe, petits fricotages, cuisine sordide pour décrocher de nouveaux appareils. Mosaïque absurde de faux-fuyants et d'escroqueries minables qu'il doit compléter avant la fin de la semaine et transmettre à l'hôtel de ville, dans l'espoir qu'elle paraîtra convaincante à l'œil blasé du contrôleur des Comptes de la municipalité.

Sur le coup de vingt-trois heures, les yeux brûlants, la douleur qui lui torture la jambe ayant gagné ses reins, Konig repousse ses crayons et se prépare à rentrer. Il empile soigneusement les registres au milieu de son bureau, puis, sans se retourner, se penche pour éteindre le bec Bunsen sous la cafetière. Il est prêt à partir. Mais quelque chose le ronge. Le sentiment qu'il lui reste encore une affaire à régler.

L'instant d'après il retombe sur son siège, empoigne le téléphone, demande les renseignements, puis prie

161

l'opérateur de lui passer un abonné de Tulsa, Oklahoma.

Un silence, puis une sonnerie aiguë retentit sur la ligne, une série de timbres et de tonalités, des voix de gens invisibles, un instant piégées par le réseau des lignes qui couvrent le continent plongé dans les ténèbres. Des pères, des oncles, des sœurs, des frères, des ennemis, et des amis. Puis à 2000 kilomètres de distance quelqu'un décroche et, tout à coup, un rugissement de voix et de guitares envahit l'écouteur.

« Tu vas me baisser ce foutu machin, oui, hurle une voix de femme à l'autre bout.

— Allô, hurle Konig à son tour.

— Une minute, bonté divine... non ? »

Konig attend; un intermède de marmonnements et de bruits confus qui lui parviennent de Tulsa, Oklahoma. Puis soudain, le silence, comme si une radio ou une télé venait d'être brutalement coupée.

« Allô...

— Allô... Mrs. Sully ?

— Allô...

— Allô. Je suis bien chez les Sully ?

— Mais oui. »

La voix de la femme s'est faite aiguë, quelque peu irascible.

« Navré de vous déranger à une heure pareille.

— Comment ça, à une heure pareille ? »

Konig jette un coup d'œil à sa montre, lâche un petit rire embarrassé.

« Oh! bien sûr, vous avez quelques heures d'avance sur nous, pas vrai ?

— Ça dépend d'où vous appelez. Qui êtes-vous ?

— Je suis le docteur Konig, de New York. Je vous téléphone au sujet de votre fille.

162

— De qui ?

— De votre fille. Vous avez bien une fille... de seize ou dix-sept ans... du nom de Heather, euh, je veux dire Molly. En fait, elle s'appelle bien Molly, n'est-ce pas ? »

Suit un silence, chacun d'eux guette la respiration de l'autre.

« Allô... allô... Mrs. Sully ?

— Attendez une minute, voulez-vous ? Tim..., lance-t-elle d'une voix où Konig décèle une brusque note d'inquiétude, Tim. »

Suit un nouveau silence; Konig attend; au bout du fil, il lui semble percevoir un murmure agité. Puis soudain une voix d'homme, bourrue, avinée.

« Allô.

— Allô... Mr. Sully ?

— Lui-même.

— Je suis le docteur Konig et je vous appelle de New York. Vous avez une fille du nom de Molly ?

— C'est exact.

— Eh bien, il se peut que tout ça vous paraisse bizarre. Incroyable, même... »

Konig lâche un petit rire idiot puis reprend :

« S'est-elle enfuie de chez vous ? »

De nouveau le silence; il entend littéralement l'autre réfléchir et peser sa réponse.

« Elle a filé il y a dix-huit mois. Je n'ai pas eu de ses nouvelles depuis.

— J'en étais sûr. »

Soudain plus léger, Konig se hâte d'enchaîner :

« J'en étais sûr. Ecoutez... je l'ai vue ce soir.

— Vous l'avez vue ?

— J'ai dîné avec elle. Tout à fait par hasard. Je veux dire, j'ai levé la tête et elle était devant moi... elle ven-

dait des cartes postales dans un restaurant de Greenwich Village. J'aurais parié qu'elle avait fait une fugue.
Je le savais. Je ne sais pas pourquoi, mais je le savais.
Une intuition. Mais écoutez-moi, ne vous faites pas de
souci. Elle va bien. Elle ne court aucun danger pour
l'instant. Mais j'ai bien peur qu'elle soit à la veille
d'avoir de gros ennuis. Je vous en dirai davantage
lorsque vous arriverez. Je sais où elle est... où vous
pouvez la trouver. Si vous prenez le premier avion
demain matin...

— Qui vous dites que vous êtes déjà ?

— Konig, le docteur Paul Konig. Je suis le chef
de l'Institut médico-légal de New York. Ecoutez,
j'ai son adresse. Si vous voulez qu'on la ramasse, je
peux...

— Je ne veux pas de son adresse.

— Elle a changé de nom, mais... »

La voix de Konig s'éteint.

« Je vous demande pardon ?

— J'ai dit que je ne voulais pas de son adresse. Je
me fous totalement de savoir où elle est. »

Konig se renfrogne, jette un coup d'œil au micro du
téléphone.

« Oh ? »

Il hésite un instant, à court d'arguments.

« Mais votre fille...

— C'est plus ma fille. Elle s'est fourré un tas de
conneries en tête et elle a foutu le camp y a dix-huit
mois. En ce qui me concerne...

— Tim... Tim... »

De nouveau les chuchotements éperdus, implorants
crachotent sur la ligne.

« Tim...

— Ta gueule, Alice. Vous avez entendu, m'sieur ? Si

164

jamais vous la revoyez, c'te petite salope, dites-lui de ma part... »

Konig perçoit un bruit de sanglots étouffés à l'autre bout.

« Que si jamais elle s'avise de revenir nous emmerder, moi je l'assomme, c'te traînée. »

Samedi 13 avril. 12 heures 45. Riverdale, New York.

UNE grande et vieille maison style Tudor campée tout en
haut d'une colline qui surplombe l'Hudson. Un énorme
salon, haut plafond aux poutres apparentes, lourdes
tentures, atmosphère ouatée et confinée; Paul Konig se
tient face à une grande baie. De l'endroit où il est
posté, son regard embrasse un patio de pierre prolongé
par un jardin inondé de lune, avec, au-delà, la pente
abrupte d'une pelouse qui dévale vers le fleuve. Au-delà
de l'immense vide noir du fleuve, il distingue les falai-
ses des Palisades dont les bosses et la masse trapue se
silhouettent sur l'autre rive et, tout au sommet, une
pulsation paresseuse de lumières indécises, la circulation du petit matin sur l'autoroute des Palisades.

 « *Paul — il nous faut encore du champagne.* »

 « *Tout de suite, Ida. Tout de suite. Bonté divine,
laisse-moi le temps. Je n'ai que deux mains.* »

Au-delà du patio de pierre, des ombres vacillantes
passent et repassent, dérivent dans le jardin inondé de
lune.

 « *C'est vrai qu'elle est charmante, non ?* »

 « *Le vrai portrait de sa mère.* »

166

« *Heureusement pour elle.* »

Des rires cascadent à travers les branches des hêtres et peupliers qui bruissent au-dessus du jardin. L'air est chargé de senteurs de lilas et de chèvrefeuille, du parfum des jacinthes qui entourent une mare où nagent des poissons rouges. Des rires dont l'écho résonne maintenant dans le grand silence funèbre d'une maison depuis longtemps déserte.

« *Tu ne te sens pas fier d'elle aujourd'hui ?* »

« *Bien sûr que si. Bien sûr que je suis fier d'elle.* »

« *Que va-t-elle faire maintenant qu'elle a quitté le lycée ?* »

« *Je me le demande bien. Attention au bouchon... plop... et voilà. Passe-moi un verre. Vite.* »

D'autres fantômes de rires dont l'écho se répercute dans les immensités silencieuses de la maison.

« *C'est drôle, mais j'ai dans l'idée qu'elle a envie d'aller passer quelques années à l'étranger pour peindre.* »

« *Moi je ne trouve pas ça drôle.* »

« *Dans ce cas, charge-toi de la financer. Moi, pas question. Il y a vingt ans que je règle les factures. Je suis fatigué. A son tour maintenant.* »

« *Mais j'imagine que tu verrais les choses tout différemment s'il s'agissait, oh, disons par exemple... de lui payer ses études de médecine.* »

« *Nom de Dieu, Chester, ne sois pas si snobinard. Nous avons tous notre petite idée sur ce que devraient faire nos gosses...* »

« *Seulement des idées, Paul. On croit tout prévoir mais voilà, il est rare que ça tourne comme on l'avait prévu.* »

« *En tout cas, je ne veux pas qu'elle entre à la faculté de médecine pour me faire plaisir. Qu'elle fasse ce qui* lui chante, nom de dieu. Il y a beau temps que je m'en lave les mains. »

Planté maintenant devant une cheminée de marbre surmontée d'un miroir, Konig contemple le visage buriné et grêlé qui ondoie dans la glace satinée de fumée. Les yeux sont rouges et larmoyants, comme s'ils avaient trop longtemps scruté la gueule d'un haut fourneau.

« Déprimant, pas vrai, Paul ? D'être toujours entouré d'un tas de jeunes ? »

« Surtout quand on vient de jeter un coup d'œil à son propre électrocardiogramme. Ida... qui c'est ce type là-bas avec Lolly ? »

« Je n'en sais rien. Quelqu'un qu'elle aura rencontré à son école. Je crois qu'il est moniteur ou qu'il enseigne je ne sais trop quoi. »

« Oh ? » se renfrogne Konig. « Ma foi, il ne me plaît pas. »

Le silence pèse d'un poids tangible sur la maison, tapi dans les ombres et les recoins, peuplant les pièces et les corridors depuis longtemps déserts. A l'étage, Konig erre comme un étranger dans des couloirs qui lui sont familiers depuis un quart de siècle. Il passe devant des seuils qu'il a souvent franchis, traverse des espaces encore hantés par l'aura d'occupants depuis longtemps disparus.

Dans sa propre chambre, où il n'a pas dormi une seule fois depuis la mort de sa femme, les superbes vieux meubles français — le grand lit à baldaquin, l'écritoire Louis XVI, l'élégant récamier tendu de soie — sont recouverts de housses. Sur une table de chevet du côté où dormait Ida Konig, est posée une photo jaunie et fanée — une photo de noces, solennelle et guindée, qui représente un grand jeune homme au visage austère bizarrement accoutré d'une queue-de-pie et coiffé d'un gibus; à côté de lui, une femme brune, très petite, vêtue d'une longue *peau de soie* en dentelle, belle plutôt que jolie, regard intense et attachant.

Plus loin, une salle de musique. Un piano à queue trône devant une énorme baie aux carreaux sertis de plomb où s'enchâssent de petits vitraux qui représentent des bergers et des moutons, des pastoureaux et des bergères, des saltimbanques et des saints, de funèbres corbeaux perchés sur des branches de laurier, le tout enluminé de rouges écarlates et de bleus cobalt, de pourpres princiers et ecclésiastiques.

Sur le pupitre du piano à queue, une partition est ouverte à la page d'un nocturne de Chopin : le tout a un air d'attente, à croire que le décor tout entier n'attend plus que l'apparition imminente des acteurs pour prendre vie.

Plus loin, la chambre tendue de dentelles et de tapisseries où huit ans plus tôt sa mère est morte dans d'abominables souffrances. Les placards sont encore bourrés de ses vêtements, qui exhalent une odeur de vieillesse — camphre et naphtaline, effluves médicamenteux des chambres de malades.

D'autres pièces — chambres d'amis, salon. Elégantes salles de bain à l'ancienne mode, de proportions généreuses et luxueusement équipées — baignoires encastrées dans le sol, superbes robinets de cuivre italiens. Salle de bain que n'aurait certes pas pu s'offrir un médecin-fonctionnaire sans autres ressources apparentes que son salaire, mais salle de bain indubitablement digne d'un jeune praticien qui avait eu la chance de faire un riche mariage. Après tant d'années, l'amertume des déshérités propulsés dans un monde de nantis bouillonne encore en lui.

169

Et puis, tout au bout du couloir, une salle de couture, vaste et intime, sous un haut plafond en soupente, avec une cheminée en pierre et un métier à tisser. La tanière d'Ida. Tout est encore à sa place, les pelotes de fil multicolores dans les corbeilles en osier, un vase hérissé d'aiguilles à tricoter comme un carquois, une superbe et vénérable machine à coudre Singer; et sur le métier, dans l'état où elle l'a laissé, à demi achevé, le canevas d'une grande tapisserie blanche piquetée d'immenses hortensias rouge sang.

Enfin, une autre pièce, la dernière, plus petite que les autres; un recoin tendu de soie — un petit lit à baldaquin, une élégante petite coiffeuse décorée de dentelle à volants. Des tableaux de ballerines s'alignent sur les papiers à fleurs des murs. Une chambre exquisement féminine, une chambre qui avait vu une enfant devenir femme. Jadis meublée d'un berceau pour accueillir un bébé, un bébé dont l'arrivée avait pris ses parents totalement par surprise, alors qu'ils avaient depuis longtemps abandonné tout espoir de procréer. Tout le monde pensait depuis des années qu'Ida Konig était stérile, un cas de stérilité tenace à laquelle bizarrement elle s'était mal résignée. Rebelle aux médicaments et aux traitements, un mystère pour une demi-douzaine de spécialistes, qui tous s'étaient montrés incapables de diagnostiquer la nature de son problème. Puis un matin, quelques jours après son quarantième anniversaire elle s'était réveillée en proie à d'étranges symptômes. Nausées, bouffées de chaleur, sérieux retard dans ses règles. Son gynécologue lui-même avait hésité a diagnostiquer une grossesse, préférant parler de vagues troubles hormonaux. Puis il avait vu les résultats du test de la lapine et des analyses d'urine, et quelques jours plus tard, lors d'un examen interne, il avait découvert un minuscule fœtus accroché à la paroi de l'utérus. Et ce soir-là, Paul et Ida Konig étaient restés longtemps blottis dans les bras l'un de l'autre et s'étaient endormis en riant.

La chambre de Lolly Konig était bourrée de tout un bric-à-brac qui retraçait toutes les étapes de sa vie, de son enfance à la fin de son adolescence. Un vieux cheval à bascule mangé aux mites, des étagères surchargées de longues rangées de poupées, des poupées de toutes sortes — poupées hollandaises, poupées de porcelaine, cendrillons, nounours couleur safran aux yeux ronds, Pinocchios et Arlequins, un grenadier aux joues roses coiffé d'un shako, ballerines et toréadors, petites figurines Hummel sorties de Grimm et d'Andersen. Et sous les étagères de poupées, les étagères de livres — *Madeline, Babar, Winnie the Pooh, Alice au Pays des Merveilles, Peter le lapin, Le Vent dans les saules, Le Jardin mystérieux, Guki l'enfant de la Lune.* Puis d'autres livres, plus vieux — *Heidi, Lorna Doone, Jane Eyre, Vanity Fair, Tess of the D'Urbervilles*, et d'autres encore, jusqu'à Dickens et Twain. Puis des livres sur les planètes, la vie des poissons et les insectes. Ensuite, des livres d'histologie des plantes et d'histoire de l'art. Puis d'énormes et luxueux albums bourrés de reproductions de tableaux, fresques préhistoriques des grottes de Lascaux, icônes médiévales et byzantines, œuvres de l'école flamande et du Quattrocento, chefs-d'œuvre des maîtres français et espagnols, impressionnistes et peinture russe moderne, sans compter une interminable série de peintres américains — Eakins, Ryder, Sargent, Homer, Burchfield, Hopper, Remington et Russell.

Dans les tiroirs et le placard ses vêtements, empilés et accrochés bien en ordre, qui attendent son retour —

pulls en shetland, jupes écossaises, ensembles de laine et de poil de chameau, vestes de peau, vieux jeans rapiécés et passés qui datent de l'université, râteliers bourrés de gros souliers et de sandales, vieilles chaussures de ville éraflées et conservées avec amour, bottes d'équitation et élégants escarpins vernis. Et tout au fond, dans le coin le plus sombre, une robe d'organdi rose, qui garde encore le parfum des fleurs d'oranger arborées deux ans plus tôt à la garden party en l'honneur de la remise des diplômes.

« *Lolly, qui est cet homme ? Pourquoi l'as-tu amené ici ?* »

Le doigt de Konig effleure doucement la tête filasse de la poupée Hummel, la petite gardeuse d'oie. De sa corbeille en osier, elle jette des graines à trois oies dodues qui se pavanent à ses pieds.

« *Papa, je regrette que les opinions politiques de Tom ne te plaisent pas, mais je ne peux tout de même pas lui demander de partir.* »

Konig éteint la lumière, puis prend la petite gardeuse d'oies et la pose sur le lit étroit. Il s'assoit à l'extrême bord du lit, se débarrasse de ses souliers, et sans enlever les vêtements froissés, défraîchis et imprégnés d'une odeur de mort qu'il a traînés toute la journée, il s'allonge lourdement et sombre dans l'obscurité accueillante, la petite gardeuse d'oies en équilibre sur la poitrine.

C'est seulement depuis qu'il n'est plus debout qu'il se rend compte à quel point sa jambe et son dos le torturent. Quelques grammes de Démérol le soulageraient, se dit-il, mais depuis quelque temps il abuse du Démérol, dont le besoin se fait surtout sentir la nuit, juste avant qu'il s'endorme.

Renonçant au Démérol, il se plaque un bras sur le

visage et laisse les ténèbres le submerger. Il se sent mieux là, dans le noir, la petite gardeuse d'oies sur la poitrine — dans le lit de sa fille, sur le matelas et l'édredon de plumes qui conservent encore l'empreinte de son corps, le souvenir de son poids. D'une certaine façon, il se sent plus près d'elle dans cette obscurité familière où depuis près de cinq mois, nuit après nuit, il vient chercher le sommeil. Il l'imagine enfermée dans quelque chambre misérable et crasseuse, une petite cellule sordide, l'exil qu'elle s'est choisi. Et il se demande si elle aussi en cet instant pense à lui.

Soudain le téléphone sonne. Assis raide sur le lit, il l'entend sonner dans sa chambre de l'autre côté du vestibule. Immobile, les yeux ouverts et fixes, les nerfs vibrants d'impatience, il attend que la sonnerie recommence. Mais le timbre sonne un seul coup, puis se tait. Une erreur, suppose-t-il, pourtant son cœur cogne follement dans sa poitrine tandis que l'écho de la sonnerie s'éteint dans la solitude sinistre de l'immense maison — cri d'angoisse jailli quelque part dans la nuit moite et hantée de terreur, pareil au bêlement d'un agneau égaré et blessé.

Le week-end est commencé. Les heures qu'il redoute le plus s'étalent devant lui, heures d'oisiveté et d'inaction; des heures qu'il lui faudra bien tuer dans l'attente du lundi matin qui lui permettra de se replonger dans l'anesthésie bienheureuse de son travail.

16

« Soit en tout quarante-huit fragments.

— Bon... maintenant peut-être pouvez-vous me dire combien de corps représentent ces quarante-huit fragments ? »

Lundi 15 avril. 9 heures du matin. Salle d'autopsie, Institut médico-légal.

Le jeune Tom McCloskey contemple tristement cinq grands plateaux chargés d'un assortiment de membres supérieurs, de portions de troncs, de doigts et d'orteils, de morceaux d'os et de muscles, de débris anatomiques.

« Désolé, patron... j'ai bien peur de ne pas avoir la moindre idée du nombre de corps que nous avons ici. »

Le regard de Konig se pose tour à tour sur les six ou huit autres hommes de son équipe rassemblés autour des sinistres plateaux — Pearsall, Bonertz, Delaney, Hakim le petit Iranien, et Strang aux yeux chafouins.

« Eh bien, dans ce cas, poursuit Konig avec un rien d'agressivité, si vous n'êtes pas capable de me dire combien de corps nous avons, peut-être pouvez-vous me donner une idée de l'âge, du sexe et de la taille approximative de ces foutues saloperies. »

Les yeux de Konig, toujours rivés sur McCloskey, luisent de malice. Il paraît un instant sur le point d'éclater de rire. Puis soudain ses épaules s'affaissent, comme après un grand effort, et il soupire :

« Ma foi, quel bordel que ce foutu bric-à-brac, pas vrai ? Nous ne savons même pas s'il y a là-dedans un seul corps au complet. Et pas de tête.

— Flynn a téléphoné de bonne heure ce matin, dit Strang. Pour dire qu'ils ont passé le week-end à creuser. Ils ont encore trouvé d'autres morceaux et ils nous les ont envoyés hier. Selon lui, il y a des chances pour qu'il nous en dégote d'autres aujourd'hui.

— Des chances ? s'esclaffe Konig avec mépris. Bon dieu, mais qu'est-ce qu'ils espèrent qu'on va fiche de ça ? Ils ne savent donc pas qu'il est difficile de faire des identifications quand on n'a ni têtes, ni dents, ni doigts pour prendre des empreintes. Bordel, mais qu'est-ce qu'ils veulent qu'on fasse ? »

Il contemple lugubrement une des mains, affreusement mutilée, les bouts des doigts tranchés pour compliquer toute identification et sans doute engloutis à jamais dans la boue du fleuve.

« Eh bien, soupire-t-il de nouveau, pouvez-vous au moins éclairer un peu notre lanterne, McCloskey ?

— Oui, patron. »

McCloskey remonte ses lunettes et entreprend de leur lire les fiches fixées à sa planche.

« Compte tenu de ce qu'on nous a envoyé hier, il y a en tout ici quarante-huit fragments distincts. Vingt fragments d'os, vingt-sept fragments de tissus divers dont l'épaisseur varie de 6 à 8 centimètres. Nous les avons soigneusement examinés pour les identifier, et

175

n'avons relevé ni cicatrices ni signes particuliers. Faut-il que je les décrive un par un, patron? ajoute le jeune médecin en relevant les yeux.

— Pourquoi pas? »

Konig pose un regard sombre sur son équipe.

« Nous avons toute la matinée devant nous et rien de spécial à faire. »

C'est ainsi que commence la matinée à l'Institut médico-légal. Six hommes se pressent autour des cinq macabres plateaux tandis que le jeune adjoint, qui déjà ruisselle de sueur sous l'éclat des hautes lampes fluorescentes, commence à lire son rapport d'une voix mal assurée.

« Avant-bras droit et main droite. Bras désarticulé au niveau du coude. Tissu épidermique arraché sur le tiers supérieur de l'avant-bras. Premier segment du pouce complètement dépouillé d'épiderme. Toutes les extrémités des doigts ont disparu.

« Avant-bras gauche et main gauche. Bras désarticulé au niveau du coude. Les extrémités de tous les doigts manquent.

« Cuisse droite. Désarticulée au niveau des articulations de la hanche et du genou. Epiderme presque totalement arraché sur le fémur à l'exception d'un petit triangle de peau, de 11 centimètres sur 8, qui maintient la rotule en place.

« Cuisse gauche. Désarticulée au niveau de la hanche et du genou. Petite touffe de poils pubiens noirâtres sur la face interne de la cuisse.

« Jambe droite et pied droit. Désarticulée au niveau du genou. Orteils mutilés ou manquants. »

La porte de la morgue s'ouvre brusquement et un employé passe la tête dans l'entrebâillement.

« Docteur Konig? »

— Par ici.

— On vous demande là-haut au téléphone.

— Qui ça ?

— Le *Times*. Ils ont besoin de renseignements pour un article. »

Konig jette un coup d'œil à Strang, qui baisse vivement les yeux et fixe un des plateaux.

« Dites que je suis occupé pour le moment.

— Ils disent que c'est important.

— Ce que nous sommes en train de faire aussi, nom de dieu, explose Konig en rejetant une main dans un des plateaux. Dites-leur de rappeler plus tard. Continuez, McCloskey. »

La porte se referme et McCloskey reprend son sinistre inventaire.

« Tronc; nous n'avons qu'un seul tronc. Il sent mauvais et grouille de vers. Le tissu sous-cutané sur le pourtour des fragments de membres montre des traces de putréfaction. Il a été tranché en deux par incision de la partie supérieure de l'abdomen. La colonne vertébrale a été sectionnée dans la région lombaire supérieure. La portion supérieure comprend le thorax au complet, y compris le cœur et les poumons. Les muscles ont été arrachés sur toute la moitié gauche. Diaphragme sectionné. Nous avons également relevé cinq blessures par lame dans la paroi thoracique. Deux blessures au poumon gauche plus une blessure qui a perforé l'orifice de l'oreillette gauche et transpercé l'aorte. Probablement causée par un couteau à petite lame.

— Des traces d'hémorragie ? demande Konig.

— Rien sur la paroi interne du péricarde, répond Pearsall. Ni sang ni caillots dans l'enveloppe du péricarde.

— Blessures infligées après la mort, glisse Bonertz.

177

— Probablement, opine Konig. Infligées en tentant de vider le thorax des viscères. Et du même coup, il a bousillé le diaphragme. Demandez qu'on fasse des prélèvements de tissu sur les organes pour examen histologique, voulez-vous, Hakim. Continuez, McCloskey, marmonne Konig.

— Portion inférieure du tronc, reprend le jeune homme d'un ton maintenant plus assuré, y compris le pelvis et les organes au complet à l'exception des parties génitales qui ont été tranchées. Mais la forme des os et la présence de tissu prostatique permettent d'affirmer qu'il s'agit d'un pelvis d'homme.

— Impossible d'être catégorique sur ce point, raille Strang. Il est assez fréquent de trouver des traces résiduelles de tissu prostatique dans des cadavres de femmes.

— Oui, monsieur, bafouille McCloskey, mais...

— Oh! pour l'amour de Dieu, gronde Konig. Cette bitte et ces couilles là-bas, qu'est-ce que vous en foutez, Carl. Ça crève les yeux qu'elles collent avec le reste, non? »

Strang cille sous la rebuffade. Quelques instants les deux hommes s'affrontent du regard. Puis Konig se retourne vers le jeune adjoint.

« D'accord, il s'agit d'un pelvis d'homme. Poursuivez, McCloskey. »

Le jeune médecin s'empresse d'enchaîner.

« Portion inférieure du tronc, cuisses désarticulées au niveau de la hanche.

« Partie supérieure du bras droit. Humérus désarticulé aux jointures de l'épaule et du coude.

« Partie supérieure du bras gauche. Humérus désarticulé aux jointures de l'épaule et du coude.

« Avant-bras droit et main droite. Bras désarticulé à

178

la jointure du coude. Main mutilée par l'ablation du dernier segment du pouce et des quatre autres doigts. Poils fins et rougeâtres sur le dos de l'avant-bras et de la main.

« Avant-bras gauche. Désarticulé à la jointure du coude. Pas de main.

« Main gauche. Désarticulée au poignet. Aucune mutilation à l'exception d'une abrasion en profondeur du tissu des extrémités des doigts, sans doute causée par une line ou un grattoir, manifestement dans le but d'effacer les sillons. Ongles couverts d'une épaisse couche de vernis-laque violet.

— Ah ! l'intrigue se complique, entonne Pearsall, une lueur espiègle dans l'œil. Un triangle d'amants terribles.

— Vous croyez ? grogne Konig, en remontant ses lunettes sur ses cheveux, afin d'examiner une fois de plus la main aux ongles obscènes.

« Ça se peut. Continuez, McCloskey », fait-il en haussant les épaules.

Et le sinistre inventaire se poursuit tandis que s'avance la radieuse matinée d'avril. Dehors le soleil brille. Les lilas sont en fleur. En haut, le long des trottoirs, des gens vaquent à leurs occupations. Des amoureux flânent bras dessus, bras dessous le long de la berge.

« Cuisse droite. Désarticulée aux jointures de la hanche et du genou.

« Cuisse gauche. Désarticulée aux jointures de la hanche et du genou et au niveau de l'astragale. Pas de pied.

« Jambe gauche. Désarticulée à la jointure du genou et également plus bas, au niveau de l'astragale. Pas de pied.

« Bras droit. Humérus désarticulé aux jointures de l'épaule et du coude.

« Bras gauche. Humérus désarticulé aux jointures de l'épaule et du coude.

« Deux rotules. L'une sérieusement endommagée, sans doute au moyen d'une scie à métaux. La lame aura probablement ripé. Voilà pour les os, conclut McCloskey en relevant les yeux.

— Des questions, messieurs ? demande Konig en laissant courir son regard sur l'assistance.

— Du beau boulot, fait observer Delaney, qui contemple la tête luisante d'un fémur. Le type connaissait son affaire. Joli découpage.

— Voyez les jointures, elles n'ont que peu souffert aux points de désarticulation, constate Bonertz.

— Tant mieux pour nous, coupe Konig. On aura moins de mal pour reconstruire le tout. Par ailleurs, le type ne nous a pas fait tellement de fleurs. Si vous passiez aux organes maintenant, McCloskey. »

Le reste de la matinée est consacré à dresser la liste des fragments de tissu cutané et sous-cutané et à les étiqueter — oreilles, joues, fesses, parties génitales, morceaux de chair —, arrachés, sectionnés, tailladés au point que la plupart sont à peine reconnaissables.

A midi la fastidieuse corvée de l'inventaire touche à sa fin. Les hommes, toujours rassemblés autour des plateaux, les contemplent avec amertume. Le cœur serré, Konig a déjà mesuré l'énormité de la tâche qui les attend. Le travail d'identification. Bientôt il se retourne et s'adresse au petit groupe :

« Il y a quatre questions qui exigent d'urgence une réponse pour que la police puisse se mettre au travail. Primo, combien de corps représentent ces fragments disparates. Secundo, quel est le sexe de ces corps. Tertio,

180

leur âge approximatif. Quarto, leur taille approximative. Tout ça m'emmerde et je ferais tout pour y couper, mais je ne vois pas comment faire autrement. C'est clair, il faut commencer par reconstruire tout ça. »

Il les interroge du regard, quêtant un commentaire, puis poursuit :

« Nous n'avons pas simplement affaire à un corps grossièrement démembré au moyen d'un couteau ou d'une scie. S'il ne s'agissait que de ça, ça ne serait pas un grand exploit de rassembler les fragments. Mais nous avons un foutu problème anatomique sur les bras. Primo, il est clair que nous avons à faire à plus d'un corps. D'où d'emblée le problème de trier les morceaux. Secundo, l'épiderme et le derme ont été systématiquement arrachés, et tous les morceaux sont sérieusement mutilés. Non seulement les morceaux du squelette ont été séparés et désarticulés au moyen d'une scie et peut-être même d'un couteau, mais ils ont également été dépouillés de la plus grande partie de leur tissu dans un effort systématique pour prévenir toute identification.

« En outre, dans la mesure où ces fragments qui correspondent à deux corps au moins, sinon davantage, sont tous mélangés, il est indispensable d'étayer chacune des étapes du réassemblage par des preuve anatomiques indiscutables. Si, par hasard, nous avons à faire à plus de deux corps — ne serait-ce qu'à trois —, la complexité de la tâche ira croissant selon une progression géométrique, et nos chances de parvenir à réassembler tous les morceaux, sans même parler de les retrouver, sont infinitésimales. Seigneur, soupire Konig, quelle chierie.

— Au pied levé, glisse Strang, je dirais que nous avons trois ou quatre corps.

— Vraiment, s'étonne Konig en rallumant son cigare. Eh bien, moi, je n'en suis pas là. Je ne saurais même pas dire encore lesquels de ces membres peuvent être appariés.

— De plus, on ne sait pas ce que Flynn va encore nous dégoter, remarque Bonertz.

— Sans les têtes ni les dents, remarque Hakim en hochant la tête d'un air lugubre, ça va être drôlement coton.

— Qu'on ait les têtes ou non, ça sera coton, aboie Konig. Pas le moment de se tracasser pour ça. Il faut se mettre au boulot sur ce que nous avons.

— Ma foi, fait McCloskey en contemplant le contenu des plateaux, une chose est sûre, nous avons au moins un homme et une femme.

— Ne vous laissez pas avoir par ces ongles vernis, dit Konig avec un sourire entendu. D'ailleurs, c'est le seul jeu de doigts que nous ayons au complet.

— Je doute que nous parvenions à y relever des empreintes, dit Delaney. Voyez comme ils sont mutilés.

— Je me charge de ça, dit Konig qui commence à rassembler ses notes. Je compte m'attaquer à cette main dès cet après-midi. D'ici là, il nous faut des analyses de sang et des prélèvements de tissus pour l'examen toxicologique. Max, lance-t-il soudain à Bonertz, voyez si vous pouvez prendre un moulage de ces deux pieds. Sans les orteils, ça sera difficile, mais il y avait une godasse dans la baraque — une godasse gauche. Ce n'est qu'une vague hypothèse, mais j'ai envie de voir si ça colle. McCloskey, vous feriez bien de vous mettre à nettoyer tout ça avant qu'on essaie de reconstruire les corps. Lavez les morceaux un par un avec une solution d'alcali très diluée, mais n'oubliez pas de me mettre des vers et des larves de côté. A vue de nez, je dirais

182

qu'il s'agit de *Calliphora*. Mais de toute manière, attendons le rapport de Ferguson. Et puis, plongez tout ça
dans la formaline à 10 p. 100 et bouclez-le dans les bassins. Je repasserai cet après-midi pour voir ce que je
peux tirer de la main. Voyez s'il est possible de commencer à apparier quelques-uns de ces trucs. »

Une nouvelle fois, la porte de la salle d'autopsie
s'ouvre brusquement et le même employé que tout à
l'heure pointe sa tête.

« Flynn au téléphone, docteur.

— Dites-lui que je monte. »

Konig rassemble ses papiers puis s'éloigne.

« Au fait, McCloskey, lance-t-il en se retournant sur
le seuil, excellent boulot. »

17

« J'ai tout lu de ce que le *Daily News* raconte sur vous.

— Bravo.

— Tenez, là. Page quatre. La photo. La grosse manchette. Le grand jeu. Comment ça se fait que moi on me prend jamais ma photo ?

— Vous n'êtes pas des plus jolis à regarder, voilà tout. Qu'est-ce que je peux faire pour vous, Flynn ?

— « Le chef de l'Institut médico-légal passe le lieu du « crime au peigne fin », qu'ils disent, poursuit Flynn sans se laisser démonter. Moi aussi j'étais là-bas à passer le peigne, mais sur moi, pas un mot. Et je parie que vous ne savez même pas que vous êtes passé à la télé hier soir. Au bulletin de onze heures. Deuxième Chaîne. Quel effet ça fait d'être une célébrité ? Une vedette ?

— Merveilleux. »

Konig allume son cigare et feuillette le courrier du matin posé sur son bureau.

« Qu'est-ce qui vous tracasse, Flynn ? J'ai du pain sur la planche.

— Cette affaire Doblicki.

— Et alors ?

— Les autorités du New Jersey refusent de rendre le corps pour une seconde autopsie.

— Mais c'est ridicule. Ils n'ont pas le choix... Dites-leur que...

— Attendez. Attendez. Voulez-vous bien me laisser terminer ? »

Le long soupir désolé de Flynn fuse dans l'écouteur.

« Bon, eh bien, pour l'amour de Dieu, venez-en au fait.

— J'y viens... j'y viens... ou du moins c'est ce que j'essaie de faire. Ce que j'allais vous dire si vous aviez pas commencé à me bousculer, c'est que, s'ils refusent de nous rendre le corps, n'empêche qu'ils sont tout disposés à se charger eux-mêmes de faire le boulot.

— Parfait. Merveilleux. Pourquoi ne pas l'avoir dit tout de suite. Je m'en fiche que ça soit eux qui le fassent. Pourvu que quelqu'un s'en charge.

— Suffit que vous leur disiez quel est le foutu truc que vous cherchez.

— Avec joie. Qui avez-vous eu là-bas, Weinstein ? demande Konig qui parcourt des yeux les détails des autopsies de la matinée.

— Lui-même.

— Parfait. Il est bien. Je l'ai eu comme étudiant.

— Je me disais bien aussi... à voir la façon dont il n'a pas cessé de me gueuler dessus.

— Dites-lui que nous n'avons retrouvé ni cendres ni suie dans la trachée.

— La tra... quoi ?

— Vous occupez pas. Dites-lui dans les poumons. Ça suffira. Et puis dites-lui aussi...

— Doucement. Doucement. Vous parlez trop vite.

— Vous écrivez trop lentement. Dites-lui aussi que nous n'avons pas relevé de traces notables de CO dans le sang. Très suspect ça, chez un type qui est censé

185

avoir trouvé la mort dans un incendie. Dites à Henry de...

— Henry ?

— Weinstein. Le docteur Weinstein. Dites-lui de chercher une blessure par balle sur la nuque ou des traces de balle dans le cerveau. On a omis de rechercher une balle parce qu'on nous a mis sur une mauvaise voïe. Le rapport des motards parlait d'un accident mortel et de conduite en état d'ivresse, et nous, foutus crétins, on s'est contentés de ça. C'est vrai que le type était bourré d'alcool, mais il était mort avant de mettre le pied dans la bagnole. Le crâne et le cerveau avaient été presque complètement détruits par le feu, et quant à la balle, elle était sans doute coincée dans les débris. Mais il y a des chances que si Weinstein passe ce qui reste au crible, il découvre des traces de plomb ou un impact de projectile.

— ... ou un impact de projectile. »

Flynn répète les derniers mots et Konig perçoit le crissement de son crayon qui court sur son calepin.

« C'est tout, docteur ?

— Oui, c'est tout. Autre chose ?

— Ouais. On a repêché un nouveau lot de morceaux disparates un peu plus en aval.

— Des têtes ?

— Non. Mais deux pieds. Et des orteils. La moitié supérieure d'un tronc, et d'autres machins aussi, mais je n'ai aucune idée de ce que c'est.

— Où avez-vous trouvé ça ? Au même endroit ?

— Non... environ cinq cents mètres plus loin. La marée avait tout entraîné. A quoi ça ressemble pour l'instant tout ça ?

— A un foutu merdier, poursuit Konig, dont les yeux parcourent toujours les rapports d'autopsie. Deux,

186

peut-être trois corps. L'un visiblement de sexe mâle.
Les autres, je ne sais pas. Ça peut être n'importe quoi.
Impossible de rien dire avant de reconstituer. Faut me
dénicher des têtes. J'ai besoin de têtes.

— Et moi j'ai besoin d'empreintes. Ecoutez... on est
en train de relever toute une collection d'empreintes
dans la baraque. Pouvez pas m'en dégoter quelques-
unes pour comparer...

— Avec quoi ? Faudrait avoir des bouts de doigts. Je
n'ai pas de bouts de doigts. Ils ont tous été tranchés...

— Mais pourtant vous en avez un jeu, ceux avec les
jolis ongles, non ?

— Tout l'épiderme a été arraché avec un grattoir,
grogne Konig. Le salaud qui a fait ce boulot est un
drôle de dur.

— Un vrai petit ange.

— Cet après-midi j'essaierai de relever un jeu d'empreintes sur la main. Mais c'est coton. Rappelez-moi
plus tard. Après six heures. Et la baraque, au fait ?

— Eh bien quoi, la baraque ?

— Vous deviez vous renseigner à l'Enregistrement...

— Oh! ouais... le titre de propriété. C'est bien ce
qu'on pensait. C'est la propriété de la ville. A l'origine,
tout appartenait à une veuve du nom de Chatsworth.
Elle est morte sans héritiers il y a cinquante ans et par
déshérence tout est revenu à la municipalité... qui naturellement s'en est toujours foutue comme de l'an quarante. Ces dernières années, c'est devenu un repaire de
camés et de poivrots.

— Et le tuyau à propos de l'Armée du Salut ?

— Là j'ai une bonne longueur d'avance, coupe
Flynn. Je suis passé à l'Armée du Salut ce matin.
D'après leurs dossiers, ils n'ont personne dans le sec-
teur.

— Bizarre.

— Ouais. N'empêche que deux ou trois commerçants du coin persistent à dire qu'ils ont souvent vu un type de l'Armée du Salut entrer et sortir.

— Oh! allons, Flynn. Ça ne veut foutrement rien dire. Le premier passant venu peut entrer dans un magasin de surplus de l'Armée ou de la Marine et se payer un uniforme de l'Armée du Salut...

— C'est juste, docteur, ricane Flynn dans l'appareil. Et maintenant, pourquoi pas me laisser faire mon boulot et aller faire le vôtre. Essayez donc de me dégoter des empreintes sur cette main.

— Parfait, grogne Konig. Et vous, essayez de me dégoter des têtes. »

A peine Konig a-t-il raccroché que le téléphone sonne de nouveau. Cette fois c'est Carver qui parle de l'autre côté de la cloison.

« L'adjoint au maire a essayé de vous joindre toute la matinée.

— Seigneur Jésus. »

Konig froisse une liasse de paperasses, l'écrase dans son poing.

« Passez-le-moi.

— Vous le connaissez un peu ce type... ce Carslin? aboie l'adjoint au maire.

— Oui. Il est très bien. C'est moi qui l'ai formé.

— Comme tous les autres, pas vrai, raille l'adjoint au maire. J'en ai parlé à Harris et il a dans l'idée que Carslin vous garde une dent.

— Oh! toujours cette vieille histoire. Ce n'est rien. Un peu de vanité froissée, c'est tout.

— Un peu de vanité froissée? »

Un rire méprisant retentit dans l'écouteur.

« C'est précisément la raison qui a poussé ces gens,

les Robinson, à lui confier l'affaire. Leur avocat est convaincu que le docteur Carslin rédigera un rapport capable de prouver que le gosse ne s'est pas — je dis bien, *ne s'est pas* — suicidé...

— Mais a été dérouillé à mort par six matons sadiques... C'est ça ?

— Pas tellement improbable, mon ami. Ça ne serait pas la première fois — considérant les hauts faits du système pénitentiaire de la ville. Mais nom de dieu, ça n'a rien de drôle. A dire vrai, cette histoire pue. Les services de l'Institut médico-légal ne trouvent aucune trace de sévices. Là-dessus, un entrepreneur de pompes funèbres, un péquenot du fin fond de la cambrousse, reçoit le corps, et lui, il découvre un tas de traces de blessures dont aucune n'est mentionnée dans le rapport d'autopsie. »

La voix du premier adjoint au maire bourdonne toujours tandis que les yeux de Konig s'attardent sur le grotesque gros ours de la carte d'anniversaire de Lolly.

« Paul... vous êtes là ?

— Bien sûr que je suis là.

— Alors, bon dieu, répondez à ma question ?

— Quelle est la question ?

— Quel est le genre de blessures dont peut bien parler cet entrepreneur de pompes funèbres ?

— Maury, on a discuté de tout ça une bonne douzaine de fois.

— Parfait. On remet ça. Quel genre de blessures ? »

Les yeux de Konig contemplent le plafond, comme s'il implorait grâce. Un long soupir les monte du tréfonds de son être.

« Abrasions sur le pourtour du cou, en forme de V renversé...

— Pas de jargon, Paul. Par pitié pour le crétin ignare que je suis, pas de jargon.

— Meurtrissures causées par une corde faite de bourre de matelas.

— Bon. Continuez.

— Lacérations couvertes de croûtes sur la face supérieure du poignet gauche. Abrasion d'un centimètre au-dessus de l'arcade sourcilière gauche. Fracture du crâne. Ecchymose...

— Ecchi quoi ?

— Hémorragie... sur la partie gauche du scalp, au-dessus de la fracture.

— C'est vrai ça ?

— C'est vrai. »

Suit un silence. Chacun des deux hommes gagne du temps, guettant la respiration de l'autre.

« Maintenant dites-moi ceci, Paul, poursuit l'adjoint au maire d'un ton hargneux. Pourquoi rien de tout ça n'est-il mentionné dans le rapport d'autopsie ?

— C'est mentionné dans le rapport médical. Si vous aviez pris la peine de le lire jusqu'au bout, vous le sauriez. Mais bien sûr, vous ne l'avez pas fait. Vous avez demandé à un de vos larbins de le lire à votre place et de vous en faire un résumé. Je me trompe ? »

Le silence qui persiste au bout de la ligne lui fournit sa réponse.

« Je ne comptais d'ailleurs pas que vous le liriez. Mais en fait ce n'est pas là la question à laquelle ces gens veulent que l'on réponde.

— Alors, bon dieu, quelle est la question ? demande l'adjoint au maire, un peu douché par l'éclat de Konig.

— Ils veulent savoir si la mort de Robinson peut être imputée à l'une de ces blessures ?

— Plutôt qu'à la pendaison ?

190

— Exact. Ce que Carslin essaiera de démontrer, c'est que Robinson est mort de blessures à la tête reçues au cours d'un passage à tabac. Et qu'ensuite, les gardiens ont paniqué et l'ont étranglé pour faire croire à un suicide.

— Eh bien, dans ce cas, dit l'adjoint au maire, un regain de hargne dans la voix, à quelle conclusion votre mystérieux médecin a-t-il abouti en ce qui concerne le moment où ont été infligées ces blessures à la tête ? »

Konig sent que l'adjoint au maire se rapproche insensiblement du but.

« Il a conclu que les blessures à la tête étaient postérieures à la mort de la victime. Provoquées quand on l'a dépendue, au moment où le corps a heurté le sol de la cellule.

— Comment peut-on le prouver ?

— Au moyen d'un simple examen des tissus autour des blessures à la tête. Si les blessures sont antérieures à la mort, un examen des tissus révélera une infiltration de leucocytes — des milliers de globules blancs qui affluent vers la zone endommagée. C'est une réaction vitale. Elle ne peut se produire que chez un être vivant. Si Robinson a subi ces blessures avant de mourir, Carslin verra ces leucocytes au microscope. Par ailleurs, si Robinson était mort, comme nous, nous le prétendons, il n'y aura pas de leucocytes. Pigé ?

— Parfaitement. »

Suit un silence; Konig devine que l'adjoint au maire se prépare à porter le coup de grâce.

« Maintenant dites-moi encore une chose, Paul. Votre mystérieux adjoint a-t-il oui ou non procédé à cet examen des tissus avant de déposer son rapport ? »

Konig s'attendait à la question. Pourtant, maintenant qu'on la lui pose, il reste le souffle coupé. Il sait qu'il a intérêt à fournir une réponse plausible. Toute astuce, toute échappatoire technique serait immédiatement détectée et tournée en dérision.

« Il n'y a pas eu d'examen des tissus, pour la simple raison que le médecin chargé de l'autopsie a estimé en toute bonne foi que les blessures au crâne étaient de nature superficielle et avaient été infligées postérieurement à la mort. »

Au fur et à mesure qu'il parle, il sent que les mots tombent à plat, que sa voix sonne creux et misérablement dénuée de conviction.

« Et vous avalez ça ?

— Oui, parfaitement. J'ai une confiance absolue dans les membres de mon service. Je les ai tous formés moi-même. J'appuierai leurs conclusions.

— Eh bien... tant mieux pour vous. C'est admirable, mais je ne marche pas. »

La voix de l'adjoint au maire se fait soudain compréhensive.

« Et je ne crois pas que vous marchiez non plus. Pour moi toute cette histoire pue. Elle pue à cent lieues. Et je vous dirai encore une chose, mon ami, cette puanteur que je flaire a des relents très particuliers. C'est la puanteur d'Emil Blaylock. Je flaire la main du directeur Blaylock dans toute cette histoire. Derrière tout ça, je devine la poigne graisseuse de cette jolie main levantine. Qui couvre toutes ces saloperies. Qui escamote tout sous le tapis. De la prestidigitation — vous le voyez cette fois, n'est-ce pas. Faites confiance à Blaylock, quand il en aura fini avec son boulot de relations publiques aux Tombs, la boîte aura l'air aussi propre qu'une laiterie des Catskills. Et je vais vous dire autre chose, mon bon ami, creusez donc un peu plus le merdier de votre sacro-saint service et vous tomberez sur un mouchard. Blaylock a mis la main sur votre mouchard, Paul.

— C'est faux. »

La voix de Konig monte de façon menaçante. Cela suffit pour couper net l'adjoint au maire. A l'autre bout, un long silence, puis, enfin, un soupir.

« A votre guise, Paul. Mais à bon entendeur salut. Si j'avais soixante-trois ans, des états de services remarquables, deux ans à tirer avant la retraite, et toute une flopée d'ennemis, je ne pousserais pas trop. S'il est prouvé que le rapport d'autopsie est erroné, il faudra qu'une tête tombe. Je vous cite le patron en personne — je dis bien le patron. Et le jour où le type du *New York Times* se pointera ici et que les Crânes sauvages se mettront à allumer un feu de joie autour de Grace Mansion, comptez sur moi pour vous les envoyer. Je vous verrai à l'autopsie — mercredi matin — à dix heures précises. »

18

« Et puis ses toiles sont devenues de plus en plus tristes. Et de plus en plus difficiles à écouler.

— Je vois, opine Francis Haggard avec lassitude. Au fait, quand m'avez-vous dit que vous l'aviez vue pour la dernière fois ? »

13 heures 15. Galerie Fenimore. Angle de Madison Avenue et de la 67ᵉ Rue.

« Je n'ai rien dit, réplique sèchement Mr. Anthony Redding. Mais ça doit bien faire environ trois mois. Elle m'avait apporté tout un lot de nouvelles toiles. Mais depuis, nous nous sommes entretenus au téléphone assez régulièrement... pas plus tard que la semaine dernière, en fait.

— Oh ? »

Les yeux de Haggard parcourent nerveusement la pièce. Une pièce dans laquelle il se sent nettement incongru, une pièce au modernisme agressif et luxueux, où tout semble clamer : « Je suis chic. Je suis moderne. Je suis dans le vent. » En réalité il s'agit d'une enfilade de pièces, décorées de façon éclectique mais avec goût, où des meubles Louis XVI voisinent avec des objets en cuir et acier inoxydable, des fauteuils et des tables Mies et, un peu partout sur le sol, de superbes vieux Sirhouks et Khasaks. Toute une variété de toiles sont accrochées aux murs recouverts de liège.

Mr. Anthony Redding caquette inlassablement, un vrai moulin à paroles, nerveux et irascible. Comme sa galerie, il est lui aussi très chic. Grand, élégant, aristocratique, le type d'homme qui agace prodigieusement Haggard. Le personnage a quelque chose de vaguement exotique, immense crâne chauve, compensé par la barbe luxuriante qui dissimule la gorge, les sourcils interminables, le nez saturnien en lame de couteau — le tout empreint d'urbanité et de bon goût. Puis le costume soigneusement étudié, la chemise de toile bleue (pas la toile bleue prolétarienne des uniformes de la Marine, mais plutôt la toile bleue des boutiques de luxe de l'East Side) agrémentée d'un foulard de soie rouge noué avec désinvolture autour du cou; le pantalon d'une coupe raffinée, serré aux hanches et aux pattes largement évasées, dont le murmure accompagne le moindre de ses pas. Et plus irritant encore pour le commissaire, né et élevé à Coney Island, l'accent britannique manifestement affecté, cultivé avec soin pour faire se pâmer les riches mémères des beaux quartiers qui constituent sa clientèle attitrée.

« ... tout excité à la perspective de la voir m'apporter un nouveau lot. Je vous le répète, le précédent n'avait pas eu un grand succès. Mais dites-moi, aurait-elle des ennuis ?

— Non... aucun ennui. Ces toiles là-bas sont d'elle ?

— Exact. Les trois gouaches... les dernières qui me restent. J'ai eu plus de chance avec ses peintures à l'huile. Comment avez-vous deviné que ce sont les siennes ?

195

« — Eh bien, sans parler du fait qu'elles sont signées Emily Winslow, dit Haggard en s'approchant nonchalamment d'un petit groupe de toiles, je reconnais son style.

— Oh ? »

Mr. Redding, l'air surpris et vaguement mal à l'aise, ne quitte pas le commissaire d'une semelle.

Redding a raison, réfléchit Haggard, planté, bras croisés, devant les trois gouaches pâles. Les toiles *sont* plus tristes. Indubitablement plus tristes que celles qu'il a vues dans l'atelier de Warick Street. En dépit de leur état lamentable, ces dernières étaient empreintes d'une indéniable vitalité, d'un hommage serein à la grandeur des choses simples — le soleil, l'océan, les immenses plages désertes qui se fondaient avec le ciel. Elles palpitaient d'une forme de vie, reflétaient une flore et une faune abondantes. Celles-ci sont plutôt ternes, tout en grisaille, sans éclat. Des sujets désespérés. Tout autour, la terre. Pas la moindre trace d'eau. L'une d'elles représente une cabane, tassée sur elle-même comme un champignon vénéneux, de guingois au milieu d'un champ désert.

En contemplant ce champ, on a l'impression qu'il a sans doute jadis été verdoyant, fleuri de menthe, de phlox, de pouliots, de verveine, de gentianelles, de myosotis. Il est maintenant desséché, flétri, un désert brûlé où ne pousseront jamais plus que des herbes folles. Et la baraque a quelque chose de sinistre et de répugnant. Une porte pend accrochée à l'un des gonds et les fenêtres défoncées évoquent les orbites vides d'un crâne. Un lieu désert, à l'abandon, que l'on soupçonne d'avoir été un jour témoin de quelque effroyable forfait. Puis une autre toile qui, elle, ne représente rien d'autre que des tessons de verre. Enfin — plus inquiétant encore —

un slip ignoblement souillé, abandonné dans le recoin crasseux d'un w.-c. de H.L.M.

« Lorsque vous lui avez parlé, poursuit Haggard, dont les yeux parcourent les toiles, quelle impression vous a-t-elle faite ?

— Normale, je suppose... à moins que...

— A moins que quoi ? »

Le commissaire pivote et regarde Mr. Redding bien en face.

« Je ne sais pas. Ecoutez, si vous me disiez de quoi il s'agit.

— De rien... rien du tout.

— Oh ! à d'autres. »

Le visage de Redding s'empourpre de colère.

« Vous débarquez ici en brandissant votre insigne, vous me posez un tas de questions...

— Elle a disparu, grommelle Haggard. Si j'en savais davantage, je vous le dirais.

— Comment m'avez-vous trouvé ?

— Nous avons découvert son atelier il y a deux ou trois jours. Nous savions qu'elle faisait de la peinture. Nous savions qu'elle écoulait ses trucs par l'intermédiaire d'une galerie de banlieue de l'East Side. Après quoi, il suffisait de feuilleter l'annuaire par professions et de charger une centaine d'agents de fouiner un peu partout. Quelle est la dernière adresse que vous a donnée Miss Konig ?

— Miss qui ?

— Miss Winslow.

— Ce n'est pas ce que vous venez de dire.

— Et alors ? »

Les yeux du commissaire flambent d'une lueur belliqueuse.

« Vous me la donnez, cette adresse ? »

197

Mr. Redding paraît froissé, pourtant il est dompté. Il traverse d'un pas maussade la galerie et s'approche d'un petit secrétaire Louis XVI à appliques dorées. Il ouvre un tiroir du bas et en sort un petit classeur de métal. Il feuillette méthodiquement les fiches, s'arrête soudain, et sort prestement une carte.

« 324, Varick Street.

— Merci, soupire Haggard.

— Quelque chose ne va pas ?

— Non rien du tout... seulement cette adresse, je l'ai déjà. »

Il se dirige vers la sortie.

« Il y en a une autre ici.

— Oh ? dit Haggard en faisant volte-face.

— Elle m'avait donné une adresse dans le Bronx, en me demandant de lui faire suivre son argent.

— Le Bronx ?

— Elle m'a passé un coup de fil il y a environ deux mois pour me dire qu'à l'avenir tous ses chèques lui soient expédiés à Fox Street, dans le Bronx, au 1622 Fox Street, aux bons soins d'un certain Eggleston.

— Eggleston, répète Haggard qui griffonne sur son calepin. Pas de prénom ? »

Mr. Anthony Redding consulte de nouveau sa fiche.

« W.

— W. ?

— C'est ça, W. W. Eggleston, rien d'autre. »

19

« JE vois une vaste étendue d'eau.
— Oui.
— Pas un océan. Plus petite. Un grand fleuve... ou peut-être une baie. »

13 heures 30. Un appartement de la 55ᵉ Rue Ouest.

Konig est installé dans une grande pièce mal éclairée où stagne une odeur de meubles trop rembourrés et d'urine de chat. Il est assis à une table en bois, ronde et nue, face à une femme énorme comme un Bouddha, dont le nez s'orne d'une loupe et la lèvre supérieure d'un buisson de poils noirs.

« Je vois une petite maison.
— Oui.
— Avec un jardin devant et une petite clôture tout autour. »

Mme Lesetzskaya se penche en avant, oscillant légèrement sur son immense croupe, les yeux vitreux, les cils palpitant comme des papillons. Elle plonge du nez dans l'ombre, le cou tendu, comme pour s'efforcer de capter quelque chose, les mots, ou le message, qui lui

arviennent de très loin. Konig attend immobile dans
:a pièce obscure, derrière les rideaux tirés, raide, circonspect, arborant à contrecœur une expression
patiente; il attend qu'elle parle.

Tout avait commencé par une carte que quelques
semaines plus tôt un ami lui avait fourrée dans la main
et qu'il avait gardée dans sa poche jusqu'à cet après-
midi; une carte qui annonçait : « Madame Paulina
Lesetzskaya. Budapest, Saint-Pétersbourg. Paris. New
York. Spirite et médium. Confidente et conseillère
de... » Suivait une liste de personnages princiers, pour
la plupart obscurs et défunts, auprès desquels elle avait
officié — ducs et princes, shahs et potentats, pages
royaux. Puis l'appât, le détonateur : « Communication
assurée avec les morts et les disparus. Résultats
garantis », promettait la carte dans le style naïf et
somme toute très banal d'un exterminateur de vermine
dont la carte de visite vous promet de vous débarrasser
de vos cafards.

Les deux silhouettes se penchent l'une vers l'autre
dans la pénombre moite et malodorante, l'une oscillant lentement d'avant en arrière, l'autre, raide, légèrement contractée, comme si elle luttait pour se retenir
de hurler.

Les bouts des doigts de Mme Lesetzskaya tremblent
en frôlant la carte d'anniversaire de Lolly — le gros
ours hirsute drapé dans l'immense toge de médecin,
avec le stéthoscope accroché d'une façon absurde
autour du cou. A chacun des doigts de Mme Lesetzskaya brille une bague, tandis qu'à son cou pendent un
bézoard, une amulette représentant un scarabée et un
pendentif de faux jade.

« Je vois plusieurs personnes... trois, peut-être
quatre...

200

— Oui.

— Une femme... un peu plus de vingt ans.

— Oui.

— Les autres aussi, des hommes, un peu plus âgés. Le danger rôde autour de la maison, mais dans l'immédiat aucun péril ne menace la jeune fille. »

Konig soupire, se laisse aller contre le dossier, tandis qu'une bouffée de soulagement le submerge, miséricordieuse comme un baume. Il le sait, tout ça est bidon, truqué. Il n'y croit pas. Pour l'instant tout ce qu'il veut, tout ce qu'il réclame, c'est le banal analgésique des paroles de la femme, pareil au miséricordieux Démérol qui circule dans ses veines.

« Je sens qu'elle essaie de vous joindre. Elle veut vous parler. Entrer en contact. »

Il dresse l'oreille, attendant la suite.

« Oui... mais où est-elle ? Pouvez-vous me dire où elle est ? »

Les doigts courts et surchargés de bijoux de Mme Lesetzskaya griffent la carte d'anniversaire, puis ils s'arrêtent et se portent en tremblant à ses tempes. Les yeux résolument clos, tassée sur la table, elle se concentre encore davantage, oscillant d'avant en arrière sur ses énormes hanches, croupe immense débordant de part et d'autre d'une petite chaise en bois qui grince en cadence sous son poids.

« Je vois un lieu lointain, glacé. Loin, très loin au nord. »

Ses yeux s'ouvrent brusquement et se fixent sur un point invisible du plafond.

« C'est tout ce que je vois pour l'instant. L'air est chargé de nuages. Je ne distingue rien clairement. Revenez dans trois jours. Amenez-moi quelque chose qu'elle a porté, un vêtement ou un bijou.

« — Oui, marmonne Konig qui se lève titubant. Oui, je reviendrai. »

Dans l'escalier sombre, il se sent envahi de dégoût et de mépris. La prochaine fois, peut-être, il se livrera à un astrologue, ou à un gourou, ou à un quelconque sorcier phrénologue qui déchiffrera les bosses de son crâne. Il se fait l'impression d'être un âne, un crétin, ou un péquenot qui vient de se laisser fourguer le pont de Brooklyn. Et le pire, c'est qu'il ne jurerait pas que dans trois jours il ne sera pas de retour avec un vêtement ou un bijou.

20

14 heures 30. Institut médico-légal. La morgue.

Konig est installé dans un petit laboratoire attenant aux salles d'autopsie, une loupe de bijoutier vissée dans son orbite, la main aux ongles laqués posée en équilibre devant lui sur un bureau. La main est maintenant pétrifiée. Dure comme de la pierre, figée dans un geste de béatitude, parée d'une étrange expression de repentir, comme une main arrachée à un saint de plâtre.

La main est restée toute la matinée plongée dans une solution d'alcali à faible teneur et, à mesure que la peau se ratatinait, l'épiderme s'est suffisamment amolli pour que les petits scalpels de Konig, de vrais bijoux, puissent se mettre à l'œuvre.

A travers la lentille grossissante de la loupe, Konig constate que l'épiderme a subi des dégâts considérables sur toute la surface. Aucun doute qu'un objet fortement abrasif — un grattoir, ou peut-être une lime — a été utilisé pour oblitérer le relief digital et palmaire. Mais en découpant soigneusement et en soulevant la couche épithéliale totalement lacérée, il parvient à prélever de petites bandes de la membrane conjonctive qui porte encore d'imperceptibles traces de sillons et de crêtes.

Ce n'est pas la première fois que Konig se trouve confronté à une situation de ce genre, une situation où les doigts ont été dépouillés de leur épiderme par putréfaction ou encore mutilation délibérée. Et il sait quelque chose qu'ignore celui qui a mutilé les doigts — que les caractéristiques de la couche externe du derme sont identiques à celles des empreintes digitales elles-mêmes. Et aussi que les crêtes de la surface papillaire, située juste en dessous du derme, conditionnent la configuration des sillons de l'épiderme, qui se moule dessus comme un gant, et du même coup reproduit rigoureusement leur configuration à la surface.

Même soumises à un grossissement puissant, ces saillies dermiques sont moins nettes que des empreintes digitales normales, mais, néanmoins, elles existent. Détachées à grand-peine, plusieurs minuscules bandelettes de derme achèvent maintenant de sécher, accrochées comme de vieux vêtements fraîchement lavés sur un bout de fil noir tendu à se rompre. Ici un lambeau de tissu de pouce aux arêtes papillaires intactes; là une empreinte sensiblement plus accusée découverte sur un bout de tissu dermique prélevé sur l'index.

Plus tard, lorsque les bandelettes seront sèches, on les transmettra au labo où elles seront alors retournées, photographiées et agrandies. Avec un peu de chance, les policiers parviendront à établir que les empreintes de la main sont identiques à certaines empreintes relevées dans la baraque près de Coentis Slip. Ainsi le théâtre du crime sera-t-il localisé avec certitude.

D'un geste de lapidaire, Konig insère plus profondément la loupe dans son orbite et se penche une fois de plus sur sa tâche, sa minuscule lame détachant avec soin les lambeaux d'épiderme qui recouvrent l'annulaire afin d'atteindre l'empreinte dermale au-dessous.

« Patron, lance le jeune McCloskey en pointant sa tête ébouriffée à la porte, voulez-vous jeter un coup d'œil sur ce qu'on a déniché jusqu'ici ? »

« Parmi les fragments de membres, nous n'en avons jamais plus de deux correspondant à une même partie du corps. »

Pearsall se pavane devant les cinq plateaux et pérore devant une assistance clairsemée.

« Ainsi, nous avons quatre bras désarticulés à l'épaule et au coude — deux droits et deux gauches qui, ceux-là, semblent appariés. Nous avons trois avant-bras et trois mains — deux droits et un gauche, dont une paire. Nous avons quatre cuisses désarticulées à la hanche et au genou — deux droites et deux gauches qu'il paraît possible d'apparier. Quatre jambes — dont deux pourvues de pieds qui semblent former une paire, et deux autres sans pieds qu'il paraît également possible de considérer comme une paire. Fixées à chacune des cuisses qui forment une paire, nous avons une rotule; et deux autres rotules, également une paire. En outre, nous avons... Oh! salut, Paul, s'interrompt Pearsall en se retournant pour saluer le docteur. Je faisais le point de ce que nous avons inventorié jusqu'ici.

— Très bien. Flynn nous a envoyé le reste ?

— C'est arrivé il y a à peu près une demi-heure, dit McCloskey. Deux pieds de plus, mais salement mutilés...

— Qui probablement collent avec ces deux jambes sans pieds, dit Strang.

— Aucun doute, coupe Konig. Flynn m'a aussi parlé d'un autre tronc.

— Exact, opine McCloskey. Une moitié supérieure avec trois vertèbres cervicales...

— Plus ça va, plus on dirait qu'ils étaient deux », murmure posément Delaney en aparté.

Les yeux de Konig inspectent avec avidité le contenu des plateaux.

« Je suis d'accord moi aussi, du moins tant que nous aurons la certitude absolue qu'il n'existe pas l'ombre d'un indice suggérant qu'ils étaient plus de deux — un os de trop, un membre supplémentaire qui ne correspond à rien. Mais dès l'instant où nous aurions ça, nous n'aurions plus rien.

— Jusqu'ici nous n'avons trouvé aucun morceau dépareillé. Tout va par paire. »

C'est Bonertz qui surgit du fond de la salle.

« Du moins en ce qui concerne les os, et il ne semble guère probable que nous en trouvions dans les organes. Nous avons déjà envoyé une douzaine d'échantillons de tissu osseux au labo pour qu'ils nous précisent l'âge.

— Parfait, approuve Konig qui se frotte les mains avec énergie. Eh bien, voyons si nous pouvons remettre en place les morceaux de notre polichinelle.

— On a déjà commencé avec les troncs, dit McCloskey. Je crois que nous avons déjà apparié une portion supérieure et une portion inférieure. »

Le groupe converge maintenant sur le plateau qui contient les trois fragments de tronc. Cette fois, c'est Hakim qui prend le relais :

« Deux thorax, commence-t-il de sa voix sèche et précise. Le thorax numéro un comprend deux vertèbres cervicales, les douze vertèbres thoraciques au complet et deux vertèbres lombaires. Le thorax numéro deux comprend trois cervicales, douze thoraciques, et trois lombaires. L'unique partie inférieure du tronc dont nous disposons contient un bassin et trois vertèbres lombaires...

— Ce qui fait que vous avez apparié la partie de bassin avec votre thorax numéro un pour avoir les cinq vertèbres lombaires au complet, intervient Konig avec des hochements de tête approbateurs.

— Oui, patron. Lorsque nous avons rapproché ces deux fragments de tronc, les vertèbres inférieures du thorax se sont articulées parfaitement aux vertèbres supérieures du bassin.

— Ainsi donc, poursuit imperturbablement Konig, dont le cerveau calcule, suppute, anticipe, le tronc a été sectionné au moyen d'une incision pratiquée dans le disque intervertébral entre la deuxième et la troisième lombaire.

— Nous avons même repéré les traces des coups de lame sur l'os, à cet endroit précis », dit Strang.

Konig pose sur lui un œil plutôt excédé.

« Combien ? »

— Trois, réplique Strang. Le premier a sectionné et ébréché l'extrémité de l'apophyse articulaire. Le deuxième a arraché un autre fragment sur la même apophyse, mais nous ne l'avons pas.

— Probable qu'elle se sera brisée, coupe Konig. Et sera restée enfouie dans la boue. Continuez.

— Le troisième, poursuit Strang, a tranché le ligament élastique entre les deux vertèbres.

— Excellent, coupe de nouveau avec brusquerie Konig, toujours ulcéré par le souvenir de la trahison de Strang. Pas de radios ?

— Ici, Paul », lance Bonertz du fond de la salle où sur un lecteur de radiographies, déjà allumé, est posé le premier cliché.

L'instant d'après, le petit groupe se presse devant le dessin fantomatique et grisâtre d'une portion de colonne vertébrale humaine, la région lombaire d'un tronc reconstitué.

« Ça pourrait mieux coller, dit Hakim d'un ton comme pour s'excuser.

— Malgré tout, dit Konig qui scrute l'écran, il ne fait quasiment aucun doute qu'elles appartiennent toutes au même corps. Si elles sont comme ça un peu de guingois, c'est à cause de cette entaille maladroite au sommet de l'apophyse de la seconde lombaire. Passez-moi ma trousse de scalpels, voulez-vous. »

La lampe du lecteur s'éteint et bientôt le groupe se presse autour de Konig, qui se penche sur les deux parties sectionnées du tronc. Sa loupe de bijoutier une fois de plus vissée à l'œil, ses petits scalpels étincelant sous la lueur crue des rampes fluorescentes, Konig entreprend d'extraire avec soin les petites esquilles d'os. Dans un silence absolu, il travaille à petits gestes experts et rapides, devant un public envoûté, situation qu'il adore.

Quelques instants lui suffisent pour pratiquer plusieurs minuscules entailles, prendre les petits éclats provenant des éraflures sur les vertèbres et les fixer à l'apophyse de la deuxième lombaire, de manière à obtenir un assemblage précis — fragments d'os, prélevés un à un sur chacune des portions de tronc et raccordés, respectivement, aux cassures de l'autre portion.

Retirant sa loupe, Konig lève les yeux et contemple en souriant le groupe qui l'entoure.

« Je pense que vous constaterez maintenant, Hakim, en prenant une nouvelle radio, que vous avez ici une planche anatomique parfaite. »

Un léger murmure d'admiration parcourt l'assistance. L'hommage ne s'adresse pas uniquement à Konig mais aussi à eux-mêmes. Car le médecin-chef est doué d'un talent plutôt rare; il est capable de souder une équipe à partir d'éléments largement disparates, en leur inspirant l'orgueil et l'amour du travail bien fait, le goût enivrant de l'habileté et du savoir, et une forme d'admiration respectueuse.

Rayonnant, Konig les contemple tour à tour, jusqu'au moment où, son sourire se posant sur Carl Strang, il se mue aussitôt en une grimace pleine de rancœur et, quelques instants, les deux hommes se dévisagent ainsi.

« Eh bien, tonne avec enjouement Konig, maintenant que nous avons un tronc au grand complet, si nous lui donnions des bras et des jambes? »

« Fumiers... Fumiers de salauds. Qu'est-ce que je peux bien foutre, moi, maintenant? C't foutu bordel... comment que je peux louer maintenant. »

16 heures 15. 1622, Fox Street, dans le Bronx.

Francis Haggard contemple impassible un minable petit quatre-pièces qu'envahit peu à peu la pénombre du crépuscule; l'appartement a été tout récemment évacué par ses occupants et, de toute évidence, évacué à la hâte. Il fait lentement le tour de la pièce, suivi par Mr. Guzman, l'alerte petit Portoricain qui est le gérant de l'immeuble.

« Dites-moi un peu ce que je peux bien foutre maintenant de ce foutu bordel? »

A cette question, Haggard ne peut pas répondre. En fait, Mr. Guzman a plus de chance qu'il ne croit. Les dégâts subis par le sordide petit appartement aux murs crevés et au plâtre lépreux ne sont rien à côté de ce que Haggard a pu voir vendredi soir dans l'atelier de Varick Street.

Le local est d'une saleté spectaculaire, comme en témoignent les hordes de cafards qui ont déguerpi à leur entrée pour se ruer dans leurs trous, et l'épaisse mosaïque de graffiti qui défigure le moindre centimètre carré de mur, mais à part ça, le commissaire ne voit rien que ne saurait réparer un peu de plâtre, de colle et quelques pots de peinture bon marché.

Ses yeux inquisiteurs parcourent les inscriptions peintes à la bombe — ce sabir des taudis — en quête d'un indice qui le mettrait sur la piste des derniers occupants. Mais à vrai dire, rien ne ressort dans ce magma de parafes et de chiffres sinon, ici encore, des mots d'ordre exaltant le « Pouvoir du Peuple », des termes d'argot et des slogans, des proclamations pompeuses, tout cela hystérique et vengeur. Un cocktail de clichés d'agitprop sortis tout droit des journaux de la presse underground et assaisonné d'une fumeuse philosophie digne des bandes dessinées. Mais soudain, une fois encore, barbouillé en lettres écarlates sous le plafond, le message obscur et vaguement menaçant qu'il a lu l'autre jour sur le mur de Varick Street lui saute aux yeux.

L'OMBRE DE LA FAUX EST SUR VOUS

« Ici dans le temps, y a neuf ou dix ans de ça, y avait que des gens comme y faut, se lamente Mr. Guzman. Des pères de famille, des bons travailleurs et des bons paroissiens, vous m'suivez? Maintenant y a plus que des camés et des dingues. »

Haggard opine distraitement. Ses yeux bleu acier suivent les évolutions d'une guêpe qui se rue sur une ampoule accrochée au plafond, s'écrase avec un bruit nou, puis tombe comme une pierre sur le plancher où elle reste à bourdonner sur le dos en tricotant gauchement des pattes.

« Va falloir que je dépense au moins deux cents dollars... pour nettoyer c't foutu bordel...

— C'est vraiment dommage, compatit le commissaire en secouant la tête. Quand est-ce qu'ils ont filé ?

— J'en sais rien. Deux jours, peut-être trois. Je monte pour encaisser le loyer et y avait plus personne, vous m'suivez ? J'ouvre avec mon passe et je tombe sur c't foutu bordel.

— Euh, euh, opine Haggard. Combien étaient-ils là-dedans ?

— Là-dessus, rectifie Mr. Guzman en montrant le plancher.

— Euh, euh.

— J'sais pas. Beaucoup. La plupart faisaient que passer. Peut-être deux ou trois en permanence... peut-être six. J'sais pas. Jamais les mêmes. Ça faisait qu'entrer et sortir à longueur de nuit et de journée.

— Ils cherchaient des histoires aux gens ? Ils faisaient du tapage ?

— Non. On peut pas dire. Y se tenaient tranquilles. On savait jamais s'ils étaient là ou pas.

— Ah ! ah. Pas de femmes ?

— Des femmes ?

— Ouais. Est-ce qu'il leur arrivait d'amener des femmes ? »

Mr. Guzman hésite, déconcerté par la question, un instant bloqué par la barrière du langage.

« Ouais... des filles, si vous préférez.

— Oh ! des filles. »

Les nuages se déchirent. Le visage de Guzman

212

s'éclaire d'un grand sourire, révélant l'éclair d'une incisive couronnée d'or.

« Pour sûr. Des tas de filles.

— Celle-ci, vous l'avez jamais vue ? »

Les yeux de Guzman effleurent un instant la petite photo de Lauren Konig agrafée à la DD13.

« Non... jamais vue. »

D'un geste brusque, il la rend à Haggard, puis soudain la reprend et, la tenant à bout de bras, l'examine en louchant.

« J'sais pas... peut-être. Y en avait tellement. A toute heure du jour et de la nuit, qu'il en venait. Pour voir les mecs. Et, ça y allait, pan, pan, pan... vite fait. Dans le lit et sur le plancher. Vous m'comprenez ? Et aussi sec, elles filaient. »

Il contemple une fois de plus la photo et hausse les épaules.

« Non... celle-ci je l'ai jamais vue. C'est surtout les mecs que je vois. Des chevelus. Des cinglés. Sales. Dégueulasses. Jamais de bains, v' comprenez ? Une vraie porcherie.

— Ouais, je comprends. Et cet Eggleston ?

— Oh !... Mr. Eggleston. Lui, le patron.

— Le patron ?

— Pour sûr. C'est lui qui paie le loyer. Lui qu'a l'argent. Lui qui dit toujours aux autres ce qu'ils doivent faire. Va ici. Va là-bas. Lui, il est très gentil. Très poli. Pas comme les autres. Voyez ce que je veux dire ?

— Ah ! ah ! fait Haggard avec lassitude. Et vous ne voyez pas où il peut être allé ?

— Non. Comment que je pourrais le savoir ? Si je savais où il est allé, j'irais récupérer mon loyer. Je le ferais cracher pour c't foutu bordel. J'irais moi-même.

ai pas peur de lui. Y m'a refait de deux mois de loyer. Moi, maintenant faut que je paie la note. »

Le commissaire écoute avec une compassion feinte. Mais il écoute sans vraiment entendre, de même que ses yeux glissent sur le mur sans vraiment voir les inscriptions naïves. Par contre, la boîte de bâtons de TNT vide le fascine; les paquets de gélignite vides, les boîtes d'amorces et de détonateurs japonais de pacotille, vides elles aussi, les petits fragments de mèche, l'odeur caractéristique de la cordite qui flotte encore dans la pièce le terrorisent et lui donnent la nausée.

« Si jamais je le vois, ce mec, fulmine toujours Mr. Guzman, je lui casse les reins. Quoi donc qu'il a fait, le salaud? C'est un voleur ou quoi? »

Haggard se détourne, éludant la question.

« Moi aussi je veux le coincer, ce type, Mr. Guzman. Et je vous en donne ma parole, je finirai par le coincer. Et maintenant, fermez cet appartement à clef. Ne touchez à rien. Ne laissez personne entrer. »

Il se dirige vers la porte, puis revient sur ses pas :

« Ecoutez... si jamais les types se pointent pour récupérer leur fourbi, ajoute-t-il en balayant la pièce d'un geste du bras, vous m'appelez. D'accord? Compris?

— Ouais... sûr. »

Haggard gribouille deux numéros de téléphone sur une feuille de calepin.

« Si vous ne trouvez pas au premier numéro, essayez le second. D'accord?

— Ouais... sûr. Sûr. D'accord. Et qu'est-ce que vous allez faire pour c't foutu bordel? »

Mr. Guzman promène un regard désolé sur le logement dévasté.

« Primo, faut que j'envoie quelqu'un me relever des

214

empreintes. Ensuite je vais vous envoyer les pompiers
— Les pompiers ! » couine Guzman.

Mais déjà le commissaire a passé la porte, sans tenir
compte de l'exclamation horrifiée, plantant là Guzman
qui le regarde s'éloigner avec un rictus écœuré.

Eɴ fait, il s'agit d'adapter les têtes aux cavités. La tête de l'humérus à la cavité glénoïdale; la tête du fémur à la cavité cotyloïde.

19 heures 15. Salle d'autopsie, Institut médico-légal.

Penchés sur les plateaux, Konig et le jeune McCloskey manipulent et trient de longs os, en essayant d'apparier l'une des deux paires de membres au tronc reconstitué. Ils travaillent depuis midi, absorbés dans leur tâche, sans s'être rendu compte dans leur concentration qu'au fil des heures, un à un, tous les autres ont fini par s'en aller. Ils n'ont même pas remarqué leur départ. Ils sont là tous les deux, plongés dans leur travail. Rien d'autre ne compte.

« On est bien obligés de procéder à tâtons, jacasse Konig. Une vraie vacherie. Et quel gâchis de temps. A se demander si dans le fond ça en vaut la peine. Mais y a pas moyen de faire autrement. »

Il y a maintenant des heures qu'ils s'évertuent à apparier une paire de bras et une paire de jambes à un unique tronc — le tronc reconstitué — le seul qui soit complet, cavités glénoïdes et cavités cotyloïdes comprises. L'autre tronc est incomplet, réduit à sa partie supérieure. Si la chance leur sourit, ils parviendront à lui attribuer une paire de bras. Mais il leur faudra attendre que les hommes qui continuent à fouiller le lit du fleuve près de Coentis Slip exhument un bassin ou un thorax auxquels, toujours si la chance leur sourit, ils parviendront à attribuer une paire de jambes.

C'est ainsi que depuis des heures ils jonglent avec des os, les classent d'après leur aspect, leur texture et leur taille. Après quoi, ils essaient d'apparier les fragments de membres par paires, droits d'un côté, gauches de l'autre.

« Il faut que les articulations jouent à la perfection, médite tout haut Konig tandis qu'il manipule les os, les soulève, les soupèse deux par deux, en se servant de ses mains comme des plateaux d'une balance. Il faut y aller en douceur dans un boulot de ce genre. Si par hasard on se met à forcer, ça veut dire qu'on se trompe. »

McCloskey observe les gestes experts et habiles des mains de son aîné, un peu comme un enfant qui regarderait un vieux magicien exécuter un tour de prestidigitation éblouissant. A l'aide de longues mèches de coton hydrophile, Konig ponce la cavité cotyloïde de la hanche droite dans laquelle il se propose d'insérer la tête du fémur droit.

« Il est indispensable d'éliminer toute possibilité de doute. »

Au cours de l'après-midi, tandis que les autres s'éclipsaient un à un, McCloskey et Konig se sont rapprochés l'un de l'autre, retenus là par une obsession commune qui les incite à s'obstiner alors que leur bon sens les pousse à tout plaquer pour rentrer chez eux, retrouver la chaleur et la lumière, prendre un peu de repos, se détendre dans un lieu confortable, en compagnie de quelques amis sympathiques.

Mais non, ils sont toujours là, à manipuler des os, et inconsciemment l'un et l'autre se retrouvent dans le rôle du maître et de l'élève — pourtant, il n'y a aucune raideur entre eux, mais au contraire un brin d'intimité, comme entre deux inconnus surpris et ravis de se découvrir une passion commune.

« Vous voyez cette cavité cotyloïde gauche ? chuchote Konig, et le jeune homme se penche pour scruter le fond de la cavité iliaque du tronc reconstitué.

— Salement amochée.

— C'est vrai. Il est clair que le fémur a été arraché de force.

— On aura du mal à l'ajuster, dit McCloskey. Peut-être qu'on devrait commencer par le droit.

— Bonne idée, coupe Konig. Passez-moi les deux fémurs droits. »

Konig réfléchit un instant, les deux fémurs dans ses mains, comme s'il les soupesait, se familiarisait avec leur poids. L'un est visiblement plus court que l'autre, et il est visible également que les têtes des deux fémurs ne sont pas de même diamètre. Lorsque Konig insère le plus petit des deux fémurs dans la cavité de la hanche droite, la tête entre sans effort et pivote sans accrocher dans toutes les directions. Il la retire sans plus de difficulté.

« Y a un peu de jeu, constate McCloskey.

— Voyons ce que donne le plus long. »

Ils essaient et, au prix de quelques manipulations, la tête du plus gros des deux os, ceux de la plus longue des deux paires, pénètre dans la cavité et s'y adapte parfaitement.

« Cette fois on dirait que ça va, marmonne Konig avec une joie tranquille. Mais pour plus de certitude, nous allons disséquer les derniers ligaments accrochés à cette articulation de la hanche et prendre un moulage de la cavité cotyloïde pour pouvoir la comparer avec la tête du fémur. Ensuite, demain matin, quand le plâtre aura durci, nous mesurerons sur un vernier le diamètre vertical du moulage à l'aide de compas. Avec un peu de chance il y aura correspondance parfaite entre la cavité du moulage et la tête du fémur... vous avez l'air sceptique.

— C'est seulement que je ne peux m'empêcher de penser que nous avons peut-être affaire à plus de deux corps. Et si par hasard...

— ... nous trouvions un morceau isolé qui pourrait se raccorder à l'une des deux paires de membres, la plus longue ou la plus courte? enchaîne Konig en souriant. Dans ce cas, nous pourrions tout foutre en l'air et repartir à zéro. Si par hasard nous tombons sur un morceau isolé de ce genre, les probabilités mathématiques quant au nombre de corps monteront en flèche et se situeront à dix-sept environ, ce qui signifierait que nous n'avons même pas récupéré le quart des morceaux enfouis le long du fleuve. L'idée est trop sinistre pour qu'on s'y arrête. Chassez-la de votre esprit, mon petit Thomas, conclut le docteur en levant un œil amusé sur le jeune homme. Quelqu'un vous attend chez vous?

— M'attend?

— Une épouse? Une concubine? Un petit chien? Comment, rien?

— Non, patron, s'esclaffe McCloskey. Je ne suis pas marié.

« — Eh bien alors, si nous soufflions un peu le temps d'aller dîner ? C'est moi qui régale. »

C'est ainsi qu'ils s'octroient une pause et passent une heure chaleureuse dans un petit restaurant italien où, deux Martini et une bouteille de verdicchio bien frais aidant, Konig se départ de sa réserve naturelle.

Il n'est pas loin de vingt et une heures lorsqu'ils regagnent le sous-sol de la morgue, munis d'une bouteille de chianti et de gobelets en papier; ils s'installent aussitôt devant les plateaux chargés d'os, de tissus et de morceaux de chair qu'il leur reste encore à trier.

L'alcool et la compagnie ont paré les joues de Konig d'une légère rougeur. Il est non seulement devenu plus communicatif, mais encore, chose bizarre, plus lucide qu'à l'ordinaire. On dirait que l'alcool a aiguisé ses perceptions, accru jusqu'à un degré extraordinaire la dextérité de ses doigts.

« Et maintenant, Thomas, dit-il d'une voix presque enjouée, passez-moi ce long fémur. »

Il leur faut environ une heure pour parvenir a adapter le fémur gauche à la cavité de la hanche gauche, sérieusement endommagée, et le tronc reconstitué se prolonge maintenant de deux charpentes de cuisses au grand complet. Il leur faut alors leur adapter a chacune une rotule. Les quatre rotules dont ils disposent portent encore des lambeaux de chair et de tendons, ce qui complique leur tâche pour en identifier une paire. Pendant encore une heure environ, Konig et McCloskey s'évertuent à trier ces bribes de tissus et a nettoyer les arêtes des rotules. Enfin, Konig réussit a adapter une rotule à chacun des deux fémurs.

« Voilà, s'exclame-t-il en constatant que toutes les

220

deux s'articulent sans effort. Nous pouvons maintenant passer aux jambes. »

C'est ainsi que bien avant le matin, sur le coup de minuit en fait, deux paires de jambes au grand complet ont été reconstituées, dont l'une est déjà fixée au tronc. Pour apparier les morceaux, ils se sont basés sur des critères de taille et de texture, et ont pris soin de mesurer les os des divers segments. Une fois réassemblées, les deux paires de membres inférieurs sont manifestement de longueur différente, au point qu'il est maintenant facile de distinguer la plus courte de la plus longue. Déjà, chacune peut révéler des éléments d'information d'une importance capitale sur l'âge et la taille de leurs défunts propriétaires et même, bien que de façon plus vague, sur leur type ethnique ainsi que, peut-être, sur la manière dont ils ont été tués.

Il est bien après minuit lorsque Konig s'arrache à son labeur, et surprend son jeune collègue en train de réprimer un bâillement.

« On s'arrête ? »

Le sourire malicieux, légèrement sarcastique, éclaire un instant son visage. Cet air de dire « je suis capable de t'avoir à l'usure, petit », que McCloskey connaît si bien.

Konig se redresse et s'étire.

« Dès demain matin, nous ferons une radio des deux paires de membres, histoire de nous assurer que les articulations des hanches et des rotules sont correctes. Les moulages des cotyloïdes devraient être prêts vers dix heures. On devrait pouvoir s'attaquer aux bras dès demain », conclut-il, en gratifiant le jeune homme d'une bourrade dans le dos.

23

Mardi 16 avril. 2 heures du matin. Riverdale.

Deux heures du matin environ. En rentrant chez lui à Riverdale, Konig a pris une douche chaude et maintenant il traîne en robe de chambre au premier. Il ne peut pas dormir. Malgré une double dose de Démérol, sa sciatique s'est réveillée et de nouveau la douleur lui taraude impitoyablement la jambe.

Il essaie de lire une revue, mais son attention vagabonde; l'esprit trop agité, il ne parvient pas à oublier ses soucis; le budget à mettre au point, la liste des entrepreneurs de pompes funèbres véreux à arracher à Angelo, l'exhumation du petit Robinson fixée au mercredi à Yonkers, l'affaire Doblicki dans le New Jersey, la trahison de Strang et, bien sûr, l'histoire des têtes manquantes. Sans les têtes, ils ne parviendront jamais à déterminer avec précision l'âge des deux cadavres démembrés. Sans les dents et sans les extrémités des doigts pour relever des empreintes lisibles, ils ne peuvent espérer parvenir à les identifier avec certitude. Et un dépit de l'étrange main aux ongles laqués qui paraît à première vue avoir appartenu à une femme, mais ressemble davantage à une main d'homme quand on l'examine de plus près, l'absence de pelvis et de tronc inférieur fait qu'il n'y a guère d'espoir raisonnable de déterminer avec précision le sexe du squelette. Et puis, bien sûr, Lolly. Insidieuse, la pensée de Lolly l'envahit de nouveau. Des voix chuchotent à travers la pièce, des voix chargées de l'écho des serments, des reproches, des remords, des chagrins d'autrefois.

Il se lève et descend au rez-de-chaussée, circulant sans bruit à travers la maison vide, comme un somnambule. Ces promenades nocturnes à travers la maison sont désormais une manie. Ces derniers mois, depuis que sa femme et sa fille ont disparu, il est devenu plus agité et plus irritable. Il a de plus en plus de mal à dormir. Quelle malédiction qu'un lit, lorsqu'on ne parvient pas à y trouver le sommeil.

Il passe dans la cuisine — impeccable, immaculée — où personne n'a rien fait cuire depuis près de six mois, où personne ne mange plus rien, hormis de petits casse-croûte qu'il lui arrive de grignoter au milieu de la nuit devant le réfrigérateur à demi vide. Il se verse un verre de lait, dans l'espoir de soulager son estomac tout barbouillé à force d'énervement, de gin et de mauvais chianti. De là il passe dans la bibliothèque pour y prendre un livre, quelque chose qui l'aidera à tuer le reste de la nuit.

Pour un médecin, Paul Konig est remarquablement cultivé. Dans sa jeunesse, lorsqu'il était sorti de la faculté de médecine et avait enfin pu s'arracher à ses manuels, il s'était pris d'une véritable boulimie de lecture. Maintenant, en raison de la vie trépidante qui est la sienne, il n'a plus guère de temps pour lire. Mais du plafond au plancher, sa bibliothèque est bourrée de livres, les livres qui pendant toutes ces années avaient été sa passion : livres d'histoire, de poésie, biographies, romans. En littérature, son héros préféré est le prince Michkine, sans doute parce que lui-même ne lui ressemble en rien. S'il ressemble à quelqu'un, c'est à Coriolan, fier, emporté, intrépide, plein de mépris pour le commun des mortels, auxquels il ne cesse de rappeler leur stupidité. Mais Konig déteste le personnage de Coriolan.

Maintenant ses doigts errent le long des rayons et fouillent parmi les titres, pour finalement s'arrêter sur un vieil exemplaire fatigué du *Roi Lear*. L'histoire du vieux roi abandonné, dépouillé de son trône et de sa fortune, rejeté par ses filles, qui erre sur la plaine balayée par la tempête, aveugle et radotant, en se demandant ce qu'il a perdu, ou ce dont il a bien pu rêver, est depuis toujours une de celles qu'il préfère. Lors de sa dernière année de faculté, un groupe d'étudiants avait monté *Le Roi Lear* et il avait tenu le rôle du vieux roi fou; le spectacle avait été un four grotesque; titubant et vitupérant sur la scène dans un costume trop grand pour lui — « Soufflez, oh vents, et que vos joues éclatent » et ainsi de suite — il avait arraché à son public quelques petits rires embarrassés. Et le jeune étudiant chargé de faire la critique de la pièce pour le journal de la faculté avait pu souligner que « le Lear de Konig était d'une volubilité effrayante, sinon totalement convaincant ».

Il prend le livre sur l'étagère et se traîne jusqu'à la véranda. C'est en fait une grande serre prolongée par une terrasse, entièrement vitrée, humide et verdoyante, envahie par une jungle de plantes d'intérieur, mal taillées, mal soignées, laissées à l'abandon depuis la mort d'Ida — coleus, schefflera, énormes ficus luxuriants aux immenses feuilles vertes en forme de pagaies, innombrables lis en fleur, aux espèces variées et multi-colores, la passion d'Ida.

Il s'installe dans la serre à l'atmosphère lourde et quasi tropicale, allongé dans un fauteuil de rotin, sa jambe soutenue par un gros coussin, et boit son lait à petites gorgées. Il se met à lire, mais bientôt ses yeux papillonnent et se ferment et, le verre posé en équilibre sur sa poitrine, il est à deux doigts de s'assoupir. Puis soudain, brutale et stridente, la sonnerie du téléphone, pareille à une longue aiguille acérée, perce le silence de la maison. Le verre bascule, il le rattrape de justesse et, figé droit sur son siège, attend que le téléphone se remette à sonner, déjà persuadé que, tout comme l'autre nuit, il attendra en vain.

Mais il sonne et, brusquement, son cœur bat la cha-made. Il se lève d'un bond, s'éclaboussant de lait et, lourdement, titubant, se traîne en boitillant jusqu'au téléphone, indifférent à la douleur qui lui poignarde la jambe. Une troisième sonnerie, puis une quatrième. La peur lui broie les entrailles. Un pressentiment de dan-ger. Qui peut l'appeler à une heure pareille? Le bureau peut-être. Ou Flynn. Non... personne ne l'appellerait ainsi, à moins que... « Lolly... Lolly... », murmure-t-il avant même d'avoir décroché.

« Allô. »

Rien, sinon le rugissement du silence dans l'écou-teur. Lourd de menaces. Prémonitoire.

« Allô... allô. Qui est à l'appareil? »

Enfin, une voix.

« Docteur Konig?

— Oui. Lui-même.

— Docteur Konig », lance de nouveau la voix, comme pour le contraindre à se présenter officielle-ment.

225

Suit un bref silence; Konig entend l'homme respirer à l'autre bout du fil. Puis tout à coup un hurlement perçant, déchirant, ponctué à l'arrière-plan par un ricanement obscène.

« Docteur Konig, reprend la voix, vous avez entendu ? »

Le front de Konig se couvre d'une sueur froide. Son cœur cogne à grands coups dans sa poitrine. La voix reprend, plus doucement cette fois, une voix raffinée, d'une douceur presque irréelle.

« Docteur Konig, reprend la voix, vous venez d'entendre votre fille. »

De nouveau un hurlement, déchirant. Plus abominable. Plus angoissé. Puis, au bout de la ligne, on raccroche brutalement.

24

« Considérant que toute la police de la ville de New York recherche votre fille sans parvenir à la retrouver, que voulez-vous que je fasse ?

— Retrouvez-la. »

Konig abat son poing sur le bureau.

**10 heures 15. World Wide Tracers Organization.
Bureau de Mr. Daniel Cory, détective privé.**

« Et vous dites que le F.B.I. est au courant ?

— Je vous l'ai déjà dit, confirme Konig en s'épongeant le front avec un mouchoir tout froissé. Sitôt qu'ils m'ont eu raccroché au nez, j'ai appelé le Bureau de New York pour prévenir un de mes amis. Il m'a dit qu'il y avait déjà plusieurs mois qu'ils étaient au courant. Qu'ils avaient été alertés par un de mes amis. Un lieutenant de police qui travaille sur l'affaire depuis bientôt six mois. Eux aussi suivent l'affaire depuis, à ce qu'ils disent.

— Eh bien, mais c'est parfait. Si à la fois la police et le F.B.I...

— Ça ne suffit pas, dit Konig dont le poing s'abat de

nouveau. Je veux que vous la retrouviez. Trouvez-la. Je paierai. Votre prix sera le mien. »

Mr. Cory est un petit homme tiré à quatre épingles au visage rougeaud orné d'une moustache cirée. Le genre d'homme qui, on le devine au premier coup d'œil, prend vraisemblablement le plus grand soin de sa tenue et de sa garde-robe. Le fantôme échevelé assis en face de lui, mal rasé, vêtements défraîchis et froissés, yeux légèrement hagards, présente avec lui un contraste saisissant. A mesure que la voix de Konig se fait plus forte, plus impérieuse, et que son poing bat l'air avec une violence accrue, Mr. Cory se fait plus flegmatique.

— Ce n'est pas une question d'argent, docteur Konig. Si ça n'était qu'une question d'argent...

— Dans ce cas, c'est une question de quoi ?

— C'est ce que j'essaie de vous expliquer depuis tout à l'heure, poursuit Cory d'une voix lénifiante, comme dans l'espoir de l'amadouer. Votre fille ne peut être considérée comme disparue. Si elle l'était, peut-être serais-je capable de faire quelque chose. D'après ce que vous m'avez dit, elle est ici, quelque part dans cette ville. Séquestrée par un individu, ou par plusieurs. Il ne s'agit pas d'une disparition. Il s'agit d'un kidnapping. D'une séquestration forcée. Si j'avais entendu une de mes filles hurler de cette façon... Bref, disons que cette affaire n'est pas du ressort d'une agence comme la nôtre. Elle est du ressort de la police. De la police fédérale.

— La police n'a rien fait. Les Fédés sont des imbéciles.

— Voilà une déclaration bizarre venant d'un homme qui occupe la situation que vous occupez.

— Je me fous de ma situation, nom de dieu. »

Une fois de plus le poing de Konig s'écrase sur le bureau, et Mr. Cory se contracte légèrement en jetant un regard inquiet en direction de la porte, comme navré de cette entorse aux bonnes manières.

« Mais votre situation est exceptionnelle, docteur Konig. Si vous n'étiez pas le chef de l'Institut médico-légal, si vous n'étiez pas quelqu'un d'aussi influent, si vous n'aviez pas tant de relations ni une telle réputation, je me sentirais davantage enclin à m'occuper de vous. Mais dans la mesure où vous êtes ce que vous êtes, je suis certain que la police et le F.B.I. auront mis tout en œuvre pour retrouver votre fille. Si je décidais maintenant de me mettre à la recherche de votre fille, je ne pourrais que refaire ce que je sais qu'ils ont déjà fait. Je ne veux pas vous voler votre argent pour ce genre de choses, ni vous donner de faux espoirs.

— La police... explose Konig, mais Mr. Cory le coupe aussitôt.

— Non, je vous en prie, laissez-moi finir, docteur. A vrai dire, personne ne peut faire mieux que la police dans ce genre d'affaires. Je le répète, votre cas est exceptionnel, votre fille ne tombe dans aucune des catégories habituelles. En premier lieu, elle n'est plus mineure. Ensuite, elle est retenue quelque part contre sa volonté. Elle a été kidnappée. Les kidnappings ne sont pas de notre ressort. Je vous l'ai dit, ils sont du ressort de la police, ou de la police fédérale. »

Konig se tasse avec lassitude sur son siège, brusquement vidé de toute combativité.

« Ecoutez, la police et le F.B.I. sont déjà sur l'affaire, poursuit Mr. Cory. C'est parfait. Vous avez fait d'une pierre deux coups. »

Une expression de mépris passe dans les yeux de Konig.

« Deux coups, hein ? »

Mr. Cory perd un instant de son assurance.

« Mais bien entendu. Si la police et le F.B.I. travaillent de concert...

— De concert ? raille Konig, le regard plus féroce que jamais. Oh, oui. Ils travaillent de concert. Et sachant ce que je sais de l'efficacité de ces deux organismes, j'ai de bonnes raisons d'être convaincu qu'à force de travailler de concert ils finiront un beau jour par retrouver le cadavre de ma fille. Pendant ce temps cette bande de dingues et de salauds tiennent ma fille. Ils la torturent, nom de dieu, et il semble que personne — je dis bien personne — ne soit capable ni désireux de lever le petit doigt pour les en empêcher.

25

« Eh bien, nom de dieu... mais trouvez-le.

— Je vous le répète, docteur. Je ne sais pas où il est.

— Et moi je vous répète de le trouver, beugle Konig à l'adresse d'un jeune inspecteur adjoint qui, en manches de chemise, le contemple bouche bée et les yeux ronds. Allez, filez. Et trouvez-le-moi. »

11 heures 20. Institut médico-légal. Service des Personnes disparues.

C'est à peine si le jeune inspecteur, qui s'appelle Zymanski, parvient à bouger les lèvres, mais aucun mot ne sort.

« Qu'est-ce qu'il fout s'il n'est pas dans son bureau ? continue à vitupérer Konig, qui arpente en gesticulant la petite pièce à l'atmosphère lourde et étouffante. Et si on avait besoin de lui ? Et s'il y avait une urgence ? Nom de dieu... dites-moi diable un peu pourquoi on lui verse un salaire si ce n'est pas pour...

— Mais je vous l'ai dit, docteur. Il est sur une affaire...

— Quelle affaire ?

— Comment est-ce que je peux le savoir, bon sang ?
Il en a au moins vingt sur les bras en même temps.
Est-ce que je peux faire quelque chose ? »

Le visage de Konig est d'une pâleur maladive, couleur de parchemin. Il est pratiquement muet de fureur.
Le pauvre inspecteur adjoint se recroqueville sous le
regard brûlant du médecin-chef.

« Non, fulmine Konig, comme si la question constituait une impertinence. Vous ne pouvez rien faire pour
moi. Et Haggard non plus, il ne peut rien pour moi.
Tous autant que vous êtes vous me faites une foutue
bande de jean-foutre et de bons à rien. »

Le docteur pivote brusquement et fonce vers la
porte, renversant au passage une carafe d'eau qui, sans
qu'il daigne jeter un regard en arrière, se vide en glougloutant sur les papiers et le buvard de Haggard.

« Faut-il qu'il vous appelle quand il rentrera ? lui
lance l'inspecteur adjoint tout en épongeant avec frénésie les paperasses détrempées. Que faut-il que je lui
dise ?

— Dites-lui d'aller se faire foutre. »
Konig claque la porte derrière lui.

« On vous demande au téléphone, docteur, l'adjoint
au maire, une fois de plus.

— Je n'y suis pour personne. »
Konig passe sans s'arrêter devant Carver et fonce
droit sur la porte de son bureau.

« Je lui ai déjà dit ça. Feriez mieux de lui parler.

— Oh ! Seigneur, s'exclame Konig, en levant les bras
au ciel. Bon, d'accord... passez-le-moi. »
De retour dans le sanctuaire encombré et étouffant
de son bureau, Konig tranche d'un coup de dents l'ex-

trémité d'un nouveau cigare, qu'il crache de façon éloquente par-dessus son épaule, et décroche vivement le téléphone.

Un bourdonnement. Une sonnerie aiguë. Puis soudain la voix rogue et légèrement hystérique de l'adjoint au maire crépite sur la ligne :

« Nom de dieu, à quoi est-ce que vous essayez donc de jouer ?

— Je vous demande pardon ?

— Est-ce que par hasard vous essaieriez de me prendre pour un con, Paul ?

— Mais bonté divine...

— Est-ce que vous essaieriez de me baiser ? Parce que si c'est ça, je vous fiche mon billet que...

— Mais bon dieu, qu'est-ce que...

— Je me suis mouillé dans cette histoire...

— Cette histoire, mais quelle histoire, Maury ? De quoi parlez-vous ?

— Vous savez foutrement bien de quoi je parle. Sinon vous êtes encore plus con que je ne l'aurais...

— Attendez un peu. Doucement, dit Konig, qui se lève à demi, puis retombe sur son siège. Voulez-vous pour l'amour de Dieu me dire ce qui vous turlupine ?

— Cette histoire, crachote l'adjoint au maire, ce foutu scandale qui fait la une de tous les journaux.

— Oh! vous voulez parler de cette histoire de cadavres en morceaux retrouvés dans le fleuve ? »

Le silence qui suit est lourd de consternation et de perplexité.

« Quelle histoire de cadavres en morceaux ? gémit de façon pathétique l'adjoint au maire. Personne ne m'a parlé d'une histoire de cadavres en morceaux. Je parle de cette foutue histoire de vol de cadavres.

— Vol de cadavres ? »

Cette fois, c'est au tour de Konig de se taire, pour gagner un peu de temps.

« Hier, les dernières éditions du *Post* ne parlaient que de ça. En pages deux et trois. J'ai passé toute la matinée avec le maire. Il est furieux. Foutrement furieux. Je répète, *furieux*.

— Et qu'est-ce que ça dit ?

— Comment ça, qu'est-ce que ça dit ?

— L'article ! »

Konig perçoit le halètement incrédule de l'adjoint au maire.

« Vraiment, vous ne l'avez pas lu ?

— Je n'ai pas vu le journal. »

Nouveau silence, un silence lourd de stupéfaction et de fureur.

« Vraiment, mon cher ami, vous auriez intérêt à lire le journal. Histoire de vous tenir au courant. Vous êtes un fonctionnaire public. Il est toujours utile de savoir ce qui se passe dans son service.

— D'accord, Maury, épargnez-moi vos sarcasmes.

— A votre barbe, pour ainsi dire.

— Assez d'astuces, j'ai dit. Si vous prétendez qu'un membre de mon service...

— C'est exactement ce que je prétends.

— ... a fourgué quelques noms...

— Quelques noms ?

— ... à je ne sais quel salaud d'entrepreneur de pompes funèbres histoire de gratter quelques dollars...

— Quelques dollars ? »

Un énorme éclat de rire méprisant explose dans l'écouteur.

« Un million de dollars par an, selon le *Post*. Un million de bananes. La ville est en train de se faire

234

plumer à la cadence d'un million de dollars par an. Je dois dire que vous prenez ça un peu à la légère.

— Qu'est-ce que c'est un million, tonne brusquement Konig. Des nèfles. Pensez au coulage annuel dans le budget de la Sécurité sociale, des Ponts et Chaussées, des Services du Cadastre et du Service des Domaines ou dans le budget de tous ces foutus services dont j'ai oublié le nom.

— Ce n'est pas le moment de faire de l'esprit, mon cher.

— Qui est-ce qui fait de l'esprit ? Je dis la vérité. Nous, nous représentons des nèfles. Question de coulage, nous sommes des bricoleurs.

— Paul, pas question que je reste ici à écouter un tas de baratin. Je vous le dis, le maire est...

— Furieux. Je sais. Je répète, *furieux.*

— D'accord, mon cher. »

Un long soupir et, vaincu, l'adjoint au maire abandonne.

« Voilà bien une demi-douzaine de fois en cinq ans que je me mouille pour vous. Cette fois, ça y est. Vous avez gagné. Un camouflage de cette ampleur...

— Là vous avez raison. C'est vrai que j'ai tout camouflé. Il y a au moins trois ans que je suis au courant de cette affaire et que je n'ai rien fait. C'est une grosse négligence de ma part. J'ai eu tort. Je suis désolé...

— Très noble, très magnanime, gémit l'adjoint au maire d'une voix grinçante. Rien de tout ça, vous vous en rendez compte, n'excuse d'un iota le fait que vous vous trouvez maintenant impliqué jusqu'au cou dans une tentative pour étouffer un scandale qui a coûté à la ville...

— Parfait. Je plaide coupable. Qu'est-ce que le maire

attend de moi ? Ma démission ? Très bien. Je démissionne.

— Je n'ai pas parlé de...

— Je suis médecin. Pas policier. Si le maire veut un policier pour surveiller la moralité du personnel de ce service, nom de dieu il n'a qu'à en embaucher un. Je serai ravi de travailler sous ses ordres. Il pourra compter sur toute ma loyauté et ma sympathie.

— Paul, pour l'amour de Dieu...

— Et sur ma pitié, pourrais-je ajouter. J'en ai marre des prévisions budgétaires, des bons de réquisition, des brutes bureaucratiques, des politiciens à la gomme, des crétins rétrogrades...

— Paul, écoutez-moi...

— ... marre d'implorer la municipalité en triple exemplaire pour toucher une allocation de crayons et d'agrafes. Je suis un médecin. Je suis un...

— Paul... En ce moment même, Carl Strang est dans le bureau du maire. »

Un silence, chacun des deux hommes guette la respiration de l'autre. Konig sent qu'une veine commence à palpiter sur sa tempe.

« Et alors ?

— Il y a une demi-heure qu'ils sont enfermés en tête-à-tête. »

La gorge nouée de tristesse et de colère, Konig se représente soudain Strang, papelard et servile, en train de débiter son histoire, de s'épancher dans le giron du maire. Il le voit se tordre les mains, battre sa coulpe, il l'entend égrener la lugubre litanie de ses adjectifs favoris, « regrettable », « déplorable », « malencontreux ». Strang assis là-bas en face du maire dans le Saint des Saints cuir et acajou de l'hôtel de ville, qui se confond en génuflexions comme un mandarin, ivre d'adulation et prêt à chanter les louanges de l'auguste personnage, monsieur le maire.

« A-t-il été convoqué? crache Konig. Ou est-ce qu'il s'est tout simplement pointé à la porte?

— Je crains bien qu'il n'y ait eu les deux. Le maire lui a téléphoné de bonne heure ce matin, après avoir lu les journaux. Il lui a tout de suite suggéré qu'il serait peut-être utile qu'ils se voient un des ces jours pour discuter de tout ça, sans préciser quand. Environ deux heures plus tard, Strang s'est ramené. Paul... cet homme n'est pas de vos amis. »

Un autre silence; Konig laisse échapper une boule de papier qu'il tient serrée dans son poing.

« Merci, Maury. Merci de me dire ça. Et si ça peut le consoler, vous pouvez dire à Son Honneur le Maire que, pour ce qui est des noms des cadavres non réclamés, le responsable des fuites a été relevé de ses fonctions. En outre je peux vous dire que le maire trouvera demain matin sur son bureau la liste complète de tous les entrepreneurs et de toutes les entreprises de pompes funèbres impliqués dans cette affaire. »

A peine a-t-il raccroché brutalement que le téléphone sonne de nouveau.

« Konig à l'appareil.

— Docteur Konig?

— Lui-même.

— Ici Bill Tracy du *Times*. Drôlement dur de vous toucher.

— J'étais occupé.

— Ça ne m'étonne pas. J'étais curieux de connaître vos réactions à l'article du *Post*.

— Quel article?

— L'article dans le *Post* d'hier soir.

— Pas encore lu, ce qui fait que je n'ai pas de réactions. C'est tout ? »

Silence déconcerté, un silence qui fait naître chez Konig une légère bouffée de plaisir.

« Eh bien, enchaîne lourdement le journaliste, savez-vous de quoi il est question ?

— Vous voulez parler de l'histoire de vol de cadavres ?

— Tout juste.

— Et alors ?

— C'est vrai ou pas ?

— Oh ! bien sûr... Ça fait des années qu'il y a un racket de cadavres volés chez nous. Des années que nous refilons les macchabées aux fabricants d'engrais.

— Aux fabricants d'engrais ?

— Bien sûr, plastronne avec rancœur Konig. Ça rapporte, les macchabées. Dommage qu'une grande gueule soit allée dévoiler le pot-aux-roses et tout foutre en l'air. Ça me payait ma came depuis des années. »

Nouveau silence perplexe. Konig rallume son cigare, en proie à une fureur grandissante.

« Je vois, dit le journaliste, une note de froideur se glissant dans sa voix à mesure qu'il saisit ce qu'implique l'humour tortueux de Konig. Est-il vrai qu'il y a plusieurs années déjà que vous savez que des membres de votre service vendent les noms des cadavres non réclamés à certains entrepreneurs de pompes funèbres de la ville ?

— Qui est-ce qui dit ça ?

— Je crains de ne pas être en mesure de révéler mes sources de...

— Aucune importance, coupe Konig, je sais qui c'est. Eh bien, si Strang le dit, ça doit être vrai. Strang est quelqu'un d'honorable.

238

« — Mais, monsieur, je n'ai jamais voulu dire...

— C'est parfaitement exact, dit Konig. Je sais exactement ce que vous avez voulu dire. »

Nouveau silence. Au bout de la ligne la perplexité et la consternation de l'autre sont tellés que Konig a l'impression qu'il pourrait les toucher en avançant la main.

« Eh bien, je me demandais simplement... s'obstine gauchement le journaliste. D'après certains bruits qui courent...

— Des bruits? Quels bruits? Moi, je n'écoute jamais les bruits.

— Moi non plus... mais cette fois ils sont plutôt consistants.

— Consistants?

— Les sources sont dignes de foi. Ça vient du bureau du procureur.

— Le bureau du procureur? »

Cette fois Konig a dressé l'oreille.

« Selon un tuyau qui nous est parvenu, le procureur envisage d'ouvrir une enquête approfondie sur l'Institut médico-légal.

— Une enquête approfondie? marmonne Konig, qui a renoncé à tout semblant de frivolité.

— Oui, monsieur. A en croire des sources dignes de foi, vous êtes depuis longtemps en cheville...

— En cheville? Mais grand Dieu qu'est-ce que...

— Oui, monsieur... avec divers membres de votre personnel. Pour exiger des ristournes de certains entrepreneurs de pompes funèbres en échange de noms de cadavres non réclamés, tout en sachant parfaitement que ces corps devaient être nhumes aux frais de la ville, et que vous vous êtes arrangé pour dissimuler...

— Arrangé pour dissimuler... »

Konig marmonne les mots sans en comprendre le sens.

« Oui, monsieur... et que vous étiez parfaitement au courant que... »

Konig repose sans bruit l'écouteur sur son support. Un long moment il demeure immobile à son bureau, l'esprit engourdi, épuisé, perdu dans ses pensées, tandis qu'entre ses doigts le cigare se consume dans un brouillard de fumée. Toute une gamme d'émotions bouillonnent en lui et il ne peut en définir aucune. Mais la crainte... la crainte ne compte pas au nombre des émotions qu'il éprouve. Il ne craint ni le procureur, ni le président de la commission d'enquête, ni le maire, ni la presse qui se prépare à le traîner dans la boue. Ce qu'il éprouve avant tout, c'est de la honte.

Soudain l'image du vieux Banhoff surgit devant lui, le visage austère couronné de cheveux gris qui le foudroie du regard — lui qui a attiré la honte sur le service. Vol de cadavres, rapports d'autopsie bidon et truqués, camouflage systématique d'actions répréhensibles. Qu'aurait fait Banhoff devant des magouillages de ce genre lorsqu'il était à la tête du service ? Le vieil Allemand aurait sans merci vidé les coupables. Il y aurait eu des limogeages, des règlements de comptes sanglants, des têtes seraient tombées, mais le service aurait été nettoyé.

Le téléphone sonne de nouveau, l'arrachant à ses méditations. L'image de Lolly lui traverse l'esprit tandis qu'il décroche en hâte, s'attendant à entendre sa voix, ou la voix de ses ravisseurs réclamant de l'argent.

« Konig à l'appareil.

— Où diable étiez-vous passé ? »

C'est la voix de Flynn, hors d'haleine et exténuée.

« Y a des heures que j'essaie de vous joindre. Ecou-

tez — je suis dans le New Jersey. Sur l'affaire Doblicki.
Vous aviez raison. Faut que je vous serve ça tout chaud.
Les gars du New Jersey ont terminé leur autopsie y a
environ deux heures. Ils ont trouvé une dragée de 38
logée dans le crâne. C'te saloperie était tout enrobée de
cendres, c'est pour ça que vous autres, vous l'avez pas
trouvée. Dans la nuque, comme vous l'aviez dit. Comment diable est-ce que vous saviez qu'elle se trouvait
dans la nuque ?

— Vous occupez pas, Flynn. Continuez, ça suffit.

— C'est ce que je fais, c'est ce que je fais, geint
Flynn. Bon dieu, donnez-moi le temps, non ? Ce que
j'essaie de vous dire, c'est que les autres salauds ont
soûlé le type à mort, ils lui ont logé une balle dans la
nuque et puis ils l'ont aspergé d'essence et l'ont
balancé dans une bagnole avec un tas de bouteilles de
gin et après, ils ont flanqué le feu à tout ça. Ensuite ils
ont fait basculer la bagnole par-dessus un talus pour
laisser croire qu'il était entré dans le décor parce qu'il
était trop soûl. D'ailleurs le type picolait dur. Ce qui
fait qu'ils se sont dit que tout le monde trouverait ça
plausible.

— Ils ? Ils ? coupe Konig. Qui ça, ils ? Vous les avez
épinglés les salauds ?

— Du calme... du calme, poursuit Flynn, qui réprime
à grand-peine un accent de triomphe. J'y arrive. C'est
son salaud de frère. C'est lui qui y a réglé son compte.
Sitôt que votre pote Weinstein nous a envoyé son rapport d'autopsie, on s'est pointés aussi sec chez la
femme pour lui montrer les restes de la balle. Et sur
qui est-ce qu'on tombe, sur le frère, glousse Flynn
méchamment, comme par hasard il était venu passer la
nuit. Histoire de consoler la jeune veuve éplorée,
qu'est-ce que vous dites de ça, hein ? On lui a mis ça

sous le nez, et aussitôt il a essayé de faire porter le chapeau à sa belle-sœur. Et elle aussi elle veut lui faire porter le chapeau. C'est beau l'amour, non ? Doblicki avait une assurance-vie de cent mille dollars avec double prime en cas d'accident. Ces deux salauds se préparaient à s'évanouir dans la nature avec pas loin d'un quart de million. De vrais petits anges pas vrai ? »

Konig rit. Un rire dur et vengeur. Empreint d'une espèce de joie féroce. Un rire qui sonne de façon désagréable. Mais un instant plus tard, c'est fini, il a retrouvé tout son sérieux.

« Et les têtes, Flynn ? Vous m'aviez promis des têtes...

— Je n'ai pas encore les têtes, dit Flynn d'un ton coupable. Mais j'ai quelque chose de presque aussi bien.

— Des bouts de doigts ? Quelques-uns de ces bouts de doigts qui nous manquent pour avoir des empreintes ? »

Konig sent son moral remonter en flèche.

« Non... pas de bouts de doigts non plus. J'ai trouvé des sous-vêtements.

— Des sous-vêtements ?

— Ouais... dans la baraque. En déblayant les saloperies. Un caleçon sale, un caleçon de l'armée...

— Et alors ?

— Et alors ? hurle Flynn, d'une voix blessée et stupéfaite. Eh bien, y a un numéro matricule imprimé dans la ceinture, voilà ce qu'il y a. RA 12537744... l'encre est vachement passée, mais on a réussi à le déchiffrer. On l'a transmis à Washington ce matin. On devait savoir quelque chose d'ici...

— Seigneur Dieu, gronde de nouveau Konig. Formidable pour vous. Mais moi, ça me fait une belle jambe,

242

hein ? Sans les têtes, je ne peux procéder à aucune identification...

— Je n'arrive pas à les trouver, les têtes, bordel de
dieu. C'te berge, on l'a ratissée dix fois, trois kilomètres
dans chaque sens, et malgré ça...

— Et la baraque ?

— La baraque, on l'a passée au peigne fin.

— Sous la baraque, je veux dire. Ces saloperies de
planchers, vous les avez arrachés ?

Suit un silence perplexe; Konig croit entendre
l'inspecteur se creuser la cervelle, essayer de gagner du
temps.

« Arrachez les planchers, bordel de dieu, hurle
Konig.

— Ecoutez un peu, dit Flynn brusquement vidé de
toute combativité. J'en ai marre de vous entendre me
gueuler dessus, compris ? Y a quarante-huit heures que
j'ai pas fermé l'œil. Quarante-huit heures que je me
crève le cul à courir dans tout le New Jersey et...

— Je m'en fous que vous vous creviez le cul. Je m'en
fous que vous ne puissiez pas fermer l'œil. Trouvez-moi
ces têtes, Flynn, sinon je vous promets que c'est votre
tête à vous que j'aurai. Et vous le savez, je suis parfaitement en mesure de le faire. Alors filez m'arracher ces
foutus planchers. »

Un long moment, il reste là immobile, perdu dans la
pénombre sinistre de son bureau encombré. Il est midi
et quart et tout le monde est parti déjeuner. Il décide
d'aller prendre un bol de soupe quelque part et
esquisse un geste pour se lever, puis retombe sur son
siège, rivé sur place, une douleur lancinante dans les
tripes, comme s'il avait envie d'aller aux toilettes.
« Docteur Konig », lui chuchote une voix calme à
l'oreille. Soudain, le hurlement déchirant retentit dans

sa tête, aussi net qu'il a retenti plus tôt ce matin, comme transmis par l'écouteur d'un téléphone, un hurlement angoissé, terrorisé, de petit animal blessé. Puis le ricanement, horrible, obscène. Et cela continue inlassablement, exactement dans cet ordre — la voix calme, le hurlement, et enfin, le ricanement. Cela continue, inlassablement.

D'énormes gouttes de sueur froide luisent sur son front. Il sent le nœud se resserrer dans sa poitrine, le poing se refermer sur son cœur, et sa main droite plonge instinctivement dans le tiroir du bas, cherche le petit flacon de nitrite d'amyle qu'il garde là en permanence pour précisément des occasions de ce genre.

Il reste là sans bouger, perdu dans la pénombre imprégnée de relents de formol et de fumée de cigare, et il attend.

Il y a quatre jours que pour la dernière fois Lolly lui a téléphoné au bureau, à midi. A peu près à la même heure. S'il reste là maintenant, collé à son téléphone, peut-être appellera-t-elle de nouveau. Ou peut-être ses ravisseurs tenteront-ils de le contacter. Assis là dans ses vêtements froissés et défraîchis, il attend, convaincu que le téléphone va sonner d'un moment à l'autre. Bien plus, il croit qu'au prix d'un immense effort de concentration, il pourra le contraindre à sonner. Il se concentre pour que la sonnerie se déclenche, mais le silence qui pèse sur la pièce est assourdissant et le téléphone ne sonne pas.

Deux heures plus tard, quand enfin il se lève, pour descendre à la morgue où son travail l'attend, il n'est pas loin d'avoir perdu l'esprit.

26

« Pas de problèmes avec les articulations des membres inférieurs.

— Bon. Et les moulages des fémurs et des articulations de la hanche?

— On dirait que ça colle au poil. »

2 heures 15. La morgue.

McCloskey rayonne tandis qu'il fait son rapport à Konig. Les autres, agglutinés autour des plateaux, s'affairent à diverses tâches.

« On dirait que vous n'avez pas dételé de la nuit, les gars, pas vrai? remarque Strang qui arbore un large sourire.

— Les radios sont superbes, Paul, annonce Pearsall. Les articulations sont d'une netteté extraordinaire.

— Pas le moindre doute, fait Delaney en contemplant les contours fantomatiques des os qui se profilent en blanc-gris sur l'écran. Parfaits ces squelettes, tout est en place.

— Pas encore de résultats de sérologie? marmonne Konig, indifférent aux bavardages triomphants.

— Nous avons un groupe O et un groupe AB, annonce Hakim.

— Qui correspondent à quoi ?

— O au plus long, AB au plus court, dit McCloskey.

— Examens toxicologiques ?

— Négatifs, répond Bonertz. Pas de drogues. Teneur en alcool négligeable. Le chromatographe a décelé des traces de réserpine dans le foie du plus court. Probablement un hypertendu. »

Il s'apprête à poursuivre lorsque Konig le coupe, de manière abrupte et grossière. Konig a un certain nombre de côtés déplaisants, mais on ne peut le taxer de grossièreté. Personne ne l'a jamais vu se conduire grossièrement à l'égard d'un de ses collègues. Aussi, cette brusque bouffée de hargne les laisse-t-elle tous perplexes et méfiants. Incertains de ce qui va suivre.

Les yeux troubles, Konig examine une fois de plus les plateaux et les corps en partie reconstitués :

« Des progrès ?

— Nous avons fait certains choix préliminaires pour la répartition des deux jeux d'humérus, Paul. »

Pour la première fois depuis qu'ils se connaissent, McCloskey s'enhardit à l'appeler par son prénom. Après tout, hier soir, au moment du dîner et pendant leur nuit de labeur, ils ont été davantage que de simples collègues.

« Oh ? » réplique Konig et cette simple syllabe est indiscutablement empreinte d'une note de froideur et de réprobation.

Le jeune médecin, cependant, n'a rien remarqué. Il enchaîne en hâte, littéralement rayonnant, débordant d'orgueil et d'enthousiasme professionnels.

« Nous avons disséqué les tendons des ligaments et des muscles autour des articulations des épaules, des cavités des omoplates et des extrémités des humérus. Ensuite nous...

— Que fait cette broche dans l'omoplate? » le coupe sèchement Konig.

Suivent quelques instants d'un silence de mauvais augure.

« C'est moi qui l'ai posée, murmure McCloskey, qui commence à deviner que quelque chose cloche.

— Vous l'avez posée?

— Oui, patron. Vous comprenez, je me suis dit qu'il valait mieux essayer de fixer d'abord un des deux humérus courts — comme nous l'avons fait l'autre soir — et le...

— Ce qui fait que vous avez forcé pour insérer la tête et bousillé cette saloperie d'acromion — c'est ça? »

Le visage du jeune homme vire lentement au rouge.

« Oui, patron, je crois que malheureusement c'est ce qui s'est passé.

— Malheureusement? raille Konig. Malheureusement? Vous n'avez donc pas vu que ça ne collait pas? Etes-vous idiot? Etes-vous aveugle? Puisque les deux longs fémurs s'adaptaient aux cavités iliaques de votre tronc, vous auriez dû comprendre nom de dieu que les deux longs humérus s'adaptaient à l'épaule.

— Je l'avais compris, monsieur. J'essayais simplement d'éliminer toute autre éventualité...

— Et ce faisant, vous avez éliminé l'acromion. En réalité, vous avez bousillé cette foutue saloperie. »

Le jeune McCloskey semble effondré. Ses yeux se sont embués; il est rouge de honte de se voir ainsi désavouer en public.

« Mais, docteur Konig, j'ai quand même réussi à mettre en place les deux longs humérus et les articulations semblent coller parfaitement.

« — Parfaitement? hurle Konig. Comment peuvent-elles coller parfaitement? Elles ne colleront jamais parfaitement. Vous avez bousillé cette saloperie d'acromion. Comment diable pouvez-vous espérer reconstituer la configuration exacte de l'articulation par rapport à l'humérus?

— Mais Paul, s'interpose Pearsall pour détourner le feu nourri qui s'abat sur le jeune homme, d'après les radios, les articulations sont presque parfaites. Et ces bras sont appariés au tronc.

— Je vous ai demandé quelque chose? »

Konig pivote et braque maintenant ses batteries sur Pearsall, qui blêmit sous l'avalanche.

« Qui vous a demandé quelque chose, bordel de dieu? »

Il pivote de nouveau et parcourt le petit groupe de son regard furibond et accusateur. Les yeux larmoyants, le menton râpeux, ses cheveux gris en bataille, comme brusquement blanchis, comme blanchis ici même sous les yeux des hommes qui l'entourent, Konig ressemble à un prophète de l'Ancien Testament, transporté de fureur, mi-dément, mi-divin, un Jérémie ou un Ezékiel, ivre de lamentations et de désespoir.

« Qui diable vous a demandé quelque chose, vous autres, nom de dieu? »

Ses deux poings battent l'air avec frénésie.

Un peu à l'écart, les bras à demi écartés, Strang observe calmement ce numéro de fou, l'ombre d'un sourire énigmatique sur ses lèvres minces, pincées comme des cordes. Konig pivote une nouvelle fois, juste à temps pour apercevoir ce sourire, et s'en prend alors à lui :

« Comme ça, bon sang, vous trouvez ça drôle, vous?

— Drôle? »

248

Strang affecte un air profondément peiné.

« Non, je ne trouve pas ça drôle, Paul. Je trouve ça très triste. Foutrement triste même. »

Il fait volte-face et se dirige à grandes enjambées vers la porte.

« Allez-y, lance Konig dans son dos. Continuez. Filez donc voir le maire ou le procureur du district. Filez au *New York Times.* Peut-être que vous aurez droit à une photo. Peut-être qu'ils la passeront dans leur saloperie de journal — en première page même... »

Konig vitupère maintenant comme un fou et sa voix ricoche sur les carrelages glacés et l'acier inoxydable, fracassant le silence sépulcral qui règne d'ordinaire dans la morgue. Un vieux garçon de salle, un Noir, surgit à l'improviste. Ses grands yeux éberlués s'écarquillent de frayeur, pareils à deux immenses pivoines blanches, et il fait précipitamment demi-tour et sort en trébuchant.

« Je n'ai besoin de personne. Je me débrouillerai mieux tout seul. Foutez-moi le camp d'ici, tous. »

Konig gesticule comme un fou, mais les autres sont toujours là, têtes ployées, honteux de voir leur chef se donner en spectacle.

« Allez. Foutez-moi le camp. Tous, beugle-t-il comme un animal blessé. Allez. Allez. Filez. »

Lentement, un à un, ils se détournent et sortent — Bonertz, Delaney, Grimsby, Hakim, Pearsall, encore blêmes et secoués par l'épreuve, et bientôt Konig et le jeune McCloskey se retrouvent seuls dans la salle, face à face des deux côtés de la table, séparés par les deux corps en partie reconstitués, étendus raides et pétrifiés comme deux statues de sarcophages égyptiens.

« Et alors, bon dieu, qu'est-ce que vous attendez ? gronde Konig. Foutez le camp vous aussi. »

McCloskey ne bouge pas. Ils restent quelques instants ainsi à se dévisager, le jeune homme encore cramoisi de honte, son regard incrédule plein d'incompréhension et de chagrin. Ses lèvres remuent comme s'il voulait parler, mais aucun son ne sort. Peu après, lui aussi se détourne et quitte la pièce.

Un long moment, Konig demeure là immobile, rivé sur place, submergé par le silence, accablé par une solitude dont il est l'artisan. En fait, il vient de chasser tout le monde, de s'aliéner son équipe, d'insulter ses collègues, et d'humilier un jeune homme en l'accusant de crimes qui n'ont jamais eu, il s'en faut, la gravité dont Konig les a parés, et cette fois, enfin, il se retrouve profondément seul.

Puis, brusquement, il se débarrasse de sa veste et empoigne dans le plateau une paire de radius qui attendent leur affectation.

27

« J'EN ai rien à foutre, que ça pue les chiottes.

— Un peu de pitié, non, Flynn ?

— Combien de trous va-t-il encore falloir qu'on creuse avant que t'admettes qu'on se casse le cul pour rien ? »

3 heures 15. La baraque près de Coentis Slip.

En manches de chemise, le sergent Edward Flynn se balance sur les pieds d'une chaise de bridge peinte en ocre, tout en mangeant une pomme et en surveillant ses hommes qui creusent sous le plancher de la petite baraque.

Par contraste avec la nuit où Konig l'avait accompagné, l'endroit est maintenant désolé et désert; les monceaux d'ordures et de débris qui l'encombraient ont été répartis dans des caisses et expédiés aux divers laboratoires chargés d'analyser les taches de sang et de chercher des empreintes — la poussière a été recueillie avec soin dans des éprouvettes, les rognures d'ongles et les cheveux rassemblés dans d'innombrables petits sachets. Des douzaines de personnes — des experts — sont déjà à l'œuvre aux quatre coins de la ville, pour analyser, tester, collationner les résultats. Rien ne reste de l'invraisemblable et sinistre bric-à-brac, hormis l'énorme baignoire victorienne aux curieuses pattes tarabiscotées, encore souillée de sang et qui n'est reliée à aucune canalisation. Abandonné là à sa solitude, l'objet n'en paraît que plus noble et plus incongru.

Déjà la plupart des planches ont été arrachées et gisent éparpillées au hasard dans la pièce, là où les ont jetées les deux robustes agents qui s'exténuent au fond d'une tranchée boueuse et fétide, affublés de combinaisons de caoutchouc et de cuissardes.

« Bon dieu, pourquoi qu'il descend pas lui-même et fourre son cul dans c'te saloperie de chiotte ? marmonne au fond du trou la voix étouffée d'un des terrassiers. J'voudrais voir ce qu'y dirait d'avoir à patauger dans c'te foutue *bunjara*. »

Une pelletée de boue liquide, noire comme du goudron, jaillit soudain de la tranchée et s'écrase sur le sol avec un bruit mou de bouse de vache.

« V's avez pas bientôt fini de râler, bon dieu, non ? grogne Flynn à l'adresse des deux silhouettes courbées qui fulminent au fond du trou.

— Je te le répète, Flynn, y a que dalle ici.

— Je le sais qu'y a que dalle, mais n'empêche que c'te saloperie de plancher, je m'en vais l'arracher centimètre carré par centimètre carré.

— *Tu* vas l'arracher ? »

Un rire sarcastique jaillit du fond du trou.

« T'entends ça, Del Vecchio ? Y va l'arracher.

— Ouais... fais gaffe à pas te flanquer une hernie, Flynn. »

252

Nouvel éclat de rire railleur. Nouveaux grognements et nouveaux clapotis. Puis au bout d'un moment :

« Si y a rien ici, pourquoi qu'on continue à se casser le cul dans c'te *bunjara* de merde ?

— Parce que c'est ça ton lot dans la vie, crétin, raille Flynn qui expédie d'un coup trois Maalox dans le fond de sa bouche et se met à les mâcher tristement, c'est ça ton lot de creuser des chiottes. D'ailleurs, si vous vous étiez fait botter le cul comme moi je me suis fait botter le mien aujourd'hui — le salaud, si jamais y s'avise encore de m'engueuler comme ça, je le traîne chez le préfet — parole. Bordel de dieu, la prochaine fois qu'il me sert ce genre de baratin...

— Ah ! après tout, tu t'en fous de ce que raconte ce vieux con ? »

Une nouvelle giclée de boue noire s'écrase sur le sol.

« Il est cinglé. Tout le monde le sait qu'il est dingue, ce mec-là.

— T'as vu le journal. Le procureur se fait fort d'avoir sa peau pour c'te histoire de vol de cadavres.

— Il est cinglé, ce vieux con.

— Y en a marre, explose Flynn, qui se lève d'un bond et repousse sa chaise d'un coup de talon. Y en a marre de vous entendre râler, bon dieu. Entendu — j'en ai ma claque. Foutons le camp d'ici.

— Alleluuia.

— Bouchez-moi c'te fosse d'aisance.

— Avec joie. »

Deux silhouettes souillées de boue s'extirpent péniblement du trou, et, avec une espèce d'allégresse enfantine, entreprennent de le reboucher, tandis que Flynn rôde d'un air inquiet dans les recoins obscurs de la baraque, les yeux luisants et mobiles comme ceux d'une panthère aux aguets. Il s'arrête enfin devant la pathétique vieille baignoire victorienne. Bizarre de la voir plantée là au milieu de cette petite baraque nue et nauséabonde. Sans aucun doute, elle avait connu des jours meilleurs. Relique d'une époque plus paisible, peut-être avait-elle jadis orné la salle de bain d'un des vieux palaces rococo de la Belle Epoque, l'Astor ou le Ritz, maintenant démolis et remplacés par des parkings. Elle avait assisté aux ablutions quotidiennes de banquiers, d'agents de change, de riches douairières qui voyageaient en compagnie de leurs gigolos. Et elle avait terminé ses jours dans l'ignominie, utilisée comme billot de boucher par un fou.

Et maintenant elle trône là solitaire dans son coin, abandonnée, tous ses tuyaux pendants, plantés sur deux mètres carrés de vieux linoléum où se distingue encore un motif fané de fleurs grisâtres.

« Fini, sergent. »

Les deux robustes jeunes flics s'approchent, pantelants comme de jeunes chiots qui brûlent d'impatience de sortir gambader.

« *Finita la commedia,* dit le plus lyrique des deux, l'Italien.

— Foutons le camp de ces chiottes », dit, plus direct, le gentleman irlandais.

Ils se précipitent vers la porte, abandonnant Flynn qui s'attarde dans la pénombre, toujours plongé dans la contemplation de la baignoire et du carré de linoléum.

« Une minute, beugle-t-il soudain par-dessus son épaule, bloquant net les deux jeunes flics dans leur élan, à l'instant où ils vont plonger dans la lumière et l'air frais qui les attendent de l'autre côté de la porte. Faut qu'on jette un petit coup d'œil sous ce lino.

— *Mannagia diavolo,* gémit lugubrement l'Italien.

— Pour l'amour de Dieu, Flynn, geint l'Irlandais. Un peu de pitié.

— Arrêtez de me casser les pieds et faites ce que je vous dis, enlevez-moi c'te foutue baignoire. »

28

18 heures 15. Institut médico-légal. La morgue.

« Les extrémités du tendon sus-épineux s'adaptent plus
facilement du côté droit que du côté gauche. Entre la
capsule de la jointure de l'épaule proprement dite au
sommet de l'humérus et la face inférieure de l'acromion, des fragments de la poche synoviale sont encore
en place et ils se rapprochent quand la tête glisse sous
l'acromion. On dirait qu'ils se rapprochent
naturellement. »

Konig griffonne fébrilement sur son bloc.

« Les deux humérus de la paire la plus longue semblent par conséquent appartenir au même corps que le
tronc reconstitué. »

Depuis quatre heures que Konig travaille avec achar-
nement, enfermé dans la solitude de la salle d'autopsie
déserte, plongé dans un silence que seul rompt le
goutte-à-goutte d'un robinet qui fuit derrière lui, il a
réussi à répartir entre les deux torses tous les membres
qui restent. Tous deux sont désormais pourvus de bras
et de jambes.

En comparant cet après-midi les deux paires de bras,
il a constaté que les têtes des deux humérus les plus

courts étaient trop petites pour s'adapter aux jointures des épaules du tronc reconstitué, tout comme les têtes des deux fémurs les plus courts s'étaient révélées trop petites pour s'adapter aux jointures des hanches.

Mais quand il a fixé les deux long humérus au tronc, non seulement les cavités se sont parfaitement adaptées, mais une fois munis des deux longs avant-bras, les bras sont apparus correctement proportionnés à la longueur du tronc. Les bouts des doigts, compte tenu de leurs extrémités manquantes, se sont soudain trouvés en relation correcte par rapport aux cuisses. Mais une fois la plus courte des deux paires d'humérus et d'avant-bras fixée aux articulations des épaules, les doigts arrivaient juste en dessous du niveau des hanches, ce qui dans un corps normal aurait été impossible.

Ainsi l'hypothèse de Konig, basée sur l'existence de seulement deux corps, se transforme-t-elle peu à peu en certitude incontestable. Il contemple maintenant en silence les deux choses brisées et mutilées qui, bien que privées de têtes, commencent néanmoins à présenter indiscutablement l'aspect de corps humains. Bien que les deux formes demeurent toujours non identifiées, toujours mystérieuses, toujours inconnues, il est désormais du moins possible de distinguer certaines caractéristiques humaines dans les fragments reconstitués. Les deux corps ont fait l'objet d'une résurrection partielle et Paul Konig, tel un vieux fabricant de poupées plongé dans sa passion, contemple ses œuvres inachevées, plus que jamais perplexe devant les innombrables morceaux de chair, fragments disparates et débris humains éparpillés autour de lui dans l'attente de leur affectation. Il contemple ces embryons de créatures, méditant sur leur immobilité étrangement paisible, s'évertuant à déchiffrer l'énigme que cache cette poignée d'ossements.

Le numéro 1 et le numéro 2 — le court et le long — tous deux lui ont déjà appris beaucoup de choses. Et tandis qu'il les contemple, il se sent peu à peu envahi d'un sentiment d'affection, d'intimité croissantes, l'intimité du médecin pour ses patients, à mesure que les divers morceaux prennent peu à peu sous ses yeux un aspect anthropomorphique. On dirait qu'ils sont devenus de vieux amis. En travaillant sur les pieds impitoyablement mutilés du numéro 1, impitoyablement tranchés au niveau des voûtes plantaires et amputés de plusieurs orteils dans l'intention manifeste de détruire toutes sources d'identification, Konig a découvert une curieuse difformité du métatarse, une concavité anormale du gros orteil, qui révèle une douloureuse anomalie orthopédique. De même, le dos du numéro 2, au niveau des quatrième et cinquième lombaires, témoigne d'un net déplacement du disque ainsi que d'une asymétrie pelvienne, comme si, pendant de nombreuses années, l'homme avait été contraint de boitiller afin de soulager une pénible douleur du sacrum.

Et puis les têtes étaient arrivées, de façon bizarre, à l'instant précis où Konig se préparait à se lever pour rentrer. Non qu'il eût envie de rentrer. Il en redoutait la perspective, mais il n'avait semblait-il plus rien à faire, et sa jambe s'était remise à le torturer. Et voilà que les têtes arrivent, dans une méchante valise en vinyle, constellée de fanions d'université en papier et éclaboussée de boue. C'est un jeune flic qui les apporte, un jeune flic qui paraît à demi mort de peur et au bord de la nausée. Il ne sait pas exactement ce qu'il

transporte, seulement qu'il s'agit de « quelque chose »,
quelque chose dont il a envie de se débarrasser au plus
vite.

Konig, lui, sait ce dont il s'agit, il le sait par instinct
à l'instant même où il agrippe la poignée souillée de
boue et hisse la valise sur une table. Le poids de l'objet, le bruit mat et répugnant de son contenu dont les
morceaux s'entrechoquent, lui disent tout ce qu'il a
besoin de savoir.

Ses doigts tremblent tandis qu'il s'attaque aux fermetures, et lorsqu'il soulève le couvercle, une vague
d'excitation, une précipitation fébrile le submergent,
un peu comparables à la brusque rencontre d'innombrables ruisselets qui soudain se fondent en un torrent
rugissant.

Il ne voit rien d'autre tout d'abord qu'un fatras de
vieux journaux froissés, aussi souillés de boue que la
valise elle-même et éclaboussés d'innombrables et
minuscules taches rouges. Le papier a manifestement
été mis là pour protéger le contenu de la valise, comme
un de ces emballages de paille dans lesquels on enveloppe la porcelaine fragile ou la verrerie. Bien en évidence sur les journaux, un petit morceau de papier
blanc, arraché à un calepin, avec ces mots calligraphiés
à la hâte en grosses lettres :

> Voici vos têtes.
> J'espère que vous êtes content.
>
> Flynn.
>
> P.S.
> Vous aviez raison, nom de dieu.
> Elles étaient sous le plancher.

L'instant d'après, ses mains plongent parmi les

feuilles froissées, écartant avec violence le papier auquel adhèrent de minuscules bouts de cheveux, des fragments de sang figé. Et brusquement, les têtes.

Konig n'a pas l'estomac délicat. Depuis près de quarante ans qu'il exerce à l'Institut médico-légal, il a été témoin de spectacles passablement macabres. Le plus souvent, il se sent indifférent, ou du moins immunisé devant ce genre de choses. Mais l'état où se trouvent ces deux têtes, ou plutôt ce qu'il en reste, vient de lui révéler une dimension insoupçonnée, totalement nouvelle, de la faculté de l'homme pour torturer son prochain.

Les deux têtes ont été impitoyablement mutilées, dans l'intention délibérée de rendre extrêmement improbable toute chance d'identification. De même que les doigts et les orteils des deux corps ont été mutilés ou même carrément tranchés pour supprimer toute possibilité d'identification, de même, en ce qui concerne les têtes, les traits du visage ont été effacés — yeux, oreilles, nez, lèvres, chairs du visage presque entièrement découpés, cheveux et scalp presque complètement disparus —, délibérément arrachés. L'épiderme a été pelé et enlevé comme un gant, de manière à mettre le crâne à nu; en outre, la plupart des dents ont été arrachées de manière à rendre extrêmement difficile toute identification au moyen des fiches dentaires. La moins mutilée des deux têtes est visiblement celle d'un homme. L'autre — crâne plus petit, sensiblement plus frêle — est de sexe indéterminé. Peut-être s'agit-il d'une tête de femme.

La première tête, la plus mutilée, a été séparée du cou juste au-dessous du menton. Non content de faire disparaître tous les traits du visage, on a également arraché presque toute la peau de la tête et de la figure.

Deux petites portions du scalp sont encore en place, l'une au-dessus du quadrant inférieur du côté droit du crâne, l'autre juste derrière le conduit de l'oreille droite. Les lèvres ont été tranchées; les deux incisives supérieures centrales ont été arrachées et la langue, dont le bout est coupé, saille légèrement dans l'interstice.

La seconde tête a été séparée du cou légèrement plus bas que la première. Un énorme morceau de scalp manque sur le côté droit du crâne et la plus grande partie de la peau et du derme a été arrachée sur la tête et sur le visage. Des pans de peau adhèrent encore aux joues et pendent jusqu'au menton et sur le cou. Les deux lèvres ont été presque totalement tranchées et la plupart des dents manquent. Une langue gonflée saille entre les mâchoires.

A quelques millimètres du moignon de l'oreille gauche, Konig remarque une touffe de cheveux noirs. La portion du scalp qui subsiste encore sur le côté gauche de la tête porte une bizarre lacération en forme de Y, couverte de cheveux noirs. Pour Konig, il est clair que la blessure a été causée par un coup violent asséné au moyen d'un instrument contondant. Il n'est pas en mesure de préciser si la blessure a été infligée avant ou après la mort.

Konig examine alors le premier crâne à l'aide d'une loupe, et presque aussitôt repère deux fractures. La première, une fracture en creux de un centimètre sur deux, s'incurve de l'arrière vers l'avant. Le coup a brisé la paroi externe de l'os, entraînant un léger affaissement de la paroi interne. Légèrement en retrait de cette première fracture, et à gauche de la ligne médiane, Konig décèle la deuxième qui, elle, affecte uniquement la paroi externe. Celle-ci mesure six millimètres de diamètre. Cette fois encore, Konig ne peut dire si les fractures ont été infligées avant ou après la mort. Mais il est certain qu'elles proviennent de deux coups distincts assenés à l'aide d'un instrument contondant. Sans aucun doute, le même instrument qui a provoqué la lacération en forme de Y sur la seconde tête. Si les coups avaient été portés alors que la victime était encore vivante, ils auraient indubitablement suffi pour la plonger dans le coma, mais il ne semble pas qu'ils aient été suffisamment violents pour entraîner la mort. Il lui faut chercher ailleurs la cause de la mort.

Dans le tissu adhérent sous l'œil gauche du premier crâne, l'œil exercé de Konig repère une profonde contusion, d'environ deux centimètres et demi de diamètre. Puis une contusion analogue, quoique plus petite, sur la ligne inférieure du maxillaire gauche. De là, son regard glisse vers le bas et s'arrête à l'endroit où cette langue enflée et violette, cette langue au bout tranché, pointe de façon grotesque, dépassant légèrement le bord de la mâchoire. C'est cette langue qui, en fait, va bientôt lui dire ce qu'il veut savoir.

La langue a été amputée d'un morceau d'environ trente-cinq millimètres de long. Konig est d'avis qu'on l'a tranchée afin d'extraire plus facilement les dents. S'il voit juste, le fait est d'une importance capitale, dans la mesure où il constitue la preuve que la langue saillait au moment de la mort ou immédiatement après.

Examinant la bouche de plus près, il remarque sur les faces inférieure et supérieure de la langue des empreintes en creux qui correspondent parfaitement aux dents encore fixées aux mâchoires. Ces empreintes, à peine marquées sur le devant, sont plus profondes sur la partie postérieure de la langue. Des marques de

262

ce genre ne peuvent être provoquées que dans le cas où la langue est soumise à une énorme pression pendant un laps de temps extraordinairement long, comme on le constate parfois dans les cas de strangulation.

Sans perdre un instant, Konig se met en quête de traces de strangulation manuelle. Il ne peut espérer en trouver dans les tissus mous sur le pourtour du cou, pour la bonne raison que ces tissus ont été arrachés, comme si on s'était acharné à faire disparaître tout signe de strangulation. Mais dans certaines plaques de tissu adhérent, Konig découvre plusieurs petites empreintes en forme de demi-lunes, qui font penser à des traces d'ongles. Il lui suffit alors d'examiner l'os hyoïde logé dans la gorge pour repérer la fracture bien nette qui le traverse et pouvoir conclure que le cou a été violemment comprimé et que l'infortuné propriétaire du crâne qu'il tient dans sa main est mort d'asphyxie consécutive à une strangulation.

Comparant maintenant les deux têtes, Konig est de nouveau frappé par le fait quelque peu étrange que les traces de mutilation sont, et de façon spectaculaire, plus importantes sur la première que sur la seconde. Sans doute, raisonne-t-il, le propriétaire de la première tête aura-t-il été la véritable cible du meurtrier. La fureur et la haine dont cette tête porte encore les traces sont tout bonnement, même pour lui, horrifiantes.

Il est maintenant près de vingt heures, mais Konig ne s'en rend pas compte. A vrai dire, depuis cet horrible instant où il a chassé tous les autres de la salle d'autopsie, fermé les portes à clef, et s'est attelé à la tâche de reconstituer les bras, il n'a pas senti le temps passer.

La tâche qui l'attend maintenant est purement anatomique. Il doit apparier les deux têtes aux deux troncs.

La première partie du problème est facile et peut être résolue par la simple observation. Quatre vertèbres cervicales intactes, plus quelques fragments de la cinquième, sont encore attachées à la tête numéro 1. Et la tête numéro 2 possède cinq vertèbres cervicales.

Le tronc reconstitué est muni de deux vertèbres cervicales attachées à sa partie supérieure; l'autre, dont seule la portion supérieure est reconstituée, en a trois. Les vertèbres cervicales étant normalement au nombre de sept, il est clair pour Konig que la tête numéro 1 et ses quatre vertèbres appartiennent au tronc partiellement reconstitué muni des trois vertèbres, et que la tête numéro 2 et ses cinq cervicales appartiennent au tronc complètement reconstitué muni de ses deux cervicales.

Comme lorsqu'il a procédé à la reconstitution du tronc, Konig entreprend alors de réassembler les deux parties en articulant les vertèbres inférieures attachées aux têtes avec la dernière des vertèbres attachées aux troncs. C'est un travail délicat, qui exige un temps considérable dans la mesure où il s'agit d'apparier des fragments de vertèbres sérieusement endommagés, celles du haut avec celles du bas, de façon à vérifier qu'ils proviennent du même squelette.

Il s'attaque d'abord au tronc complètement reconstruit et constate que les deux cervicales s'adaptent jusque dans les moindres détails. Il se livre à la même opération avec la tête numéro 1, qu'il adapte au tronc supérieur en partie reconstruit, et avec le même succès.

Mais Konig ne saurait se contenter de ce genre d'examen superficiel. Il tient maintenant à vérifier ces articulations en prenant des radios, et pour ce faire, consacre les quelques heures qui suivent à disséquer les vertèbres cervicales des deux têtes, ainsi que celles des troncs; il les extraits, puis les nettoie en les laissant macérer de façon à mettre à nu le bord des os. Enfin, il est prêt à réassembler les deux jeux en séries anatomiques complètes.

C'est là un travail laborieux et méticuleux. Il lui faut rester des heures penché sur sa table à manier ses scalpels sous la lueur de puissants projecteurs. Mais pour Konig, ce n'est pas une corvée. Pour lui le temps passe comme l'éclair. L'angoisse et la tension accumulées au cours de la journée se détachent de lui comme s'il rejetait de vieux habits défraîchis et, tandis qu'il poursuit sa tâche au fil des heures, il n'éprouve pas la moindre fatigue, simplement une espèce d'ivresse et d'allégresse étranges.

Sur le coup de deux heures du matin, il se retrouve une fois de plus dans la salle de radiographie; il est parvenu à reconstituer deux sections cervicales au complet et prend une série de radios des deux.

Quelques minutes lui suffisent pour prendre une série de clichés de face et de dos et, en attendant qu'ils soient développés, il passe dans son bureau où il s'octroie une tasse de café éventé, fume un de ses horribles cigares noirs et ajoute en hâte quelques chiffres à son projet de budget.

Un moment plus tard, il est de retour en haut, traverse les couloirs sombres du grand bâtiment désert et regagne la salle de radiographie pour y prendre les clichés maintenant développés.

C'est avec un sentiment de victoire qu'il étudie alors les contours gris-blanc des images fantomatiques qui s'inscrivent sur l'écran. Elles confirment ce qu'il a toujours su. Réunis, les deux jeux de vertèbres donnent l'impression d'être en harmonie parfaite du point de vue anatomique, harmonie de plus en plus évidente à son œil exercé.

« Extraordinaire, se murmure-t-il à lui-même non sans un certain respect, en examinant les articulations nettes et superbes qui relient les vertèbres et les disques. Extraordinaire, sacrément extaordinaire, un sacré miracle de mécanique. »

C'est alors qu'à sa légère surprise il constate qu'il est près de trois heures du matin. En hâte, il commence à jeter des notes sur son bloc, notes qui lui serviront plus tard à rédiger son rapport.

« ... le cliché numéro 3 montre la présence de sept vertèbres cervicales — cinq dans la partie supérieure provenant de la tête numéro 2... »

« *Tu ne peux donc pas faire comme tout le monde ? Rentrer le soir pour dîner. Elle t'a réclamé toute la journée... elle ne t'a pas vu une seule fois cette semaine...* »

« ... et deux autres fixées au tronc... si bien que les os des vertèbres supérieures et ceux des vertèbres inférieures sont en correspondance parfaite du point de vue anatomique, y compris du point de vue de leur texture, ce qui fait qu'ils semblent constituer... »

« *Je ne suis pas comme les autres...* »

« ... une série parfaitement normale... le cliché montre également qu'entre les 5ᵉ et 6ᵉ vertèbres certaines portions du disque intervertébral présentent sur leurs surfaces des entailles et des déchirures analogues, ce qui rend hautement plausible l'hypothèse que les portions qui adhèrent aux deux vertèbres... »

« *Tu sais ce qu'elle a dit aujourd'hui ? Elle a dit « Papa est mort. » Elle parlait à ses petites amies et je* » *l'ai entendue. Elle disait que tu étais mort et que tu nous avais laissées toutes seules. »*

« ... provenaient du même disque intervertébral. »

« Monte lui dire bonsoir dans sa chambre. »

« Bonsoir ? Mais bonté divine, Ida, il est deux heures du matin. »

« Je me fiche de l'heure qu'il est. Elle n'est pas couchée. Elle attend... Alors vas-y, monte, il faut qu'elle te voie. Je t'en supplie, vas-y. »

« Entre la tête numéro 2 et le tronc reconstitué, la section n'est pas parfaitement nette à la jonction du larynx et de la trachée... »

« Paul... je veux que tu acceptes ce poste à Rochester. »

« ... entre le cartilage cricoïde du larynx et le premier anneau cartilagineux de la trachée... »

« C'est ça, pour que je passe trente ans à croupir dans une quelconque université à donner des cours à un tas de... »

« ... qui tous deux ont visiblement été endommagés, si bien que non seulement les deux faces de la section s'adaptent parfaitement, mais que l'on constate la présence sur chacune d'elles... »

« ... de crétins... complètement bouchés ? »

« Paul... nous ne pouvons pas continuer à vivre de cette façon. »

« ... d'un fragment de cartilage et d'une section cartilagineuse qui sont réciproquement en harmonie parfaite... »

« De cette façon ? Qu'est-ce que tu lui reproches à notre façon de vivre ? »

« Tu ne le vois donc pas ? Tu es donc aveugle ? Nous n'avons rien en commun, qu'une adresse, et une petite fille... »

« ... et donc confirment une théorie basée sur des preuves purement anatomiques et permettent de conclure que... »

« *Coucou, Lolly. Bonjour, ma chérie. C'est papa. Comment vas-tu, mon cœur ?* »

« ... la tête numéro 2 appartient au même corps que le tronc complètement reconstitué et que la tête numéro 1 appartient au même corps que le tronc supérieur partiellement reconstitué. »

« *... et c'est pourquoi par consentement mutuel, le Tribunal décrète... décrète... une période de séparation provisoire, d'une durée maximum d'un an... au terme de laquelle des problèmes tels que la répartition des biens communs... la garde de l'enfant... seront réglés par décision de...* »

Konig rêvasse, les yeux dans le vague, tandis que sur les murs de l'immense salle de radio, l'image blanc gris d'une série de vertèbres projette ses reflets fantomatiques, que les fantômes des voix surgies de son imagination ricochent sur les murs, pour bientôt s'estomper comme un écho mourant dans les profondeurs de la pièce silencieuse. Il se lève avec raideur, éteint l'écran et, ramassant ses plaques, regagne de nouveau la morgue.

Planté une fois de plus devant les deux corps réassemblés, il éprouve maintenant la certitude absolue qu'il n'a pas affaire à plus de deux corps. Il ne lui reste plus qu'à déterminer approximativement à quel moment et de quelle manière ces deux infortunées créatures sont passées prématurément de vie à trépas. Il en sait déjà long sur leur stature. En se basant uniquement sur un examen superficiel des crânes, il peut se prononcer avec une certitude raisonnable sur leur sexe et leur âge.

Rapprochant la tête numéro 1 de la lumière, la faisant pivoter sous des angles différents, il voit un crâne d'homme, d'une harmonie étonnante, un crâne au front abrupt, au visage étroit, à la mâchoire inférieure délicate, au menton élégant mais extraordinairement saillant. Les orbites arrondies et aux bords étroits sont très grandes, les sutures crâniennes loin d'être encore totalement obstruées, et la troisième molaire n'est pas encore sortie.

Tout ceci évoque un homme très jeune. De race blanche, dix-huit dix-neuf ans à peine, aux traits fins, plutôt efféminés. Konig a vu juste depuis le début. En fait il ne s'était pas laissé avoir par les ongles laqués. La mâchoire, elle aussi, bien que petite, est sensiblement plus lourde qu'une mâchoire de femme et ce qui subsiste de la denture confirme sans le moindre doute qu'il s'agit d'un homme; le volume et la forme des dents, la hauteur quasi identique de la première incisive et de la première canine, alors que la canine de la mâchoire inférieure est notablement plus haute, tout dénote sans équivoque possible un individu de sexe mâle.

Le degré d'occlusion des sutures crâniennes de la tête numéro 2 paraît déjà assez avancé. L'état des sutures du pariétomastoïde et des sutures squameuses permet à Konig de se prononcer sur l'âge qu'il estime entre trente et trente-cinq, bien qu'il incline davantage pour la première hypothèse.

Le crâne, lui aussi, est celui d'un homme — ovoïde, pommettes bien dessinées, front haut, plutôt large, aux protubérances marquées. Les orbites sont grandes, anguleuses, les marges fortement obliques. D'après l'aperture nasale, Konig se représente le nez comme fortement saillant, peut-être courbe, l'arête du nez haute, la base étroite.

L'arche de la mâchoire inférieure est étroite et pro-gnathe, celle de la mâchoire supérieure massive, suggé-rant un menton pointu et saillant encore accentué par un degré surprenant de prognathisme alvéolaire.

En se basant sur les techniques bien connues de l'an-thropologue russe Gerasimov, Konig se représente net-tement un visage lourd, grossier, plutôt brutal, de coupe légèrement slave.

Par quel miracle ces deux hommes ont-ils bien pu se retrouver associés? médite maintenant Konig. Quelle complicité fatale les a rassemblés dans ces cryptes boueuses de la berge — l'homme aux traits délicats et aristocratiques de princesse égyptienne, et l'homme au visage brutal et grossier de cavalier tartare.

C'est alors que, inexplicablement, son regard se porte sur les journaux froissés et souillés qui avaient enve-loppé les têtes. Il traverse la pièce en claudiquant, les sort de la valise et les étale sur la table. Il s'assoit et se plonge quelques instants dans leur lecture, la tête pen-chée de côté, les yeux plissés, comme un vieillard myope qui s'efforce de lire dans la pénombre.

Lorsqu'un moment plus tard il relève les yeux, les rayures d'une aube grise peignent leur grille contre les fenêtres de la morgue. Un léger bruit se fait entendre derrière lui. Il se retourne et là, planté sur le seuil, engoncé dans son imperméable froissé, le cou bizarre-ment tendu, pareil à un gros héron sale, Francis Hag-gard le contemple en silence. Konig observe le commis-saire dont le regard glisse jusqu'aux tables où gisent les deux corps reconstitués.

« Bonjour, grommelle Konig. Je te présente Ferde et Rolfe. »

29

Mercredi 17 avril. 5 heures du matin. La morgue.

« T'as passé toute la nuit ici ? demande Haggard.

— Ma foi, on dirait », réplique Konig, quelque peu stupéfait.

Quinze heures se sont écoulées comme un rêve.

« Quelle heure est-il donc ?

— Cinq heures du matin, dit le commissaire. Il est cinq heures du matin. »

Une fois de plus, son regard glisse jusqu'aux deux corps reconstitués, effleure les morceaux de chair et d'os qui traînent encore dans les plateaux.

« Pourquoi fais-tu tout ça ? » demande-t-il, en contemplant les yeux larmoyants aux paupières rougies, puis les cendriers débordant de mégots de cigares et le pot où stagne le café éventé dont Konig s'est abreuvé tout au long de l'interminable nuit.

« Douze, quinze heures par jour dans cette tanière infecte et puante. Ce n'est pourtant pas l'argent qui t'intéresse. (Le visage de Haggard sue le dégoût.) Mais bon dieu, pourquoi fais-tu tout ça ? »

Mais Konig ne regarde plus le commissaire. Il contemple Ferde et Rolfe, les deux créatures auxquelles il a donné naissance au cours de la nuit. Déjà, presque à l'instant précis où il les a baptisées, elles sont devenues pour lui de vieux amis. Il se sent lié à elles par une étrange camaraderie. Ils ont échangé des secrets intimes. Konig connaît leurs petits mystères. Il a percé à jour l'essentiel de leur histoire. L'image de leurs visages s'est gravée dans son esprit et même, en bon médecin qu'il est, il devine certains des maux et des misères qui ont été leur lot. Les ennuis de pied de Ferde... sans doute des oignons. Et les douleurs ostéosacrales de Rolfe. Ce qu'il a dû souffrir du dos, ce type-là.

« Ce qui me pousse à faire ça ? murmure tout haut Konig, davantage pour lui-même qu'en réponse à la question du policier. Je fais ça pour eux, dit-il, les yeux baissés sur ses nouveaux amis. Oui, c'est pour eux que je fais ça. Parce que j'ai horreur des salauds et des dingues. Les dingues de la gâchette et les voyous qui s'embusquent dans les ruelles avec leurs rasoirs et leurs machettes. Si c'était ta femme et ton gosse qui étaient allongés à leur place sur ces tables — sans se retourner, il pointe le pouce vers Ferde et Rolfe — ça ne te ferait pas du bien de savoir que quelqu'un essaie de coincer le salaud de cinglé qui les a envoyés là ? Et crois-moi, j'ai l'intention de l'avoir, le salaud. Pourquoi je fais ça ? s'esclaffe Konig avec un rire méprisant, en s'échauffant peu à peu. Je fais ça parce que, à part moi, personne d'autre ne le fera. Tout le monde s'en fout. Tous les autres ici, tous les gars de mon équipe... tu crois qu'ils feraient ça ? Non, ils ne le feraient pas. Ils font semblant de le faire. Mais en réalité, ils ne font rien. Ce sont des amateurs et des fumistes. Ils viennent travailler trois quatre ans ici, ils bossent un temps avec moi, puis ils filent se trouver un boulot bien juteux en banlieue — un poste dans un hôpital ou une chaire d'université. Si je fais ça, c'est qu'il faut que ça soit fait, et que personne d'autre ne le fera. Je fais ce que tous ces enfants de salauds de gandins de Park Avenue, ces gandins qui ne reçoivent que sur rendez-vous, refuseront toujours de faire. Moi je nettoie la merde. Je fais le ménage quand la saloperie de fête est terminée. »

Konig est cramoisi, tandis qu'impassible le policier encaisse sans broncher ses sarcasmes.

« Peut-être que tu trouves que c'est de l'arrogance ? continue à fulminer Konig. Eh bien d'accord, c'est de l'arrogance. Je suis arrogant. Je suis comme ça. Quant à ceux à qui ça ne plaît pas...

— Qui ça, ceux ?

— Tout le monde. Le maire. Le préfet de police. Le *New York Times*. Toi. Toute votre foutue bande de cons et d'enfoirés. Si ça ne vous plaît pas, vous savez tous bon dieu où vous pouvez vous le fourrer, pas vrai. Si je fais ce boulot, c'est que je l'aime. Je le fais de mon mieux et j'ai bien l'intention de continuer, et le jour où on me videra, je me laisserai pas vider sans gigoter ni gueuler... Où diable étais-tu passé, bordel de dieu ? gronde soudain Konig, mais le son qui sort de sa gorge ressemble cette fois à un sanglot, plein de fureur et de chagrin. J'ai couru partout à ta recherche. Je ne sais jamais où te trouver. Je ne sais jamais où trouver personne. Et j'en ai marre des bonnes excuses. Nom de dieu, on ne trouve jamais personne quand on a besoin d'un coup de main. »

Haggard le contemple sans s'émouvoir. Pour la première fois depuis plus de vingt-cinq ans qu'il connaît Konig, le docteur lui donne l'impression d'être au bord des larmes. Il tremble des pieds à la tête, ravagé par l'épuisement et l'angoisse. Sa voix, chargée de colère et de rancune, est altérée par un sentiment de profonde impuissance — quelque chose qui ne lui ressemble pas. Et le résultat ressemble fort à un gémissement.

« Elle est entre leurs mains. Ma gosse est entre leurs mains. Elle est entre les mains d'une bande de cinglés. Ils lui font du mal. Et ils vont la tuer. Nom de dieu, où étais-tu passé ? »

Sous les coups de fouet de cette voix, le policier se sent bouillir. Lui non plus ne s'est pas encore couché. Il a passé toute la nuit dehors à sillonner les quatre coins de la ville, à suivre de fausses pistes, à se casser le nez dans des culs-de-sac. Les deux hommes qui maintenant se contemplent bouche bée dans la grisaille poisseuse du petit matin, les cheveux en bataille, les yeux rougis, épuisés, ressemblent à deux vieux clochards, qui auraient tous deux passé la nuit à faire la bringue et dont les chemins se croisent brusquement.

Plongé dans ses pensées, Haggard ne dit rien ; enfin il se secoue :

« J'ai couru partout pour retrouver Wally Meacham. »

Konig le dévisage sans comprendre.

« Wally qui ?

— Wallace Meacham. Alias Walter Eames. Alias Wendell Barker. Alias Warren Eggleston. Trois ans à Dannemora, pour vol à main armée. Dix-huit mois à Leavenworth, pour agression et voies de faits avec intention de donner la mort. Il s'est fait la belle de Danbury il y a environ un an. Il tirait de six à douze ans pour un hold-up de banque. Pour le F.B.I. c'est le n° 86438912. Leur dossier en fait le portrait suivant : « Instruit. Esprit logique. Retors. Une certaine tendance à la vantardise, et sans doute dangereux. » Un crack. Un vrai petit génie. Un de ceux qui se proposent de transformer le monde pour que nous vivions plus heureux.

— Mais qu'est-ce que c'est que ces foutaises, nom de dieu ? tonne Konig. Ils tiennent ma gosse. Ils se préparent à la tuer et toi tu parles par énigmes. Bordel de dieu, qu'est-ce que...

— Paul », coupe sèchement le commissaire, d'une voix si impérieuse que Konig sursaute.

Soudain muet et pétrifié, il scrute intensément le visage du policier.

« Suis-moi là-haut, Paul. J'ai des choses à te dire, des choses qui ne seront pas de ton goût. »

30

« Tu aurais pu me le dire plus tôt.
— Je n'en savais rien.
— Mais tu avais des soupçons.
— D'accord, j'avais des soupçons. Ça, c'est vrai.
— N'empêche que tu ne m'as rien dit. Pas un mot.
— A propos de mes soupçons ? Pour quoi faire ? A quoi ça aurait servi, bon dieu ?
— Tu aurais au moins pu m'en parler.
— Te parler de quoi ?
— Mais, bonté divine, au moins comme ça j'aurais su qu'il se passait quelque chose.
— Des choses, il s'en passe sans arrêt... je n'aurais rien pu te dire de plus avant d'avoir une certitude.
— Et tu as une certitude maintenant ?
— Maintenant j'ai une certitude, oui. »

5 heures 30 du matin. Le bureau de Konig.

Assis face à face de part et d'autre de l'étroit bureau jonché de paperasses, Konig et Haggard s'apostrophent violemment. Leur conversation ressemble à un match de tennis implacable où deux vieux adversaires cognent, cinglent, se mitraillent sans pitié. La scène est chargée d'agressivité et de fureur et la pièce est sur-chauffée, comme un gymnase après une séance d'én-traînement acharnée.

« Et en ce moment, bon dieu, qu'est-ce que tu fais pour moi? hurle Konig, le sang au visage.

— En ce moment précis?

— En ce moment précis.

— En ce moment précis, je suis avec toi et je perds mon temps à discutailler. »

Les yeux de Konig semblent prêts à jaillir de leurs orbites; son visage cramoisi vire au noir.

« T'avise pas de faire le malin. Je t'avertis. Je t'ai posé une question. J'exige une réponse. Qu'est-ce que tu fais pour moi en ce moment?

— Pour toi? »

Haggard le contemple en grimaçant un sourire amer.

« Pour toi? »

Konig, auquel n'échappe pas la signification de cette grimace, hésite, conscient soudain d'avoir outrepassé les bornes.

« Pour elle, disons, gronde-t-il, l'image même de la dignité. Tu sais foutrement bien ce que je veux dire. »

Ils demeurent quelques instants silencieux, s'obser-vant avec circonspection, cherchant leur second souffle, tandis que sur le mur la grosse horloge tic-taque et que derrière eux le pot de café glougloute sur le bec Bunsen.

« Je vais te dire ce que je suis en train de faire pour *elle,* siffle Haggard frémissant de colère. Oui, bon dieu, je vais te le dire. Je t'ai déniché le nom du mec qui a mis le grappin dessus.

— Meacham, raille Konig. Qu'est-ce que j'en ai à foutre de son nom? Qu'est-ce que ça peut bien me foutre...

277

— Vas-tu me laisser finir, nom de dieu ? »

Haggard lui lance le dossier du F.B.I. qui atterrit sur le bureau avec un claquement sec.

« J'ai son nom. J'ai son profil. J'ai ses empreintes.

— Mais lui, tu ne l'as toujours pas, tonne Konig. Du vent, de la merde. Voilà ce que t'as dégoté.

— J'ai reçu confirmation que les empreintes qui figurent dans le dossier du F.B.I. correspondent à celles...

— ... à celles relevées dans l'atelier et dans l'usine à bombes. Du vent. De la merde, que je te dis. Si tu ne l'as pas, lui, tu n'as rien. Rien du tout. Je te dis. Rien. Tu comprends ? Et lui pendant ce temps, il tient ma gosse. Pendant ce temps... »

La voix de Konig s'éteint, tandis que son visage congestionné se crispe sous le poids des innombrables questions qui lui montent aux lèvres. Des pensées fusent follement dans son cerveau comme des brandons enflammés. Des accusations. Des reproches. Des soupçons. Des craintes profondément enracinées. A un certain moment, ses mains se crispent, ses phalanges blêmissent, ses poings se lèvent comme pour marteler le bureau. Mais ils n'en font rien. Ils se contentent de rester là en suspens, frémissants, comme retenus par une force invisible, et une question lui monte brusquement aux lèvres. Mais cette question elle aussi reste là, informulée, et meurt, tandis que ses grosses mâchoires s'agitent sans répit, comme s'il mâchait du chewing-gum.

Il y a près d'une heure que Haggard se prête à cet interrogatoire, et tassé et crispé sur son siège, il attend le prochain assaut. Mais l'assaut ne vient pas. Du moins pas sur-le-champ. On dirait que pour le moment Konig est à court de questions. Et soudain la rigidité, la vigilance qui depuis soixante minutes rivent Konig droit comme un I sur sa chaise, s'effondrent brusquement. Il se tasse en avant, coudes sur le bureau, mains plaquées sur les joues, soutenant l'immense dôme vacillant de sa tête. Puis lentement, comme deux rideaux que l'on tire, ses doigts, ses mains imprégnées de l'odeur de formol et de chair morte glissent d'un geste lugubre sur le visage, masquant complètement ses yeux rouges et larmoyants.

« Désolé, Frank, dit-il. Je suis désolé. »

Ils restent un moment assis là silencieux, Konig se frottant les yeux, Haggard l'observant d'un regard bizarre, gêné, comme s'il souhaitait être ailleurs.

« Tu as raison, Paul, dit-il enfin. Tu as parfaitement raison. Tout ce que j'ai trouvé, c'est du vent, de la merde. Mais même si je ne sais pas où se trouve Meacham, j'ai peut-être des pistes qui me mèneront à certains de ses potes. J'ai chargé une douzaine de gars de passer au peigne fin la piaule du Bronx. Et crois-moi, ils la passent au peigne fin. Ils passent tout au crible, ils analysent, ils relèvent des empreintes. Nos types n'ont guère pris de précautions en partant. Ils ont collé des empreintes partout. On dirait qu'ils ont été contraints de se tirer en vitesse. Ce que j'espère, c'est en alpaguer un ou deux. Un me suffirait. Si j'arrive à en alpaguer un, je lui ferai cracher le morceau. Ça je te le promets, Paul. Je le coincerai, ce salaud de Meacham. »

Konig ne dit rien, il reste simplement là prostré sur son siège, le visage dissimulé derrière les mains, se frottant les yeux du même geste lent et farouche, perdu dans son chagrin.

« Redis-moi, ça encore une fois, reprend le commissaire. Qu'est-ce qui s'est passé quand il a appelé?

— Je te l'ai dit.

— Redis-le-moi.

— Elle a hurlé, marmonne Konig d'une voix blanche. Il a parlé le premier et ensuite, ils l'ont forcée à hurler.

— Qu'est-ce qu'il a dit ?

— Je te l'ai dit, gémit Konig. Je te l'ai dit. Rien que : « Ça c'était votre fille. » Ni bonjour... ni au revoir... rien. A devenir cinglé.

— Pourquoi ne leur as-tu pas demandé de te la passer ?

— De me la passer ?

— Mais oui. De la laisser te parler. Histoire d'avoir une preuve. La prochaine fois qu'ils appelleront...

— La prochaine fois ? s'exclame Konig, stupéfait.

— Bien sûr. Ils rappelleront. Tu le sais bien qu'ils vont rappeler.

— Oh ! Seigneur.

— C'est sûr qu'ils rappelleront. Pour te la faire entendre. Pour la faire hurler. Pour te retourner sur le gril.

— Oh ! Seigneur... non. »

Les yeux de Konig se figent de terreur. Il lève les mains comme pour parer un coup.

« Je ne peux pas. Si ça recommence, je ne pourrai pas tenir le coup. »

Haggard se carre contre son dossier et repousse son feutre sur sa nuque.

« Tu ne t'imagines tout de même pas que ce type en a fini avec toi. »

Un petit éclat de rire cruel fuse de ses lèvres.

« Tu ne connais pas la race des Meacham si tu t'imagines que tout ça va se borner à un unique coup de téléphone. Ce n'est que le début, mon vieux. C'est maintenant que la partie commence pour de bon.

280

— La partie? dit Konig, stupéfait, médusé. Quelle partie?

— Oh! suffit, Paul. Inutile de me faire le coup du petit naïf. A croire que tu n'as jamais entendu parler de ce genre de choses. Tu en connais des types comme Meacham. Y a assez longtemps que tu traînes dans les commissariats pour connaître ce genre de spécimen. Maintenant, c'est le moment du règlement de comptes. L'argent. Le fric. Oh! il te dira que c'est pour une noble cause, raille le commissaire. Qu'il veut donner de quoi manger aux petits Lithuaniens qui crèvent de faim. Ou offrir du lait aux petits Romanichels de Roumanie. Tout ça c'est très joli, mais crois-moi, mon pote, c'est du bidon. C'est de l'escroquerie pure et simple.

— Mais pourquoi moi? Pourquoi me faire cracher moi? Je n'ai pas d'argent.

— Tu en as assez, continue Haggard implacable. Je parierais qu'ils ont fait avouer à ta fille le montant approximatif de ta fortune. Il sait que, de toute façon, tu en as assez pour lui permettre de poser au Robin des Bois devant ses copains et en même temps se faire une jolie petite pelote. Ces nouveaux idéalistes sont bougrement cyniques. Si Meacham allait au paradis, il s'arrangerait encore pour monter un racket à la protection. Pour faire cracher les anges. Pour prôner la révolution parmi les dieux tout en leur faisant les poches.

— La révolution? répète Konig perplexe. Mais bon dieu quel rapport entre ma gosse et la révolution? Ma gosse n'a rien d'une révolutionnaire.

— Non. Mais c'est comme ça qu'elle est tombée dans ses pattes. Elle a cru que, *lui,* il l'était, et je suis prêt à parier qu'elle s'est laissé impressionner.

— Lolly n'est pas crédule. Ce n'est pas une idiote.

— C'est exact, opine avec vigueur Haggard. Elle n'est

281

pas idiote. Simplement vulnérable et humaine. Mais au bout de quelque temps, elle aura percé le type à jour. Elle aura vu qu'il s'intéressait moins aux gosses faméliques et à la justice sociale qu'aux flingues et aux explosifs. La violence, et le goût du danger constant. C'est comme ça que Meacham prend son pied. C'est ça qui le fait vraiment reluire. C'est le genre de mec qui n'arrive à bander que lorsqu'il tue...

— Assez, hurle Konig en se plaquant les mains sur les oreilles. Pour l'amour de Dieu, assez.

— Je te dis ça sans te mâcher les mots... comme tu me l'as demandé. C'est ce que tu veux, oui ou non ?

— Oui... oui. »

Konig garde les yeux fermés, son énorme tête dodeline lentement d'avant en arrière.

« Oui, c'est ce que je veux, continue.

— Pour Meacham, Lolly était le parfait pigeon, se hâte de poursuivre le commissaire, implacable. Une gosse innocente et crédule qui disposait d'un peu d'argent à elle et se souciait du sort des autres. Le parfait pigeon pour lui. Pas de doute, c'est un malin. Il a passé quelques années à l'université. Il est capable de citer Marx, Lénine au bon moment. « Le Pouvoir au Peuple ». Y aura toujours une petite môme assez conne pour tomber dans le panneau.

— Comme Lolly ?

— Oh ! Seigneur, dit Haggard en rougissant. Je n'ai pas voulu dire...

— Laisse tomber. Je sais ce que tu as voulu dire. »

Haggard soupire, coupé net dans son élan.

« En tout cas, ne t'y trompe pas. Il rappellera. »

Les sourcils de Konig se froncent de façon menaçante.

« Et alors quoi ?

282

— Et alors... alors c'est là qu'on reprendra la piste.

— Allons, allons, insiste Konig en pianotant sur la table. Tu as commencé, maintenant tu vas aller jusqu'au bout.

— Eh bien, dit le commissaire en l'observant avec prudence, probable qu'il commencera par t'insulter. Te faire son numéro et te traiter de « Sale Flic ». Te traiter d'ennemi du Peuple. T'accuser d'un tas de crimes contre les petits chapardeurs, les pédés, n'importe quoi. C'est toi le coupable. Tu es coupable. Alors tu dois payer.

— D'accord. D'accord, élude Konig. Tu as déjà dit tout ça. Et ensuite ?

— Ensuite il essaiera de te faire cracher.

— D'accord... combien ? »

Haggard se laisse aller contre son dossier d'un air incertain, tandis que sa langue glisse lentement sur sa lèvre inférieure.

« De nos jours, l'idéalisme est un gros racket.

— Mais parle donc, Frank. Pour l'amour de Dieu, combien ?

— Un quart de million, lâche le commissaire en haussant les épaules. Peut-être le double.

— Un demi-million ? »

Konig n'en revient pas.

« Parfaitement. Pourquoi pas ? Et encore, ça représente des nèfles comparé à ce que demandent parfois ce genre de mecs. Ne t'y trompe pas, Paul. Meacham est un homme d'affaires. Il a quelque chose à vendre. Il rappellera. Peut-être quatre ou cinq fois. Peut-être une douzaine. Et il te la fera de nouveau entendre. Il la fera de nouveau hurler, et plus fort cette fois. Assez fort pour te forcer à tirer la langue, si bien que tu seras mûr pour payer ce qu'il te demandera, quel que soit son prix.

— Mais bon dieu, où est-ce que j'irais chercher un demi-million ?

— Te tracasse pas pour ça.

— C'est bien joli et ça te va bien de me dire ça, éclate Konig.

— Te tracasse pas, que je te dis. Je m'en charge. »

Le ton posé, impérieux du policier calme Konig qui tremble des pieds à la tête, inondé de sueur.

« Je vois. Un sac de billets marqués empruntés aux caisses de la ville. »

Haggard se lève, désireux de l'arrêter.

« Paul...

— C'est pas que tu mijoterais un coup fourré.

— Pas question de coup fourré...

— Pas avec la vie de ma gosse en jeu, pas question.

— Je m'en charge, que je te dis.

— Ce type... ce Meacham... il ne peut pas être con à ce point. Il n'ira pas tomber dans un vieux panneau éculé de ce genre. Vous autres, embusqués dans les buissons, pendant que, moi, je lui refile une serviette pleine de billets marqués. »

Furieux, Konig se met à arpenter la pièce, Haggard sur ses talons.

« Paul, veux-tu...

— Non, non et non. Non, bordel de dieu. Pas question de te laisser jouer à ce petit jeu. Il s'agit de la vie de ma gosse. Une seule gaffe et ils me la renverront dans une boîte.

— Il n'y aura pas de gaffe.

— Pour ça, je t'en fous mon billet, y en aura pas. »

Arrivé au bout de la pièce, Konig fait brusquement volte-face, toujours suivi par le policier hors d'haleine.

284

« Parce que, d'une manière ou d'une autre, je trouverai l'argent et je me charge d'aller le porter moi-même, où que le salaud me dise d'aller. Pas question que je laisse qui que ce soit s'embusquer dans les buissons. »

Complètement épuisé, Haggard renonce enfin à poursuivre Konig qui, lui, continue à arpenter la pièce en gesticulant. Le policier se laisse une fois de plus retomber dans son fauteuil, allume une cigarette et tire de grosses bouffées.

« Si tu faisais ça, ça serait une foutue connerie, dit-il, en exhalant la fumée par les narines, parce qu'une fois qu'il aurait ton argent, je ne vois pas ce qui pourrait l'empêcher de la tuer. C'est beaucoup moins risqué que de l'échanger contre une rançon sans savoir si les flics ne sont pas, comme tu dis, embusqués dans les buissons. »

Las, perplexe, en proie à une agitation profonde, Konig contemple le commissaire avec méfiance. Haggard sent qu'il vient de marquer un point et se hâte d'enchaîner :

« De toute manière, il va rappeler. Et c'est *sûr*, il essaiera de te faire cracher. Alors, quand il appellera, et qu'il te proposera son marché, toi tu essaieras de le lanterner. Tu diras oui à tout ce qu'il te demandera. Tu... »

Soudain Konig entend une voix, une voix aiguë et fluette, une voix de petite fille qui lui parvient de très loin, d'au-delà de lui-même. Puis un instant, un joli visage plein de douceur passe devant ses yeux. De grands yeux étonnés se lèvent vers lui, peinés, angoissés, lourds de reproches.

« *Quand as-tu jamais essayé de...* »

« *Combien de fois ne suis-je pas venue te demander...* »

« *Quand donc avons-nous jamais été capables de...* »

« *T'est-il jamais venu à l'idée que...* »

Chaque reproche tombe comme un coup de fouet, un fouet qui s'abat avec une régularité implacable.

« ... accepteras tout. »

La voix de Haggard le submerge de nouveau, tandis que celle de Lolly se brouille et s'estompe pour bientôt disparaître. Maintenant, à travers les lamelles déglinguées et poussiéreuses des stores vénitiens, Konig contemple d'un regard vide le fouillis des toits de l'autre côté de la rue. Dans le ciel mat, une lueur jaunâtre semble suinter peu à peu comme une tache de peinture qui s'étale, perçant la grisaille sale de l'aube; elle repousse les ombres de la nuit encore tapies au fond des ruelles et des rues sordides et sales.

« Je veux y aller voir, murmure tout haut Konig, de façon abstraite, sans s'adresser à personne.

— Voir quoi?

— L'endroit où elle était. Je veux que tu m'y emmènes.

— Tu veux dire l'atelier? L'atelier de Varick Street? »

Konig opine, et une fois de plus va se rasseoir derrière le bureau.

« Et aussi l'autre, celui du Bronx.

— Bonté divine, pour quoi faire? »

Haggard est de nouveau debout et arpente la pièce tandis que les pans froissés de son imper se balancent derrière lui.

« Mais pourquoi nom de dieu? Y a rien à voir là-bas...

— Je le veux.

— Si au moins ça pouvait servir à quelque chose, je...

286

— Ça me servirait à quelque chose à moi. Disons que je me sentirais... un peu...

— Rien qu'un tas de saloperies... des saletés. Rien à...

— ... plus près. Un peu plus près d'elle.

— ... voir. Et puis de toute façon qu'est-ce que tu vas foutre une fois là-bas ? »

C'est tout juste si Haggard ne hurle pas, tandis qu'il revoit en esprit l'image de l'atelier, avec ses murs éventrés, ses toiles crevées, son matelas souillé et puant, les traces de la terrible violence qui a ravagé la pièce.

« Je veux voir. Je veux voir l'endroit où était ma gosse.

— Je te le répète, y a rien à voir là-bas.

— Je m'en fous, bon dieu. Je veux y aller.

— Aah, fulmine le commissaire en se dirigeant vers la porte. Vas-y. Je m'en fous, après tout. T'as pas besoin de ma permission.

— Ça nom de dieu, c'est bien vrai, j'ai pas besoin de ta permission. »

Konig est debout, il invective la silhouette qui s'enfuit.

« Et t'as intérêt à ne pas l'oublier. »

Haggard pivote, revient sur ses pas et fonce sur Konig comme une locomotive, bouillonnant de violence et de fureur. Puis soudain il s'arrête tout frémissant devant lui :

« Tu peux aller où ça te chante, je m'en fous. Mais si ce dingue d'enfant de salaud rappelle...

— Ouais...

— Avant de lever le petit doigt, nom de dieu, je te jure que t'as intérêt à me prévenir. Je suis sur une bonne petite piste qui doit me conduire à un des potes de Meacham, tu piges ? Si je l'alpague, je suis fichtre-

ment sûr d'arriver à faire sortir Meacham de son trou.
Je suis prêt à parier que Meacham est toujours en ville.
Alors si jamais tu t'avises de tout faire foirer...

— Je te conseille de pas me parler sur ce ton. Nom
de dieu, si jamais tu...

— Ta gueule, hurle Haggard. Ferme ta gueule, ça
suffit. J'en ai ma claque de toi, nom de dieu, espèce
d'enfant de salaud de tête de mule. Tu t'imagines tout
savoir. En fait tu sais rien de rien. T'entends ? Rien du
tout. Peut-être que t'es fortiche question d'os et de sang
et de blessures... mais au bout du compte tu sais rien
de rien. »

Soudain il se penche vivement par-dessus le bureau,
d'un geste si brusque et si menaçant que Konig se
recule, comme un homme qui essaie de parer un coup.
Mais le geste tourne court et le policier se contente de
plonger la main dans un pot rempli de crayons; il en
rafle un et le pot se renverse, tandis que les crayons
roulent sur le bureau. L'instant d'après il griffonne
avec fureur une adresse sur une feuille de bloc.

« J'ai vu quelques-unes de ses toiles. »

Konig en reste bouche bée, et, stupéfait, contemple
Haggard :

« Quoi ?

— J'ai vu quelques-unes des toiles de ta gosse... dans
une galerie au coin de Madison et de la 67ᵉ. »

Il arrache le bout de papier, et avec un geste
empreint d'un mépris infini, le lance à Konig.

« Va donc y jeter un coup d'œil. C'est de la bonne
peinture. »

31

« CONTENT de voir que tout marche bien pour vous, Charley.

— Pas de raison de me plaindre, Paul. La chance m'a souri. »

9 heures 50. Un cimetière.

Sur une petite colline verdoyante qui surplombe l'autoroute de New York State, Paul Konig et Charles Carslin discutent au milieu des rangées et des travées de pierres tombales. A l'est, le soleil est déjà haut sur l'horizon au-dessus des collines couvertes de brume de Westchester. La brume est d'un marron-jaune méphitique, mélange de monoxyde de carbone qui plane sur l'autoroute, et de buée qui déjà monte du sol au terme d'une nuit fraîche. Des merles s'invectivent en cherchant leur pitance entre les allées étroites bordées de tombes. Çà et là, un pigeon au plumage sale et hirsute se pavane en roucoulant lugubrement entre les pierres tombales. De l'autoroute en contrebas, monte la rumeur inlassable et étouffée des voitures dont le flot s'écoule vers le nord ou le sud, pareille au bruit d'un torrent. Mais ici, au sommet de la colline, Konig et

Carslin, alertes et cérémonieux, poursuivent tranquillement leur conversation avec en fond sonore les grognements de deux terrassiers italiens enfoncés jusqu'aux genoux dans une tombe ouverte et le bruit sourd de la terre qu'ils rejettent à pelletées vigoureuses.

« Impossible d'ouvrir un journal sans lire quelque chose sur vous », continue avec volubilité Konig.

Bien qu'il n'ait pas fermé l'œil depuis trente-six heures, l'air frais du matin et la senteur douce et vivifiante du printemps imminent l'ont ragaillardi. Quelques instants, il parvient à oublier sa lassitude, la douleur sourde qui lui taraude la jambe, et l'affreux fardeau des soucis que jour après jour il traîne partout comme un pesant bagage dont il ne peut se défaire. S'il se force maintenant à l'enthousiasme, ce n'est pas qu'il soit d'humeur à le faire, mais plutôt parce que quelque chose le pousse, peut-être de l'orgueil, à faire bonne contenance aux yeux d'un de ses anciens étudiants qui a fait son chemin.

« Un jour j'apprends que vous venez de témoigner en cour d'assises, poursuit Konig avec effusion, et le lendemain je lis le compte rendu d'une communication que vous venez de faire pour un symposium, à Djarkata ou ailleurs. Et vous savez je me réjouis que vous ayez décroché cette chaire, Charley. Vous la méritiez, et depuis longtemps. Je suis fier de vous.

— C'est que j'ai été à bonne école, Paul, fait observer posément Carslin. Ça, je ne le nie pas. »

Konig décèle une pointe de méfiance et de rancune dans cette réponse. L'ombre d'un sourire, crispé et un rien sarcastique, flotte une seconde sur ses lèvres, puis de nouveau, il déborde d'amabilité et d'effusion.

« Et à mon avis le boulot que vous faites est fichtrement admirable. »

Carslin se renfrogne et son dos se raidit de façon perceptible :

« Il faut bien que quelqu'un s'en charge.

— Parfaitement d'accord, opine Konig avec enthousiasme. Parfaitement d'accord. La plupart des autres sont des enfants de salauds quand il s'agit d'aider quelqu'un, ils refusent de lever le petit doigt à moins qu'il n'y ait des honoraires à la clef. Mais chaque fois que je vois le procureur du district essayer d'expédier un pauvre bougre de Noir ou de Portoricain aux Tombs, je sais que Charley Carslin sera là, dans le camp des opprimés. »

Konig rayonne d'une admiration sincère, ce qui déconcerte Carslin. Il y a assez longtemps qu'il connaît le médecin-chef, et il le connaît assez bien pour déceler l'ombre d'une légère raillerie dans ses yeux malicieux et joyeux.

« Ce n'est pas que vous me tiendriez encore rancune de cette histoire DeGrasso, hein, Charley ?

— Rancune ? Je vous en ai jamais tenu rancune. »

Carslin balaie l'insinuation d'un geste.

« Vous l'avez emporté et c'était de bonne guerre, Paul. Vous m'avez fait passer pour un âne en plein tribunal. Vous m'avez donné une bonne leçon à ce procès, une leçon que je n'ai pas oubliée.

— Oh ? s'exclame Konig, sa curiosité brusquement en éveil. Comment ça ? »

Carslin part d'un petit rire sournois.

« Si vous ne le savez pas, pas question que je vous le dise. Tout à fait franchement, je suis surpris de vous voir ici ce matin.

— Si une gaffe a été commise dans mon service, s'enflamme brusquement Konig, j'estime que c'est à moi de la réparer.

— C'est tout naturel. Je n'en doute pas une seconde. Ah!... on dirait que voilà Schroder. »

Une Plymouth couverte de poussière et au pare-chocs cabossé remonte en brinquebalant l'étroite allée et s'immobilise devant eux.

« Qui est-ce? demande sèchement Konig, brusquement sur ses gardes.

— Le type de Westchester. Le gars qui a examiné le jeune Robinson à la demande de la famille et déclaré que les contusions relevées sur la tête lui paraissaient suspectes.

— Ah! »

Konig reste pensif tandis qu'un grand type, quarante ans environ, remonte d'un pas alerte l'allée dans leur direction.

« Bonjour.

— Bonjour », renvoient posément Konig et Carslin à l'unisson.

Carslin, avec une solennité toute professionnelle, fait les présentations.

« Docteur Schroder... Docteur Konig.

— Salut.

— Comment allez-vous?

— Konig? Paul Konig de l'Institut médico-légal de New York?

— Oui, monsieur, lui-même, dit Konig en se redressant.

— Oh! jubile Schroder. Quel honneur. C'est votre livre qui m'a appris le métier. Chez nous, c'est un peu notre Bible.

— Trop aimable. »

Konig rougit, manifestement ravi.

« Pas du tout. C'est un fait, voilà tout. C'est une œuvre fondamentale. Je ne connais personne, dans

292

notre profession, qui n'ait été influencé par elle. Vous êtes bien d'accord, Charles ?

— Parfaitement d'accord », réplique Carslin, mais d'un ton tellement acide que Schroder en reste un instant déconcerté. Un ange passe, puis les trois hommes se tournent vers le trou où les deux ouvriers italiens, maintenant enfoncés jusqu'aux hanches, continuent à creuser, rejetant de lourdes pelletées qui s'écrasent avec un bruit mat sur le petit tertre croulant.

« Eh bien... qui d'autre attendons-nous encore ? demande Konig, dans un effort pour meubler le silence.

— L'adjoint au maire », marmonne Carslin avec brusquerie.

Au même instant, un fourgon de la police de l'Etat s'engage dans l'allée, suivi par une grosse limousine noire.

« Ah ! soupire Schroder. Le voici, on dirait. »

Suit un moment d'intense animation tandis que présentations et salutations se succèdent dans un brouhaha de propos sans importance. Maurice Benjamin, l'adjoint au maire, est un personnage pressé et abrupt. Le genre d'homme qui a horreur des balivernes, adore donner des ordres, ne peut souffrir la négligence et se sent mal à l'aise dans les temps morts. Pourtant lorsqu'il arrive à Konig quelque chose de presque timide, d'évasif, voile sa superbe arrogance.

« Bonjour, Maury.

— Bonjour, Paul. Ça va ? »

Le regard de Konig est si perçant que même l'adjoint au maire ne peut l'affronter. Il se détourne vivement, s'écarte pour serrer d'autres mains.

Curieux spectacle, que de voir ce gros bonnet, le bras

droit du maire, tout fringant dans son complet de luxe fait sur mesure et gonflé du sentiment de sa propre importance, contraint, à peine descendu d'une étincelante limousine noire dont le pare-chocs arbore le majestueux écusson de la ville de New York, de battre en retraite devant un personnage aux vêtements miteux et froissés, aux cheveux en bataille et à l'air hagard de prophète de l'Ancien Testament.

« Eh bien, lance très fort l'adjoint au maire, si on s'y mettait. »

Carslin désigne d'un hochement de tête le monticule de terre fraîchement retournée et l'étroite tranchée où, enfoncés jusqu'à la poitrine, peinent les deux hommes. Faute de savoir quoi dire, les quatre hommes se rapprochent lentement tandis que les deux policiers demeurent en arrière, appuyés contre la limousine.

« *Que la poussière retourne à la poussière* » psalmodie doucement une voix dans la tête de Konig dont les yeux scrutent le fond de la tombe. « *Ida Bayles Konig. A mon épouse chérie, Paul. A ma maman bien-aimée...* »

Un cliquetis sec, un choc de métal contre métal. Et soudain du cuivre et du bois apparaissent.

« Ah!... nous y voilà », dit Schroder.

On amène en hâte des cordes et, quelques instants plus tard, au prix de nouveaux grognements, le cercueil remonte peu à peu, en oscillant légèrement, émerge du rectangle de terre humide et est déposé au bord de la tombe.

Carslin et Schroder s'approchent vivement du cercueil. Carslin s'agenouille, écarte quelques miettes de terre encore accrochées à la plaque de cuivre et lit :

LINNEL GAINES ROBINSON
6 mai 1954 - 7 mars 1974

Benjamin rejoint le docteur Schroder :

« Vous reconnaissez officiellement qu'il s'agit du... :

— Oui, murmure Schroder, en jetant un coup d'œil par-dessus l'épaule de Carslin.

— Nous avons installé un petit laboratoire et un microscope dans le presbytère, annonce Carslin.

— Où est-ce ? demande Benjamin.

— A deux cents mètres d'ici environ, un peu plus bas sur la route, lance un des policiers.

— D'accord, dit l'adjoint au maire, avec l'autorité d'un juge qui abat son marteau pour entériner une sentence capitale. Allons-y. »

Konig s'avance nonchalamment.

« Je suggère qu'avant, vous entrebâilliez le couvercle. »

Benjamin consulte Carslin d'un regard dégoûté.

« Pour laisser échapper les gaz, poursuit Konig.

— Tout à fait d'accord », répond Carslin, mais en s'adressant à l'adjoint au maire et non à Konig.

Quelques instants suffisent aux deux terrassiers pour retirer les vis et entrebâiller légèrement le couvercle. Un long sifflement aigu se fait entendre, comme lorsqu'on ouvre brusquement une boîte de café hermétiquement close.

Les terrassiers et les deux policiers s'empressent de hisser le cercueil sur leurs épaules et le cortège s'ébranle. Carslin, Schroder et l'adjoint au maire leur emboîtent aussitôt le pas.

Benjamin se retourne et lance à Konig :

« Vous ne venez pas ?

« — Non, dit Konig, toujours penché sur la tombe fraîchement ouverte. Je préfère attendre ici. »

Quelques instants plus tard, tandis qu'il suit des yeux la petite procession qui descend l'allée d'un pas inégal, il se retrouve seul au milieu des jacassements de merles et des cri-cri de sauterelles, des longues travées bien tracées de pierres indifférentes.

« *Quand as-tu jamais tenté...* lui lance de nouveau la voix farouche et accusatrice. *Quand nous avons jamais été capables de...* »

Juchée sur un tricycle, la silhouette d'une petite fille aux yeux rieurs, en kilt et en chaussettes, fonce tête baissée vers lui, se faufilant parmi le dédale des tombes.

« *Lolly.* »

« *Tu l'as tuée.* »

« *Lolly.* »

« *Tu l'as tuée.* »

« *Je...* »

« *Si, c'est vrai. Tu l'as tuée... par ton manque de cœur, par ta stupide arrogance.* »

C'est à la silhouette de l'enfant qu'il s'adresse, mais la voix farouche et stridente qui lui répond est celle d'une jeune femme.

« *Lolly... maman était très malade.* »

« *Ce n'est pas ça. Tu...* »

« *Elle était incurable.* »

« *... l'as piétinée. Tu l'as tuée aussi sûrement que si...* »

Elle souffre et lui ne trouve pas les mots pour calmer son chagrin. C'est à peine s'il peut, lui, assumer le sien.

« *Lolly...je...* »

Sa voix s'éteint tandis que s'évanouit la minuscule silhouette en kilt juchée sur son tricycle.

« *Lolly...* » murmure-t-il de nouveau en contemplant

le fond de la fissure béante dans le sol fraîchement éventré.

Un moment plus tard, il voit les deux agents revenir vers la limousine, suivis par Carslin et l'adjoint au maire qui discutent, solennels. Schroder ferme la marche.

Quelque chose dans la scène, dans leur façon de marcher, les épaules voûtées, le fait qu'ils s'attardent près de la limousine en discutant à voix basse, l'adjoint au maire tête baissée, Carslin la tête légèrement levée vers lui, leurs lèvres remuant comme s'ils chuchotaient, tout cela apprend à Konig tout ce qu'il a besoin de savoir. En outre, le regard de Maury Benjamin, d'ordinaire toujours alerte, toujours vigilant, paraît maintenant éviter avec application le sien.

Schroder, les mains profondément enfoncées dans les poches, les épaules légèrement voûtées, s'approche d'un pas lourd. Leurs regards se croisent. Konig sent une brusque nausée lui nouer l'estomac, mais il affiche un large sourire.

« Eh bien ?

— Infiltration leucocytique.

— Ah ? fait Konig, en feignant la surprise, bien qu'il l'ait toujours su.

— Très avancée, précise Schroder d'un ton désolé. Vous voulez voir les plaques ?

— Non. Inutile. »

Konig hausse les épaules avec lassitude.

Les portières de la limousine et de la voiture de police s'ouvrent, claquent violemment et, sans même un signe de tête en guise d'au revoir, l'adjoint au maire, précédé par l'escorte de police, passe impérieusement devant Konig et s'engage dans l'allée carrossable pour rejoindre la sortie.

Peu après, Schroder part à son tour et Konig se retrouve seul avec Carslin, tandis que près de la tombe ouverte les deux ouvriers rassemblent leurs outils, tout en plaisantant et en bavardant en italien.

« Eh bien, Charley, dit Konig, en se forçant à paraître enjoué.

— Eh bien quoi ?

— Et maintenant ?

— Ma foi, soupire Carslin, un rien crispé, en évitant de regarder en face son ancien maître. Il va falloir que je rédige un rapport circonstancié pour le procureur. Ensuite je suppose...

— Une commission d'enquête, dit Konig, en lui épargnant la peine d'achever sa phrase.

— Probablement. »

Les yeux de Carslin scrutent fébrilement les travées encombrées de pierres tombales, comme s'ils cherchaient quelque chose.

« Ecoutez, Paul. Il faut que vous compreniez. N'y voyez rien de... personnel. C'est purement et simplement une question de... »

Konig le coupe d'un geste.

« Faites-moi grâce de la leçon de morale. Et je vous en prie, ne me sortez pas le serment d'Hippocrate.

— Je n'avais nullement l'intention de... »

Dépité, Carslin contemple le visage hagard de Konig, fasciné par quelque chose d'effrayant et d'étrange qu'il croit y discerner.

« Ça ne va pas ?

— Si. Ça va très bien. Pourquoi ?

— Je ne sais pas, dit Carslin avec une gêne manifeste. J'ai cru... à la façon dont vous me regardiez tout à l'heure.

— Oh ?

— J'ai cru un instant...

— Oui ?

— J'ai cru un instant, murmure Carslin, qui manifestement ne sait plus où se mettre, que vous alliez me demander quelque chose que je n'aurais pas pu faire. »

Konig sourit.

« En effet, j'y ai pensé... mais seulement un instant. Vous savez, Charley, jamais je ne demanderai à un de mes anciens étudiants de se compromettre pour me sauver la mise. Et si vous le faisiez, vous me décevriez bougrement. Au revoir, Charley. »

Il gratifie le jeune homme d'une bourrade dans le dos et, alors qu'il se faufile parmi le dédale des tombes pour rejoindre sa voiture, conscient que Carslin ne le quitte pas des yeux, ses jambes flageolent un bref instant. Il titube, glisse et manque de tomber. Entendant une course précipitée dans son dos, il reprend son équilibre, redresse les épaules, affermit son pas, lance énergiquement sa mauvaise jambe en avant et, la tête pleine du rugissement d'innombrables torrents qui se rejoignent dans un bruit de cascade, les yeux brouillés de larmes, il se précipite comme un fou vers sa voiture.

32

« Salut, Fergie.
— Salut, Paul.
— Ça va, le boulot ?
— Minable. Je parie que chez vous aussi c'est pareil. »

11 heures 30.
Bureau du chef de l'Institut médico-légal.

« J'ai vos petites bestioles ici, annonce dans l'appareil la voix asthmatique de Ferguson Dell, conservateur en chef du Département d'entomologie du Musée d'histoire naturelle. De vraies petites perles, où les avez-vous donc dénichées ? Non... ne me dites rien. Je suis sûr qu'il s'agit d'un truc dégueulasse.
— Des *Calliphora,* pas vrai ? demande Konig, qui gribouille sur un bloc.
— Aucun doute là-dessus.
— Leur âge ?
— Ça dépend. »
Dell s'éclaircit la gorge, avec un grand raclement de muqueuses.

« D'après le rapport que j'ai sous les yeux, le truc sur lequel on les a ramassées aurait séjourné dans l'eau.

— C'est exact. Je ne peux pas vous dire combien de temps, mais le truc n'était pas très profond. Trente, quarante centimètres tout au plus. Probable qu'une grande partie a été rejetée sur la berge depuis peu.

— Eh bien, ça aussi il faut en tenir compte.

— C'est bien ce que j'ai fait, dit Konig qui gribouille toujours avec fureur. Alors, qu'est-ce que vous m'avez trouvé ?

— Ma foi, voyons un peu, dit Dell. En règle générale, ces petites bestioles pondent sur de la viande fraîche, plus rarement sur de la viande avariée.

— Dans le cas qui nous intéresse, la putréfaction n'était guère avancée.

— Ce qui fait, que selon vous, ça s'est passé tout récemment ?

— Je n'ai pas dit ça, aboie Konig. J'ai dit que, selon moi, la putréfaction n'était guère avancée. »

Il devine la perplexité de Dell au bout du fil.

« Tout ce que je dis, Fergie, c'est que les critères habituels qui permettent de déterminer l'état de putréfaction ne s'appliquent pas dans ce cas. Très peu de sang dans les cadavres. On n'a récupéré qu'une partie des viscères et, par conséquent, pratiquement pas de micro-organismes gastro-intestinaux pour procéder à une culture et essayer de désintégrer le tissu. Ce qui fait que tout le processus de décomposition se trouve retardé. En fait, c'est encore plus compliqué, dans la mesure où le truc a séjourné dans l'eau — la tempéra-ture, l'humidité excessive. J'essaie de me faire une idée de la durée de l'immersion, mais ce n'est pas facile. Ce qui fait que je me rabats sur les asticots. Que pouvez-vous me dire ?

— Vous ne facilitez jamais les choses, vous, pas vrai, Paul ? soupire Dell avec lassitude. Eh bien, cette variété de vers dépose ses œufs par paquets d'environ cent cinquante. Selon la température du milieu ambiant, il leur faut... oh, disons... de huit à quatorze heures pour éclore. S'il fait froid, l'éclosion est freinée.

— Il a fait plutôt chaud tout le mois.

— C'est vrai. Anormalement. Bougrement trop chaud pour mon goût. Ce que je peux avoir horreur de l'été.

— Faites-moi grâce de vos considérations météorologiques, voulez-vous, Fergie. Venez-en donc au fait.

— D'accord. D'accord. Ce que je veux dire, c'est que, selon toute probabilité, cette première éclosion n'a pas été retardée par les facteurs climatiques. Aussi pouvons-nous estimer que les œufs ont éclos, disons, entre huit et quatorze heures après avoir été pondus. Et qu'ils ont été pondus non au cours de la période d'immersion, mais seulement après que le truc ait été rejeté sur la rive.

— D'accord, grommelle Konig. Continuez. Continuez.

— C'est ce que je fais, bonté divine. Bon dieu, mais qu'est-ce qui vous prend, Paul ? Ça ne va pas ?

— Mais si voyons. Ça va très bien.

— A vous entendre, on ne le croirait pas. On croirait...

— Ça va. Ça va très bien. Ne faites pas attention. Allez, continuons. »

Konig griffonne sur son bloc, de grands cercles qui se coupent et se recoupent.

Après quelques instants d'un silence consterné, Dell poursuit :

« Eh bien, comme je le disais, cette première phase

de la métamorphose dure entre huit à quatorze heures. Ensuite ces larves muent et se transforment en nymphes, analogues aux larves, mais plus grosses. Ces petites saloperies survivent environ deux trois jours. Vous me suivez pour l'instant ?

— Je ne vous quitte pas d'une semelle, Fergie. »

Le visage de Konig tremble et une énorme douleur se met à lui marteler impitoyablement la nuque.

« Vient ensuite la troisième phase qui donne les vers parfaits. Des *Calliphora,* des petites mouches à viande parfaites... comme celles-ci.

— Pendant combien de temps se nourrissent-elles ?

— Elles bâfrent comme des cochons pendant six jours, poursuit Dell avec un enthousiasme croissant.

— Quel âge ont celles que je vous ai envoyées ?

— Eh bien, j'ai en ce moment même sous les yeux l'une des plus grosses du lot, et je peux vous dire d'emblée que cette petite saloperie n'a certainement pas vécu plus de douze jours.

— Douze au maximum, marmonne Konig qui griffonne sur son bloc.

— Mais sans doute moins, poursuit Dell, dans la mesure où, d'après ce que vous me dites, il est hautement improbable que ces œufs aient été pondus plus d'un jour ou deux après que les morceaux de cadavres aient été jetés dans le fleuve.

— A mon avis, il a fallu deux jours pour que la marée les découvre.

— Par conséquent, continue Dell, en estimant l'âge des plus grosses à dix jours, ça nous donne un intervalle de douze jours entre le moment où le corps a été jeté à l'eau et le moment où vous avez prélevé ces asticots. Est-ce que ça colle avec votre théorie ?

— A merveille. »

Konig sent monter cette bouffée d'allégresse qu'il éprouve chaque fois que se confirment ses hypothèses mûrement réfléchies.

« En me basant simplement sur l'état de décomposition des morceaux, je m'étais arrêté au chiffre de dix à douze jours. C'est parfait, Fergie. Je vous suis très reconnaissant, à vous et à vos asticots.

— Au fait, combien de corps avez-vous trouvés là-bas ?

— Deux... cette fois, j'ai des raisons d'en être certain.

— Et quand avez-vous trouvé tout ça ?

— Le 12 avril.

— Ce qui veut dire que c'est sans doute vers le 1er avril qu'on leur aura fait leur affaire, à ces pauvres bougres.

— C'est exact, le 1er avril, le jour des blagues », s'esclaffe Konig avec un rire qui ressemble à un grognement.

A peine a-t-il raccroché que la porte s'ouvre violemment et qu'il se trouve face à la silhouette trapue de l'inspecteur Edward Flynn qui s'engouffre aussitôt dans la pièce, poursuivi par la vaillante petite Carver qui piaille férocement sur ses talons, pareille à un chiot furieux.

« Pour l'amour de dieu qu'est-ce... »

Konig s'extirpe à demi de son siège.

Carver gesticule avec frénésie.

« Il a tout bonnement forcé votre porte, docteur. Je lui ai pourtant dit d'attendre.

— Pas question que je passe ma journée à attendre, fulmine Flynn. J'ai du boulot.

— Je lui ai dit d'attendre, docteur. Mais je n'ai pas réussi à l'empêcher d'entrer.

— Ça va, Carver. Vous pouvez vous retirer. Asseyez vous Flynn.

— J'veux pas m'asseoir, aboie Flynn. J'veux rester debout. »

Exaspéré, Konig lève les bras au ciel.

« Eh bien dans ce cas, restez debout. Mettez-vous debout sur la tête si ça vous chante.

— En voilà des manières de bousculer les gens comme ça, marmonne Carver, profondément vexée. Pour qui est-ce qu'il se prend ?

— Ça va, Marion, dit Konig qui se leve, la saisit par le coude et la reconduit vers la porte. Ça va comme ça. J'ai dit que vous pouviez nous laisser. Je me charge de régler cette histoire. »

Elle marmonne encore quand la porte se referme derrière elle; Konig se retourne vers l'inspecteur :

« Alors, nom de dieu, qu'est-ce que ça signifie, tout ça ?

— Je vais vous le dire nom de dieu ce que ça signifie...

— Et d'abord, arrêtez de gueuler comme un dingue. Ce n'est pas une salle de bowling ici. C'est une morgue. Il y a des gens en deuil. Et des morts. Alors, un peu de respect. »

L'argument porte. Flynn est un homme pieux, et il est mortifié d'avoir outrepassé les bornes.

« Allez, asseyez-vous » fait Konig d'un ton lénifiant, comprenant soudain que l'inspecteur garde encore sur le cœur leur dernière conversation téléphonique.

L'instant d'après, il pousse un coffret vers lui :

« Prenez donc un cigare. »

Le visage cramoisi, le souffle court, une lueur perplexe dans l'œil, Flynn esquisse un geste pour prendre un cigare dans la boîte, les meilleurs cigares de Konig.

mais sa main se fige, comme bloquée par une force invisible, tandis qu'une ombre de méfiance se glisse dans son regard.

« Pas question que j'oublie la façon dont vous m'avez parlé hier.

— Désolé, croyez-le. »

La voix de Konig se fait plus douce encore, empreinte d'une contrition vaguement hypocrite.

« Il me fallait les têtes. Sur le moment, il n'y avait que ça qui comptait. Il me les fallait pour identifier les pauvres diables que vous avez déterrés l'autre nuit.

— Vous allez pas me dire que vous les avez déjà identifiés ?

— Pas encore, mais ça ne tardera plus. N'empêche que je n'avais pas de raison de vous engueuler de cette façon. Je m'excuse. Allons... laissez-moi vous allumer ce cigare. »

Konig glisse vivement le bec Bunsen sous le cigare de Flynn et attend, immobile, tandis que l'inspecteur, perplexe et totalement subjugué, l'allume en tétant bruyamment. Enfin, quelque peu calmé, il se carre dans son siège et fume avec béatitutde.

« Ma foi, moi non plus je n'avais pas de raison de forcer votre porte comme ça, dit-il. Sans doute que j'étais encore furax à cause de votre coup de fil.

— D'accord, coupe brusquement Konig. Comme ça on est à égalité. Qu'est-ce qui vous amène ?

— Je suis seulement venu vous dire que les paquets de peau que vous avez envoyés au labo l'autre jour...

— Eh bien quoi ?

— Eh bien, on a réussi à relever deux trois empreintes dessus. Index, annulaire et pouce gauches.

— Parfait. Et alors ?

— Alors ? »

306

Flynn se crispe. Il était loin de s'attendre à cette réaction. En fait, il s'attendait à des félicitations. A une bonne claque sur le dos. A un bravo sincère. Peut-être même à un pauvre petit merci. Certainement pas à cet « et alors ? » sarcastique et irascible. Mais, bien sûr, il aurait dû s'en douter. Il n'aurait pas dû se laisser avoir par le coup du cigare et par cette voix étrangement lénifiante. Il aurait dû savoir que Konig était incapable de rester courtois plus de cinq minutes d'affilée.

« Alors ? raille à son tour Flynn. Alors, tout ce que je voulais vous dire c'est que j'ai comparé ces empreintes avec celles qu'on a trouvées éparpillées un peu partout dans la baraque.

— Ce qui fait que maintenant, vous êtes sûr de l'endroit où le crime a été commis. Et alors ? »

Konig feuillette sans émotion apparente ses papiers et le courrier du matin empilés sur le bureau.

« Avec cette saloperie de baignoire pleine de sang, est-ce que vous en doutiez encore ? »

Flynn essaie de répliquer, mais Konig le coupe net et poursuit :

« Dites-moi un peu en quoi ça peut m'aider, insiste-t-il implacable.

— Eh bien, après tout, vous avez...

— Et ces foutus sous-vêtements dont vous m'avez rebattu les oreilles ? »

Le visage de Flynn vire au rouge.

« Ma foi, pour l'amour de Dieu, si vous laissiez quelquefois aux gens le temps de glisser un mot...

— Mais comment donc. Mais comment donc, raille Konig. Ça fait une demi-heure que je suis assis ici à attendre...

— Seigneur Dieu,... y a pas une demi-heure que je suis ici. »

Konig consulte sa montre.

« Pas loin de quinze minutes. Portez plainte si ça vous chante. Allez-vous en venir au fait, oui ou merde ?

— J'essaie... j'essaie... nom de dieu, proteste Flynn, le visage en feu. Si vous vouliez bien me laisser... ça fait un moment que j'essaie de vous dire que j'ai télégraphié à Washington pour me renseigner sur le numéro matricule qu'on a trouvé dans la ceinture.

— Vous m'avez déjà dit ça hier. Et alors ? »

L'inspecteur semble au bord de l'apoplexie.

« Alors... on a reçu la réponse aujourd'hui par télégramme. »

Il tire brusquement un télex jaune de sa poche intérieure et se met à lire d'une voix haute et perçante :

« N° 12537744.

— D'accord.

— Le numéro matricule qu'on a trouvé dans...

— ... dans la ceinture. D'accord. D'accord.

— Appartient à un dénommé Browder, sergent Raymond Browder. 82ᵉ régiment de parachutistes. Fort Bragg, Caroline du Nord.

— Parfait. Ce qui fait que vous avez passé un coup de fil à Fort Bragg. Où est Browder ?

— Personne n'en sait rien, dit Flynn, dont les yeux flambent d'une fureur mal réprimée. Il a disparu y a environ dix-huit mois. Pour les autorités militaires de là-bas, il est maintenant porté déserteur.

— Et alors ?

— Alors... alors... alors », tonne Flynn, tandis qu'un long morceau de cendres blanches s'écrase sur sa veste et ses genoux.

Il les balaie à grandes claques furieuses, comme s'il redoutait de prendre feu.

« C'est-y que vous sauriez rien dire d'autre ? Alors ?
Alors ? Moi je me tue à essayer de vous expliquer
quelque chose, et vous, vous arrêtez pas de m'engueuler. Vous me parlez comme si j'étais un bon à rien.
Vous me traitez comme si j'étais de la merde. Nom de
dieu, pour qui est-ce que vous...

— Et alors, marmonne Konig sans s'émouvoir, la
suite ?

— Et alors, comme je me tue à vous le dire, poursuit
l'inspecteur à voix basse, avec un calme menaçant, en
se maîtrisant au prix d'un effort de volonté surhumain,
ce Browder, porté disparu depuis seize mois, c'est un
militaire de carrière. Trente-cinq ans. Un parachutiste.
Un baroudeur de métier, si vous voyez le genre.

— Je vois, je vois.

— Il a fait le Vietnam. Flopée de décorations. D.S.C.,
médaille d'Honneur. Médaille des Blessés. Toute la
panoplie. Pigé ?

— Pigé.

— Et puis alors, voilà qu'un beau jour, y a dix-huit
mois environ, la 82e Division aéroportée est mise en
état d'alerte. Rééquipée pour être renvoyée dans le
Sud-Est asiatique. Vous me suivez ?

— Je vous suis.

— Et voilà que la veille du jour où son unité est
censée faire mouvement, le Browder, lui, y se fait la
paire.

— Ça, vous l'avez déjà dit.

— Je le sais que je l'ai déjà dit, fulmine Flynn. Je le
sais foutrement bien que je l'ai dit. Mais pour l'instant,
à cet instant précis, ce que je vous dis c'est que le
Browder, y ressemble à un de vos macchabs, ceux dont
vous avez recollé les morceaux là en bas.

— Et alors », murmure Konig, en se carrant dans

son fauteuil, les bouts des doigts en arche sur sa légère bedaine.

« Et alors », murmure-t-il de nouveau, mais cette fois ses « et alors » ont une résonance totalement différente des précédents — les « et alors » belliqueux, sarcastiques et méprisants. Ils sont chargés de points d'interrogation, de supputations et de perplexité.

« Et alors ? »

Flynn se carre à son tour dans son fauteuil en tirant sur son cigare, persuadé d'avoir enfin marqué un point.

« Alors, ce matin j'ai expédié à Fort Bragg la série d'empreintes que vous avez relevées. Ils vont les confronter avec celles qu'ils ont dans leur dossier. On devrait avoir du nouveau d'ici quarante-huit heures.

— Et les dossiers médicaux ? Et les fiches dentaires ? Ils vont nous les envoyer ?

— J'ai eu leur commandant au bout du fil aujourd'hui, dit nonchalamment Flynn. Bizarre.

— Qu'est-ce qui est bizarre ?

— Il s'est pas montré très loquace. Plutôt évasif. Y tenait pas à trop s'avancer au téléphone. »

L'inspecteur tambourine du bout du doigt sur le bureau.

« J'ai comme dans l'idée qu'y a du louche dans tout ça.

— Mais c'est *sûr* qu'ils nous communiqueront les dossiers médicaux ?

— Oh ! bien sûr, dit Flynn. Enfin, je suppose.

— Vous supposez ?

— Eh bien, c'est ce qu'ils font en général, non ? Mais ce capitaine DiLorenzo, y m'a paru un peu bizarre. »

L'immense crâne de Konig s'incline comme sous le poids du sommeil. Ses yeux rougis par l'insomnie papil-

lotent et se ferment un instant. Il se balance doucement d'avant en arrière dans son fauteuil et paraît s'assoupir quelques secondes; on dirait qu'il est perdu
dans un rêve, le rêve d'un passé lointain et paisible,
d'un lieu vierge de toute souillure.

« Eh bien, soupire-t-il enfin, je suppose que, pour le
moment, il ne nous reste plus qu'à attendre et
patienter. »

Flynn parti, Konig demeure un long moment assis à
son bureau, à feuilleter d'un air abattu son courrier.
Une lettre d'un missionnaire du Zaïre qui lui demande
conseil à propos d'une forme rare de schistosomiase.
Un médecin de Tachkent qui l'interroge sur un problème de groupes sanguins. Un immunologue de
Tulane qui veut savoir...

Il s'attarde à lire et relire la même page, essayant,
mais en vain, de se concentrer. Il ne parvient pas à
digérer l'affront qu'il a subi ce matin, son humiliation
en présence de Carslin; aucun doute que Carslin était
reparti convaincu que le responsable de l'autopsie
bâclée du petit Robinson était Konig en personne; qu'il
avait deviné sur son visage la tentation qui l'avait
poussé un instant à demander lâchement à son ancien
disciple de ne pas révéler ses conclusions, d'enterrer
son rapport, de le truquer... n'importe quoi, pour dis-
culper le service. Bien sûr, Carslin avait tout deviné. Eh
bien, Dieu merci, il ne lui avait rien demandé. Il ne
s'était pas abaissé jusque-là. Carslin n'en aurait été que
trop heureux. Quelle occasion pour lui de se draper
dans sa bonne conscience et de jouer les vertus indignées. Et ce pauvre gosse, Robinson. Il le savait maintenant, Robinson ne s'était pas pendu dans sa cellule, il
avait bel et bien été pendu par les gardiens qui après
l'avoir rossé à mort lui avaient passé autour du cou un

311

nœud coulant fait d'une tresse de matelas et l'avaient accroché à une poutrelle. Et maintenant, tout ça allait ressortir. Tant mieux. Tôt ou tard un de ces salopards des Tombs finirait pas payer. Il y veillerait. Mais il y avait Strang. Quel rôle avait-il joué dans cette histoire ? S'agissait-il vraiment d'une négligence ? Pouvait-il avoir omis de faire un examen des tissus, qui dans ce genre de cas était quasi automatique ? Une simple négligence, peut-être aurait-il pu la pardonner. Mais si Emil Blaylock avait auparavant contacté Strang — lui avait fait des promesses, ce dont Blaylock était fort capable. C'était, après tout, un homme extrêmement influent dans ce nid de serpents, le petit cercle des gros bonnets de la municipalité. Si les choses s'étaient passées ainsi, Konig, qui lui aussi avait des amis — des gens certes moins haut placés dans la hiérarchie pénitentiaire de la ville, mais dévorés d'une ambition féroce et qui ne s'embarrassaient pas de scrupules quant aux moyens de la satisfaire —, par Dieu, Konig se faisait fort de le découvrir et de régler ses comptes sans faire de quartier.

L'instant d'après, Konig presse un bouton et décroche son téléphone ; la voix de Carver lui répond :

« Oui, docteur.

— Passez-moi le bureau de Bill Ratchett aux Tombs », aboie-t-il. Sur quoi il raccroche brutalement.

Une fois de plus, il demeure immobile, bouillonnant de fureur. Attendant d'un instant à l'autre le coup de fil de l'adjoint au maire. Le blâme sévère. Les reproches glacés. Les allusions aux conséquences désastreuses, le tout enrobé dans le pompeux jargon officiel, écho de l'effroyable colère de Son Eminence le Maire — « ennuyé — déçu — outragé — furieux — vous entendez — *furieux* ».

Son téléphone bourdonne et, de nouveau, c'est Carver :

« Ratchett n'est pas à son bureau, docteur. »

Konig lui grommelle de laisser un message en disant de rappeler, raccroche brutalement et se lève. Il éprouve tout à coup le besoin de sortir, de s'éloigner de son bureau, de se changer les idées. Quelques secondes plus tard, il a franchi sa porte, fonce dans les couloirs vidés par l'heure du déjeuner et dévale à grand bruit la spirale verte de l'escalier D.

Il n'a pas remis les pieds à la morgue depuis le moment où Haggard est venu l'y rejoindre ce matin à l'aube, mais même maintenant et malgré l'heure tardive, quatre ou cinq chariots sont encore alignés dans le vestibule, leurs sinistres chargements enveloppés dans des sacs de grosse toile, prêts à être transférés dans les énormes chambres froides qui ronronnent doucement.

Un long moment, coupé du reste du monde, il demeure immobile, dans l'attente de la paix que lui apportent d'habitude le silence et le bizarre isolement du lieu. Mais cette fois, dans le silence de midi, il n'éprouve qu'un sentiment d'aliénation, d'étrangeté, une bizarre répugnance à l'égard des choses qui l'entourent, ces choses qu'il aimait autrefois. Pour la première fois de sa vie, il se sent là comme un étranger. Comme un homme qui par inadvertance se serait égaré dans un cauchemar qui n'est pas le sien. Brusquement, il a l'impression de se retrouver dans une chambre des horreurs, une galerie de monstres, et il lui faut fuir. Pour chasser la puanteur qui lui emplit les narines. Pour retrouver le soleil et l'air frais du dehors.

Mais à l'instant même où il fait volte-face, il prend soudain conscience de faibles grattements qui provien-

313

nent des salles d'autopsie situées derrière lui. Et sur-
le-champ, son esprit surmené et fébrile imagine de nouveaux forfaits. Qui peut bien se trouver ici maintenant... à cette heure où en principe tout le monde est
parti déjeuner ?

Il traverse vivement le vestibule et s'approche des
portes qui mènent aux salles d'autopsie. Il s'arrête sur
le seuil, glisse un coup d'œil à travers les vitres encastrées dans le panneau et aperçoit la grande silhouette
vêtue d'une blouse blanche de Tom McCloskey qui se
penche sur les deux pantins maintenant assemblés,
Ferde et Rolfe. Tel un tailleur occupé à prendre les
mesures d'un client, le jeune homme, armé d'un long
ruban d'acier, s'applique à relever les mensurations des
membres et des torses, qu'il transcrit au fur et à
mesure dans un calepin.

Konig observe, avec un plaisir étrange, les gestes
calmes et experts du jeune médecin — précis, méticuleux, méthodiques. Et soudain, le temps d'une fraction
de seconde, Konig se sent quarante ans de moins, un
jeune homme de vingt-trois vingt-quatre ans, frais
émoulu de la faculté de médecine. Il se revoit là, dans
ces mêmes salles, à l'endroit même où se tient maintenant McCloskey, vêtu de la même absurde longue
blouse de chirurgien. Le vieux Banhoff se tient à ses
côtés, son cigare noir et nauséabond rivé aux lèvres,
enveloppé d'un nuage de fumée, observant d'un œil
vigilant et critique le jeune homme qui, penché sur un
cadavre écorché, scalpel en main, effectue un examen
des artères particulièrement délicat.

Et soudain une douleur poignante le submerge. Une
nostalgie poignante. Un désir poignant de pouvoir d'un
simple geste retrouver cet instant, le ramener à lui malgré l'avalanche des années, le serrer contre sa poitrine

comme il le ferait d'un enfant perdu — ces deux silhouettes irrémédiablement perdues quelque part au milieu des années évanouies. Comme s'il lui suffisait de franchir ces portes pour redevenir ce jeune homme. Pour se retrouver là tout tremblant à côté du vieux Banhoff, s'efforçant désespérément de lui plaire.

Une bouffée d'étrange affection le submerge soudain. Elle ne s'adresse pas au fantôme de sa jeunesse disparue. Il le sait, il a un instant cédé au masochisme et à la sentimentalité et n'en éprouve plus que du mépris. C'est plutôt au jeune McCloskey que s'adresse son affection, le jeune McCloskey armé de son mètre-ruban et de son calepin — et perdu dans sa grotesque blouse de chirurgien. Tant d'affection. Tant de chagrin. Si seulement il pouvait le mettre en garde, ce jeune homme.

L'instant d'après, il se détourne et sort.

33

« Et comment s'appelle ce peintre, déjà ?
— Emily Winslow. Tenez, le nom est ici, dans le coin.
— Oh ! oui, bien sûr... Winslow.
— Pas encore extrêmement connue. Mais ça viendra. »

13 heures. La Galerie Fénimore, angle de Madison Avenue et de la 67ᵉ Rue.

« Enormément de talent, dit Konig.
— Oui, c'est vrai.
— Enormément de talent, murmure-t-il de nouveau de façon plutôt stupide. Enormément de talent. »
Les deux hommes, Konig et Mr. Anthony Redding, restent quelques instants immobiles, les yeux fixés sur les trois petites gouaches.
« Et vous n'avez que ces trois-là ? finit par demander Konig.
— Malheureusement oui. »
Redding toise d'un regard vaguement réprobateur son interlocuteur aux vêtements froissés, à la cravate de travers et aux yeux légèrements hagards.
« Notez que nous avons déjà vendu un certain

nombre de ses toiles. Il ne nous reste plus que celles-ci. Malheureusement, poursuit-il sur un ton navré, ce ne sont pas les plus intéressantes, elle fait d'habitude beaucoup mieux.

— Pas très intéressantes? proteste Konig en fronçant les sourcils. Au contraire, je leur trouve beaucoup d'intérêt. Oh! bien sûr, on peut dire qu'elles ont quelque chose d'un peu morbide. Tout à fait d'accord. Malgré tout, moi je leur trouve un sens.

— Vraiment?

— Oui, vraiment, renchérit Konig, d'un ton farouche et protecteur, en s'échauffant de plus en plus. Un sens universel. Elles m'émeuvent profondément.

— Vraiment? »

Un mélange de perplexité et de méfiance passe sur le visage jaunâtre de Mr. Redding.

« Ma foi, poursuit-il d'un ton conciliant, on peut dire qu'elle sait dessiner. Rare de voir autant de maîtrise chez quelqu'un d'aussi jeune.

— Elle est jeune? demande sournoisement Konig, bizarrement ravi du rôle parfaitement bidon qu'il joue.

— Oui, très jeune. Guère plus de vingt ans, à mon avis. Mais je n'en sais trop rien. Et radicalement différente des autres jeunes peintres de sa génération, une bande d'opportunistes qui tiennent avant tout à avoir l'air snob et dans le vent. Winslow se fiche d'avoir l'air dans le vent. Elle se fiche du goût du jour. Elle n'a pas peur d'être classique. Un peu démodée. Elle ne fait pas du style pour l'amour du style et elle est catégoriquement résolue à maîtriser les outils de son art. Oui, elle a quelque chose à dire. Elle est très bonne.

— Oui. »

Konig se gonfle d'orgueil. Et chose étrange, il se sent ému. Il ne sait plus quoi dire. Une nouvelle fois, il dévore des yeux les trois petites toiles. Accrochées là, bien en évidence dans cette galerie élégante et raffinée, qui sue l'opulence et le bon goût, elles se parent, dirait-on, d'un air de bizarre importance. Chose curieuse, il en est impressionné. Cependant, les toiles dénotent une profonde tristesse. Cette lugubre petite baraque au milieu du champ incendié — quelle impression de désolation, de solitude. Plus inquiétante encore, la petite étude, ce verre brisé, ces petits éclats meurtriers. Et aussi ces sous-vêtements souillés et à demi pourris dans la pénombre fétide d'un sinistre taudis. Soudain il tressaille, comme transpercé par un frisson.

« Je les prends toutes les trois, annonce brusquement Konig.

— Toutes les trois ?

— Mais oui, bien sûr. »

Konig est un peu surpris par le son de sa propre voix. Comme si ces paroles imprudentes émanaient de quelqu'un d'autre que lui.

« C'est bien ce que j'ai dit, non ? »

Une ombre vaguement circonspecte passe dans les yeux de Redding. Cet homme au complet miteux... pas tellement le genre des clients qui lui achètent d'ordinaire des toiles.

« Elles ne sont pas données, vous savez, dit Redding avec superbe.

— Il ne me serait jamais venu à l'idée qu'elles pouvaient l'être », rétorque du tac au tac Konig.

Le propriétaire de la galerie est déconcerté. Il ne sait plus quoi penser. L'homme est-il un riche excentrique ou simplement un fou entré chez lui par hasard ?

« Je peux vous laisser les trois pour quinze cents dollars, risque-t-il avec prudence, à moitié convaincu que l'homme va prendre la porte.

— Parfait, dit Konig en tirant prestement son carnet de chèques. Vous accepterez un chèque ?

— Bien entendu, dit Redding, soudain tout émoustillé. Au point d'en oublier son accent britannique. Venez donc vous installer ici à mon bureau, Mr...

— Konig.

— Oui. Naturellement. Mr. Konig. Venez, je vous prie. Nous allons régler les formalités. »

Trottinant vivement sur ses petits mocassins de velours marron, Redding regagne le devant du magasin, Konig sur ses talons.

Redding se glisse avec désinvolture dans le fauteuil Mies derrière l'élégant petit secrétaire.

« Vous avez des papiers d'identité, Mr. Konig ?

— Certainement. »

Le propriétaire de la galerie jette un coup d'œil sur le permis de conduire, la carte d'identité, la carte de médecin, tout en griffonnant quelques renseignements.

« Ah ! je vois que vous n'êtes pas Mister Konig, mais le docteur Konig, dit-il, rayonnant maintenant de cette cordialité chaleureuse que seul le bon argent peut susciter dans un cœur de commerçant.

« C'est parfait, docteur, dit-il, en lui rendant ses papiers. Je pense que vous avez fait un choix très judicieux. Tôt ou tard la peinture de cette jeune fille aura beaucoup de valeur. Bizarre, vous savez, il n'y a pas plus de deux ou trois jours, quelqu'un d'autre est venu me demander des renseignements à son sujet.

— Quelqu'un d'autre ? demande Konig, dont les yeux sont réduits à deux fentes. Qui ça ?

— Un très grand collectionneur du Middle West. Je n'ai pas le droit de divulguer son nom, vous le comprenez.

— Oui, naturellement, dit Konig, bouillant de curiosité. Je suppose que vous ne pourriez pas non plus me dire à quoi il ressemble ? »

Redding paraît stupéfait de la requête, cependant, par égard pour le docteur Konig et pour son carnet de chèques, il semble tout disposé à la satisfaire.

« Eh bien... c'était un homme corpulent. Très grand; cheveux blancs et bouclés... »

Tandis que Redding lui débite son boniment, Konig se rend brusquement compte que le grand collectionneur du Middle West est de toute évidence Frank Haggard, et que Mr. Anthony Redding est en train de lui mentir sans vergogne.

« ... et je vous le répète, docteur, se confond-il, vous venez de faire là un excellent investissement. Aucun doute que d'ici quelques années la peinture de Winslow sera très demandée. Des gens très importants commencent à apprécier son talent. Si vous le désirez, je peux vous faire livrer ces trois gouaches à Riverdale aujourd'hui même.

— Non... je vais les emporter.

— Mais...

— Ça ira très bien, tranche catégoriquement Konig. Ce sont de petites toiles.

— Dans ce cas, capitule Redding en haussant les épaules, c'est vous le patron, docteur. »

Il éclate d'un petit rire plutôt stupide.

« Si vous voulez bien patienter une minute, je vais demander à mon commis de vous faire un paquet. »

Redding détale vers le fond de la galerie et Konig l'entend héler quelqu'un au sous-sol. Quelques minutes plus tard il est de retour, le visage rayonnant d'un éclat bizarre, chargé d'un paquet rectangulaire d'un mètre sur un mètre vingt, enveloppé de papier kraft.

« Une coïncidence fantastique, docteur, postillonne

320

Redding au comble de l'excitation. Je viens de descendre dans notre dépôt. Nous avons reçu tout un lot de toiles il y a environ deux semaines. La plupart n'ont même pas encore été déballées, nous les gardons en bas en attendant de pouvoir en faire l'inventaire et de les inscrire sur le catalogue. Bref, regardez ce que je viens de trouver sur le sommet de la pile. »

Il fourre le paquet dans les mains de Konig. Dans le coin supérieur gauche, en grosses lettres noires au Crayola, un nom et une adresse : « Emily Winslow, 324 Varick Street, New York City. »

Brusquement, Konig sent ses jambes flageoler.

« Voulez-vous que nous l'ouvrions, docteur ?

— Oui, dit Konig, la bouche soudain sèche. Je vous en prie.

— Moi aussi, je meurs d'envie de voir ça. »

Déjà Redding tranche les ficelles avec un rasoir X-Acto, en proie à une intense jubilation. Puis les deux hommes s'attaquent de concert à l'emballage. Sous les feuilles d'épais papier kraft apparaît une couche de journaux, posée à même la toile. Ils la soulèvent à son tour et reculent d'un pas.

Konig reste un long moment les yeux rivés sur la toile, sans dire mot, sans voir autre chose qu'un flot de couleurs et de lumière — des gris, des verts, des bleus, des ocres éblouissants, et des jaunes. Puis, insensiblement, toute une configuration de lignes et de mouvements s'agencent sur la toile et, soudain, Konig se rend compte qu'une sueur froide perle sur son front. Ses jambes fléchissent et il manque de s'effondrer.

« Merveilleux, s'extasie Redding, qui n'a rien remarqué de la réaction de Konig. N'est-ce pas merveilleux. Voyez cette façon somptueuse dont elle... »

Fiévreux, les yeux de Konig parcourent la silhouette

familière de sa maison de Montauk. C'est elle, indiscutablement, et recréée avec amour. Jusque dans les moindres détails — fenêtres, balcons, véranda, massifs avec, à l'arrière-plan, la perspective des dunes. Et là, le haut promontoire de sable sur lequel elle est bâtie, avec en bas, la longue courbe de la plage déserte et, au-delà, la frange gris-vert du ressac qui ondule mollement, étincelant de soleil, et se déroule comme un parchemin sur la grève en contrebas.

Pourtant ce n'est pas cela, pas simplement cela, qui a poussé son cœur torturé à lui assener ce coup dans la poitrine, là, sous sa chemise, comme un énorme maillet. C'est le visage au milieu de la toile, le visage chéri, le visage bien-aimé d'Ida Konig qui le regarde en souriant, à l'abri du vieux chapeau de plage informe à larges bords. S'il le connaît, ce chapeau. Il est toujours là-bas à Montauk, rangé quelque part au grenier dans une pile de cartons qui contiennent le reste de ses affaires, empaquetées à la hâte et rangées là après sa mort. Les yeux lui sourient avec chaleur. Elle est à genoux dans le jardin, son cher jardin, au milieu d'énormes coquelicots rouge sang qui dodelinent autour d'elle. Les coquelicots ressemblent à des créatures vivantes, grandes, élancées, des êtres pleins de grâce aux têtes flamboyantes. Ils semblent savourer sa présence.

La toile est littéralement inondée de soleil. Imprégnée d'amour. Mais dans ce flot incandescent, éblouissant, chargé d'émotion, il y a pourtant une ombre, une seule — mais énorme et de mauvais augure — une éminence grise qui s'encadre dans une des fenêtres du haut. Une silhouette sans visage, qui contemple la scène qui se déroule en contrebas et, bien que petite par rapport au format de la toile, on dirait qu'elle a néanmoins pour effet de jeter un linceul sur l'ensemble

322

du tableau. On dirait que l'artiste, parvenue à force d'amour (car la toile n'est qu'amour) à faire revivre quelques précieux moments de son propre passé, n'a pu s'empêcher alors, pour des raisons insondables, des raisons connues d'elle seule, de la saboter, de la défigurer, de la souiller, en y imprimant cette empreinte de pouce grise plutôt sale.

« Tout simplement sensationnel, s'extasie Mr. Redding, qui débite une moisson de nouveaux clichés, son faux accent britannique retrouvé à la hâte.

— Je la prends », dit Konig.

Il a peine à parler. Sa voix s'étrangle dans sa gorge. « Oh! mais, docteur... J'ai bien peur que... » Farouche, Konig lui fait face.

« Je la prends. »

Bouche bée, Redding contemple ce visage hagard et dément.

« Mais je ne sais même pas combien en demander. Il faut au moins que je consulte le peintre.

— Eh bien, consultez-la. Parlez-lui, hurle Konig, qui ne soupçonne qu'à demi ce qu'impliquent ses propres paroles.

— Mais je ne peux pas, plaide Redding, maintenant terrifié par le fou qui lui fait face. Je ne peux pas. Il y a des semaines que je n'arrive plus à la joindre. J'ai de l'argent à lui verser. Quelques milliers de dollars, sans compter ce que vous venez de me donner. Sans doute n'est-elle pas en ville. Elle reviendra. Ecoutez... sitôt que j'aurai de ses nouvelles, je...

— Il me la faut tout de suite. »

Konig lui arrache la toile des mains. Redding, à son tour, tente de la lui reprendre. Alors, quelques instants, ils se livrent à un petit ballet absurde, à un petit jeu de traction dont l'enjeu est la toile qui tressaute de l'un à l'autre.

« Docteur... je vous en prie, je vous en prie, docteur.

— Je vous paierai le prix que vous voudrez.

— Je ne peux pas, supplie Redding, du moins pas avant de...

— Il me la faut tout de suite. »

Cette fois, le ton est tel que Redding tressaille. Quelque chose dans ce sanglot étranglé vient d'éveiller ses soupçons, lui dit qu'il se passe là quelque chose de profondément anormal. Mais en même temps, fébrilement, en commerçant avisé, il suppute quel prix il peut se risquer à demander de la toile, de façon à s'assurer un confortable bénéfice.

Finalement Redding soupire et, capitulant noblement, se résigne à lâcher prise, comme au terme d'un vaillant combat.

« Je ne pense pas pouvoir vous la céder à moins de trois mille dollars, pas un sou de moins. »

Le chiffre lâché, il est lui-même quelque peu terrorisé de sa propre audace. Mais il y a chez cet homme, ce spectre farouche aux vêtements froissés, cet être aux yeux fous tout imprégné d'une horrible odeur de désinfectant et d'hôpital, qui s'accroche d'une main à la toile et de l'autre lui brandit un carnet de chèques sous le nez, il y a chez cet homme quelque chose qui souffle à Redding qu'il devrait s'en débarrasser. Lui rafler son argent et l'expédier au plus vite.

Titubant tous les deux, ils regagnent l'entrée de la galerie, Konig toujours cramponné à la toile, refusant de lâcher prise ne serait-ce qu'une minute. Au point que, tandis qu'il remplit à la hâte l'autre chèque, sa main libre demeure crispée sur le tableau.

Redding se tapote éperdument le front avec un foulard de soie et murmure :

« Tout à fait irrégulier. Tout à fait irrégulier.

— Voici votre chèque.

— Emportez-vous également la grande ? »

A bout de forces, Redding se laisse aller contre son dossier.

« Oui.

— Laissez-moi au moins vous faire un paquet, vous risquez de l'abîmer...

— Pas le temps.

— Ça ne prendra qu'une minute.

— Pas le temps... pas le temps. »

Konig gagne à reculons la porte, sans cesser de hocher la tête et de sourire comme un idiot, les toiles coincées sous les bras.

« Etes-vous sûr de vous sentir bien ?

Terrorisé, Redding le poursuit jusqu'au seuil.

« Je vais très bien. Très bien.

— Docteur Konig », lui lance encore Redding.

Surpris, Konig se retourne.

« Oui ?

— Vous êtes son père, n'est-ce pas ? »

Un bref moment ils demeurent face à face, se contemplant bouche bée comme à travers un brouillard. Puis Konig se retrouve dans la rue, dans le chaud soleil d'avril qui inonde Madison Avenue. Il court. Il bouscule les passants stupéfaits, s'ouvre un chemin dans la foule dense. Il fuit comme un fou, sans même se rendre compte qu'il pleure.

34

« Empreinte de doigt relevée sur une bouteille de vin, dans la cuisine.

« Six traces de crêtes correspondant à l'index gauche.

« Empreintes de doigts relevées sur une assiette, dans l'évier de la cuisine.

« Quatorze crêtes et dix crêtes correspondant respectivement au médium et à l'annulaire gauches. »

14 heures 20. Laboratoire anthropométrique, commissariat du 17ᵉ district. New York.

« Trace de doigt relevée sur une boîte de gélignite Type C, trouvée dans le vestibule.

« Là, nous avons seize crêtes correspondant au médium droit. De plus, les empreintes du pouce et de l'index sont elles aussi identiques. »

Haggard griffonne hâtivement sur son bloc.

« Et cette empreinte de la paume gauche sur la table de la salle à manger, ça donne quoi ? »

Le sergent Leo Wershba lève vers la lumière un jeu de fiches anthropométriques et les scrute avec attention quelques brefs instants.

« Plutôt foireuses, dit-il bientôt. Le dessus de la table était en verre et on dirait qu'il a été essuyé. Mais nous avons treize crêtes qui correspondent. »

Haggard soupire, referme son carnet avec un bruit sec et se carre contre son dossier.

« On dirait que ça colle pas trop mal, non ?

— Ça pourrait pas coller mieux. C'est votre gars. »

Les deux hommes s'observent un instant en silence.

« Laissez-moi revoir encore une fois cette sale gueule », grommelle le commissaire.

Par-dessus le bureau, Wershba lance une photo anthropométrique format réglementaire à Haggard qui, tout en l'examinant avec attention, allume une cigarette.

« Janos Klejew... comment diable est-ce que ça se prononce ?

— Klejewski... mais le w est muet.

— Klejewski. »

Haggard répète, répète inlassablement le nom, en articulant lentement les syllabes.

« Joli petit gars, pas vrai ?

— Je suis sûr que sa mère serait d'accord. »

Wershba, un petit homme carré au visage lunaire et au crâne lisse, à la calvitie compensée par une énorme moustache, sourit de toutes ses dents.

« Sur ce type-là, j'ai un dossier aussi gros que l'annuaire par professions de Manhattan.

— Klejewski. »

Haggard se remet à répéter le nom, ses lèvres détachant silencieusement les syllabes.

« Kunj ou Kunje, pour ses complices. Identifié à de multiples reprises en compagnie d'individus qui prônent l'emploi d'explosifs et ont peut-être même acheté des armes à feu. Considéré comme extrêmement dangereux. »

Les yeux du commissaire scrutent le faciès large et plat, aux traits légèrement acromégales. Des traits épais et plutôt flous. De plus, les yeux ont une expression extrêmement inquiétante, quelque chose de vide et d'assoupi dans le regard où semble se tapir une violence qui ne demande qu'à exploser.

« Un vrai caïd, hein ? dit Wershba, qui devine les pensées du commissaire.

— Pas de tuyaux ?

— Peut-être. Qui sait ? De toute façon, ça ne nous mène pas bien loin. J'ai fait diffuser un avis de recherche général, mais y a deux ans que le type est en cavale. Il s'est fait la belle y a vingt-trois mois. Et jusqu'au feu d'artifice de Fox Street, personne n'a jamais pu retrouver sa trace.

— Pourquoi l'avait-on coffré ?

— Incendie volontaire... Kunje a un faible pour les allumettes et les gros pétards. »

Haggard hoche lentement la tête.

« D'où avez-vous dit qu'il s'était fait la belle ?

— Je l'ai pas dit. Mais il était à Danbury.

— Danbury ? »

Le commissaire répète pensivement le mot, sans cesser de pianoter sur l'accoudoir de son fauteuil.

« Ce n'est pas là que...

« ... qu'était Meacham, dit Wershba, qui rayonne comme un arbre de Noël. Vous l'avez dit, mon vieux. C'est bien là que ces deux petits anges ont fait connaissance.

— Seigneur. »

Le poing de Haggard claque dans la paume de sa main.

« Si seulement j'arrive à mettre le grappin sur c'te enfant de salaud, il me conduira tout droit à Meacham.

— Qu'est-ce qui vous fait croire qu'ils ne sont pas ensemble en ce moment ?

— Impossible, dit Haggard en secouant la tête. Suffit d'avoir vu la taule du Bronx. Les tiroirs bourrés de fringues, les assiettes encore pleines de bouffe dans la cuisine. Et ils ont laissé des empreintes partout. Ils se sont tirés en vitesse. Après, ils se sont séparés. Ils ont filé chacun de leur côté.

— Comment pouvez-vous en être aussi sûr ?

— Une bande de cette taille ? Huit ou neuf cinglés qui voyagent ensemble ? Ça se remarquerait comme le nez au milieu de la figure. Rien à faire... ils se sont séparés, sans doute avec dans l'idée de se retrouver plus tard. Meacham et peut-être deux ou trois de ses dingues auront emmené la fille avec eux. Les autres auront filé chacun de leur côté. »

Haggard se lève d'un bond et se met à arpenter la pièce.

« Et les autres empreintes que vous avez trouvées là-haut, vous les avez identifiées ?

— Pas encore. On y travaille encore. Mais Meacham et Klejewski, ceux-là, on les a épinglés. A la fois dans la piaule de Fox Street et dans l'atelier de Varick. On vous servira aussi les autres. C'est une question de temps ; donnez-nous un peu de temps.

— C'est tout ce que vous avez, Wershba. Un tout petit peu de temps. Si je ne me trompe pas sur Meacham, lui il ne nous en laisse guère davantage. »

35

« Humérus... 32,3 centimètres.
— Le droit ou le gauche?
— Le droit. Mais c'est la même chose pour le gauche. »

14 heures 30. La morgue. Institut médico-légal.

« Radius... 23,3 pour le droit, 23,2 pour le gauche. »
Tom McCloskey finit prestement de mesurer un jeu de membres supérieurs et passe aussitôt aux jambes.

« Fémur... 43,1 centimètres pour le droit, 43,1 centimètres pour le gauche. 34 pour les tibias, le droit comme le gauche.

— Tibia gauche et tibia droit, 34 centimètres, répète Pearsall, en notant rapidement les chiffres sur un bloc. Donc, d'après les mensurations de la longueur du tronc, du cou, de la tête et des membres inférieurs, et déduction faite de 2 centimètres d'allongement post-mortem, ça donne 188 centimètres pour notre ami Rolfe. D'accord?

— D'accord, opine McCloskey. Disons environ 1,86 m.

— Environ 1,86 m, dit Pearsall en griffonnant sur son bloc. Bon. Et pour Ferde, où en est-on?

— C'est plus coton que pour Rolfe. »

Tous les deux ont vite pris l'habitude d'utiliser les noms adoptifs dont Konig a baptisé les corps démembrés et qu'il a, la veille, collés sur leurs poignets.

« Dans la mesure où le torse est incomplet, j'ai dû me fier totalement aux formules de Pearson.

— Guère le choix, à vrai dire. »

Pearsall soupire et, derrière ses grosses lunettes de myope, ses yeux scrutent les tables de calcul que McCloskey a mis tant de soin à établir.

« Donc, en ce qui concerne Ferde, tout ce que nous pouvons dire que nous avons, c'est tout au plus une idée de sa taille, basée sur la proportion moyenne des membres par rapport à sa stature globale.

— J'en ai bien peur, fait McCloskey en haussant les épaules... Avec une marge d'erreur de 2 à 8 centimètres.

— Dont vous avez déjà tenu compte à ce que je vois, dit Pearsall, en étudiant le diagramme. Ce qui fait que, l'un dans l'autre, vous estimez Ferde à...

— 164 centimètres.

— Petit... entre 1,63 m et 1,68 m.

— Grosso modo. Et j'ai toujours des doutes sur le sexe. »

Pearsall lève vivement les yeux, un peu surpris.

« Vraiment ?

— Mais oui. Pas de tronc inférieur. Pas de pelvis. Pas de parties génitales. Drôlement ambigu, tout ça.

— Vous avez utilisé les tables de Pearson pour déterminer le sexe des membres ?

— Oui. Malgré tout, ça reste ambigu. Il pourrait s'agir d'une femme ou d'un homme très petit.

— Pas de caractéristiques sexuelles secondaires ?

331

— Rien de concluant. En fait, il y a trop de variables et de coïncidences dans le système secondaire. Et avec tous ces cheveux et tous ces muscles arrachés... Finalement, je ne sais plus, conclut McCloskey en haussant les épaules. »

Pearsall, suivi par le jeune homme, s'approche une fois de plus des longues tables d'acier où gisent les deux corps reconstitués, allongés sur le dos, indifférents, pareils à des statues de sarcophages antiques, depuis peu exhumés.

Pearsall entreprend un examen superficiel du corps baptisé Ferde. Il commence par la tête et le visage, ou plutôt par ce qu'il en reste. Le crâne et le visage ayant été complètement dépouillés de leur peau, exception faite de deux minuscules plaques, il ne subsiste ni cheveux ni poils susceptibles de fournir une indication du sexe.

« Et le larynx ? »

McCloskey sourit d'un air las :

« Voyez vous-même. »

Aussitôt, Pearsall se saisit d'un mètre-ruban et d'un compas et entreprend de mesurer le larynx du cadavre.

Lorsque la tête de Ferde avait été tranchée au ras du tronc, le larynx était resté attaché à la tête. La décapitation avait été opérée à la jonction des quatrième et cinquième vertèbres cervicales. Et, bien que normalement le larynx descende jusqu'au niveau de la sixième cervicale, celui de Ferde était si petit qu'il se trouvait presque *in situ* au-dessus du niveau de la section qui, partant de la base du menton, se prolongeait vers l'arrière de la gorge.

Pearsall n'est pas sans savoir qu'un larynx d'homme est, approximativement, d'un tiers plus gros environ qu'un larynx de femme. Le larynx d'un homme adulte

332

fait en moyenne 5 centimètres de longueur. Un larynx de femme environ 3 centimètres et demi. D'après le compas de Pearsall, le larynx de Ferde mesure 3 centimètres.

« Pour un homme c'est *vraiment* un petit larynx, constate Pearsall en secouant la tête avec perplexité. Même pour un homme très jeune; quel âge donneriez-vous à celui-ci ?

— En se basant uniquement sur les membres et les sutures crâniennes, suppute tout haut McCloskey, les yeux au plafond, oh! je dirais entre dix-huit et vingt ans.

— Bizarre, rumine tout haut Pearsall. Bizarre, un larynx de cette taille chez un homme de cet âge.

— Totalement d'accord, opine McCloskey. C'est bien ce qui me fait dire que tout ça est ambigu.

— Je me demande ce qui fait croire à Paul que nous avons affaire à un homme ?

— Aucune idée. Si c'est le cas, il s'agit d'un homme très petit.

— Salut, les gars », tonne une voix joyeuse derrière les deux hommes.

Ils se retournent, à temps pour voir Carl Strang s'engouffrer dans la salle et s'approcher d'un pas énergique. Remarquant leurs visages consternés, il s'arrête net.

« Mon Dieu, mon Dieu, quelles têtes d'enterrement tous les deux. Quel air sinistre — quel air sérieux. »

Pearsall se renfrogne :

« Nous butons sur le sexe de ce foutu machin.

— On dirait que le patron est sûr qu'il s'agit d'un homme, dit McCloskey.

— Oh ? »

Les yeux de Strang effleurent le cadavre et se fixent

sur l'étiquette accrochée au poignet. Il penche la tête pour la lire :

« Ferde, hein? Pour moi, ça ne ressemble pas du tout à un Ferde. »

Devant ce verdict brutal et catégorique qui sonne comme une parole d'Evangile, Pearsall et McCloskey restent un instant stupéfaits. Strang poursuit :

« Il est parfaitement clair à mes yeux que cette jolie petite chose est une femme, et pas simplement à cause du vernis à ongles à la gomme. Il suffit de regarder la stature de la chose — les membres, le larynx.

— Nous venons d'examiner les membres et le larynx », marmonne Pearsall avec impatience.

Mais Strang fonce avec allégresse :

« Je n'ai pas besoin de mesurer cette saloperie pour voir qu'il s'agit d'un larynx de femme, une petite femme — de dix-neuf ou vingt ans, disons. Et bonté divine, regardez-moi ce crâne. Un crâne d'homme, ça? Voyez comme il est fragile. Et efféminé. Pratiquement pas d'arcades sourcilières. Orbites très minces. Coupe verticale. Eminences frontales très nettes. Et regardez un peu ces zones occipitales et mastoïdes. Apophyses mastoïdes très petites. Pas de traces de muscles. Seigneur — ça se lit comme un livre. Ce n'est pas un homme, ça, les gars. C'est une dame. Une pauvre petite chose qui en a vu de dures avant de mourir. »

Strang conclut sa conférence par une envolée triomphale et un éclat de rire, débordant de bonne volonté condescendante à l'égard de ses deux collègues de plus en plus perplexes.

« Et maintenant cessez de broyer du noir, tous les deux. »

Mais la truculence de Strang, et la conviction catégorique qu'il affiche, loin de dissiper leurs doutes, n'ont d'autre résultat que d'accroître leur consternation.

« A vous entendre, tout ça est très convaincant, Carl, dit Pearsall, de plus en plus renfrogné.

« C'*est* convaincant, parce que c'*est* vrai. Et vous le savez, que c'est vrai. »

La bonne volonté de Strang s'est muée en dédain teinté d'amusement.

« Vous voulez savoir où le bât vous blesse, les gars. Et pas seulement vous, mais tout le monde dans cette foutue boîte. Vous avez tous peur de penser par vous-mêmes. De formuler des conclusions personnelles. Et vous voulez savoir pourquoi ? Je vais vous le dire, moi, pourquoi. »

Strang sourit, une lueur mauvaise dans le regard.

« C'est parce que vous vous êtes laissé châtrer par le monsieur qui trône là-haut. Le Grand Docteur. Le Seigneur Tout-Puissant, pour la plus grande gloire de qui nous passons nos journées à bosser. Il colle une étiquette avec un nom d'homme sur le poignet d'un macchabée et, même si toute votre pratique et toute votre expérience vous soufflent que ce macchabée est une femme, vous ne pouvez pas vous résoudre à croire que vous avez raison et que le Grand Docteur se trompe. Bande de trouillards. Tous autant que vous êtes, vous crevez de trouille. »

McCloskey reste muet et pétrifié. La perplexité de Pearsall s'est muée en fureur. Sa gorge s'est brusquement marbrée d'une plaque pourpre qui commence à embraser ses joues.

« C'est vrai, Carl, dit-il d'une voix étranglée. Ce que vous dites est parfaitement vrai. Oui, nous écoutons ce que dit Paul Konig. Oui, nous nous rangeons toujours à ses conclusions. Ce que Paul Konig a déjà oublié, il nous reste encore à l'apprendre, pour la plupart d'entre nous. Il en sait plus à lui tout seul que tout le reste de notre foutue équipe. »

Il lutte pour réprimer le tremblement de sa voix :

« Alors, nom de dieu, si Paul Konig est venu ici et a baptisé ce macchabée Ferde, ça veut dire qu'il s'agit d'un Ferdinand et non d'une Sally ou d'une Joan. Si Paul Konig affirme que ce misérable tas de chair en bouillie et d'os en morceaux est un cadavre d'homme, eh bien, nom de dieu, c'est un cadavre d'homme. Konig est le patron, et quand Konig parle, il sait ce qu'il dit. Il l'a si souvent prouvé et en tellement d'occasions et depuis tant d'années que, pour ma part, ça me suffit. Il a un tableau de chasse que personne dans ce métier n'a jamais été en passe d'égaler. Voilà pourquoi, Carl, quand Konig parle, nous écoutons. Il est le patron, et il demeure le meilleur. Lorsque vous serez le patron, espérons que nous pourrons vous écouter, vous aussi. »

36

« *Sarcome... myélite... tumeur de la moelle osseuse...
métastases... infiltrations massives et généralisées...
trois quatre mois, et encore.* »

« *Tu mens.* »

« *Je ne mens pas... c'est vrai... désolé... désolé...
désolé.* »

Des mots, des échos dans une chambre fermée à clef.
Une maison aux volets clos. Poussière de vieux étés
évanouis. Sable poussé par le vent sous une porte.
Fenêtres aux volets clos. Meubles ensevelis sous des
draps. Parquets froids tapissés de feuilles de journaux
jaunies. Petites boulettes noires des crottes de souris
et, partout, des traces de la présence d'innombrables
petites créatures sauvages. Les créatures des dunes et
de la lande venues se réfugier là pendant l'hiver.

« *Comment peuvent-ils avoir une telle certitude ?* »

« *Biopsie. Radios. Trois des plus grands radiologues
du pays... Aucune erreur possible.* »

« *Qu'a dit Blainford ?* »

« *Aucun espoir.* »

« *Et Keefer ?* »

« *Il a dit " opérez ".* »

« *Alors, bonté divine, pourquoi pas ?* »

Le soleil pénètre à flots par une fenêtre du premier avec, au-delà, le disque gris et plat de l'océan, éternel et immense, qui s'étend jusqu'au ciel. Si calme que pour un peu il semblerait peint sur une toile. D'en bas, sous la fenêtre, monte le cliquetis rapide et appliqué d'un sécateur.

« *Parce que ça ne servirait à rien. Il faudrait qu'ils amputent une jambe. Pourquoi lui infliger cette torture ?* »

« *Mais s'il subsiste une chance... la moindre chance... même une chance sur un million. Pourquoi pas ?* »

« *Parce qu'il n'y a aucune chance.* »

« *Dans ce cas, pourquoi Keefer a-t-il dit d'amputer ?* »

« *Parce qu'il ne savait pas quoi dire d'autre. Parce que c'est un chirurgien et que, pour les chirurgiens, " amputer " est quasiment un réflexe. Ils disent ça comme toi et moi disons " manger " et " dormir ".* »

« *Et toi, tu es prêt à prendre la responsabilité de dire " non, n'amputez pas " ?* »

« *J'ai vu les radios de mes yeux. J'ai vu les résultats des biopsies. Invasion généralisée. Infiltration massive. Pourquoi la torturer et la mutiler ? Pour prolonger son agonie de quelques mois ? D'ailleurs, ça aussi, c'est une illusion. Il suffit de toucher à ces saloperies, pour qu'aussitôt elles gagnent comme un feu de brousse.* »

Clic... Clic... Clic... Dans le jardin sous la fenêtre, le sécateur, pareil au tic-tac du temps, cliquette inexorablement. Et la grande dame à la beauté saisissante, coiffée d'un bonnet informe à larges bords, avance placidement à quatre pattes à travers une profusion de coquelicots rouge sang, forçant au passage les immen-

338

ses têtes pourpres à s'incliner doucement sur leurs longues tiges. Elle les cueille, un à un, au sommet de leur gloire, et chacun de ses gestes est comme un présage du sinistre destin qui la guette.

« *Comment est-ce que cela va se passer?* »

« *Au début, il ne se passera pas grand-chose. De l'anémie. Des douleurs névralgiques. Puis des œdèmes des côtes et du crâne. Ensuite des fractures spontanées. Très douloureuses.* »

• « *Et elle a accepté?* »

« *Accepté quoi?* »

« *De ne rien faire? De ne pas même essayer?* »

« *Lolly, ta mère et moi avons décidé...* »

« *Tu as décidé? Mais bon sang, en quoi est-ce que ça te concerne?* »

« *... de vivre dans le calme les derniers mois qui nous restent.* »

« *Je le répète : en quoi bon sang est-ce que cette décision te concerne?* »

« *Dans le calme, j'ai dit, Lolly. Sans discours ni comédies, dont personne ici n'a besoin. Elle dit qu'elle aimerait rester ici. J'ai déjà pris mes dispositions pour avoir un congé de...* »

« *Comme ça, tout est réglé. Tout est décidé. Quelle honte. Quelle arrogance.* »

« *Lolly... je t'en prie, cesse de hurler. Elle peut t'entendre d'en bas.* »

« *La laisser mourir comme ça... sans rien tenter.* »

« *C'est le désir de ta mère. Je le respecte. C'est le plus sage. Si tu avais vu autant de sarcomes que moi... et les séquelles des opérations...* »

« *Tout ça c'est le résultat de tes préjugés personnels. Tu détestes les chirurgiens. Tu détestes tous les autres médecins. Et tout ça, par pure jalousie. A eux revien-*

nent la gloire et le prestige de sauver des vies, tandis que toi, tu ne fais rien d'autre que de charcuter de la chair morte dans un enfer, une chambre des horreurs qui n'est rien d'autre en fait qu'un abattoir. »

« C'est vrai », avait-il dit, malheureux, plein de souffrance à l'idée que jamais elle ne respecterait son travail. Il souffrait de savoir que sa fille avait honte du métier qu'il faisait. Elle en avait toujours eu honte. Un jour, lorsqu'elle était encore tout enfant, une enfant de huit ou neuf ans tout au plus, il l'avait surprise en train de bavarder avec une de ses petites camarades et l'avait entendue décrire son père comme un « grand guérisseur ». Elle avait grandi, mais même devenue jeune fille et jeune femme, elle n'avait pu se défaire de cette honte. Il en souffrait. Moins à l'idée qu'elle se sentait contrainte de mentir au sujet du métier de son père, que parce qu'il savait qu'à ses yeux il n'était pas un grand guérisseur. Il n'était pas question de guérir dans son métier. Et guérir ne l'intéressait pas le moins du monde.

« Oui, c'est vrai... je n'ai pas la moindre confiance dans la plupart des médecins. Je me méfie des chirurgiens que leur intérêt pousse à affubler leurs noms d'un tas d'initiales à la gomme. La plupart sont de vulgaires crétins incapables de distinguer une tumeur d'une verrue, et je refuse de laisser ta mère servir de cobaye à la mégalomanie de la première " prima donna " venue. Mais les hommes que j'ai emmené ta mère voir, eux je leur fais confiance. Si je l'ai emmenée voir ces hommes, c'est que j'éprouve le plus grand respect pour leur compétence. »

« Et l'un d'eux t'a dit de la faire opérer. De la faire amputer. »

« Parce que, je te l'ai dit, il ne pouvait rien me dire

d'autre. Je l'ai lu dans ses yeux. Mais je n'ai pas besoin de Keefer pour savoir quel pronostic on peut faire pour ta mère. Qu'on l'opère ou non. Et si tu tiens à parler d'abattoirs, je vais te raconter un certain nombre de choses à propos de la salle d'opération. Je ne demande pas mieux que de t'emmener en visiter une pour te donner l'occasion de te faire une idée par toi-même. Dans la mesure où il n'existe aucun espoir raisonnable, c'est le genre d'abattoir auquel je refuse de livrer ta mère. »

« *Je te maudis.* »

« *Lolly, pour l'amour de Dieu...* »

« *Tu as fait une croix dessus. Je te maudis. Tu l'as tuée.* »

« *Lolly.* »

« *Tu l'as tuée. Tu l'as tuée. Tu l'as tuée.* »

15 heures. Le bureau de Konig.

Des échos de voix. Echos engloutis par les ombres de l'après-midi qui s'avance. Les yeux rouges et humides, Paul Konig contemple fixement la toile inondée de soleil appuyée contre les bras du fauteuil en face de son bureau. Et bien que ses couleurs se brouillent et s'estompent, le premier plan de la toile où rayonne le visage souriant de la grande dame marquée par le destin qui s'avance sereine au milieu des coquelicots, nimbée d'une auréole de lumière, continue à miroiter devant ses yeux. Mais tout en haut, dans l'angle supérieur droit de la toile, où un rideau se gonfle doucement à l'une des fenêtres de l'étage sous l'haleine de la brise, la grosse tache grise est là, l'éminence grise... informe, étrangement menaçante. C'est, il le sait, la seule touche amère dans une toile par ailleurs inondée d'amour. Et tandis qu'il la regarde, de plus en plus attentivement, il comprend aussi, comprend sans l'ombre du moindre doute, que cette marque, cette tache d'un gris sale, pareille à quelque souillure obscène et innommable, est, indiscutablement, lui-même.

Quelque part, très loin, un téléphone sonne. Trois... quatre... cinq fois. Les yeux toujours rivés sur le visage qui lui sourit au centre de la toile inondée de soleil, Konig avance la main pour décrocher l'appareil posé sur son bureau.

« Allô.

— L'adjoint au maire vous demande, docteur. »

Les intonations chaudes et rauques de la voix de Carver contraignent une fois de plus Konig à réintégrer la réalité. Il soupire et sent aussitôt une boule de tension se mettre à palpiter sur sa nuque.

« Passez-le-moi », grommelle-t-il.

Ainsi, le moment est enfin venu. Plus tôt, à vrai dire, qu'il ne s'y attendait. Il s'était imaginé qu'ils resteraient au moins quelques jours à se concerter entre eux derrière leurs portes closes. A fignoler un plan pour se venger et sauver la face au nom de la justice. Une alliance entre le maire et les autorités judiciaires pour extirper le mal et l'incurie des services municipaux. Ce que les éditorialistes de la presse nomment d'ordinaire « le coup de balai ». Châtiment et disgrâce. Mais, bien entendu, tout ça en douceur. Entre gens civilisés. Pension complète. Retraite anticipée pour raisons de santé. Règlement de comptes entre gros bonnets, main de fer mais gant de velours.

« Allô, Paul. Dure journée? »

La voix de Maury Benjamin est rauque de fatigue.

« Plus on vieillit, plus elles sont dures, Maury.

— Moche, toute cette histoire là-haut aujourd'hui. Je n'aime pas les cimetières. Et l'ouverture de ce cercueil. Carslin et sa sinistre pantomime... »

Konig glousse d'une voix lasse :

« Je parie que vous avez eu du mal à avaler votre déjeuner à la Caravelle.

— Y a pas de quoi plaisanter, Paul. Vous vous êtes fourré dans un drôle de pétrin.

— Ça veut dire quoi, un pétrin ?

— Comment ?

— Non, rien. Qu'est-ce que le maire sait au juste ?

— Comment est-ce que je pourrais le savoir ? Il lit les journaux. Il a toute une bande de types ici qui émargent au budget avec des salaires à la gomme et rien de mieux à faire que de passer leurs journées à lui chuchoter à l'oreille. Cette histoire de vol de cadavres l'a mis hors de lui. Et maintenant, l'affaire Robinson. Vous savez peut-être que votre ami Carslin a passé tout l'après-midi ici à battre le tambour de guerre au sujet de cette histoire. Et on dirait qu'aussitôt qu'il aperçoit un journaliste, il en rajoute. Il ne me plaît pas, votre ami Carslin.

— Charley ? Je ne vois pas pourquoi. »

Du bout des doigts, Konig libère le bouchon du flacon de nitrite d'amyle rangé dans le tiroir du bas.

« Très doué, ce garçon.

— Un foutu mouchard, oui. Vertueux, opportuniste, constipé, un petit con et un salaud.

— Rien que ça ? glousse Konig en expédiant la petite capsule au fond de sa bouche.

— Comme tous les autres d'ailleurs, fulmine l'adjoint au maire dans l'appareil. Prêts à faire la putain pour s'assurer un peu de gloire.

— Ce que vous n'avez jamais fait. Pas vrai, Maury ?

343

raille sans pitié Konig. Jamais vous n'avez été tenté de vous payer un peu de gloire par-ci, par-là.

— Mais moi, je n'y ai jamais mis autant de cynisme, nom de Dieu, comme tous ces salauds.

— Rien de mal à courtiser un peu la gloire, poursuit Konig en gloussant. Ça vous réchauffe l'âme. Et qui plus est, c'est bon pour la tension. La gloire a un effet bénéfique sur la tension.

— Votre tension à vous, mon ami, pas de risque qu'elle vous soit bénéfique, maintenant que le rapport de Carslin est tombé sur le bureau du procureur. »

Une fois de plus la voix de Benjamin s'est faite aiguë, stridente, accusatrice.

« Inutile d'espérer qu'on vous accorde un traitement de faveur ici.

— Je suis trop vieux pour espérer avoir droit à un traitement de faveur, Maury, dit Konig avec un sourire las. Lorsque le procureur sera prêt à m'entendre, je serai à sa disposition. »

Suit un silence; chacun des deux hommes guette la respiration de l'autre.

« Maury ?

— Paul ? »

Leurs voix se télescopent et se taisent, mais c'est Benjamin qui aussitôt reprend l'initiative.

« Paul... vous n'avez vraiment rien à me dire ?

— Non.

— Je ne vois pas pourquoi vous devriez porter le chapeau à la place de je ne sais quel salopard coupable de négligence.

— Moi aussi je suis coupable de négligence. Jamais je n'ai mis son rapport en doute.

— Vous avez des milliers de rapports à superviser. Comment pourriez-vous tous les vérifier ? »

344

Dans la voix suppliante de l'adjoint au maire, dans son argumentation, Konig devine maintenant le désir né d'une vieille amitié de lui ménager une ligne de retraite. Une échappatoire.

« N'insistez pas, Maury. Qui a été chargé de pratiquer telle ou telle autopsie est strictement l'affaire du chef de ce service et de personne d'autre. C'était là une des règles fondamentales de Banhoff, et une bonne règle. L'homme qui a pratiqué l'autopsie sur le petit Robinson est un de mes subordonnés. Je sais ce qu'il a fait et je lui demanderai des comptes à ma façon... en privé, dans ce bureau. Mais inutile de compter sur moi pour jamais vous communiquer son nom. »

Suit un nouveau silence; à la respiration agitée de l'adjoint au maire, Konig devine sa fureur croissante.

« Parfait, mon ami, finit par grogner Benjamin. Moi je m'en lave les mains. Souvenez-vous, je vous ai prévenu que votre Chemin de Croix était en vue. Eh bien, vous pouvez sortir la bonne vieille couronne d'épines. Ça ne va plus tarder. Et le moment venu, je suis sûr que vous en savourerez chaque minute. Seigneur... quel imbécile vous faites. »

Konig se tasse avec lassitude sur son siège et hoche la tête.

« Vous dirigez votre service, Maury. Laissez-moi diriger le mien.

— Eh bien, tout à fait franchement, mon ami, grogne Benjamin, je ne pense pas que vous continuerez très longtemps à le diriger, le vôtre. Si vous vous êtes imaginé avoir mauvaise presse l'autre jour, attendez un peu de voir les journaux de demain matin. J'ai essayé de tenir Carslin en laisse, mais dès l'instant où il a aperçu ces salauds de journalistes, il s'est lancé aussi sec dans son numéro de Lincoln Steffens — le coup du justicier, à bas la corruption. C'est tout ce que j'ai à vous dire. Encore un mot... le procureur veut vous voir à son bureau vendredi.

— Pour quelle raison ?

— Pour quelle raison ? »

Benjamin ricane, au bord de l'hystérie.

« Pour quelle raison ? Non mais, écoutez-le. Oh ! mais c'est incroyable. Pour quelle raison ? Mais, pour prendre le thé, bien sûr. Pour parler des bandes dessinées. Echanger des petites histoires salées. Qu'est-ce que vous imaginez, hein ?

— A quelle heure est-ce qu'il veut que je me présente ? dit Konig, pressé de raccrocher.

— A dix heures du matin, hurle Benjamin. Je répète, dix heures du matin... vendredi. Et soyez à l'heure, nom de dieu, fulmine Benjamin dans l'appareil. Par dieu, qu'est-ce que vous aviez donc tout à l'heure là-bas. Seigneur... vous aviez une tête affreuse. »

37

« Il manque vingt-neuf dents sur une denture normale de trente-deux. Quinze extractions anciennes, quatorze récentes.

— Postérieures à la mort ?

— Aucun doute là-dessus. Regardez les alvéoles des extractions les plus anciennes, les os sont cicatrisés et les cavités complètement refermées. Et maintenant, regardez les plus récents.

— Pas de caillot.

— Exact. Et les cavités sont encore ouvertes. Ces dents-là ont été arrachées pour empêcher toute identification à partir des fiches dentaires. »

15 heures 20. Laboratoire dentaire, Institut médico-légal.

Le docteur Barnett Rossman, l'odontologue de l'Institut, étudie une série de radios récentes plaquées sur un écran illuminé. La pièce où se tiennent les deux hommes est encombrée de crânes, de mâchoires, de dentures grimaçantes montées sur des supports, de moulages de mâchoires et de mandibules où sont insérées des dents. Et tout autour d'eux, des dents — des milliers de dents —, des couronnes en or, une atmosphère chargée des vapeurs lourdes et piquantes de l'hypo des cuves à développer.

« Autre chose encore, poursuit Rossman. Ces extractions ont été pratiquées à l'aide de pinces de dentiste, et par quelqu'un qui savait s'en servir.

« Oh! fait Konig en haussant les sourcils. Et quoi d'autre? »

Il griffonne quelques mots sur un bloc, au bas d'une liste de notes coiffée du nom « ROLFE ».

Rossmann hausse les épaules.

« Avec en tout et pour tout trois dents dans les mâchoires, on n'a bougrement pas grand-chose sur quoi travailler. Et de ces trois, deux ne sont que des chicots — la deuxième prémolaire supérieure gauche et la troisième molaire. L'autre — la troisième molaire inférieure droite — porte une couronne, mais la dent est presque complètement détruite par cette grosse carie que vous voyez là. »

Ensemble, les deux hommes scrutent les images gris-blanc silhouettées sur l'écran.

« Mais tenez, voici quelque chose qui pourrait être intéressant, reprend Rossmann en pointant son crayon vers l'un des clichés illuminés. Regardez un peu cette zone. Vous voyez ce trou? Ici en haut à gauche, l'incisive, la canine et la première prémolaire?

— Il est continu, fait Konig, qui saisit d'emblée ce que l'autre a en tête.

— Exact. De son vivant, ça aurait été très visible et très inesthétique, à moins...

— ... à moins qu'il n'ait porté un râtelier, dit Konig, en achevant à sa place.

— Tout à fait possible. Sans doute un dentier Nes-

348

bitt. Du boulot dégueulasse. De toute façon, j'ai pris plusieurs radios de la deuxième prémolaire supérieure gauche.

— Et ?

— Ma foi, voyez vous-même,. »

Une nouvelle fois, le crayon de Rossmann darde en direction de quelque chose qui se profile sur l'écran comme une immense banquise vaguement visible au travers de tourbillons de brume.

« Vous voyez, la surface convexe du chicot arrive pratiquement au niveau de la gencive. Et ici, nous avons un conduit de racine, intact. On dirait qu'il a été tout récemment raboté à la fraise. »

Konig détache un instant ses yeux de l'écran.

« Ce qui veut dire qu'il est possible que le chicot ait servi de support à un tenon de dentier.

— C'est aussi mon avis, rayonne Rossmann. J'en suis quasiment certain. »

Konig griffonne à la hâte sur son bloc.

« Et à propos de son âge, vous ne pouvez rien me dire, Barnett ? »

Rossman soupire, retire ses lunettes à double foyer, les dépose avec soin sur le bureau, puis se frotte lentement les yeux.

« Eh bien, toutes les dents de sagesse étaient sorties. Mais deux d'entre elles étaient tombées depuis déjà pas mal de temps. Ce qui fait qu'il devait avoir vingt-cinq ans bien sonnés. J'ai bien peur de ne pouvoir rien vous dire d'autre sur ce point.

« Vingt-cinq ans bien sonnés, murmure tout haut Konig qui griffonne de nouveau. Ma foi, voilà qui me donne au moins un repère inférieur minimum. Et d'après les calculs que j'ai ici, je peux situer le repère supérieur entre quarante et quarante-cinq. La vérité se situe probablement quelque part entre ces deux limites, davantage sans doute vers la supérieure.

— Qu'avez-vous tiré du crâne ? »

Konig s'humecte le pouce et feuillette son bloc de plusieurs pages en arrière, tandis que ses yeux parcourent vivement le gribouillis de notes informes et sales. Il se met à lire tout haut, d'une voix lente :

« Occlusion des sutures sagittales, coronales et lambdoïdes presque achevées. Ça commence d'habitude vers la trentaine. J'ai constaté en outre un début d'occlusion des sutures pariétomastoïdes et squameuses sur la surface interne. Ça, ça ne se voit jamais avant trente-cinq quarante ans.

— Et les os des membres ? » demande Rossman.

Konig se replonge dans son bloc et se remet à marmonner :

« Extrémités des épiphyses de tous les os des membres complètement soudées. Ce qui se produit entre vingt-deux et vingt-cinq ans. Ce qui colle avec votre chiffre minimum, vingt-cinq.

— Ce qui vous met entre vingt-cinq et quarante-cinq, avec une préférence pour le chiffre supérieur ?

— Uniquement à cause des sutures crâniennes et du degré de calcification des épiphyses. J'ai constaté aussi une ossification poussée des cartilages thyroïdes et cricoïdes, et des mutations ostéo-arthritiques sur la hanche droite — l'articulation sacro-iliaque. Altérations superficielles sur les bords des vertèbres cervicales. Ce qui ne se voit jamais avant la quarantaine. Le pauvre diable devait bougrement souffrir du dos. En outre, le thymus tout entier s'est transformé en tissu adipeux.

— Ce qui l'un dans l'autre et en gros nous donne dans les — suppute tout haut Rossman, les yeux plissés — ... disons dans les trente-sept ans.

— Exact, opine Konig. Et c'est précisément là que je situe ce pauvre Rolfe. Trente-sept ans... peut-être quarante. Et maintenant, qu'avez-vous à me donner sur Ferde ? »

Rossman contourne vivement son bureau et s'approche de nouveau de l'écran.

« Ferde est plus intéressant. Attendez une seconde que j'installe ses clichés. »

Un instant plus tard les deux hommes sont de nouveau plantés devant l'écran et contemplent une série de sept clichés qui représentent le crâne, une mâchoire, une mandibule et une denture, pris sous des angles différents.

« Pour ce qui est de Ferde, commence Rossman, on lui avait laissé vingt-cinq dents. Les sept qui manquent ont toutes été arrachées postérieurement à la mort.

— Postérieurement à la mort. »

Konig griffonne sur son bloc.

« Nous constatons une usure marquée, conséquence de bruxisme. Ce type avait l'habitude de grincer des dents. Probablement un hypertendu. Un nerveux.

— Parfait, dit Konig qui griffonne à la hâte. Continuez.

— J'ai relevé d'innombrables caries. Aucun doute que Ferde adorait les sucreries. Et aucune trace de plombages.

— Pas une seule ? demande Konig en levant vivement les yeux.

— Pas une seule. Pas un seul morceau de plomb dans toute cette tête.

— Bizarre.

— Pas vraiment. On voit parfois ça chez les gens pauvres. C'est plutôt courant, à vrai dire. En général, ces gens-là mangent beaucoup de sucre et ils ne se

351

soucient pas de se faire soigner les dents. Ils s'en servent jusqu'à ce qu'elles tombent, ensuite ils mâchent avec leurs gencives. Mais, par contre, j'ai trouvé quelque chose de curieux. Tenez, regardez ici, sur l'incisive inférieure gauche, là, celle du centre. Vous voyez cette tache d'un blanc laiteux ?

— Où ça ? »

Konig scrute l'écran, les yeux plissés.

« Juste ici. Troisième incisive sur la surface externe.

— Oh ! oui, opine Konig. La petite tache au milieu. Qu'est-ce que c'est ?

— Aucune idée, dit Rossman en secouant la tête. Aucune idée de ce que peut être cette saloperie.

— Une tache de nicotine ?

— Ça m'étonnerait. Ce ne sont pas des dents de fumeur. Aucune trace de goudron nulle part.

— Ça me fait l'effet d'une bouche relativement jeune, dit Konig.

— C'est vrai. Aucune des quatre dents de sagesse n'est encore sortie. Mais celle-ci, la supérieure gauche, montre des signes d'encastrement. Regardez là. Ici, vous voyez ? Regardez un peu les mâchoires. »

En examinant de près les clichés, Konig distingue clairement les quatre dents de sagesse encore encastrées dans les mâchoires, complètement chaussées. Il le sait très bien, il est rare que les dents de sagesse sortent avant la dix-septième année et, en règle générale, vers vingt et un à vingt-quatre ans, elles sont toutes sorties.

« Et regardez-moi ces racines, Paul, jacasse Rossman avec enthousiasme. Vous constaterez que sur les radios, elles ne sont pas complètement visibles.

— Ce qui signifie que leur calcification n'est pas achevée ?

— C'est exact. Ce qui indique donc un individu dont la croissance n'est pas terminée. »

Les yeux perçants de Konig parcourent rapidement les notes qu'il a établies sur l'état des restes de Ferde... « Aucun signe d'occlusion sur les sutures crâniennes. Sur les os des membres, tous les sceaux des épiphyses sont réunis, mais certains ne sont pas complètement soudés. »

Il lève un instant les yeux.

« Je dirais qu'il a entre dix-huit et vingt-cinq ans, mais comme les dents de sagesse ne sont pas encore sorties, je pencherais plutôt vers dix-huit. Dix-huit pour Ferde. Trente-sept pour Rolfe. »

Konig griffonne quelques mots sur son bloc puis le referme. Lorsqu'il relève les yeux, Rossman le contemple avec un sourire ravi.

« Merci, Barney. Tout ça m'a été très utile.

— Toujours heureux de vous aider, Paul. Oh !... encore une chose. Soit dit en passant, Ferde n'a pas eu droit à un boulot aussi soigné que Rolfe.

— Ni aussi méticuleux, renchérit Konig. Seulement sept extractions, à côté des quatorze de Rolfe.

— Exact, opine Rossman. A croire que le cinglé qui a fait ça...

— ... s'est trouvé pressé par le temps, dit Konig, en terminant la phrase à sa place. Il est clair qu'il s'est d'abord attaqué à Rolfe et que le démembrement lui a pris davantage de temps que prévu. Le découpage est beaucoup plus net, les mutilations beaucoup plus poussées sur le plus vieux des deux cadavres. Quand il s'est attaqué à Ferde, notre homme a commencé à saboter le boulot. Ou il était fatigué, ou il se sentait pressé. Oui, Barney, moi aussi j'y ai pensé. »

Les deux hommes se regardent quelques instants.

353

Soudain, le téléphone de Rossman sonne. Comme il décroche, Konig le salue de la main et se dirige vers la porte.

« Oui, il est ici, murmure Rossman dans l'appareil. Une seconde, s'il vous plaît. C'est pour vous, Paul. »

Konig revient sur ses pas, glacé par un sentiment de terreur grandissante. Pour un peu il aurait peur de prendre la communication, et c'est d'une main tremblante qu'il saisit l'appareil. Mais ce n'est que Carver. A peine entend-il cette voix chaude et rauque, que sa crainte fond comme neige au soleil. De nouveau il est en selle, et comme toujours, brusque et impérieux.

« Ratchett vous demande, docteur. Vous voulez que je vous le passe ?

— Non.... coupe Konig en mâchant avec fureur le bout de son cigare éteint, je le prendrai dans mon bureau. »

38

« Je ne peux pas faire ça, Paul.

— Pourquoi pas ?

— Vous rigolez ou quoi ? Ils me passeraient à la casserole si jamais ils apprenaient...

— Oh! assez de conneries, Bill. Ecoutez, vous me devez une ou deux petites choses, pas vrai ?

— Bien sûr. Je ne dis pas que...

— N'oubliez pas l'affaire Mendoza.

— Je ne l'oublie pas, mais...

— J'ai un dossier complet là-dessus. Et puis, il y a aussi l'histoire Bartholomew. Je connais un tas de gens en ville pour qui cette histoire-là pue encore à plein nez. Et je n'oublie pas non plus que...

— D'accord. D'accord, Paul. Alors, bon dieu, que voulez-vous au juste. Si vous me le disiez, non ? »

16 heures. Le bureau de Konig.

Konig se carre contre son dossier, tire vigoureusement sur son cigare, puis l'éloigne de sa bouche et en contemple un instant le bout incandescent.

« Le carnet de rendez-vous de Blaylock, dit-il d'une voix très calme, le carnet du mois de mars. »

Silence; Konig perçoit au bout du fil la respiration agitée de l'autre, et son désespoir presque palpable. Finalement une éruption de sifflements furieux :

« Vous êtes fou ou quoi ? Vous êtes cinglé ? Ce carnet, il le garde toujours sur son bureau. Il s'en apercevrait à l'instant même si...

— C'est vous le secrétaire chargé de prendre ses rendez-vous, non, Bill ?

— Oui. Mais je ne vois diable pas ce que...

— Vous tenez un registre de ses rendez-vous, non ?

— Un registre ?

— Ne faites pas l'idiot, Bill. Je suis pressé. Je n'ai pas le temps de m'amuser. Vous êtes secrétaire administratif. Personne ne peut voir Blaylock sans passer d'abord par vous. D'accord ?

— D'accord, mais...

— Pas de mais. Donc, vous avez un registre. D'accord.

— Oui, mais...

— Où est-il ?

— Dans le tiroir de mon bureau. »

Ratchett parle maintenant d'une voix lugubre, résignée, vidée de toute révolte.

« Très bien. Bon, eh bien, sortez-le de votre tiroir.

— Maintenant ?

— Maintenant.

— Paul... je ne peux pas maintenant. Donnez-moi vingt-quatre heures. Il faut d'abord que je...

— Maintenant, grommelle Konig dans l'appareil. Si vous ne me donnez pas à l'instant même le renseignement dont j'ai besoin, je fais faire un joli petit paquet du dossier Mendoza et du dossier Bartholomew, avec du ruban rose, et je le fais porter par courrier spécial au bureau du procureur. »

Silence complet à l'autre bout du fil. Au point que Konig se demande un instant s'ils n'ont pas été coupés ou si Ratchett n'a pas raccroché. Mais l'instant d'après, lui parvient distinctement le raclement hésitant d'un tiroir qui s'ouvre quelques kilomètres au sud de l'endroit où lui-même est assis. Puis un bruit de papiers que l'on feuillette. Enfin le souffle oppressé de William Ratchett emplit de nouveau l'écouteur.

« Bon, dit Konig. Vous l'avez ?

— Je l'ai.

— Parfait. Maintenant, ouvrez-le au mois de mars. »

Konig entend un bruissement de feuilles tournées à la hâte.

« Ça y est, dit Ratchett. Je suis au mois de mars. Quelle partie du mois de mars vous intéresse ?

— Linnel Robinson a été trouvé mort dans sa cellule le 7 mars. Le 9 mars, il a été soumis à une autopsie, ici. Je veux que vous me disiez si, entre le 7 et le 9, Blaylock a reçu la visite de Carl Strang. »

Konig repose doucement le combiné sur son bureau et parcourt un rapport tandis que l'écouteur vomit un torrent de protestations furieuses. Quand la voix lui paraît enfin calmée, il soulève de nouveau lentement le combiné.

« Alors, c'est fini, oui ?

— Je ne peux pas, Paul.

— Mais vous le ferez.

— Je ne peux pas. Je suis désolé. Je ne peux pas, voilà tout.

— Parfait, dit Konig, d'un ton étrangement, implacablement calme. Au moins vous ne direz pas que je ne vous ai pas averti de mes intentions. »

Il esquisse un geste pour raccrocher.

« Paul... attendez.

— Oui ?

— Paul, si je divulgue ce renseignement, ils le sauront. Ils sauraient que ce genre d'indiscrétion ne peut venir que de moi.

— Probablement, opine Konig d'un ton compatissant. Mais vous êtes un type astucieux, Bill. Un maître dans l'art viril de survivre dans les hautes sphères municipales. Je suis sûr que vous serez capable de trouver quelqu'un, un pauvre lampiste, pour lui faire porter le chapeau.

— Paul...

— Au revoir, Bill.

— Paul, une minute.

— Je suis toujours là, Bill. »

De nouveau les pages tournent... un murmure pressé. Puis la voix lasse, vaincue, de Ratchett croasse dans l'écouteur.

« Strang est venu voir Blaylock ici, deux fois, le 7 et le 8 mars.

— Merci, Bill. Merci beaucoup de votre aide. »

39

« Et vous dites que l'homme portait un uniforme ?

— Oui, monsieur. Un uniforme de l'Armée du Salut.

— Des gens l'ont vu ?

— Quatre personnes au moins prétendent l'avoir vu.

— Vu entrer dans cet horrible endroit que vous venez de décrire et en sortir ?

— Oui, monsieur. En fait, c'est une simple baraque.

— Une espèce de trou à clochards et à déshérités ?

— Oui, monsieur.

— Pauvres diables. Quelle histoire sinistre.

— Quelle histoire ?

— Je veux dire, toutes ces choses qu'ils se font entre eux.

— Oui, monsieur. »

16 heures 20. Quartier général de l'Armée du Salut.

« Et ce type qui portait notre uniforme, dit le major général Henry Pierce, chef de division de l'Armée du Salut, district Est, il est soupçonné d'avoir participé à cette effroyable affaire.

— Oui, monsieur, dit Flynn, vaguement intimidé par

le grand vieillard distingué assis en uniforme de l'autre côté du bureau. Je le crains.

— Bien entendu, vous le savez, sergent, rien n'est plus facile que de se procurer un de nos uniformes.

— Oui, monsieur. Je sais qu'on en trouve dans la plupart des magasins de surplus de l'Armée et de la Marine.

— Et qu'en fait ils acceptent d'en vendre à n'importe qui. En principe, ils n'ont pas le droit de le faire sans autorisation écrite, mais n'empêche qu'ils le font.

— Oui, monsieur, je le sais.

— Ça ne serait pas la première fois que des gens se feraient passer pour des officiers de l'Armée du Salut et s'en mettraient plein les poches sous prétexte de bonnes œuvres.

— Oui, monsieur. Je m'en rends compte. Néanmoins...

— ... on ne peut exclure la possibilité, enchaîne d'un ton rêveur le général Pierce, que le type que l'on a vu entrer dans cette baraque et en sortir ait effectivement été un de nos hommes. Tout à fait d'accord, sergent.

— Bien, monsieur », murmure gauchement Flynn, dont les yeux se portent au-delà de la fenêtre, où vient d'apparaître un pigeon qui maintenant se pavane en se dandinant le long de la saillie.

Remarquant l'étonnement de Flynn, le général Pierce sourit :

« Vous n'allez pas tarder à voir ses copains venir le rejoindre. C'est à peu près l'heure où nous leur donnons leurs miettes. »

Le général se lève, gagne d'un pas raide un placard situé au fond de la pièce, puis disparaît à l'intérieur. Il en ressort aussitôt, porteur d'un sac en plastique rempli de pain rassis :

« On pourrait presque se fier à eux pour régler sa montre. A 4 heures 20, 4 heures 25, ils arrivent, ils roucoulent, ils font un boucan du diable pour réclamer leurs miettes. »

L'instant d'après, le général ouvre tout grand la fenêtre.

Brusquement, Flynn voit une explosion de plumes jaillir sur le rebord extérieur. Les roucoulements enflent pour bientôt se fondre en un bourdonnement pareil à celui d'un immense générateur tandis que, le buste penché à l'extérieur, le général se mêle joyeusement à son troupeau emplumé.

Peu après la cérémonie des miettes, il referme la fenêtre, regagne en boitillant son bureau et se rassoit :

« Pourtant, fait-il en reprenant le fil de son raisonnement tout comme s'il ne s'était jamais interrompu, il est hautement improbable que cet individu soit l'un de nos gens.

« Et pourquoi, monsieur ? demande Flynn en se penchant en avant.

— Eh bien, d'abord, nous n'avons plus d'asile dans ce secteur. Nous en avions un sur la vieille jetée de South Street il y a encore une dizaine d'années, avant que les grands travaux de rénovation urbaine ne commencent dans le quartier. A l'époque on y rencontrait un tas de paumés de toutes sortes — des épaves, des ivrognes, des fugitifs, des étrangers pourchassés par les services d'immigration, des marins déserteurs. Un vieux quartier dans ce temps-là, plein de vieillards et d'artistes qui trouvaient à s'y loger pour pas cher. Un quartier plein de charme, d'une certaine façon. Pittoresque. Maintenant le coin est hérissé de gratte-ciel en verre. Des banques. Des compagnies d'assurances. Des boutiques de luxe. Et puis aussi, bien sûr, le vieux port est devenu une attraction pour touristes. Pas question de laisser ces pauvres diables traîner partout dans le secteur en bousculant les gens. Bien entendu la police les a expulsés. C'est pourquoi il n'y avait plus de raison pour que nous y conservions un asile. Nous n'avions plus d'ouailles sur qui veiller. Ces gens sont allés se terrer dans d'autres quartiers de la ville et nous les avons suivis.

— Je vois, dit posément Flynn. Il a du mal à se concentrer, car il se demande ce qui se passe sur le rebord de la fenêtre et où sont partis tous les pigeons.

« Que sont devenus les gens qui s'occupaient de diriger cet asile ?

— Le vieil asile de South Street ? Oh ! ils ont tous été mutés. Et certains, je le suppose, doivent être morts.

— Bien, monsieur, enchaîne Flynn d'un ton pensif. Mais je me demande si vous avez encore dans vos archives les noms des gens qui s'occupaient autrefois de cet asile.

— Nous conservons la liste nominative du personnel de tous les asiles de la ville. Tout de même, ça remonte à dix ans. Ça fait un bout de temps.

— Est-ce qu'il existe toujours ?

— L'asile ?

— Oui, monsieur.

— Oh ! oui. Nous sommes toujours propriétaires du terrain et du bâtiment. Probable qu'on ne tardera plus à les vendre. Il y a un boom sur l'immobilier dans ce coin-là. Nous avons déjà reçu un certain nombre de demandes de renseignements.

— Je suppose qu'il n'est pas possible que j'aille jeter un coup d'œil sur place ? »

Légèrement surpris, le général lève les yeux :

« Je ne vois guère ce que vous pourriez y trouver. Il y a des années que tout est fermé.

— Sans doute rien d'autre qu'un tas de cafards et de rats, concède Flynn en haussant les épaules. Mais n'empêche que j'aimerais y jeter un coup d'œil. »

Du bout de ses longs doigts délicatement fuselés, le général roule distraitement un crayon sur le buvard de son bureau. Puis il sourit :

« Pourquoi pas ? Je vais m'arranger pour vous procurer une clef.

— Cela serait parfait, monsieur. »

Brusquement le général Pierce se lève, comme pour signifier que l'entretien est terminé :

« Vous vouliez bien aussi la liste du personnel du vieil asile de South Street ?

— Oui, monsieur, dit Flynn qui se lève d'un bond et lui emboîte le pas. Si vous en avez une.

— Le meilleur moyen de le savoir c'est de chercher, dit le général en se retournant pour le gratifier d'un grand sourire. D'accord, sergent ? »

40

« C'est beaucoup trop gros, Max. Ça n'entrera jamais.

— Poussez un peu plus fort.

— C'est ce que je fais. Ça n'entrera pas, je vous dis. Rien à faire. La foutue godasse est sur le point de péter. »

16 heures 45. Institut médico-légal. La morgue.

« Vous voulez aussi que je poudre l'autre? demande Arthur Delaney.

— Bien sûr. dit Bonertz. Mais passez d'abord la chaussette. »

La journée tire à sa fin. Toutes les tables d'autopsie ont été débarrassées et les garçons de salle les grattent et les récurent en prévision de l'offensive du lendemain matin.

Une partie de l'équipe a déjà terminé sa journée — Grimsby, Hakim, Strang, McCloskey, Pearsall — et ils observent la scène en taquinant et raillant leurs collègues. Les plaisanteries fusent, provoquées par des plâtres, des moulages de pieds gauches. Le pied de Ferde, et le pied de Rolfe.

Pour chaque pied, un spécialiste a fabriqué une matrice à partir du pied gauche sévèrement mutilé de chacun des cadavres. Un moulage en plâtre a été tiré de cette pièce, puis du moulage lui-même, quelque chose d'encore plus raffiné — une réplique parfaite de chacun des deux pieds gauches façonnée dans une matière souple faite de gélatine, de glycérine et d'oxyde de zinc, combinaison choisie en raison de sa grande plasticité et de sa texture qui permettent de reproduire à la perfection le pied d'un être vivant. En outre, il n'existe pratiquement aucun risque de rupture.

Avec de grands gestes comiques, Carl Strang asperge de grosses bouffées de talc l'intérieur de la chaussure de caoutchouc déchirée, crasseuse au point qu'elle disparaît sous une couche de moisissure verdâtre — la chaussure récupérée dans la baraque près de Coentis Slip. Pendant ce temps, Delaney enfile une chaussette bleu marine sur le moulage du pied gauche de Ferde.

« Ça suffit, Carl, bougonne Bonertz. Assez de talc comme ça. Je vais finir par étouffer.

— Désolé, mon vieux, glousse Strang d'un ton compatissant, mais cette godasse pue de façon atroce. »

Nouvelle explosion de grosses plaisanteries et d'obscénités tandis que Bonertz arrache à Strang la chaussure talquée et se prépare à l'enfiler sur le plâtre.

« Et maintenant, messieurs, proclame-t-il, la minute de vérité. »

Quelques instants tous retiennent leur souffle, tandis que la chaussure glisse sans difficulté sur le moulage recouvert de sa chaussette.

« *Voilà*, glapit Hakim, qui fixe les lacets par un énorme nœud.

— Parfait, dit Delaney.

— Ça me paraît pas mal, concède sans enthousiasme Bonertz, qui retire alors la chaussure et en inspecte l'intérieur.

« La partie la plus large du pied et la partie la plus large de la chaussure correspondent parfaitement, murmure-t-il. Et le bourrelet à la base du gros orteil ne s'adapte pas trop mal à la concavité de la semelle. »

Autour de lui, les autres opinent.

Soudain, Strang s'empare des deux plâtres et entreprend de leur faire solennellement parcourir la pièce et escalader les murs. Il y a quelque chose d'atrocement cocasse dans la façon dont ces deux pieds sans corps arpentent les murs, et bientôt un petit cortège leur emboîte le pas au milieu de huées et de gros rires. La salle ne tarde pas à ressembler à un vestiaire rempli de jeunes étudiants braillards et déchaînés.

« Mais bon dieu, qu'est-ce qui se passe ? » tonne Konig qui, tel un fantôme, s'encadre soudain sur le seuil.

Les rires s'étranglent puis se taisent tandis que Strang, planté sur une chaise, vacille un instant de façon grotesque, en perte d'équilibre, toujours armé des deux plâtres gainés de leurs chaussettes de coton bleu bizarrement incongrues.

Konig pose sur Strang un regard furibond :

« Quelque chose ne va pas ? »

Strang descend de sa chaise avec un sourire penaud :

« Non, rien du tout, Paul. Disons qu'on se détendait un peu. »

Les deux hommes s'observent en silence tandis que les autres raclent des pieds avec embarras, les yeux rivés au plancher.

« On a eu un coup de veine, Paul, dit Bonertz, qui

366

s'avance avec empressement en brandissant la chaussure.

— Oh ?

— On a réussi à adapter la chaussure au moulage du pied gauche de Ferde. »

Konig s'approche en boitillant.

« Je peux voir ça ? »

Strang tend le plâtre à Konig, qui l'examine en silence, et le compare avec la chaussure.

« Quelle est la pointure du moulage, selon le pédicure ? demande-t-il.

— Huit et demi, triple E, dit Bonertz. Même pointure que la chaussure.

— Une chance, sourit Konig. Je parie que l'autre moulage était beaucoup trop gros.

— On n'a même pas pu faire entrer le bout du pied », dit Delaney.

Konig tire un calepin de sa poche et griffonne quelques notes sur la page réservée à Ferde :

« Le pédicure n'a rien remarqué d'anormal à propos du pied ?

— Ma foi, bien sûr, dit Bonertz, il était salement mutilé. Plusieurs orteils manquants. Peau arrachée sur toute la surface du pied. Plante du pied transpercée par une profonde entaille.

— Parfait, coupe Konig, dont la mâchoire se crispe dans l'attente d'autres renseignements. Et alors ?

— D'après le rapport du pédicure, l'examen de ce qui subsistait du pied et plus particulièrement des os des orteils lui a permis de conclure que la victime avait plusieurs orteils tordus ou en marteau. Traces d'oignons également.

— Exact, opine énergiquement Konig. Ça je le sais déjà. Autre chose ?

— L'examen radiologique du pied a montré que la première phalange du gros orteil gauche était déviée vers l'extérieur.

— Ah! exostose du premier os du métatarse. Hallux valgus, confirme Konig en griffonnant à la hâte quelques notes.

— Exact, confirme Bonertz. Et c'est à peu près tout.

— Bien. La moindre bricole peut être utile, messieurs. »

Konig jette un regard sévère à la ronde, referme sèchement son calepin et paraît sur le point de partir.

« Paul », lance une voix derrière lui.

Konig se retourne et son regard plonge dans les yeux légèrement ironiques de Carl Strang.

« Voudriez-vous éclaircir un point qui nous tracasse ?

— Vous tracasse ?

— Oui. »

Strang s'avance nonchalamment, l'air suffisant et plein d'assurance.

« Plusieurs d'entre nous se posent des questions à propos du sexe de Ferde.

— Pourquoi, s'étonne Konig, visiblement perplexe. Il s'agit d'un cadavre d'homme.

— Oui, opine Strang. Vous l'avez dit, nous le savons, mais les mensurations, la musculature, la texture osseuse sont typiques d'une femme. Qu'est-ce qui vous permet d'affirmer qu'il s'agit d'un homme ? »

Konig contemple calmement Strang. Il perçoit la note de raillerie et de défi dans sa voix, note le sourire fat et insolent qui flotte sur son visage. Puis son regard se pose à tour de rôle sur les autres qui, tous, semblent épier ses réactions. Alertes, vigilants, ils guettent le moindre symptôme de trouble, l'hésitation fatale, le premier signe de faiblesse du patron.

« En toute honnêteté, Paul, dit Pearsall presque sur un ton d'excuse, il y a ambiguïté.

— Ambiguïté ? Comment ça ?

— Eh bien, comme vient de le dire Carl, pour ce qui est du sexe de ce cadavre, tous les indices semblent faire pencher la balance en faveur d'une femme plutôt que d'un homme.

— Oh ! dit Konig qui sent une petite veine se mettre à palpiter sous son œil. Par exemple ?

— Eh bien, reprend Pearsall, dans la mesure où le tronc est dépourvu de tout organe sexuel, le crâne, le larynx, les os des membres...

— Vous avez utilisé les tables de Pearson pour sexer les os des membres ? demande Konig.

— Oui, monsieur, intervient vivement McCloskey. C'est moi qui m'en suis chargé.

— Et ?

— J'ai trouvé que, par leur longueur, les membres inférieurs et les membres supérieurs étaient beaucoup plus proches de la moyenne féminine que de la moyenne masculine.

— C'est exact, concède Konig en souriant. Et les têtes des os de ces mêmes membres ?

— Les têtes, monsieur ?

— Oui. Les têtes des humérus et des fémurs. Les avez-vous mesurées elles aussi ?

— Non, monsieur. Je crains bien de...

— Négligence parfaitement naturelle. »

Konig parle d'une voix soudain adoucie, anormalement aimable. Comme s'il éprouvait le besoin de faire amende honorable pour la façon inexcusable dont la veille il a agressé McCloskey.

« C'est là une erreur que commettent souvent des médecins beaucoup plus vieux et plus expérimentés

369

que vous. Parce que, dans la majorité des cas, la longueur des membres suffit pour sexer avec une précision raisonnable des fragments de squelette. Mais dans ce cas-ci, ça ne suffit pas. Vous avez parfaitement raison, Tom. Il y a ambiguïté sur le sexe de ce cadavre. Une grande ambiguïté. J'ai effectué moi-même toutes les mensurations que vous avez faites — crâne, larynx, os des membres. Mais vu l'ambiguïté, j'ai aussi mesuré les têtes des humérus et des fémurs. »

A mesure que Konig parle, les autres se sont rapprochés sans vraiment s'en rendre compte et ils forment maintenant un cercle autour de lui. Le silence s'est fait dans la salle, toute trace de frivolité a disparu, et une fois de plus c'est lui, Konig qui se retrouve dans le rôle du maître face à ses étudiants.

« Pour la tête de l'humérus, j'ai trouvé un diamètre vertical de 48,7 millimètres et un diamètre transversal de 44,6 millimètres. Pour la tête du fémur, j'ai trouvé un diamètre vertical de plus de 48 millimètres. Il s'agit là de mensurations clairement masculines. »

Un frémissement passe sur l'assistance. Des murmures approbateurs. Seul Strang reste toujours renfrogné.

« Pourtant, Paul, s'obstine-t-il, vous n'insinuez pas que ces mensurations suffisent en elles-mêmes à lui attribuer le sexe mâle ?

— Certainement pas, Carl, concède Konig en souriant, plus volubile que jamais. Et j'apprécie votre passion de la perfection et de l'exactitude. »

Cette fois c'est au tour de Strang de déceler la note d'ironie sarcastique dans la voix du patron.

« Aussi, en l'absence de toute preuve plus concluante, reprend Konig, de plus en plus passionné par son sujet, j'ai aussi mesuré le sternum du cadavre.

Comme vous le savez très bien, Carl, la proportion des deux sections principales du sternum est, elle aussi, fonction du sexe. La partie supérieure — le manubrium — est plus grosse par rapport à la partie médiane chez la femme que chez l'homme. Chez l'homme le rapport varie entre 1/2,0 et 1/2,6 et chez la femme entre 1/1,4 et 1/1,9. Bien entendu, vous savez cela, Carl. »

Les yeux de Konig se sont rétrécis et luisent comme des braises. Sa voix cingle comme un fouet :

« J'ai donc mesuré le sternum de ce cadavre et découvert que le rapport du manubrium avec la partie médiane était de 1/2,3. Et comme vous, Carl, le savez mieux que personne, ce résultat dénote un sternum d'homme et non un sternum de femme. »

Cette fois le visage de Strang est livide. Et le sourire insolent qu'avec tant d'assurance il arborait il y a quelques instants encore s'est mué en une expression de gêne manifeste.

« Mais laissons tomber le baratin inutile, les gars, poursuit Konig de plus en plus démonstratif car maintenant il vole à haute altitude et se prépare à fondre sur son objectif pour porter le coup de grâce. Approchez et jetez donc un coup d'œil à la main de ce cadavre. Regardez les ongles si joliment peints qui font que vous pensez tous qu'il s'agit d'une femme; puis regardez comment le vernis a été appliqué. Et dites-moi alors si vous avez jamais vu une femme appliquer son vernis à ongles dans le sens de la largeur et non de la longueur de l'ongle. Depuis quarante ans que je pratique la médecine et en près de soixante ans de vie, je n'ai jamais vu une femme se faire les ongles de cette façon. Les femmes ne s'y prennent jamais comme ça, voilà tout. C'est comme si vous boutonniez vos braguettes en commençant par le bouton du haut. »

Des rires fusent, ponctués de quelques applaudissements.

« Non, messieurs, continue Konig, ce cadavre roué de coups et pathétiquement mutilé que vous voyez là, celui que je baptise Ferde, est un homme — un jeune garçon, de dix-huit ans environ, menu, frêle, affligé d'un petit problème sexuel relativement banal. Il aimait se laquer les ongles, et je suis prêt à parier qu'il prenait également plaisir à s'habiller en fille. »

Le patron gratifie ses hommes d'un sourire rayonnant puis, soudain, son humeur change, et son regard sévère se pose sur Strang.

« Et maintenant, Carl, si ça ne vous fait rien, j'aimerais vous dire un mot. Là-haut dans mon bureau, je vous prie. »

41

« Infiltration leucocytique.

— Où ?

— Précisément là où l'on pouvait s'y attendre — autour des blessures à la tête.

— Je vois... Et maintenant, qu'est-ce qu'on fait ?

— On ?

— Moi. Vous. Peu importe. Qu'est-ce que nous faisons ?

— Nous ne faisons rien. La balle n'est plus dans notre camp, Carl. C'est le procureur qui désormais mène le jeu. Je crois savoir que, dès demain, cette histoire fera la une des journaux. Ensuite, ça sera l'enfer. Je crains bien que nous ne puissions plus que laisser courir. »

17 heures 30. Le bureau de Konig.

« Je suppose qu'on va faire de moi le bouc émissaire, le traître du mélo. »

Impassible et amer, Carl Strang est assis en face de Konig, le visage en partie dissimulé par un pan d'ombre.

« Les journaux ne se tromperaient pas de beaucoup s'ils en arrivaient à cette conclusion, pas vrai, Carl? »

Konig attend qu'il réponde, mais en vain. Aussi reprend-il :

« Quoi qu'il en soit, les journalistes n'ont pas la moindre idée de l'identité du responsable de l'autopsie Robinson. Pas plus que le maire, ni l'adjoint au maire, ni le procureur. A ma connaissance, personne de vraiment important n'est au courant. Et ce n'est pas moi qui ai l'intention de le leur dire. »

Quelques instants, une lueur d'espoir, de soulagement, voire de gratitude, passe dans les yeux de Strang. Pourtant son regard, aigu et fuyant, demeure toujours aussi circonspect.

« J'ai été très clair sur ce point avec l'adjoint au maire, poursuit Konig.

— Merci, Paul. C'est vraiment très chic...

— Non... je vous en prie... »

Les mains de Konig se lèvent, en un geste presque défensif.

« Ne me remerciez pas. Ce n'est pas pour vous que je fais ça. Il s'agit d'une question de politique, la politique qui n'a cessé d'inspirer ce service depuis l'époque de Banhoff. Sauf en cas d'incompétence flagrante, il convient de couvrir ce genre de bavures.

— Je suis d'accord.

— J'ai toujours été convaincu de la sagesse de cette politique et je ne vois pas de raison de la modifier.

— Non, opine docilement Strang. Certainement pas.

— Néanmoins, continue Konig d'un ton froid, je vais être contraint de m'expliquer avec le procureur, et confronté au rapport extrêmement sévère de Carslin, je serai contraint de mentir. Oh! je ne mentirai pas vraiment. Mais il me faudra faire une chose qui pour moi est encore plus méprisable... il me faudra finasser.

— Mais, Paul...

— Non... de grâce... (de nouveau les mains de Konig se lèvent vivement). Laissez-moi finir. Il me faudra finasser et biaiser — non pour vous sauver la mise, ça m'est totalement indifférent, mais pour sauver la réputation du service, qui pour moi compte par-dessus tout. »

Les yeux de Strang se rivent sur le plancher :

« Je suis infiniment désolé, Paul. »

Il affiche l'air d'un gamin déconfit. Mais quand bien même sa déconfiture et son repentir seraient sincères, il s'agit pour Konig d'un repentir bidon, trop rapide et trop facilement provoqué.

« Néanmoins, Carl, enchaîne aussitôt Konig, il me paraît honnête de vous avertir qu'en ce qui concerne ce service, vous êtes fini.

— Fini ? »

Strang se lève d'un bond, glapissant comme un chiot sous un coup brutalement assené. Dans ses yeux quelques instants plus tôt pleins de soumission et de repentir, l'indignation flambe.

« Restez assis, Carl, commande Konig avec un calme de mauvais augure. Je n'en ai pas terminé. »

Muet, confondu, Strang se rassoit, ou plutôt s'écroule dans son fauteuil, les mâchoires frémissantes.

« Je sais que vous vous considérez déjà comme mon successeur, poursuit Konig d'une voix douce. Comme le font d'ailleurs un certain nombre de gens haut placés. Il fut un temps, je l'avoue, où moi aussi, je pensais à vous en ces termes. Je dois vous dire que ce n'est plus le cas.

— Mais écoutez un peu, Paul.

— Voulez-vous bien me laisser terminer ? Vous pourrez ensuite dire votre mot. Comprenez bien... je ne vous demande pas de démissionner. Vous êtes libre de rester parmi nous aussi longtemps que vous le souhaiterez. De faire des autopsies, de la recherche, tout ce que vous voudrez. Tout notre matériel reste à votre disposition. Ou alors, libre de vous faire muter si vous le désirez. Je vous donnerai des recommandations honorables. A vous de décider. Mais je dois vous le signifier de façon parfaitement claire, pour prévenir tout malentendu, si vous restez ici, vous ne serez jamais autre chose que ce que vous êtes en ce moment. »

Strang, bras croisés, demeure figé sur son siège, furibond. Ses yeux clignent rapidement tandis que sa langue court sur sa lèvre inférieure comme une langue de lézard.

Konig l'observe froidement, posément, en proie à un calme olympien.

« Voilà, Carl, j'ai terminé. A vous maintenant.

— Et comment, grince méchamment Strang. Et croyez-moi, j'ai des choses à dire. Mais pas à vous. Je les dirai aux gens qui comptent.

— Comme par exemple au maire ou à l'adjoint au maire, que vous êtes allé voir hier au sujet de ce racket de vol de cadavres qui coûte à la ville un million de dollars par an et que vous avez tenté de me coller sur le dos.

— D'accord, d'accord, hurle Strang. C'est vrai que j'y suis allé. Je ne sais pas si vos espions sont venus vous le raconter ni lesquels, mais je m'en fous.

— Mes espions ?

— Vos espions. Vos informateurs. Appelez-les comme ça vous chante, je m'en fous. Je suis alle trouver le maire parce que j'estimais que la situation était devenue intolérable ici. Et c'est vrai, je vous ai tout collé sur le dos. Vous étiez parfaitement disposé à laisser se poursuivre cette escroquerie minable, histoire de protéger un vieillard...

— C'est exact, dit Konig, un peu surpris et démonté de constater que Strang sait tout sur Angelo. Le vieillard en question a consacré plus de vingt ans de loyaux services à cette maison. Depuis quelques années, il a joué de malchance. Il a eu de gros frais et commis des erreurs. J'ai choisi de fermer les yeux.

— Vous avez choisi de fermer les yeux ? raille Strang en se tortillant sur son siège. Eh bien, moi, j'ai consacré quinze ans de loyaux services à cette maison. Des années de travail ingrat, frustrant, mal payé. Et moi aussi j'ai commis une erreur. Je l'admets. J'ai commis une erreur. Pourquoi ne choisissez-vous pas de fermer les yeux sur la mienne ? »

Un léger sourire passe sur les lèvres de Konig. Comme si Strang avait posé précisément la question à laquelle il s'attendait. Puis il se carre contre son dossier et soupire :

« Si vous n'aviez jamais commis d'autre erreur que d'omettre d'entreprendre ces examens de tissu, Carl, nous n'aurions jamais eu cette conversation. Je me serais contenté de vous passer un savon, et puis j'aurais enterré l'histoire. Mais là où vous avez outrepassé les bornes, c'est en vous pointant chez Emil Blaylock les 7 et 8 mars, avant de revenir ici le 9 pour vous charger de l'autopsie Robinson, en négligeant de faire ces examens. Et ça — quelles que soient les promesses que Blaylock vous a faites —, je le trouve impardonnable. »

Konig se laisse aller contre son dossier et, se balançant doucement, il attend l'explosion. Mais l'explosion ne vient pas. L'impact initial de la bombe Blaylock, dont il attendait un effet foudroyant, ne semble guère avoir affecté Strang. En réalité, il sourit. Puis, chose incroyable, et à la grande consternation de Konig, il éclate franchement de rire. Renversé sur sa chaise, il se tord de rire. Et tout en riant il ne quitte pas Konig du regard. Un regard de franche admiration, le regard dont on considère un adversaire rusé et remarquablement doué.

« Très bien, Paul. Excellent. Chapeau. Vous êtes un homme selon mon cœur. Il n'y a qu'un homme comme moi pour pouvoir apprécier un homme comme vous. »

Konig sourit malgré lui.

« C'est vrai... seul un enfant de salaud est capable d'en flairer un autre. »

Il se met à rire à son tour et pendant quelques instants tous deux gloussent de concert comme de vieux amis.

« Mais, Paul, dit Strang, soudain sérieux, en essuyant ses yeux embués, je dois vous dire que je ne partage pas vos vues pessimistes sur mes perspectives d'avenir. Il y a dans cette Administration un certain nombre de gens très haut placés qui sont résolus à se débarrasser de vous le plus tôt possible et à faire de moi le nouveau chef de l'Institut médico-légal.

— Je n'en doute pas, Carl, concède Konig avec un sourire las. Il en est ainsi depuis vingt-cinq ans. Entre autres, Blaylock.

— Blaylock, oui, entre autres. »

Strang lui renvoie un sourire lourd de méchanceté.

« Ce qui fait que je crains bien, Paul, que vous n'ayez pas le dernier mot. »

378

Il se remet à glousser doucement.

« Non, pas le dernier, Carl, glousse lui aussi Konig. Le premier. Et je peux vous le certifier, avec ce que j'ai maintenant dans mes dossiers contre vous et Blaylock, le problème de votre avancement est définitivement réglé. »

Un long moment après le départ de Strang, Konig demeure immobile, perdu dans la pénombre qui envahit peu à peu son bureau, contemplant avec une curieuse fascination la toile de Lolly, le tableau qui représente Ida et la villa de Montauk. Il se sent bien, assis là paisible dans la demi-obscurité, à attendre que se calme peu à peu le sang qui lui bat les tempes. Il se sent bien, de rester là à contempler la toile d'Ida et de Montauk sans penser à rien d'autre.

« Bonne nuit, docteur. »

La voix rauque et enjouée de Carver l'arrache brutalement à sa rêverie. Elle a passé la tête par l'entrebâillement de la porte et lui fait au revoir de la main.

« Bonne nuit, Carver.

— Allons, docteur, vous devriez rentrer maintenant, l'exhorte-t-elle. Ne restez pas à traîner ici toute la nuit. Allez vous reposer.

— Mais oui, mais oui. »

Elle va s'éloigner, lorsqu'elle se ravise.

« Oh !... il y a eu un coup de fil pour vous cet après-midi, pendant que vous étiez en bas.

— Qui ?

— Il n'a pas voulu dire son nom.

— Oh ? »

Konig dresse l'oreille. Sans savoir pourquoi, il sent ses entrailles se nouer.

« Pas de message ?

— Non. Sinon qu'il rappellerait chez vous ce soir. Quelqu'un de très aimable, de très courtois. Une voix charmante. »

42

« HEIN ?
   — Janos.
   — Hein ?
   — Janos Klejewski. »

19 heures. Une HLM d'Astoria, Queens.

« Votre fils... votre fils Janos », aboie Frank Haggard
à l'adresse d'une silhouette vénérable pareille à une
poupée, qui se penche de l'autre côté d'une porte retenue par une chaîne.

Il se tient dans un couloir mal éclairé où flottent des
relents de chou et de chou-fleur bouillis.

« Quoioioi ? demande-t-elle, en tendant vers lui son
cou décharné et en clignant des yeux pour mieux le
distinguer à travers l'interstice.

   — Janos, beugle Haggard. Janos.

   — Oh !... Janos. »

Les yeux clignotants fouillent la pénombre, scrutent
l'insigne qu'il tient à la main.

« Votre fils, aboie de nouveau Haggard, qui se
penche vers l'oreille tendue et fourre l'insigne sous le
nez de la vieille. Pourrais-je vous dire un mot ?

« — Hein ?

— J'ai dit, pourrais-je vous dire... »

La porte commence à se refermer en couinant et il réussit de justesse à retirer sa main avant que le panneau ne claque.

« Je n'en ai que pour une minute, Mrs. Klejewski », hurle-t-il à travers le panneau, persuadé qu'elle s'est barricadée.

Mais l'instant d'après la chaîne racle dans la rainure et plusieurs serrures s'ouvrent avec un claquement sec. La poignée tourne et la porte s'entrebâille en grinçant. Face à lui dans la pénombre, se tient une créature cassée et flétrie, aux petits yeux en vrille luisants et aux cheveux blancs crépelés, qui par endroits retombent en grosses mèches hideuses et révèlent au-dessous un crâne à la peau blême et marbrée de taches.

Voilà donc ce qui a amené le commissaire ici, sur la foi d'un tuyau transmis par Wershba. Cette petite commère décharnée en robe d'alépine noire, cet épouvantail à la voix de fausset. La mère de Klejewski, le confident et le bras droit de Wally Meacham. Le commissaire s'est aussitôt rendu à Astoria, Queens, de l'autre côté du fleuve, dans ce bloc d'immeubles minables bourrés de taudis croulants, vestige d'un de ces nombreux quartiers poussés comme des champignons au début du siècle, à l'époque où d'innombrables immigrants, fuyant la misère et les persécutions du Vieux Monde, se pressaient sur ces rives pour y chercher un havre d'espoir.

C'était à cette époque un quartier peuplé de travailleurs — des Irlandais, des Allemands, des Polonais, des juifs —, des gens besogneux, forts en gueule, pieux, austères, qui étaient plus ou moins parvenus à s'adapter les uns aux autres et à vivre en paix. Accaparés par leur incessant combat contre leurs ennemis communs, la misère et la peine, ils n'avaient pas le temps de s'entre-déchirer. Puis brusquement ce même quartier, comme tant d'autres aux quatre coins de la ville, avait été bouleversé par un raz de marée de nouveaux immigrants et avait dû absorber les Noirs et les Hispanos, en même temps qu'un flot de drogués. Et maintenant ce quartier est en pleine mutation, une mutation souvent accompagnée de violence.

A l'angle où se dressait jadis le bar O'Malley, sont maintenant installés le stand du marchand de poulet frit et la *bodega* où plane l'odeur de brûlé des gésiers et des *cuchifritos* qui sèchent à la devanture. La charcuterie allemande a été remplacée par une officine de changeur ouverte toute la nuit. Et la boutique de *Delikatessen* kasher est devenue une *iglesia* pentecôtiste à la façade ornée d'un crucifix naïf, presque enfantin, peint en couleurs violentes à même les fenêtres.

L'immeuble où avait grandi Janos Klejewski est du plus pur style 1910. Six étages de brique rouge, façade arrière hérissée d'échelles d'incendie au-dessus d'une impasse où du linge volette tristement dans la brise du soir. Un immeuble jadis solide et paisible, éminemment respectable et dont les habitants étaient fiers. Maintenant, en pénétrant dans la pénombre du hall mal éclairé, au plâtre lépreux et au plafond muni d'une unique ampoule nue à la lueur irréelle, il convient d'être prudent. Vraiment très prudent.

Haggard avait dû craquer une allumette pour dénicher le numéro de l'appartement sur les boîtes aux lettres, puis il avait pris l'ascenseur, dont la cabine tout cuivre et acajou avait dû être superbe, mais n'était plus que ruine. Un désastre. Sur le moindre centimètre carré de la boiserie, les gosses avaient gravé leurs ini-

tiales, en même temps qu'un fouillis de graffiti obscènes et de dessins pornos. La plupart des appliques de
cuivre avaient été arrachées pour être revendues à
des brocanteurs du quartier et le petit réduit puait
l'urine.

« Je cherche votre fils, dit Haggard, en se baissant
pour entrer et en retirant son chapeau.

— Hein ?

— Votre fils... Janos. Janos... vous savez où il est ?

— Hein ?

— Janos », hurle-t-il pour couvrir le vacarme d'une
petite télé qui braille à plein volume et où, sur l'écran,
le présentateur d'une émission de jeux s'agite et se
pavane comme un grotesque bouffon.

La minuscule silhouette ratatinée se traîne clopin-
clopant sur sa canne jusqu'à une chaise longue et s'assoit au prix d'un grand effort. Haggard sonde des yeux
la pénombre, tandis qu'un énorme vieux matou au
pelage bigarré se frotte en ronronnant contre ses
jambes.

« Police ?

— Exact, opine Haggard.

— Moi pas vu Janos depuis longtemps, dit la petite
veuve en branlant doucement du chef.

— Depuis combien de temps ?

— Hein ?

— Ça vous ferait rien de baisser un peu la télé ?

— Hein ?

— Je dis, depuis combien de temps ne l'avez-vous
pas vu ? lui hurle le commissaire dans le creux de
l'oreille.

— Oh ! p't-être bien deux ans. Y s'est sauvé de la
prison. L'avez retrouvé ?

— Non... c'est ce que j'essaie de faire.

384

— Hein ?

— Je dis que j'essaie de le retrouver. Il ne vous téléphone jamais ? Il n'écrit pas ? Rien ?

— Ecrit ?

— Oui. Des lettres ? Des cartes postales ? N'importe quoi ?

— Non, non. »

La vieille dame secoue la tête, avec un sourire navré.

« Lui pas écrire. Pas téléphoner. Rien. Lui mauvais, Janos. Ses frères, ses sœurs. Tous gentils. Bons travailleurs. Janos lui stupide. Mauvais. Toujours des ennuis. A l'école. Avec les filles. Avec la police. Toujours des ennuis. Il a des ennuis en ce moment ?

La vieille dame tend le cou et le regarde en louchant, avec une expression étrangement reptilienne, un regard de créature préhistorique et primitive; comme un lézard qui fouette lentement l'air de sa queue dans un crépuscule précambrien. Ses mâchoires édentées s'agitent inlassablement, mâchant le vide.

« Je n'en sais rien, dit Haggard, dont les yeux balaient la pièce. Il se peut qu'il ait de gros ennuis.

— Hein ?

— De gros ennuis, braille le commissaire. De gros ennuis.

— Ouais, ouais, opine la vieille. De gros ennuis.

— Vous ne l'avez pas vu ?

— Non — pas depuis p't-être deux trois ans.

— Deux ans ou trois ans ?

— Hein ?

— Rien, fit Haggard avec un sourire. Passons. D'accord si je jette un coup d'œil ?

— Un coup d'œil ? »

La vieille, sans cesser de branler du chef, le regarde bouche bée.

« Ouais... un coup d'œil. Un coup d'œil sur l'appartement.

— Un coup d'œil?

— Ouais. Un coup d'œil, répète Haggard avec un geste en direction du fond de l'appartement obscur.

— Sûr. Bien sûr. Allez-y. »

Elle fait un geste brusque, comme pour le congédier. Le commissaire se détourne et la minuscule petite vieille se replonge dans les bruits stupides et les images ineptes du jeu télévisé.

Le fond de l'appartement est occupé par une petite salle de bain ignoble et puante, où un tas de sous-vêtements rosâtres accrochés à un séchoir s'égouttent dans la baignoire. Puis une cuisine, au sol parsemé de soucoupes pleines de lait et de nourriture pour chats, généreusement souillé de crottes à divers degrés de décomposition.

Plus loin se trouve la chambre. Une grande pièce obscure, aux lourds meubles de chêne outrageusement sculptés. Sous un crucifix, un grand lit défait pourvu d'un immense panneau décoré de volutes. Dans un coin, un énorme chiffonnier massif qui a perdu un de ses pieds, étayé par une pile de livres. A côté, une psyché au miroir fêlé. Il n'y a qu'une fenêtre, dépourvue de rideaux et masquée par un store tout de guingois.

Partout plane une odeur de vieillesse, ce mélange de camphre et de médicaments que Haggard ne peut s'empêcher d'associer à l'idée de la mort imminente. De la rue en contrebas, montent les braillements et les cris perçants d'enfants qui s'amusent, puis, soudain, une rafale de mots espagnols lancés d'une des fenêtres au-dessus.

Les yeux du commissaire parcourent vivement la

pièce. Tout à coup il s'approche du placard et ouvre brusquement la porte.

Rien d'autre que des vêtements de vieille dame... des robes noires, deux ou trois cartons à chapeaux, un peignoir en flanelle, un manteau orné d'un col de fourrure mangé aux mites avec ses deux têtes de renard aux petits yeux de perle encore intacts. Rien. Rien d'anormal, se dit-il, en se préparant à faire demi-tour. Pourtant là, sur le plancher, au milieu de plusieurs paires de chaussures noires, des chaussures de vieille femme, impossibles à distinguer les unes des autres, est posée une paire de souliers d'homme. Noirs eux aussi, des souliers de ville, plutôt habillés et qui ne sont pas vieux. Impossible qu'il s'agisse, par exemple, des souliers du défunt mari, ou d'un fils qui aurait quitté la maison depuis longtemps pour se marier. Non, les souliers sont tout à fait neufs, avec les bouts saillants et les hauts talons à la mode chez les jeunes.

Haggard se penche lentement, sort les souliers du placard et demeure quelques instants immobile dans l'ombre à les examiner. Puis tout à coup, sans lâcher les souliers, il regagne le salon où la vieille, installée dans son fauteuil à bascule et tassée sur sa canne, regarde toujours le jeu télévisé. Le présentateur serre maintenant sur son cœur une ménagère hurlante et vaguement hystérique qui manifestement vient de gagner un broyeur à ordures.

« A qui ces souliers ? »

Il les lui brandit sous le nez.

« Hein ?

— A qui ces souliers ? »

Il les lui montre avec de grands gestes emphatiques.

« Hein ? »

La vieille le contemple avec un regard vide, sans cesser d'agiter les mâchoires. Mais il jurerait qu'une fraction de seconde une lueur d'intelligence est passée dans les petits yeux aigus et luisants, et en même temps, quelque chose qui ressemble fort à de la peur.

La seconde d'après, souriant, il se penche comme pour lui parler dans le creux de l'oreille. Mais il n'en fait rien. Les souliers fourrés sous le bras, il claque sèchement des mains tout contre l'oreille de la vieille. Un claquement sec et sonore. Et aussitôt, ses yeux s'élargissent, papillotent, et elle tressaille.

Toujours souriant, Haggard dépose doucement les souliers sur les genoux de la vieille, se redresse et la salue d'un geste :

« D'accord, maman... vous avez gagné. »

43

VIEILLES robes. Vieux corsages. Vieux jeans, rapiécés et passés. Kilts écossais Pantalons de toile. Jupes. Tailleurs — un bleu marine, un autre à carreaux. La robe d'organdi où s'accroche encore le parfum discret des fleurs d'oranger. Une vieille sortie de bain en tissu éponge, qui a perdu ses boutons. Accroché à la porte, un sac à chaussures. Escarpins et sandales. Chaussures de marche. Bottes. Une paire de lourds souliers de golf à semelles de liège achetés lors d'un voyage en Ecosse. Elle les mettait pour ratisser les feuilles mortes en automne. Par terre, des tennis. Des mocassins. Une paire de ridicules pantoufles avachies et ornées de pompons violets.

21 heures 30. La maison de Konig.

Dans la chambre de sa fille, Paul Konig, debout à l'intérieur de la penderie, trie les affaires de Lolly. C'est un grand placard-vestiaire, plein de bonnes odeurs familières. L'odeur des fleurs d'oranger, bien sûr, mais aussi ce mélange caractéristique de savon et d'eau de Cologne qui imprégnait toujours ses cheveux, l'odeur

légèrement animale de la jeunesse en fleur; elles imprègnent encore le placard, s'accrochent aux ombres poussiéreuses et peuplées de mites qui planent au-dessus
des étagères chargées de vêtements.

Konig prend la sortie de bain rapiécée aux boutons
manquants, la plie soigneusement et la range dans un
grand carton, en compagnie d'un tas d'autres vieilleries. Le week-end prochain, il lui achètera une nouvelle
sortie de bain, se promet-il. Il l'emmènera faire des
courses chez Saks ou chez Lord & Taylor. Elle traîne
cette sortie de bain depuis le lycée. Il lui en faut une
neuve. Et ces chaussures dans le sac, toutes fichues.
Toutes éculées et, de plus, certaines sont démodées.
Guère la peine de les faire réparer. Il lui en faudra des
neuves. Tiens, pourquoi pas ces trucs comme en portent maintenant les jeunes filles? Sacrément chouette,
s'esclaffe-t-il. Beaucoup plus chic que de mon temps.

Il soulève le sac à chaussures et entreprend de ranger avec soin les vieux souliers de Lolly dans un autre
carton. Tout en s'activant, il sifflote doucement, en
proie à une bizarre allégresse, parfaitement inexpli-
cable si l'on considère les événements de la journée.
Pourtant, il se sent bien. Soulagé que l'affaire Strang
soit réglée et, chose plutôt bizarre, optimiste en ce qui
concerne Lolly. Oui, Lolly allait s'en tirer. Il n'avait
aucune raison de s'arrêter à cette hypothèse, mais tout
au fond de lui-même, il le savait. Il en avait la certitude, une certitude comme jamais encore il n'en avait
éprouvée.

Ces gens-là n'oseraient pas faire de mal à sa fille. Ils
n'étaient pas stupides à ce point. Oh! bien sûr, il y
aurait des menaces. Ils allaient le faire marcher et exiger une grosse somme d'argent, qu'il était prêt à leur
verser le cas échéant. Mais ils ne feraient pas de mal à

Lolly. N'était-elle pas, après tout, la fille d'un homme passablement influent. Le chef de l'Institut médico-légal de la ville de New York, un homme pourvu de puissantes relations et très lié avec la police. Provoquer la fureur d'un homme tel que lui serait de la témérité. Peut-être allaient-ils le plumer et lui soutirer un assez joli magot, mais ils n'auraient pas la stupidité de faire du mal à son enfant. Jamais la police ne classerait une affaire de ce genre. Oui, il leur verserait l'argent, et eux, ils lui rendraient sa fille. Une affaire relativement simple. Presque banale vu cette époque démente. Qui sait si la police ne finirait pas même par récupérer une partie de l'argent, mais ça, c'était le moindre de ses soucis. Oui, il en était certain — bientôt, très bientôt maintenant, on lui rendrait sa petite fille.

Il sifflote toujours en sortant trois ou quatre paires de vieux jeans, tous dans un état abominable. Qu'ont donc les gosses grands dieux à tant aimer les vieilles hardes ? Seigneur, parole, c'est un vrai culte. Au point de les acheter tout dégueulasses et déjà déchirés. Il éclate de rire et les fourre dans un coin sur un tas d'autres vieilleries destinées à filer à la poubelle dès le lendemain.

Pourtant, tandis qu'il s'active en sifflotant, avec un meilleur moral qu'il ne s'est senti depuis des semaines, voire des mois, quelque chose le ronge. Un vague malaise lui pèse sur l'estomac; une crainte obscure lui serre la poitrine. Il attend que le téléphone sonne. Depuis qu'il a passé sa porte ce soir, il attend qu'il sonne. Mais il n'a pas conscience d'attendre, car il ne se rend pas compte qu'il tend l'oreille, que tous ses nerfs sont crispés, son corps prêt à bondir à la première sonnerie. Il y a des heures, en fait, qu'il attend

cette voix — comment Carver l'a-t-elle décrite déjà :
« Une voix douce, charmante... il rappellera ce soir chez
vous. »

Pourtant, ce n'est pas à cela qu'il pense depuis son
retour. Il ne cesse de penser à elle. A ce qu'il éprouvera
quand elle sera rentrée. A ce qu'il va faire pour l'aider à
oublier. Peut-être feront-ils un voyage. Le printemps
est de retour et il fait beau, pourquoi ne partiraient-ils
pas tous les deux quelque part. C'est la saison idéale
pour visiter l'Europe ou, pourquoi pas, l'Asie. Lolly et
Ida avaient toujours eu envie de voir l'Asie. C'était lui
qui n'avait jamais voulu en entendre parler. Comme
toujours il y avait une quelconque conférence qui l'appelait en Angleterre, ou bien en France ou en Alle-
magne. Si bien que c'était immanquablement là-bas
qu'ils finissaient par échouer. Après tout, c'était plus
civilisé, leur disait-il. Moins de risques de tomber
malade. L'Asie est un coin dégueulasse. La nourriture
est impossible, et en outre, il y fait une chaleur abominable. Aussi, en fin de compte, se rangeaient-elles toujours à ses raisons. Il gagnait, il gagnait toujours. Seigneur — quel égoïste, quel insupportable salaud il
avait été. Eh bien, désormais, tout allait changer.

Brusquement il pivote, les yeux rivés au plancher.

« Qu'est-ce que c'était que ça », murmure-t-il à mi-voix,
persuadé d'avoir entendu un téléphone sonner. Mais
non. Du moins pas chez lui. Peut-être en face, chez les
Cruikshank.

Il se plonge de nouveau dans ses cartons et ses
hardes, mais le cœur n'y est plus. Il ne tarde pas à se
sentir un peu fatigué. Cette affaire Strang — sale histoire. Moche, désagréable. Mais il est content que ça
soit réglé. Il y a des années qu'il aurait dû le faire. Pour
purifier l'atmosphère. Il n'avait jamais aimé Strang.

Assez compétent comme médecin. Mais négligent. Aucune passion pour son travail. Dans le fond, il s'en fout. Un ambitieux, c'est tout. Un opportuniste obsédé par sa petite carrière. Y a que ça qui compte pour lui. Tous pareils, ces jeunes — ils ne pensent qu'à gagner. Aucune passion. Bien content que ça soit réglé. Pourtant il connaît Strang et il sait que l'affaire ne fait que commencer. Il ne restera pas au tapis. Probable qu'en ce moment même il complote au téléphone avec ses potes les gros bonnets de la mairie. Mais ça ne lui servira à rien. Peut-être que vendredi le maire aura ma tête, mais Strang ne sera jamais mon successeur. Strang ne sera jamais le chef de l'Institut médico-légal de New York. Même en me passant sur le corps, il n'y arrivera pas.

« Et ça, nom de dieu, qu'est-ce qu'elle pouvait bien en faire? » marmonne-t-il, en extirpant une petite culotte transparente faite d'un tissu brillant; il la tend vers la lumière et secoue la tête.

« Seigneur Dieu, s'esclaffe-t-il, voilà un côté d'elle que je ne soupçonnais pas. »

Et soudain le téléphone sonne. Et cette fois ce n'est pas dans sa tête, mais quelque part dans la maison. Cette sonnerie, il a tellement souhaité l'entendre que maintenant qu'il l'entend enfin, il doute qu'elle soit réelle. Ou du moins, il n'en comprend pas le sens. Au contraire, il reste là stupéfait et perplexe, tandis que la sonnerie persiste dans sa chambre au bout du couloir.

Puis, finalement, il en saisit la signification. Il tressaille et, l'instant d'après, il se met en mouvement, il marche, puis il court, court littéralement. A l'angle du couloir qui mène à sa chambre, il trébuche, s'écorche le genou, se retient de justesse, puis se cogne durement la mâchoire contre la table de chevet. Ses dents s'entrechoquent et il reste quelques instants au plancher, les mains crispées sur le genou, le front glacé et engourdi, et il voit trente-six chandelles. La sonnerie, pareille à une pulsation, vrille implacablement la pénombre de la pièce. Terrifié à la pensée qu'elle va peut-être s'arrêter, il se lève en titubant et se traîne lourdement jusqu'à l'appareil. Il ne faut pas qu'elle s'arrête. Il ne faut pas.

« Allô. Allô.

— Docteur Konig?

— Lui-même. »

Un silence, puis soudain, l'horrible cri. Un premier, puis un deuxième. Un son aigu, torturé, la voix d'un petit animal que l'on massacre.

« Allô, hurle Konig. Allô. »

Un souffle lui répond; quelqu'un respire au bout du fil, mais sans parler. De nouveau un hurlement. Un interminable gémissement plein d'une horreur indicible, et les cheveux de Konig se dressent sur sa tête.

« Laissez-la tranquille, hurle-t-il, une note de prière dans la voix. Bande de salauds. Laissez-la tranquille. »

Un nouveau silence; la respiration est toujours là, à l'autre bout du fil, puis un nouveau hurlement, abominable. Un son tellement horrible, tellement terrifiant, qu'il lui faut à tout prix le faire cesser. Il faut qu'il se l'arrache de la tête.

Il plaque de toutes ses forces le combiné sur le berceau et reste tapi tout tremblant sur son lit, les oreilles encore déchirées par le hurlement, avec, chose étrange, un goût de sel dans la bouche. Il ne se rend pas compte qu'il s'est cassé une dent et que le sang suinte.

Quelques minutes plus tard la sonnerie reprend. Avec autant de violence qu'il a raccroché, il empoigne l'écouteur; et, de nouveau, le même son affreux, hideux.

« Laissez-la tranquille. Je vous en prie. Je ne sais pas

qui vous êtes, mais je vous en supplie. Laissez-la tranquille. Je paierai. Je vous donnerai tout ce que vous
voudrez. *Tout ce que vous voudrez.* Mais cessez de lui
faire du mal. »

Soudain le hurlement cesse, aussi brusquement qu'il
avait commencé. Et il reste là, le front luisant de sueur,
la bouche envahie d'un flot de sang qui peu à peu
imbibe le couvre-lit.

« Bonne nuit, docteur Konig », chuchote au bout du
fil une voix raffinée.

44

Nuit interminable. Nuit de coups de téléphone. Nuit de
téléphones qui sonnent. Nuit passée à appeler et à
attendre qu'on rappelle. Le préfet de police, un vieil
ami de Konig. Très calme, très raisonnable. Compatissant. Il prêche la patience : « Oui, toute la police s'en
occupe... nos meilleurs hommes sont sur l'affaire... l'enquête fait des progrès rapides... tout ça sans tapage...
très discrètement. Ne bougez pas de chez vous, Paul. »
Puis un coup de fil à Washington, au F.B.I.; et, vers
minuit, nouveau coup de fil à New York, à son ami le
chef du bureau local du F.B.I. qu'il avait tiré du lit. Il
n'y avait pas plus d'une semaine qu'il lui avait parlé et,
cette fois, il devine une pointe d'impatience dans sa
voix. Et même une vague irritation :
   « Oui, nous avons des pistes. Rien de précis, attention, mais on vérifie tout. Et on les suit. Ces types sont
manifestement pleins aux as. Leurs techniques sont
plutôt sophistiquées. Une masse de preuves, qui toutes
démontrent que derrière toute une série de rapts surve-
nus ces dernières années, le cerveau était le même —
Meacham —, méthodes identiques. Toujours sous des
noms différents. Une montagne de renseignements.
Des archives. Des dossiers. Des rapports de police. On

est en train de tout pointer, de tout analyser. On commence à y voir clair, tout ça prend corps. S'il a pris contact avec vous, sûr que nous aurons quelque chose de concret d'ici une semaine ou deux.

— Une semaine ou deux ? » murmure Konig, en laissant le combiné retomber sur le berceau, la nuque et les aisselles inondées de petites nappes de sueur froide. Et Lolly — ce hurlement affreux qui ne cesse de retentir dans sa tête.

Les mains tremblantes, il feuillette fébrilement un carnet d'adresses posé sur la table de chevet. Il trouve le numéro personnel de Haggard, le forme. Obtient un faux numéro. Une voix irascible lui répond. Une voix arrachée au sommeil et qui vomit encore des jurons, des obscénités, lorsque Konig s'excuse et raccroche. Nouvel essai. Cette fois, une voix calme, un tant soit peu inquiète, lui répond, une voix de femme habituée à entendre le téléphone sonner à des heures impossibles.

« Oh ! oui, docteur Konig. Frank est ici. »

Et aussitôt Konig, hors d'haleine, haletant, s'épanche dans l'appareil. Frénétique. Incohérent. Conscient que ses propos n'ont ni queue ni tête.

« Ne bouge pas, dit le commissaire. J'arrive.

— Merci, Frank. Merci. »

Il a déjà raccroché qu'il continue à répéter « merci ».

Et soudain il est seul, et le silence de la maison se referme sur lui. Il reste assis sans bouger, terrifié par le silence, sans savoir quoi faire. Inondé de sueur, le corps tendu comme un ressort, il attend, raide, très droit, sans savoir ce qu'il attend. Peut-être que le téléphone sonne. Redoutant qu'il sonne. Redoutant qu'il ne sonne pas.

Il passe dans la salle de bain et avale deux Librium, et soudain, pour la première fois de la nuit, il aperçoit son visage dans le miroir accroché au-dessus du lavabo et il prend peur. Il prend vraiment peur. Grisâtre, hagard, il a tout d'un dément, avec une croûte de sang séché au coin de la bouche, et au pli du menton, une ligne qui part en oblique et rejoint son col de chemise taché de sang coagulé. Alors prudemment, comme un homme qui craint d'avoir mal, il passe sa langue sur l'arête de sa dent brisée au fond de sa bouche. De plus, à l'intérieur de sa bouche, il sent une vilaine écorchure dans la chair tendre de la paroi interne de sa joue, où sa dent s'est enfoncée sous la violence du choc. Mais ce qui l'inquiète le plus, c'est cette teinte bleuâtre qui marque ses lèvres. Cet horrible bleu de la cyanose.

Konig regagne sa chambre à pas lourds, toujours tout habillé, s'étend de tout son long sur le lit et reste là, pantelant, comme un animal hors d'haleine et traqué.

Il est exténué de fatigue, mais il lui est encore plus pénible de rester couché que de se lever. Il faut qu'il se lève, qu'il agisse. Qu'il parte à sa recherche. Elle est quelque part. Quelque part, là, dehors. Mais il ne peut partir. Haggard va arriver. Pourquoi, en fait? Dans quel but? Inutile. Parfaitement inutile.

Puis tout à coup un nom, pareil à une bribe de mélodie inexplicablement resurgie, lui traverse l'esprit. Ginny — Virginia. Impossible de retrouver son nom de famille. Mais elle habitait Riverdale. La meilleure amie de Lolly. Des copines de lycée; et plus tard d'université. Comme les deux doigts de la main depuis au moins dix ans. Peut-être sait-elle. Peut-être Lolly l'a-t-elle appelée d'un endroit quelconque. Pour lui demander de l'aider. Elle l'aura contactée, pour essayer de lui emprunter de l'argent. Peut-être sait-elle quelque chose. Un petit détail. Un indice qui permettrait de la retrouver. N'importe quoi. Oh, mon Dieu, comment s'appelait-elle donc, déjà.

De nouveau la chambre de Lolly. L'annuaire du lycée de Fieldston. Il feuillette fébrilement les pages. Une liste de toutes les élèves avec leurs photos :

« Où est-elle? Nom de dieu comment s'appelait-elle donc? »

Il feuillette, revient en arrière, recommence. Tout à coup, enfin, un visage rayonnant, rond, un peu poupin. Cheveux blonds, yeux rieurs.

ALCOTT, VIRGINIA
Surnom : Beanie.
Devise : Peut-être casse-pieds, mais jamais bonnet de nuit.
Ambition : le Droit.
Ecole : Barnard.

Konig regagne en toute hâte sa chambre, rafle l'annuaire, survole la liste des A. Alcott, Nathaniel. Oxford Avenue. Riverdale. Pas d'autre Alcott à Riverdale. Hors d'haleine, en nage, il compose le numéro. Trois sonneries, enfin la voix d'une standardiste qui veut savoir quel numéro il demande, puis l'informe que l'abonné a déménagé pour Hartford, Connecticut et s'est vu attribuer un nouveau numéro, qu'elle lui donne. En griffonnant le numéro, il casse la pointe de son crayon et, de rage, grave littéralement les chiffres avec le bois sur le bloc.

Une fois de plus il compose un numéro, en proie à la même hâte démente, furieuse, et ses doigts volent sur le cadran, se coincent dans les trous.

Un homme répond. Une voix rude, bourrue, bien que nullement grossière. Vu l'heure tardive, lui aussi, comme tout à l'heure Mrs. Haggard, se montre circonspect.

« Ginny ? Seigneur. Vous doutez-vous de l'heure qu'il est ? »

Konig, frénétique, se dit à lui-même, Seigneur Dieu, il me prend pour un de ses soupirants. Il s'excuse. Essaie d'expliquer, conscient d'avoir tout gâché. Des propos déments.

« Le docteur Konig, répète-t-il une nouvelle fois. Le père de Lauren Konig.

— Le père de Lauren ? »

Silence éloquent.

« Oui... il faut absolument que je parle à votre fille. »

Nouveau silence; cette fois Konig croit sentir la consternation et la perplexité de son correspondant. Puis à l'arrière-plan, une voix de femme, des chuchotements étouffés. Il est manifeste que l'homme a plaqué la main sur le micro.

« Un instant, docteur. Je vous passe ma femme. »

Encore un silence, tandis que le cœur de Konig cogne à grands coups irréguliers dans sa poitrine. Puis la femme.

« Oui, docteur Konig. Je me souviens très bien de vous. Des ennuis ?

— Lauren... disparue... Oui, depuis près de six mois. Oui... oui, je le crains. Oui. Mrs. Konig est décédée. Oh ! vous le saviez ? Oui... il y a plus d'un an. Oui. »

Il essaie désespérément d'expliquer ce qui est arrivé à Lolly. Une fois encore, il tient des propos incompréhensibles. Incohérents :

« Je me suis dit que Virginia saurait peut-être quelque chose. Qu'elle avait peut-être appris quelque chose. Sa meilleure amie, vous comprenez.

— Oui, bien sûr. Mais je ne pense pas qu'elles se

400

soient vues ces dernières années. Pas depuis qu'elles ont décroché leurs diplômes en tout cas. Ginny est à Saint Louis maintenant. Mariée. Elle attend un bébé. »

Konig essaie de s'arracher un commentaire de circonstance. Pourtant tout ce qu'il veut, ce qu'il lui faut à tout prix, c'est son numéro.

« Pensez-vous que je puisse l'appeler ?

— Maintenant ?

— Oui. Je vous en prie.

— Il est très tard, docteur. J'ai peur de l'inquiéter.

— Il s'agit d'une sorte... d'une urgence. »

Elle sent qu'il se prépare à la supplier.

« Oui, bien sûr, dit-elle enfin, toute réticence vaincue et à son tour un peu effrayée. Un instant. Je vous cherche le numéro. »

Et une fois de plus, inondé d'une sueur fébrile, il compose un numéro. Les lignes chantent à travers le continent. Voix de standardistes, bavardages intermittents d'inconnus lointains, captés un bref instant dans le fouillis des lignes. Puis un bourdonnement étrange, sans écho, qui signifie qu'à près de deux mille kilomètres de distance, un téléphone sonne. Enfin la voix perplexe, quelque peu inquiète, d'une jeune femme qu'il a connue tout enfant, qu'il se souvient avoir souvent vue chez lui, dans sa cuisine, ou dans sa cour, accrochée tête en bas à un portique. En même temps que sa propre enfant, il l'a vue passer du lycée à l'université, et maintenant, elle est sur le point d'être mère.

« Virginia ? Allô, Virginia. »

Il lutte pour maîtriser le tremblement de sa voix, parvient presque à paraître enjoué.

« Virginia Alcott ?

— Oui, elle-même.

— Ici Paul Konig.

— Qui ?
— Le père de Lauren.
— Oh ! oui, bien sûr. »

Rire. Soulagement. Pourtant, l'angoisse n'a pas disparu.

« Docteur Konig. Comment allez-vous ?

— Je vais très bien... Virginia, il ne faut pas vous inquiéter, dit-il doucement, se rappelant l'heure et l'état de la jeune femme, puis comprenant que ses efforts pour la rassurer n'ont bien entendu servi qu'à l'inquiéter davantage.

— Il est arrivé quelque chose ?

— C'est pourquoi je vous appelle. Voyez-vous, Lauren...

— Lauren ?

— Oui... je crains qu'elle n'ait disparu.

— Disparu ? Oh ! mon Dieu. »

Il s'efforce de tout lui raconter, de façon sensée cette fois, présente les détails dans leur chronologie logique et devine que la jeune femme saisit d'emblée la situation.

« Elle n'a pas tenté d'entrer en contact avec vous ? Vous n'avez reçu ni coup de fil ni lettre ? Rien du tout ?

— Non. Il y a à peu près deux ans que je ne lui ai pas parlé. Et à ce moment-là, elle vivait encore chez vous.

— Oui, bien sûr », murmure-t-il, écrasé, accablé par la déception, bien qu'en fait il n'ait jamais vraiment cru que la jeune femme serait à même de lui communiquer le moindre renseignement utile...

Quelques instants, il se sent envie de lui raconter le reste... l'histoire Meacham... les hurlements au téléphone. De tout lâcher. De partager son fardeau avec quelqu'un. Mais il ne peut infliger ça à cette jeune femme en un pareil moment. D'autant plus que, déjà, il devine le chagrin qui perce dans sa voix.

« Je n'arrive tout simplement pas à croire qu'elle se

soit enfuie de cette façon, poursuit la jeune femme d'une voix agitée. Sans une lettre. Sans un mot d'explication. Ça ne lui ressemble pas du tout. Avez-vous prévenu la police ?

— Oui, bien sûr... »

Sa voix se meurt.

« Merci, Virginia.

— Puis-je faire quelque chose ?

— Non. Je crains bien que non. Contentez-vous de prier, ajoute-t-il, le premier surpris de s'entendre dire une chose pareille.

— Elle a toujours été si bonne, si aimable, dit la jeune femme, sans se rendre compte qu'elle parle au passé. Je pouvais toujours tout dire à Lauren. Elle était comme une sœur pour moi. Vous êtes sûr que je ne peux rien faire ? »

Cette fois, abandonnant toute fausse honte, elle donne libre cours à son chagrin et il se sent ému.

« Non... rien, dit Konig, qui lutte pour contrôler sa propre voix. Rien à faire. Rien à faire.

— Elle reviendra. Je sais qu'elle reviendra.

— Oui... moi aussi je le crois », dit-il.

La jeune femme pleure maintenant sans retenue. Et soudain, lui aussi. Ils pleurent tous les deux, là, au téléphone. L'éloignement et la distance leur facilitent les choses. Ils partagent le même chagrin.

« Si bonne. Si gentille. Une vraie sœur pour moi.

— Je n'avais pas l'intention de vous inquiéter, vous savez.

— Ce n'est rien. Rien du tout. Mais je suis navrée de ne pouvoir...

— On m'a dit pour le bébé. Félicitations, s'esclaffe-t-il comme un idiot. Retournez vous mettre au lit maintenant. Vous avez besoin de vous reposer.

— Oui... désolée. Désolée.

— Allez vous recoucher. »

Elle pleure toujours lorsqu'il raccroche.

A deux heures du matin, Haggard arrive. Il a passé un imper tout taché sur sa veste de pyjama. Son pantalon est enfilé à la diable, son feutre perché de façon grotesque sur la nuque. Il repousse Konig et fonce vers la bibliothèque.

« Seigneur Dieu. Quelle heure impossible. Tu as quelque chose à boire ? »

Ils restent quelques minutes assis là sans rien dire, à boire de grandes rasades de scotch pur. Konig s'en envoie trois coup sur coup, à la façon d'un homme en proie à une violente rage de dents et qui essaierait de tuer la douleur.

« Raconte-moi ce qu'il a dit », fait enfin Haggard.

Il note que les mâchoires de Konig sont moins crispées et devine que le scotch commence à faire son effet.

« Il n'a rien dit.

— Rien ? Rien à propos de l'argent ? De la rançon ?

— Rien. Rien que le hurlement. »

La voix de Konig monte de la pénombre et elle paraît lointaine.

« Tiens, prends encore un verre. »

Le commissaire incline la bouteille et remplit sans lésiner le verre de Konig.

« Bien entendu, il ne sera pas resté assez longtemps en ligne pour qu'on puisse le repérer, pas vrai ?

— Pas plus d'une ou deux minutes. »

Konig avale son scotch d'un trait et frémit de la tête aux pieds.

404

« Il a appelé deux fois.

— Deux fois ?

— La première fois, j'ai raccroché.

— Tu as raccroché ?

— Pas pu supporter ce hurlement. Ce maudit hurlement. J'ai pas pu le supporter. »

Konig avale une longue rasade et tend la main vers la bouteille, mais, cette fois, il se sert lui-même. Haggard, l'air grotesque avec son feutre et sa veste de pyjama, ne le quitte pas des yeux.

« Ce hurlement...

— Et alors ? grommelle Konig, dont la voix et les gestes deviennent de plus en plus vagues, de plus en plus flous.

— Ça aussi, ça pourrait être bidon, tu sais.

— Bidon ? »

Le mot a brusquement tiré Konig de son hébétude.

« Mais oui. Suffit qu'une copine hurle dans l'appareil à un signal donné. Un coup monté. Histoire de te faire croire qu'il s'agit d'elle. Histoire de te faire mollir.

— Oh ! ouais ? s'esclaffe Konig d'une voix rauque où passe comme un fantôme de sa truculence habituelle. Eh bien, d'accord, je suis ramolli. Je paierai. Suffit qu'ils me disent combien ils veulent et où ils le veulent. Je paierai. Bon dieu... je paierai n'importe quoi. Et avec joie, je ne demande que ça.

— Très bien, fait Haggard qui se lève. Et maintenant si tu allais te fourrer au lit ?

— Au lit. Qu'est-ce que j'en ai à foutre de mon lit ? Quand ma gosse est là-bas et que... »

La voix de Konig se fêle et il se détourne, s'enfonce de nouveau dans la pénombre.

« La torturer comme ça. Enfants de salaud. Pourquoi... pourquoi... »

Gêné, le commissaire se détourne et gagne discrètement le fond de la bibliothèque; les yeux rivés sur les rayons garnis de livres, il s'arrête de temps à autre comme pour examiner les titres, feignant de ne pas entendre les sons lugubres qui montent de la pénombre.

« Allons, fait-il au bout de quelques instants. Monte te coucher. Tu as une tête de déterré. Et nom de dieu, qu'est-ce qui est arrivé à ta bouche ? On dirait que quelqu'un t'a flanqué une beigne en pleine gueule. Allons va. Moi je vais rester ici à siroter ton scotch. C'est pas chez moi que je peux en boire d'aussi bon. »

Il contourne le bureau et avance la main vers la silhouette tassée sur son siège, comme plongée dans l'hébétude.

« Viens. Je vais t'aider à monter.

— Bas les pattes, espèce de salaud. Pas question que je me mette au lit.

— Allons. Allons. »

Haggard éclate de rire, empoigne la lourde silhouette effondrée et la force à se redresser.

« Fous-moi la paix. Fous-moi la paix. Je n'irai pas me coucher, je te l'ai dit. »

Le commissaire rit de nouveau, plus fort, et coince la grande carcasse de l'autre contre sa hanche.

« Espèce d'enfant de salaud, braille Konig en se laissant peu à peu entraîner vers l'escalier, puis jusqu'au premier. Lâche-moi. Je te dis de me lâcher, espèce de salaud.

— A la bonne heure, vieux. »

Le rire de Haggard, son grand rire d'Irlandais, fuse et se répercute dans le silence sinistre de la maison.

« Cette fois, mon gars, je te reconnais bien. »

45

CHEF DE L'INSTITUT MÉDICO-LÉGAL COMPROMIS DANS CAMOUFLAGE DU SCANDALE DE LA PRISON DES TOMBS; LE MAIRE RÉCLAME UNE GRANDE ENQUÊTE.

The New York Times

VOL DE CADAVRES : ESCROQUERIE DE TROIS MILLIONS DE DOLLARS A L'INSTITUT MÉDICO-LÉGAL DE NEW YORK.

Daily News

**Jeudi 18 avril. 9 heures 15.
Bureau du médecin-chef légiste.**

Prostré dans son fauteuil, Paul Konig contemple distraitement les journaux du matin qui jonchent son bureau, à l'endroit même où il les a jetés en arrivant, à sept heures quinze; Haggard ne l'avait pas quitté de la nuit et s'était chargé de le ramener de Riverdale.

« Chef de l'Institut médico-légal compromis... » Une nouvelle fois, ses yeux effleurent la première page du *Times.* Sa photo est là, et il l'examine pour la forme, avec une sorte de morne indifférence, comme si le visage appartenait à quelqu'un d'autre, un parfait inconnu, un imbécile qui se serait fourré dans un affreux pétrin. Même son nom, qui pourtant revient fréquemment dans l'article, lui paraît curieusement étranger. Il ne parvient pas à l'associer à sa propre personne.

Il n'avait pas fermé l'œil de la nuit. Haggard l'avait mis de force au lit, avait éteint la lumière et fermé la porte. Mais malgré la demi-bouteille de scotch qu'il avait avalée, il n'avait pas dormi. Il s'était assoupi par à-coups, jamais plus de quelques minutes, mais n'avait pas dormi. Au petit matin, la pluie s'était mise à tomber à torrents. Il était demeuré un long moment immobile dans l'aube grise, à l'écouter crépiter sur le sol; plus tard, lorsqu'elle s'était arrêtée, il était resté à écouter les arbres qui s'égouttaient lugubrement tout autour de la grande maison Tudor. Mais rien, aucun son, rien n'aurait pu arrêter, ni même étouffer, le hurlement qui persistait dans son crâne. Il ne pouvait rien faire d'autre que de rester couché là, crispé sous ses draps, inondé d'une sueur froide, le sang.lui martelant les tempes à grands coups, en s'efforçant de ne pas entendre les cris, guettant les premières lueurs de l'aube grise entre les lamelles des stores.

A cinq heures, il s'était levé, mal reposé, la tête lourde, s'était dépouillé de ses vêtements qu'il portait depuis le mardi, puis avait pris une douche et s'était habillé. En bas, il avait trouvé Haggard endormi dans un fauteuil, blotti sous son imper, son feutre gris rabattu sur les yeux et le nez, bouche grande ouverte.

Ils s'étaient fait du café et, à six heures, ils s'étaient mis en route pour regagner le centre dans la voiture de Haggard. Le commissaire l'avait déposé au bureau puis était rentré chez lui pour changer de chemise et de cravate.

408

« Si tu reçois un nouveau coup de fil, tu me préviens aussitôt, lui avait-il recommandé avant de démarrer. Surtout ne tente rien tout seul. »

Konig avait marmonné quelque chose et était entré.

Dans son bureau, au milieu de l'habituel amas de courrier, l'attendaient plusieurs messages reçus pendant la nuit par le gardien et qui le priaient de téléphoner à *Newsweek* et au *New York Magazine;* le *New York Magazine* se proposait de faire un article en deux parties sur « le racket des cadavres de la morgue ».

Les reporters de la 2e et de la 5e chaîne désiraient le rencontrer pour prendre sa photo, vraisemblablement dans l'intention de le clouer au pilori dans le bulletin d'information du soir, à propos du « camouflage du scandale des Tombs ».

« Chef de l'Institut médico-légal compromis dans... » Une fois de plus, ses yeux effleurent tristement la manchette du *Times,* mais il y a beau temps qu'il s'en fiche.

Mou, hébété, comme après une nuit de bringue ou des doses massives de Librium, il s'est vaguement rendu compte que de l'autre côté de la porte le rythme de l'activité quotidienne se précipitait, que l'immeuble renaissait à la vie. Il décide enfin de s'attaquer à son courrier, mais ses mains tremblent tellement qu'il ne parvient pas à ouvrir les enveloppes. Pourtant, il les feuillette une à une, sans en omettre une seule, dans l'espoir d'y trouver quelque chose. Un message assorti d'instructions. Quelque chose à propos de Lolly.

Mais il n'y a rien. Rien que des factures, des programmes de conférences médicales aux quatre coins du monde et, bien sûr, l'habituelle avalanche de lettres, lettres de collègues qui sollicitent ses conseils, lettres d'universités et de fondations qui lui demandent sa collaboration. Puis une longue enveloppe blanche sur papier de luxe frappé d'un en-tête somptueux : Graham, Dugan, Lamont, Peabody. Un cabinet d'avocats de Madison Avenue qui représentent la famille de Linnel Robinson et réclament à l'Institut médico-légal et à la ville de New York trois millions de dollars de dommages et intérêts.

« Modestes, pas vrai? marmonne Konig. Grand Dieu, ces fumiers ne perdent pas de temps pour passer à l'attaque. »

Il se fourre le premier cigare de la journée dans la bouche.

Puis c'est Carver qui entre d'un pas affairé pour lui apporter son café, l'air anxieux et circonspect. Elle ne sait rien de l'histoire Lolly, mais elle aussi a lu les journaux du matin :

« Ils... ils sont là, vous voulez leur parler ?

— Qui ça « ils » ?

— Les types de la télé. Ils ont de nouveau rappelé.

— Dites-leur d'aller se faire voir.

— Quoi ?

— Rien. Dites-leur que je ne suis pas là. Dites-leur que je suis chez le dentiste.

— Le dentiste ?

— Parfaitement. Je me suis cassé une dent. J'ai rendez-vous chez le dentiste dans la matinée.

— Vous serez absent toute la matinée ?

— C'est ce que je viens de vous dire, non ? gronde-t-il furieux, mais depuis douze ans qu'elle travaille sous ses ordres, elle a appris à ne pas prendre ses fureurs au tragique.

— Et les autres ?

— Qui ça les autres ?

— Les journalistes.

— Dites-leur d'aller tous se faire voir eux aussi.

410

« — Et Flynn ?

— Comment ça, Flynn ?

— Lui aussi a appelé.

— Pourquoi ne le disiez-vous pas ?

— Je l'ai dit. »

Marmonnant de fureur, elle contourne dignement le bureau, extirpe du fouillis de paperasses une petite feuille de bloc et la lui fourre sous le nez.

« Oh ! bafouille-t-il,... eh bien, vous auriez pu me prévenir.

— Mais, bonté divine... c'est ce que je viens de faire, non ? gémit-elle d'une voix lasse. C'était là, en plein sous votre nez.

— Qu'est-ce qu'il veut ?

— Ce qu'il veut, s'exclame-t-elle incrédule, le souffle coupé. Dites-moi un peu comment je pourrais savoir ce qu'il a en tête à une heure pareille ? » demande-t-elle ; soudain elle se rend compte à quel point il est épuisé.

« Pourquoi ne rentrez-vous pas chez vous. Je me charge de m'occuper de tout ça... ajoute-t-elle en désignant d'un geste méprisant la pagaille qui jonche son bureau.

— Il a dit qu'il rappellerait ?

— Oui, dans une demi-heure. »

Le téléphone sonne dans son bureau.

« Tenez, je parie que c'est lui, dit-elle en se dirigeant vers la porte.

— Laissez, lui lance Konig. Je vais prendre la communication. »

Son cigare est éteint et déjà refroidi ; il se le refourre dans la bouche et décroche.

« Ici Konig.

— Bonjour, docteur. Je viens de lire ce que ces petits marrants de journalistes racontent sur votre compte.

— Qu'est-ce que vous me voulez, Flynn ?

— Jolie photo, celle que publie le *News*.

— Faites-moi grâce de vos gags, voulez-vous ? Au fait. J'ai pas le temps ce matin.

— Allons donc, pas le temps ? glousse Flynn dans l'écouteur. Dès que les gens deviennent célèbres et que leurs portraits s'étalent dans les journaux, voilà qu'ils ont trop à faire pour écouter les vieux amis, le temps leur manque. Ecoutez, j'ai eu un coup de fil de Fort Bragg ce matin.

— Oh ?

— Ces empreintes que je leur ai envoyées, celles qui en principe appartenaient à Browder ?

— Ouais ?

— C'était pas les siennes.

— Pas les siennes ?

— C'est ce que je vous dis, non. Les types de Bragg les ont comparées à celles qu'ils avaient dans le dossier de Browder, et ce ne sont pas les siennes.

— Chouette, marmonne Konig d'une voix lasse. Ce qui veut dire qu'on se retrouve à zéro.

— J'ai dit ça, moi ? s'esclaffe Flynn, soudain enjoué et sur ses gardes. Vous vous souvenez des empreintes que vous avez prises sur ces jolis petits doigts de femme ?

— Ouais ? Et alors ?

— J'espère que vous êtes assis ? raille Flynn d'une voix ravie.

— Allons, Flynn. Vous laissez tomber le baratin, oui ? Continuez. »

Flynn s'esclaffe de nouveau. Son rire a quelque chose de mordant. Une note de sarcasme triomphant.

« Les empreintes que vous avez prises appartenaient à un dénommé Ussery.

412

— Ussery ?

— Soldat Billy Roy Ussery de Seven Parishes, Louisiane. Lui aussi, comme Browder, un ancien de la compagnie G, 82ᵉ division aéroportée, Fort Bragg, Caroline du Nord. »

Les deux hommes restent un instant silencieux, chacun d'eux guettant la respiration de l'autre.

« Nom de dieu ! s'exclame enfin Konig en secouant sa torpeur, comme un homme qui se réveille. Comment ont-ils déniché ça ?

— Je vous l'ai dit. Ils ont comparé les empreintes qu'on leur a envoyés avec celles du sergent Browder et ça ne collait pas.

— Et alors ?

— Alors ils les ont comparées avec celles de l'autre, celles d'Ussery, et c'était les mêmes. Ça collait au poil.

— Mais qu'est-ce qui leur a donné l'idée de vérifier ses empreintes, à Ussery ? »

Flynn se remet à glousser :

« C'est ça toute l'histoire. »

Konig approche de son cigare la flamme crachotante du bec Bunsen et aspire à fond :

« Ouais ? Racontez-moi ça.

— Eh bien, vous vous souvenez que je vous ai dit que le gars Browder s'était fait la paire y a environ seize mois ?

— Parfaitement, dit Konig qui tire de grosses bouffées de son cigare. La veille du jour où son unité devait embarquer pour le Vietnam.

— C'est ça. Bon, eh bien, la nuit où Browder a disparu, Ussery en a fait autant.

— Ah !... je vois. »

Konig se carre contre son dossier, lève les yeux et contemple le plafond à travers un rond de fumée bleue.

« Il paraît que Browder et Ussery étaient des amis intimes.

— Je vois. Intimes à quel point ?

— Très intimes, si vous voyez ce que je veux dire, ricane Flynn.

— Je pige. Bon, poursuivez, je vous prie.

— J'y viens, j'y viens... un peu de patience. Bref, le gars Browder et le gars Ussery, les voilà qui finissent par être copains comme cul et chemise, au point que ça en devient bougrement gênant pour les autres. Vous comprenez, les paras, y peuvent pas encaisser ce genre de trucs. Ça nuit à leur image, si vous voyez ce que je veux dire.

— Je vois. Je vois.

— Ce qui fait qu'ils ont décidé de les séparer. Browder devait être expédié au Vietnam. Ussery devait rester à Bragg.

— Je vois, lâche pensivement Konig à travers une volute de fumée. Du coup ils ont préféré se casser ensemble.

— Tout juste. La veille du jour où leur unité s'est embarquée, ils se sont tirés. Il y a seize mois de ça. En 72, aux environs de Noël. Personne n'en a entendu parler depuis.

— Qui vous a raconté tout ça ?

— L'officier responsable. Un certain capitaine DiLorenzo. Vous vous souvenez, je vous ai dit que ce type-là, il m'avait paru avare de confidences et plutôt fuyant... la première fois que je lui ai parlé ?

— Ouais ?

— Eh bien, il a fait pareil cette fois. Y s'est borné à me raconter le topo en gros. Mais j'ai pas eu de peine à lire entre les lignes.

— Comment ça ?

— Ma foi, pas la peine d'être Sherlock Holmes pour comprendre qu'on a affaire à une paire de pédés.

— Vous êtes génial, persifle Konig d'un ton acide.

— Pardon ?

— Passons. Et sur Ussery, on vous a donné des détails ?

— Rien que le topo général. Engagé dans l'Armée le jour de ses dix-huit ans. Y est resté moins d'un an. Ce qui lui fait dans les vingt ans, maintenant. Taille, 1,65 m. Poids, dans les 68 kilos. Un petit mec.

— On dirait que ça cadre avec Ferde, marmonne Konig à mi-voix.

— Ferde ? Qui c'est ça, Ferde ?

— Aucune importance. Et sur Browder ? Rien ?

— Le même genre de trucs. Trente-six ans. Taille, 1,80 m. Poids, dans les 70 kilos.

— On dirait que lui aussi on le tient.

— Sans blague, siffle Flynn. Vous perdez pas de temps, vous autres, hein ? Ma foi, pour être sûr, faut attendre que je reçoive ses empreintes. On doit me les expédier de Bragg aujourd'hui.

— Et les fiches dentaires ? Les dossiers médicaux ? Ils nous les envoient aussi ?

— J'en sais rien.

— Vous n'en savez rien ? gronde Konig. Mais bon dieu, qu'est-ce que je peux foutre sans dossiers ?

— Je vous l'ai dit, ce DiLorenzo, il est fuyant. D'ordinaire, ils ne demandent pas mieux que de communiquer les dossiers. Ils sont aussi pressés que nous de faire la lumière sur ce genre d'histoires. Mais cette fois — je vous l'ai dit — c'est délicat, et ils y mettent les gants.

— Délicat ? hurle quasiment Konig. Bordel de merde, je vois pas pourquoi y faudrait prendre des gants à propos de deux tapettes ? Faites pas l'enfant, voulez-vous.

— Mais, bonté divine, si c'était votre gosse qui s'était fourré dans une sale histoire de ce genre... »

Le visage rieur de Lolly surgit devant ses yeux, et tout à coup sa vieille souffrance, son vieux chagrin le submergent de nouveau.

« ... auriez-vous envie que ces saloperies de dossiers soient communiqués à un service officiel. D'abord, faut qu'ils préviennent les familles. Après, ils décident si les dossiers peuvent être rendus publics.

— Je vois, murmure Konig, de plus en plus accablé par son immense douleur, par son immense fatigue.

— Hé, aboie Flynn dans l'appareil, vous êtes toujours là ?

— Je suis là.

— Oh ! J'ai cru que vous aviez raccroché.

— Non... je suis là », répète Konig.

Flynn, qui ne sait rien de Lauren Konig, qui ne se doute nullement qu'il a touché un point sensible, Flynn s'arrête, déconcerté par le brusque changement du ton du médecin-chef.

« Quelque chose ne va pas ?

— Ça va très bien.

— Vous êtes sûr ?

— Je vous dis que ça va très bien. Une rage de dents, c'est tout.

— Oh ! fait Flynn, toujours perplexe. En tout cas, c't officier, c't DiLorenzo, il sait que, sans les fiches dentaires et les dossiers médicaux, on pourra pas établir les identités. Alors il a dit que si vous rappeliez et demandiez un certain colonel McCormick — c'est leur médecin-chef — ils verraient s'il leur est possible de

416

vous communiquer le plus important par téléphone. Comme ça, ils éviteraient d'avoir à lâcher les dossiers.

— Le colonel McCormick, marmonne tout haut Konig en griffonnant sur un bloc, Service de Santé, Fort Bragg, Caroline du Nord. Quand est-ce qu'il veut que j'appelle ?

— Aujourd'hui même si possible.

— Entendu.

— Dès que j'aurai fait vérifier les empreintes de Browder, je vous rappelle.

— Parfait. Pas d'autres tuyaux ?

— Sur quoi ?

— Sur quoi ? gronde Konig en rongeant son cigare. Mais nom de dieu, de quoi est-ce que nous parlons depuis un quart d'heure ?

— Oh ! vous voulez parler de cette histoire ? rigole Flynn. Pas grand-chose.

— Et sur le type de l'Armée du Salut ?

— Rien. Rien du tout. Un ou deux tuyaux crevés, c'est tout. Ecoutez... faut que je file. Faut que j'aille jeter un coup d'œil sur un bout de terrain à vendre, une petite propriété.

— Une propriété ?

— Un vieil entrepôt. Dans le centre.

— Un entrepôt ? Qu'est-ce que vous avez à foutre d'un entrepôt, bon dieu ?

— Oh ! histoire de spéculer un peu, glousse hypocritement Flynn. Vous vous imaginez pas que je suis assez con pour passer toute ma vie dans la peau d'un flic, non ?

— Si vous ne vous attelez pas au manche, et en vitesse encore, vous allez vous retrouver à patrouiller dans Staten Island, aboie Konig dans l'appareil. Bon, vous connaissez l'identité de nos deux types. Laissez-moi tomber cette foutue histoire de propriété. Trouvez-moi le mec de l'Armée du Salut. Y se trouve forcément quelque part dans la nature. Dégotez-moi ce salaud, Flynn. »

46

11 heures 45. Non loin de Washington Square Park.

MÂCHOIRE pendante, lèvres molles, encore engourdi par la novocaïne, Konig sort de chez le dentiste et se dirige à pas lourds vers l'est. Une heure et demie durant, la fraise du dentiste lui a taraudé, rogné et remodelé une molaire sérieusement endommagée, coiffée maintenant d'une couronne provisoire et, déjà, une douleur sourde recommence à s'infiltrer dans sa mâchoire. Il traverse Washington Square Park et, de sa démarche pesante, légèrement titubante, se dirige vers l'est pour regagner son bureau.

Malgré la brûlure de la sciatique qui lui torture la jambe, il a choisi de rentrer à pied plutôt que de prendre l'autobus ou un taxi. La matinée est chaude et radieuse, le parc rempli de gens qui flânent paresseusement en attendant midi. Le spectacle quotidien qu'amène l'heure du déjeuner est déjà commencé. La faune étrange des amoureux du parc gagnent lentement leurs places favorites — acteurs inconscients dans la pantomime quotidienne du Village.

Les joueurs d'échecs sont déjà installés à leurs tables. Chanteurs de folk songs et joueurs de bongo.

Gouvernantes des quartiers chics qui poussent des landaus. Septuagénaires qui somnolent sur les bancs. Amoureux qui se pelotent dans l'herbe. Poivrots qui déambulent en titubant. Jeunes vagabonds, mornes, vaguement menaçants. Dactylos chargées de sacs en papier, de cartons de lait. Autour du bassin, les jeunes étudiants barbus, à l'allure négligée mais soigneusement étudiée, qui exhibent avec ostentation des exemplaires de Sartre, Kierkegaard, Marcus Garvey.

Konig déambule au milieu de ce souk en essayant de s'y oublier, de se perdre dans le spectacle qui l'entoure. Tout plutôt que de rentrer à l'Institut où l'attend son fardeau de tristesse et de soucis. La moisson quotidienne de corps mutilés et massacrés, les interminables rapports à écrire, les appels du téléphone, les intrigues des collègues, les clameurs des journalistes qui grouillent comme des mouches, la fureur croissante du maire attisée par une presse bien décidée à tirer le parti maximum de l'événement. Puis, naturellement, Lolly. Peut-être un message l'attend-il, un coup de fil de Haggard. Il faut qu'il rentre.

Il poursuit sa route à travers le parc, puis prend la 4e Rue en direction de l'est, vers le fleuve; il avance de sa démarche lasse qui, inexorablement, l'entraîne à travers ces mêmes ghettos que sans savoir pourquoi il associe à son enfant perdue.

La rue est un festival d'images et d'odeurs, un fouillis de types ethniques, un entassement de cultures variées et antagonistes. Elle palpite d'une sorte de vitalité sous-tendue d'une atmosphère de violence tangible et prête à éclater. Toujours, quand il parcourt ces rues, il lui semble que Lolly va surgir devant lui.

« *Papa, et si nous...* »

« *Pas maintenant, chérie. Je suis occupé...* »

420

Il se retourne. Une petite fille juchée sur des patins à roulettes le frôle au passage, lancée à la poursuite de son père qui flâne en avant sur le trottoir. Parvenu à un carrefour, il croise un homme vêtu d'un collant et d'un caban noirs et coiffé d'un gibus, avec un visage de *commedia dell'arte* luisant de peinture blanche, lèvres de Cupidon, sourcils et cils dessinés au crayon noir à gros traits qui tranchent agressivement sur le blanc. Un petit ouistiti en pourpoint de velours rouge se cramponne pitoyablement à l'épaule de l'homme qui arbore une pancarte en travers de la poitrine : AIDEZ-MOI A AIDER LES PETITS ENFANTS. Il ne bouge pas. Il ne parle pas. Son impassibilité a quelque chose d'inquiétant. Il tient à bout de bras un tambourin que, d'un geste preste et impérieux, il secoue chaque fois que quelqu'un passe. Une musculature puissante roule sous la gaine du collant noir. La silhouette clownesque a quelque chose de profondément exaspérant — le masque blanc et impassible; les yeux vides au regard étrangement aveugle; les gestes brusques, impérieux. Konig presse le pas, poursuivi par le tintement grêle du tambourin.

Non loin de Tompkins Square, il s'arrête quelques instants pour se reposer sur un banc. D'autres gens sont assis là, en manches de chemise, visages blêmes, visages poncés par l'hiver qui quêtent la caresse du chaud soleil d'avril. Jeunes gens vautrés dans l'herbe. Sandwiches géants, guitares, orangeades. Près de son banc, assise à même le sol, une jeune fille au regard hébété souffle dans un pipeau — un simple jouet, à vrai dire. Elle ne joue pour personne. Pas même pour elle-même. En fait, c'est à peine si elle semble avoir conscience de l'endroit où elle est ni de ce qu'elle fait. Elle joue un air sans queue ni tête, vaguement sinistre.

Un instant Konig revoit Heather Harwell, née Molly Sully, le joli petit visage aux yeux avides, le pathétique petit paquet de cartes postales truffé de photos pornos.

A mesure que s'atténue l'effet de la novocaïne, la douleur se fait plus lancinante dans sa mâchoire. Il se lève avec peine et, au même instant, une jeune fille passe devant lui. Une fraction de seconde il l'aperçoit de profil, pareille à un spectre flou, moins un être humain qu'une présence, une bouffée de quelque chose qui lui paraît intensément, douloureusement familier. Soudain son cœur fait un bond et il lui emboîte lourdement le pas, les yeux fixés sur sa nuque, à une quinzaine de mètres devant lui.

La fille est jeune, vingt ans tout au plus. La ligne du dos, le port de la tête lui sont intensément familiers. Cette démarche, pressée mais sans but, il jurerait la reconnaître. Cette allure molle — découragée plutôt que négligée — cette voussure des épaules synonyme de tristesse. Même de dos, il devine que la fille est jolie.

Elle n'est plus qu'à quelques pas de lui et il pourrait facilement la rattraper. Pourtant, il n'en fait rien, il n'a nullement l'intention de se rapprocher. Il le sait, il s'agit d'une illusion familière, dont souvent déjà il a été victime, et il souhaite simplement rester dans son sillage pour la savourer quelques instants. En ce moment, c'est Lolly qui marche là devant lui, en jeans et veste maculés de peinture. Sans doute une artiste, se dit-il, tandis que l'illusion prend corps dans son esprit hébété par la drogue, légèrement désorienté. « *Oh! Lolly... Lolly.* »

Il suit la silhouette qui remonte une petite rue et pénètre bientôt dans un snack; il reste à traîner devant la porte tandis qu'elle prend une tasse de café en feuilletant une revue. Quand elle ressort et s'engage dans l'Avenue B, il se remet à la suivre.

Il ne passe pas inaperçu, cet homme négligé et hagard, cheveux en bataille, cravate de travers, imperméable maculé de boue et déboutonné, qui bat au vent derrière lui. La fille entre dans une petite épicerie de la 12ᵉ Rue et de nouveau il reste à traîner dehors, tapi sur le seuil d'une cordonnerie dont la porte ouverte laisse entrer le printemps embaumé. Dans l'échoppe, deux minuscules cordonniers, des Italiens, s'interpellent à tue-tête pour couvrir le martèlement d'une presse.

Une fois de plus elle ressort, chargée d'un petit sac de provisions. Il lui laisse prendre un peu d'avance, puis s'élance derrière elle. Au bout d'une vingtaine de pas, elle s'arrête court devant un magasin de souvenirs japonais, et jette un coup d'œil dans la vitrine bourrée d'encens et de bibelots de pacotille. Lui aussi s'arrête court, en s'efforçant en vain d'avoir l'air naturel et, au même instant, elle tourne la tête, lui lance un coup d'œil et se remet vivement en marche vers le nord.

Le temps de ce bref coup d'œil, elle a tourné son visage vers lui. Mais la vision a été si éphémère qu'il n'a gardé qu'une impression floue de ses traits. Pourtant, il s'imagine maintenant que, pendant la fraction de seconde où leurs yeux se sont croisés, il a reconnu une moue familière — la moue de Lolly — l'expression de Lolly lorsque quelque chose la chiffonnait.

Elle continue sa route, d'abord en direction du nord jusqu'à la 14ᵉ Rue, qu'elle suit vers l'ouest sur quelques centaines de mètres, avant de remonter la Première Avenue, de nouveau vers le nord; il la suit toujours, s'efforçant de passer inaperçu. Il mesure ce que son comportement peut avoir de furtif et de dément et il se

dégoûte vaguement. Il ne s'agit pas de Lolly. Il le sait.
C'est parfaitement évident. Laisse tomber, se dit-il. Va-
t'en. Va-t'en. Rentre au bureau. On t'attend. Tu as des
choses à faire. Des problèmes à résoudre. A quoi bon
cette folie ? Pourtant, c'est la nuque de Lolly, là-bas en
avant. Il retient son souffle de peur que la vision ne
s'estompe.

Non loin de la 16ᵉ Rue, la fille s'arrête et salue de la
main quelqu'un sur le trottoir d'en face. Lui aussi il
s'arrête, se détourne fébrilement, s'absorbe dans la
contemplation d'une vitrine de quincaillerie. L'instant
d'après, un jeune homme en jeans et col roulé bleu
marine traverse la rue pour rejoindre la fille. Un grand
costaud ; de vingt ans à peine, tout comme elle.

Konig se dandine gauchement d'une jambe sur
l'autre, planté devant la vitrine, les yeux rivés sur les
scies électriques, les pieds-de-biche, les gros bidons de
Dutch Boy et de Sapolin. Les deux jeunes gens ne sont
plus qu'à une quinzaine de mètres devant lui, et il n'a
pas besoin de lever les yeux pour savoir que tous deux
le dévisagent et rigolent.

Il rougit, exaspéré et mortifié par l'absurdité de la
situation. Il a une envie folle de s'enfuir, de filer à
toutes jambes. Mais il ne peut plus bouger sans s'accuser. Et tout à coup la fille se met à rire plus fort. Un
rire aigu, perçant, vaguement insultant. Le bruit le
contraint à se retourner, et il la regarde. Ce n'est pas le
joli visage calme et pensif de Lolly, mais un visage
plutôt vulgaire et ingrat, convulsé par un mélange d'indignation et de férocité.

« Mais qu'est-ce que vous me voulez, bon dieu ?
hurle-t-elle. Vous voulez mon portrait, bon dieu ? »

Paralysé, incapable de répondre, il la contemple
bouche bée. Mais elle continue à hurler :

424

« Fous le camp, espèce de cinglé. Espèce de vieux salaud, espèce de cinglé. »

Soudain, elle ouvre sa veste d'un geste brusque et fait un pas en avant, buste offert, seins pointés. Le garçon rugit de rire. Des passants s'arrêtent.

Rouge de honte, il fait demi-tour en hâte et file, plonge en boitillant dans la circulation dense. Des klaxons retentissent. Des pneus hurlent. Des chauffeurs de taxis baissent leurs vitres et lui lancent des injures. Mais dans son dos, les hurlements stridents, les rafales de rire retentissent toujours à ses oreilles :

« Cinglé. Espèce de salaud, espèce de cinglé. »

Il se sent souillé, pareil à un satyre pris en flagrant délit d'exhibitionnisme et enfin il atteint l'autre côté de l'avenue, mortifié par le spectacle des visages stupéfaits qui le contemplent — sourires obscènes, moues de dégoût, regards haineux, expressions de dignité outragée, et il fuit ce lieu ignoble, toujours poursuivi par les cris de la fille :

« Cinglé... cinglé... cinglé... »

47

Un rai de soleil ruisselle à travers les barreaux d'une fenêtre. Un plancher jonché de détritus. Un bruit d'eau qui s'égoutte quelque part et, partout, une odeur d'humidité, les relents de moisi qui trahissent un immeuble depuis longtemps fermé.

**Midi. Le vieux refuge de l'Armée du Salut.
South Street.**

Le sergent Edward Flynn avance au hasard dans un labyrinthe de pièces vides, tandis que le bruit lent mais régulier de ses pas se répercute à travers les quatre étages de vestibules poussiéreux et de couloirs bourrés de meubles qui lui restent encore à gravir. Le bâtiment, construit à la fin du siècle dernier, est vétuste. Quatre étages. Brique rouge. Vieux tuyaux festonnés de toiles d'araignées qui courent sur toute la longueur des plafonds. Solives à nu. Peinture écaillée.

Au-delà d'une fenêtre aux barreaux couverts de poussière, Flynn aperçoit la ligne en dents de scie des toits qui barre l'horizon, une large coulée d'eau sombre, des passants qui vaquent à leurs occupations. Ici, au rez-de-chaussée, on perçoit sans peine la rumeur de la circulation, les cris aigres des mouettes qui tournoient au-dessus de l'eau, l'énorme fracas des vapeurs amarrés tout le long du Lower East Side et qui déchargent leurs cargaisons sur les quais encroûtés de bernacles.

Flynn se trouve maintenant dans ce qui a sans doute été jadis un foyer. Des meubles brisés, entassés les uns sur les autres, masquent les murs. Ici, un gros poste de télévision, un antique modèle à console, fils arrachés, éventré et vidé par la main des pillards. Là, au milieu du plancher, une table de ping-pong, filet arraché, en équilibre précaire sur trois pieds. Des paquets de vieilles revues attachés par des bouts de ficelle s'empilent le long des murs — *Life, Look, Collier's, Saturday Evening Post* — d'autres depuis longtemps disparues, aux couvertures fanées sur lesquelles se distinguent encore les portraits glacés de célébrités depuis longtemps mortes.

Flynn poursuit sa route à pas traînants et se trouve bientôt dans un autre long couloir. Ici encore, des meubles s'entassent dans la pénombre fraîche et poussiéreuse. Bureaux en acier, classeurs, fauteuils à pivot, rafraîchisseurs d'eau, corbeilles à papier empilées les unes dans les autres.

Un nouveau coude, un angle brusque, et soudain un long réfectoire verdâtre surgit devant lui, rangées et travées de tables, couvertes de bancs renversés. Au bout de la salle, des dressoirs, des chauffe-plats, des vitrines à verres, d'énormes percolateurs en aluminium, décor, songe Flynn, de maint Noël d'antan. Les longues files de déshérités et de vagabonds, hirsutes et mal lavés, qui avançaient en bon ordre devant les chauffe-plats, tasses et assiettes tendues. Un morceau de dinde, un verre de cidre, une tranche de tarte, un peu de chaleur et de compagnie, un bref répit au sortir des rues froides et sordides.

Flynn avance lentement, presque rêveusement, à travers la salle où plane cette atmosphère désolée et confinée qui caractérise les lieux depuis longtemps déserts et tombés en désuétude. Pourtant, le silence et la pénombre ont quelque chose de bizarrement rassurant. Il avance sans but précis. Il ne peut dire ce qu'il cherche.

Il laisse derrière lui les chauffe-plats, pousse la porte à deux battants et se retrouve dans une immense cuisine. Là encore, des fenêtres garnies de barreaux, si hautes qu'on ne peut voir au-delà. Arrière-cuisine, placards, vieux fourneaux à gaz, énormes chambres froides tapissées de zinc, portes béantes. Puis des travées équipées de rayons chargés de vaisselle blanche en faïence bon marché, pour la plupart fêlée; des étagères du sol au plafond, avec ici ou là une casserole, un poêlon, un poche-œufs — le tout cabossé, crevé, au point d'avoir été méprisé par les pillards.

Soudain, un fracas. Flynn pivote à temps pour voir une planche s'effondrer et un énorme rat gris détaler dans la pénombre.

Ensuite un dortoir, lieu lugubre entre tous. Ici des gens innombrables, tous des inconnus, se sont retrouvés côte à côte pour partager une ou deux nuits de repos. Travées de châlits rouillés. Ressorts rouillés. Matelas plats comme des crêpes, à la bourre tachée d'urine, soigneusement roulés au pied des sommiers. Sous un lit, un vieux soulier; un veston moisi pendu inerte et sans vie à un cintre de métal. Ampoules nues accrochées à de longs fils tout usés. Au bout de la salle, un grand crucifix de plâtre; un Christ à l'expression infiniment douloureuse, nez cassé, orteils grignotés par les rats, contemple la scène.

L'endroit a gardé l'odeur aigre et fétide des asiles de nuit. Mélange de désinfectant puissant, de sueur humaine, de crasse. Pour un peu, Flynn croirait entendre les interminables quintes de toux, les cris étouffés jaillis du fond des cauchemars ou du delirium tremens. Il avance, attiré toujours plus haut dans l'obscurité grandissante.

Qu'est-ce que je fais là? se demande-t-il. Qu'est-ce que je peux bien espérer trouver? Ce soi-disant type de l'Armée du Salut que plusieurs commerçants et un habitant du quartier prétendent avoir aperçu? Tous avaient dit la même chose. Ils avaient vu un type de ce genre circuler dans les parages de la baraque de Coentis Slip. Et lui, comment Dieu pouvait-il espérer le retrouver, ce type? A supposer même que par miracle il mette la main dessus, il était hautement improbable qu'il s'agisse de son homme. Si l'individu existait vraiment, il s'agissait très probablement d'un authentique officier de l'Armée du Salut qui avait dû tomber par hasard sur ce petit repaire de déshérités et s'était efforcé de les aider de son mieux.

Non, aucun doute, l'homme qu'il cherchait était l'un des anciens pensionnaires de la baraque. Une des loques que le désespoir poussait à venir s'y terrer tout au long des longs mois lugubres de l'hiver et qui, se nourrissant de détritus, mendiant de temps à autre une pinte de gros rouge, attendaient là des jours meilleurs.

Il avait dû y en avoir au moins une demi-douzaine à une certaine époque, estime Flynn. Ils avaient en effet trouvé au moins une demi-douzaine de jeux d'empreintes nettement différenciées. A demi morts de faim et de froid dans cette misérable baraque sans chauffage et dépourvue d'installations sanitaires, ils avaient dû sombrer de plus en plus dans le désespoir et la violence pour finir par s'entre-déchirer et se voler leurs minables trésors — une croûte de pain, quelques sous. Un beau jour, ils s'étaient battus. Deux d'entre eux n'avaient pas eu de chance. Les deux pauvres diables qu'ils avaient retrouvés enfouis dans la boue du fleuve. Sitôt perpétré leur horrible forfait, les autres s'étaient probablement enfuis. Ils avaient filé chacun de leur côté.

Si bien que l'homme qu'il cherchait, il avait de bonnes raisons de le croire, était probablement un vagabond, un clochard. Un individu sans domicile fixe, sans famille, au casier judiciaire chargé, arrêté pour toute une gamme de délits allant du simple vagabondage au vol à main armé et à l'homicide. Il en avait vu suffisamment dans sa carrière, il connaissait le genre.

En haut, au troisième étage, il débouche par hasard dans une vieille salle de musique et dérange un gros oiseau, un ménate, probablement entré par une des nombreuses fenêtres brisées. Effrayé, l'oiseau se secoue et, frôlant l'épaule du policier dans un affreux battement d'ailes, s'envole jusqu'au plafond en soupente où il continue à se débattre en poussant d'abominables piaillements. Il finit par se poser sur un tuyau et reste perché là, ses petits yeux jaunes braqués sur le policier. Tous deux se contemplent quelques instants sans bouger, comme pour se jauger soigneusement.

« Désolé, mon pote, glousse doucement Flynn en agitant la main. Je voulais pas te déranger. »

Il hausse les épaules et se détourne. A vrai dire il n'espérait pas découvrir quoi que ce soit. Mais après tant de journées passées à vérifier des empreintes, à étudier les photos du sommier, à suivre des pistes qui invariablement se terminaient en cul-de-sac, il était prêt à tenter n'importe quoi.

Il ressort dans le couloir et s'engage dans l'escalier obscur, tandis que le bruit de ses pas se répercute aux étages inférieurs.

Etrange, ces échos sinistres dans un local désert où en principe personne ne devrait se trouver. Surtout les échos de ses propres pas, comme si leur bruit suffisait à vous rendre soudain vulnérable. Flynn s'efforce de marcher plus légèrement, de descendre plus lentement, d'atténuer le bruit de ses pas.

Il poursuit sa descente, toujours accompagné par ce bruit d'eau qui s'égoutte quelque part, sonore, régulier, et résonne dans la carcasse de l'immeuble désert. Mais c'est ici, au second, qu'il semble être le plus fort.

Sans raison valable, il met le cap sur le son, sans en avoir eu l'intention, attiré comme par une laisse invisible. Car Edward Flynn est un homme méticuleux. Pingre et plutôt maniaque. Le genre d'homme qui redresse les tableaux sur les murs et éteint les lampes dans une pièce vide. Ce robinet qui goutte et gaspille son eau mérite qu'on s'en occupe sans délai.

Ses pas l'entraînent à travers une série de petites pièces pareilles à des cellules, meublées de façon austère, mais mieux équipées que les dortoirs. Les lits sont meilleurs, les matelas plus épais et chacune est pourvue d'un petit bureau, d'une table de chevet, d'un fauteuil de série et d'une lampe à pied. Toutes meublées de façon identique, répliques parfaites les unes des autres. Et chacune possède son w.-c. privé.

Sans doute les chambres du personnel, raisonne Flynn, qui pénètre dans un des w.-c. Un lavabo, un miroir sur le mur, une tinette, un bac à douche. Le tout correct, utilitaire. Le tout aussi uniforme et banal que

431

la chambre. Il contemple avec un sourire le robinet qui goutte, comme s'il venait, lui le policier, de débusquer le criminel dans son repaire. Il s'approche lentement. Le robinet est froid et poisseux, embué d'humidité. « Gaspillage », murmure-t-il, en tournant au maximum la poignée pour la bloquer. Rien à faire, le robinet goutte toujours.

Il est déjà en retard et censé se présenter au commissariat pour faire son rapport dans l'heure qui vient, pourtant cette histoire de robinet a fini par prendre à ses yeux l'importance d'une mission. Il reste planté là, à se gratter la tête, à chercher une solution. Si seulement il avait un tourne-à-gauche...

Brusquement, il ouvre à fond le robinet et un jet d'eau froide et limpide éclabousse la cuvette.

« Bizarre, se dit-il rêveusement, en refermant le robinet qui se remet aussitôt à goutter régulièrement. Bizarre, pas le jet, bien sûr, mais le fait qu'alors que le bâtiment est fermé depuis dix ans, l'eau n'ait jamais été coupée. Et puis autre chose... l'eau est froide et limpide. Quand un robinet reste dix ans sans servir, il finit tôt ou tard par rouiller. Le jour où on l'ouvre, il a tendance à crachoter et à éclabousser. Le premier jet est toujours rouillé et chargé de sédiments, et nauséabond.

« Bizarre », murmure-t-il de nouveau, à l'instant même où il capte l'image de son propre visage, gris et perplexe, qui le fixe dans une glace accrochée au-dessus de l'évier. La glace est en fait la porte d'un placard à médicaments. Il l'ouvre d'une secousse, aperçoit une demi-douzaine de cafards en train de s'ébattre sur la paroi au fond du placard. La brusque intrusion de la lumière les fait détaler pour se réfugier dans les fentes.

Il reste encore trois étagères en verre couvertes de

poussière et un maigre assortiment d'objets de toilette abandonnés — vieux flacons de médicaments, une coupe à collyre, un pot de savon à barbe, un rasoir à injection, un blaireau et une brosse à dents.

C'est le rasoir qui le premier attire l'attention de Flynn. Non qu'il s'agisse en aucune façon d'un rasoir à injection d'un modèle particulier. En fait, il s'agit d'une marque connue et assez répandue — un Gillette Trac II. Parfaitement banal, mais pas le genre de rasoir auquel on donnerait dix ans d'âge. Celui-ci, pour le sergent Edward Flynn, évoque plutôt le présent. De plus, la lame ne présente aucune trace de rouille. Au contraire, elle a l'air plutôt neuve.

Et puis, il y aussi le blaireau. Humide au toucher, encore mouillé dirait-on. Et ça, se dit-il, c'est bizarre.

Peu après, il quitte le vieil asile de South Street, sans oublier de remettre en place le gros cadenas de cuivre qui ferme le portail d'entrée. Flynn s'engouffre dans la cabine téléphonique d'une *cafeteria*. Quelques secondes plus tard, il a le quartier général divisionnaire de l'Armée du Salut au bout du fil et parle une fois de plus au général Pierce. Avaient-ils pris des dispositions pour laisser un gardien dans le vieil asile la nuit, demande-t-il au général, qui l'informe promptement qu'aucune disposition de ce genre n'est, bien plus, n'avait jamais été en vigueur.

48

« C'est vous Haggard ?
— Lui-même.
— Sid Fox. Wershba m'a dit que vous passeriez.
— Oh ? Et il a expliqué pourquoi ?
— Il m'a pas dit grand-chose. Entrez. On en a coincé trois, ils sont en haut dans la salle de tri de la First National. »

14 heures. Pan Am Building. Entrée de la 45ᵉ Rue.

Voitures de police. Fourgons d'incendie. Camion-nettes de la télévision. Une foule de badauds devant l'entrée de l'immeuble. Cordons de police. Hurlement des sirènes qui convergent sur les lieux. Disposées en demi-cercle dans la 45ᵉ Rue, plusieurs voitures de ronde, portes ouvertes et gyrophares en action, qui bloquent l'entrée de l'immeuble. D'autres voitures de police se faufilent lentement dans la rue barrée qui relie Vander-bilt Avenue et Lexington.

La portière claque sur les talons de Haggard et du sergent Fox qui se fraient un chemin parmi la foule, précédés par une demi-douzaine d'agents en uniforme qui leur ouvrent la voie et repoussent les gêneurs.

« Comment ça se fait que vous les ayez coincés dans la banque ? demande Haggard sans se retourner. Ils ont essayé de la braquer ?

— Pas du tout... mais c'était le plus facile. Tout droit au fond du hall, lieutenant. A votre droite, au rez-de-chaussée. »

Ils se faufilent dans une porte à tambour. Plusieurs pompiers coiffés de leurs casques et affublés de gilets pare-balles rouges, les bousculent au passage, charriant des seaux de sable et de longs tuyaux.

« Combien en avez-vous coincé, disiez-vous ? demande Haggard.

— Trois. Il y en a deux autres là-haut. On a plus ou moins réussi à les bloquer entre le trente-cinquième étage et la terrasse. Et on a déjà déniché une demi-douzaine de bombes.

— Où les avez-vous trouvées ?

— Dans les poubelles. Les toboggans à courrier. Mais surtout dans les cages d'escalier. Ils étaient en train d'en truffer la baraque.

— Vous pensez les avoir toutes récupérées ?

— J'en sais rien. L'immeuble est grand. On est en train de tout passer au peigne fin des caves à la terrasse. Il y a un restaurant là-haut. On est tombés sur un tas de gens en train de déjeuner.

— Vous avez fait sortir tout le monde ? »

Un agent repousse les deux battants d'une lourde porte en verre pour les laisser passer.

« Pas de problème, dit Fox. Mais le gérant l'avait saumâtre. Il aurait voulu qu'on leur laisse le temps de prendre leur dessert histoire de leur faire payer tout le repas. »

Ils franchissent la double porte et pénètrent dans la First National City Bank, située juste au-dessous de la mezzanine. A l'intérieur et malgré un semblant d'ordre, règnent un bourdonnement et une rumeur de ruche renversée. Bombes ou pas, les affaires continuent comme à l'ordinaire dans la banque. L'habituel va-et-vient des clients affairés qui, sans se douter de rien, entrent pour toucher des chèques, déposer leur argent, solliciter des prêts et soudain, sont saisis par l'atmosphère de pagaille mal réprimée. La foule des policiers, les caissiers effrayés, les responsables exténués qui courent de tous côtés, visage cramoisi, discutent à voix basse pour calmer, apaiser, rassurer employés et clients.

« Par ici tout droit, sergent. »

Un agent leur fait signe d'enfiler un petit couloir qui mène au fond de la salle.

« Vous avez réussi à les faire parler ? demande Haggard.

— Pas ça. Muets comme des carpes, tous. »

Haggard soupire, pousse une lourde porte en noyer, puis une seconde porte, munie d'un panneau de verre dépoli où les mots SALLE DE TRI sont inscrits en lettres d'or.

« Bon... on va les prendre un par un. »

Derrière la porte, une grande salle de tri. Des boîtes, des cartons, des chariots toilés de l'US Post Office, des machines à affranchir Pitney-Bowes, un immense mur garni de casiers, tous bourrés d'enveloppes et, partout, des piles de lettres en instance de tri. La salle grouille d'agents et d'inspecteurs.

Trois jeunes Blancs sont assis dans un coin. Entre dix-huit et vingt ans. Tous affublés de la même défroque, veste de treillis, bottes de para, bérets. Ils attendent hébétés et moroses, affalés sur des chaises alignées le long du mur, sous l'œil vigilant d'un robuste agent irlandais, O'Doyle, qui, armé d'un calepin et d'un crayon, s'efforce apparemment de les questionner.

« Ça va, O'Doyle, dit Fox en s'avançant, je m'en charge maintenant.

— D'accord, sergent. »

Le flic foudroie ses prisonniers d'un regard réprobateur.

« Vous en avez tiré quelque chose ? demande Haggard.

— Pas un mot, lieutenant. De vrais petits salopards. »

De nouveau O'Doyle foudroie les trois adolescents du regard et soudain il explose :

« Si jamais ils s'avisent de jouer les malins, lieutenant, faites-moi signe. Surtout celui-là, le petit salopard au museau de fouine. Y se prend pour un dur. »

O'Doyle braque un doigt trapu en direction d'un jeune homme blême et tendu, plus hargneux et, manifestement, plus arrogant que les deux autres.

« S'il s'avise de faire le malin, lieutenant, faites-moi signe.

— Entendu, murmure doucement Haggard dont déjà les yeux bleus, agiles et perspicaces, enregistrent, supputent, jaugent. Laissez-moi celui-ci. Vous pouvez emmener les deux autres. »

Aussitôt le gros flic s'avance lourdement vers les jeunes gens.

« Debout, vous deux. »

Puis il se tourne vers le troisième, le petit gosse hargneux qui n'a pas bougé de sa chaise.

« T'as bien entendu, fiston, aboie O'Doyle. Si tu fais le malin avec le lieutenant, je t'arrache le nez. »

Les autres agents gloussent, puis quittent la pièce derrière O'Doyle et les deux garçons.

Un long moment après leur départ, Haggard feint d'ignorer le jeune homme. Il étudie ses notes, contemple pensivement la salle, bavarde tranquillement à l'écart avec Fox, en laissant le gosse mariner dans son jus.

Puis soudain il se retourne, rebrousse chemin et, brusquement, s'arrête devant le gosse, le prenant par surprise :

« Debout.

— Quoi ? »

Le gosse sursaute et, levant la tête, se trouve face au regard glacé des deux petits yeux bleus rivés sur lui.

« Debout, j'ai dit. »

Le gosse ne fait pas un geste, mais l'ombre d'un petit sourire insolent passe lentement sur son visage. L'instant d'après, une main ferme l'empoigne sans cérémonie par le collet, le hisse sur pieds et le plaque sans ménagement contre le mur.

« Quand je dis debout, gronde Haggard entre ses dents serrées, on se met debout.

— Hé, doucement, vieux...

— Vieux ? »

Les yeux de Haggard semblent prêts à jaillir de leurs orbites. Sa voix explose comme un coup de tonnerre :

« Vieux. Qui c'est que t'appelles « vieux », nom de dieu. Je ne m'appelle pas « vieux ». Quand tu voudras me parler, tu diras lieutenant, ou monsieur, ou Votre Seigneurie. Mais vieux, ça marche pas avec moi. Compris ? »

Il plaque plus fermement le gosse contre le mur et tord un peu plus le col autour de la gorge, lui arrachant un râle étouffé.

438

« Pigé, fiston ? »

Cramoisi et pantelant, le garçon opine non sans peine, tandis que l'énorme patte de Haggard resserre sa prise sur le col.

« Bon, quel est ton nom ? »

Cette fois, le jeune homme, les joues empourprées et les yeux humides de larmes, des larmes de rage plutôt que de douleur, ravale sa salive.

« Ton nom ? répète Haggard.

— Je refuse de répondre avant d'avoir pris conseil de mon avocat », se rebiffe le garçon.

Il est manifestement instruit. Bonne bourgeoisie. L'air insolent et bien nourri de quelqu'un qui n'a jamais manqué de rien, les manières pleines d'assurance et de morgue d'un enfant des beaux quartiers qui n'a jamais eu rien de pire à affronter que son propre ennui.

« Conseil d'un avocat ? »

Haggard pousse un sifflement et hèle Fox sans se retourner :

« Je suppose qu'on l'a averti de ses droits.

— Bien sûr, lieutenant. Il s'appelle Douglas Mears. Dix-sept ans. D'après les papiers trouvés dans son portefeuille, il vient de Greenwich, Connecticut. »

De nouveau, les petits yeux durs de Haggard clouent sans pitié le gosse contre le mur :

« Comme ça, Douglas, tu n'as rien de mieux à faire qu'à emmerder le monde ?

— Je refuse de dire un mot de plus avant d'avoir pris conseil de mon avocat.

— Et à mettre la vie d'un tas d'innocents en danger ? Et regardez-moi cette défroque ridicule — béret et veste de treillis ? Un Fidel Castro de comédie, ma parole.

— Je refuse de... »

Paume ouverte, la main de Haggard s'abat sèchement sur la joue, étouffant le reste de la réponse.

« Il a téléphoné à son avocat? demande le commissaire.

— C'est son père, son avocat. »

Un sourire sarcastique s'épanouit lentement sur le visage de Haggard.

« C'est vrai ça, Douglas?

— Bien sûr que c'est vrai, bon dieu, siffle le gosse. Et je vous jure que vous regretterez d'avoir levé la main sur moi.

— Moi? Le regretter? s'esclaffe Haggard. Cette petite taloche m'a donné plus de plaisir que j'en ai eu de toute la semaine. »

Fox soulève un lourd fragment de tuyau de plomb et s'approche lentement de Haggard.

« Quand on l'a coincé dans un escalier du trente-deuxième étage, il trimbalait ce joli petit joujou. »

Haggard se saisit de l'objet, maintenant désamorcé et inoffensif, et l'examine. Un engin piégé de conception assez banale — tube bourré d'une livre de gélignite environ, détonateur rudimentaire. Un engin relativement grossier, qu'un gamin n'aurait eu aucun mal à monter.

« Pas très malin de la part d'un garçon intelligent comme toi, Douglas. »

Haggard secoue lentement la tête.

« Se faire prendre comme ça, la main dans le sac. Espérons que papa est un bon avocat. »

Haggard et Fox éclatent d'un rire sarcastique. Cette fois le garçon paraît perdre un peu de son assurance. Brusquement ses yeux semblent perplexes et passablement effrayés.

« Comme je l'ai dit à l'autre cochon...

440

— Cochon ? »

Haggard fait volte-face et le dévisage d'un regard féroce.

« Parfaitement, raille le gosse. Ce cochon de flic. »

Il pointe le doigt vers le sergent Fox.

« Tu entends, Fox, lance Haggard par-dessus son épaule. Voilà Douglas qui te traite de cochon.

— C'est un mensonge, dit Fox, d'un ton navré. Je suis un démocrate.

— Ça, c'est pas très gentil de ta part, dit Haggard d'une voix peinée. Le sergent est un type très bien. Un démocrate. Un mari. Un père. Oserais-tu traiter ses enfants de cochons de lait ?

— Je suis désolé, bafouille le jeune Mears, visiblement déconfit. Je voulais pas parler de... je parlais seulement de lui. De ce type-là.

— Quel type ? dit Haggard, en regardant tout autour de lui comme s'il n'y avait personne.

— Ce type-là. »

De nouveau le gosse pointe le doigt vers Fox.

« Oh ! tu veux parler du sergent ?

— Parfaitement.

— Eh bien, dans ce cas, Douglas, dis-le. Dis « le sergent ».

— Ouais... comme je lui ai dit...

— Pas *lui,* Douglas... le sergent. Dis « le *sergent* ».

— Le sergent... comme j'ai dit au sergent.

— Voilà qui est mieux », dit posément Haggard.

Le visage du gosse est rouge d'exaspération.

« Eh bien, voilà, je me trouvais là par hasard...

— Dans l'escalier ?

— Ouais... dans l'escalier.

— C'est ton habitude de te trouver par hasard dans les escaliers, Douglas ?

441

— Comme je l'ai déjà dit au sergent, je montais dans un bureau pour livrer un paquet...

— Parfait. Tout à l'heure nous pourrons vérifier le paquet et l'adresse de l'expéditeur. Continue, s'il te plaît.

— Et v'là que le type s'approche de moi.

— Dans l'escalier?

— Ouais... dans l'escalier. Et il me tend ça.

— Le tuyau?

— Ouais. Et il dit : « Garde-moi ça une minute, tu « veux. Je reviens tout de suite. »

— Oh! je vois, dit Haggard, en feignant la plus grande compréhension. Ce type, celui qui s'est approché de toi dans l'escalier, tu l'avais déjà vu?

— Non. Jamais.

— Et comme ça, tu es resté là à lui tenir son tuyau?

— Ouais, confirme le gosse, débordant d'une fausse assurance. C'est bien ça.

— Moi, ça me paraît parfaitement plausible, opine Haggard compréhensif. Et vous sergent, qu'en pensez-vous?

— Moi je trouve ça merveilleux, lieutenant.

— Eh bien, Douglas — les yeux de Haggard pétillent d'une lueur joyeuse —, j'espère que papa est vraiment un bon avocat. Sinon, tu vas te retrouver à l'ombre et pour un bout de temps, un sacré bout de temps. »

Haggard observe le garçon dont les yeux se vident peu à peu de leur morgue. Bientôt, il le jurerait, encore quelques minutes d'interrogatoire, et ces poses insolentes et bravaches, venues droit de la télé et calquées sur de mauvais feuilletons policiers, ne tarderont pas à s'effondrer, comme un fromage trop fait.

« Il se trouve en fait, Douglas, reprend le commissaire, d'un ton presque enjoué, que je ne m'intéresse

442

pas tellement à toi. Tu es trop idiot pour que je perde mon temps avec toi. Tu es du menu fretin. Un pet dans la tempête, comme on dit. Mais n'empêche que j'ai une ou deux petites questions à te poser et tu vas me répondre. Si tu es capable d'y répondre, qui sait... peut-être que le juge acceptera de t'en tenir compte. Personnellement, j'espère qu'il n'en fera rien. Personnellement, j'espère bien qu'on va te laisser moisir en taule pendant une bonne trentaine d'années. Trente ans. De nos jours c'est le tarif pour les attentats à la bombe dans les édifices publics. Je me trompe, Fox ?

— C'est vrai, lieutenant. De vingt à trente ans à l'ombre dans un pénitencier fédéral.

— Voyons un peu... le jour où tu sortiras, ça te fera presque cinquante ans. C'est pas mal, la cinquantaine, Douglas. Y reste encore un peu de temps pour se faire sa place au soleil. »

Haggard guette avec une joie féroce le regard du garçon soudain assombri par la perspective d'une longue incarcération.

« Au cours de tes pérégrinations de poseur de bombes, revient-il impitoyablement à la charge, t'aurais pas rencontré un type du nom de Klejewski ?

— Qui ?

— Klejewski... Janos Klejewski. Ou comme certains l'appellent, Kunj ou Kunje. »

Le garçon rumine un moment le nom, puis hausse les épaules.

« Jamais entendu parler. C'est qui ?

— Un vrai gorille. Un type qui aime les feux d'artifice, comme toi. Et Meacham, ça te dit rien, ce nom-là ? T'as jamais entendu parler d'un jeune mec du nom de Wally Meacham ? »

Le garçon dévisage le policier d'un regard vide. Et

443

dans ce regard vide, le policier ne lit que trop clairement la réponse à sa question. Il se détourne et sent
alors l'espoir qui le soutient depuis une heure environ — depuis que Wershba l'a appâté avec la perspective d'une piste « brûlante », il sent cet espoir
l'abandonner, comme l'abandonne aussi le temps
qui fuit. Brusquement, une nausée lui soulève l'estomac.

Il quitte la salle de tri; Fox le suit et referme doucement la porte derrière eux. Alors une fois de plus, à
l'intérieur de la banque, les deux hommes se concer-
tent quelques instants, tête contre tête.

« Ce sont pas vos types, hein, lieutenant ? »

Haggard opine et demeure silencieux, bras croisés, à
court d'idées. Que tenter ? Il repousse son feutre gris
fatigué sur sa nuque et se gratte la peau du crâne sous
la toison de ses cheveux blanc filasse.

« J'ai bien peur que non. Ceux-là sont simplement de
petits péquenots venus jouer aux durs dans la grande
ville. Vous avez vu cette bombe ? Une saloperie. Du
fer-blanc. Des trucs de mômes. Même une vingtaine ne
suffiraient pas à arracher un son à un trombone. Non...
les types que je cherche sont beaucoup plus fortiches
avec ce genre de trucs. Systèmes à retardement. Explosifs concentrés à haute puissance. Détonateurs japonais. Le grand jeu. Rien à voir avec ces tuyaux de pacotille, soupire encore Haggard. Eh bien, je ferais mieux
de filer. »

Il rabat fermement le bord de son feutre et remonte
le col de son trench-coat froissé.

Fox le suit dans le hall du Pan Am Building et le
raccompagne jusqu'à la sortie de la 45ᵉ Rue, devant
laquelle stationne toujours une foule de curieux.

« Tout ça est en rapport avec le médecin-chef, pas

vrai ? » demande-t-il lorsqu'ils s'arrêtent devant la voiture.

Debout devant la portière ouverte, Haggard lui décoche un regard acéré :

« Où avez-vous entendu parler de ça ?

— On m'a parlé de sa fille.

— Qui ça ?

— Personne. Mais c'est le bruit qui court... des rumeurs, c'est tout. »

Haggard le contemple un moment en silence. Puis son index se porte lentement jusqu'aux lèvres du sergent et s'y attarde un instant. Un geste qui intime le silence. Puis il part.

49

Appelez donc, bande de salauds, appelez. Dites-moi seulement combien et quand vous voulez que je paie. Je m'arrangerai. Je serai là. Mais appelez. Je vous en supplie, appelez. Rendez-moi ma gosse.

15 heures. Le bureau de Konig.

La pièce éteinte est plongée dans une pénombre étouffante. Derrière son bureau jonché de paperasses en souffrance, Konig attend, les yeux rivés sur le téléphone, toute son attention concentrée sur l'appareil, comme s'il espérait pouvoir, au prix d'un énorme effort de volonté, le contraindre à sonner.

Il y a déjà près d'une heure qu'il est là dans la pénombre, les yeux rivés sur la petite masse noire, comme pour la supplier. Il ressasse dans sa tête toute une série de dialogues imaginaires avec Wally Meacham. Ce qu'il lui dira. Comment il s'exprimera. Ce qu'il concédera. Il sait, bien sûr, qu'en fait il cédera sur toute la ligne. Tout peut se négocier. Mais par ailleurs, dans un coin de sa cervelle, résonne, insistante, la ferme mise en garde de Haggard : « N'y va pas seul. Ne fais rien sans moi. »

A plusieurs reprises au cours de l'après-midi, le téléphone a sonné — les journalistes et les salopards de la radio et de la télé, avides de scandale. Ils ont de quoi se mettre sous la dent, avec la macabre histoire de vol de cadavres, et maintenant en plus, il y a l'affaire Robinson et les communiqués que tous les quarts d'heure environ Carslin expédie du bureau du procureur. Excellente occasion pour les moralistes de vitupérer en première page.

Konig avait refusé de parler aux journalistes. Mais lorsque Benjamin avait appelé, il n'avait pas eu le choix et n'avait pu l'éviter. Sur les motifs de son coup de fil, il ne se faisait guère d'illusions et, quand Maury lui avait rappelé qu'il devait se présenter le lendemain matin au bureau du procureur, il s'était borné à marmonner son accord. Et il s'était dit alors qu'au point où il en était, il se fichait pas mal de ce qui pourrait lui arriver.

Plusieurs fois au cours de l'après-midi, il s'était traîné jusqu'au bureau de Haggard. Il se rongeait de questions et avait besoin qu'on le rassure. Chaque fois, il n'avait trouvé personne et, laissant de petits messages incohérents griffonnés sur des bouts de papier, il avait regagné son bureau.

Pas une seule fois ce jour-là il n'était descendu aux salles d'autopsie. Les paperasses s'accumulaient sur son bureau, rapports à lire, certificats de décès à signer, constats d'assurance à remplir, un flot de messages et une montagne de lettres en souffrance. Il n'avait rien fait. Il avait tout laissé aller à la dérive. Il avait systématiquement évité de rencontrer ses collègues. Il savait que, comme toujours, ils avaient des questions à lui soumettre et qu'il retardait leur travail de façon impardonnable. Il le savait aussi, ils avaient deviné qu'il avait des ennuis. Des ennuis dramatiques. Il savait qu'ils se sentaient mal à l'aise et jasaient derrière son dos. Et il savait que Strang, assuré de ses arrières, intriguait lui aussi et s'employait en ce moment même à le calomnier, à se pousser dans les bonnes grâces des sbires grassement payés du maire.

Et pourtant, il s'en souciait peu. Il considérait ses négligences à l'égard de sa charge, son indubitable déclin professionnel, avec une sorte d'étrange indifférence. Il s'en dissociait, comme s'il se fût agi d'un autre que de lui-même. Quelqu'un qui l'aurait vu dans cet état et, le connaissant depuis longtemps, aurait connu son immense énergie, son inépuisable curiosité intellectuelle, aurait eu peine à croire qu'il s'agissait du même homme. Il serait resté stupéfait au spectacle de cette morne silhouette prostrée devant son bureau, indifférente à son travail, les yeux vitreux et hébétés, la mâchoire pendante, accablée par une lassitude énorme.

Le temps passe et toujours immobile dans la pénombre grandissante, les yeux fixés sur le téléphone, il attend. Brusquement, la sonnerie retentit. Tiré de sa torpeur par le timbre strident, il sursaute et tend l'oreille. Carver est chargée de prendre ses communications, de crainte qu'il ne s'agisse des journalistes, d'un quelconque fouinard désireux de se faire mousser. Le son étouffé de sa voix filtre à travers la porte. Puis un timbre bourdonne sur son appareil et il décroche vivement.

« Flynn, annonce Carver. Vous voulez lui parler ?

— Flynn ? »

Une fraction de seconde, le nom ne lui dit rien.

« Flynn... bon dieu, non. »

Il esquisse un geste pour raccrocher, puis soudain se ravise.

« Une minute... passez-le-moi, ça vaut mieux. »

Un bref silence, un déclic, puis la voix du sergent Edward Flynn. Rien d'autre tout d'abord que des plaisanteries anodines, des propos sans importance. Le tout sans queue ni tête. Trop rapide. Son esprit embrumé par la drogue a peine à suivre le fil.

« ... et c'est à ce moment-là que Browder...

— Browder ?

— Comment ?

— Vous venez bien de parler de Browder.

— Je sais, dit Flynn, une note de perplexité dans la voix. Et alors ? »

Quand Flynn a mentionné le nom de Browder, Konig a senti ses idées s'éclaircir un instant, comme lorsqu'un brouillard commence à se dissiper.

« Vous venez de dire quelque chose au sujet de Browder.

— Je le sais bien. Vous m'écoutiez pas ou quoi ? J'ai dit qu'on avait reçu ses empreintes de Fort Bragg. Elles collent avec toute une série d'autres qu'on a relevées un peu partout dans la baraque.

— Oh ! fait Konig, qui retombe dans son indifférence. Rien d'autre ?

— Rien d'autre ? Ça vous suffit pas ? Cette fois, on les a identifiés tous les deux. Ma parole, ça va pas ou quoi ? Vous êtes malade ?

— Non, ça va très bien, marmonne Konig. Une rage de dents, c'est tout. Où étiez-vous passé ?

— South Street. Histoire de visiter une petite propriété.

— Comment ça, une propriété. Bon dieu, qu'est-ce que c'est que cette histoire de propriété dont vous n'arrêtez pas de me rebattre les oreilles. »

Flynn soupire comme un homme mis à rude épreuve.

449

« La propriété dont je vous rebats les oreilles, mon bon ami, c'est l'ancien asile de l'Armée du Salut du secteur.

— De l'Armée du Salut ? »

Konig répète lentement les mots; puis, brusquement, une pointe de curiosité se glisse dans sa voix :

« Y a du nouveau ?

— Rien, coupe Flynn. On dirait que c'est encore un cul-de-sac. Et c'est pareil pour notre fantôme de l'Armée du Salut, là aussi je crois qu'on va se casser le nez. Y a dix ans que la baraque est fermée. Un tas de vieux meubles et de saloperies. Des rats et des robinets qui fuient. A part ça, pas grand-chose. »

Konig rumine quelques instants la nouvelle.

« Et maintenant, qu'est-ce que vous allez faire ?

— J'en sais rien, glousse Flynn. Je patauge. Je sais plus à quel saint me vouer. On a relevé au moins une douzaine de séries d'empreintes différentes dans c'te baraque. On essaie de les identifier. On ratisse le quartier, on coffre tous les clochards du coin. Tous ceux susceptibles de nous fournir un indice. On a même coffré deux types déguisés en poivrots qui rôdent dans le quartier les poches bourrées de litrons de gros rouge. Jusqu'ici, rien. Notre seule piste valable, c'est le pseudo-mec de l'Armée du Salut, mais je crois pas qu'elle nous mènera bien loin. »

La voix de Flynn poursuit son monologue, mais Konig a l'esprit ailleurs et ses yeux parcourent fébrilement la pièce.

« Ce qui fait que je n'ai pas grand espoir de... »

Tout à coup, le regard de Konig tombe par hasard sur un coin d'ombre sous une longue table à tréteaux dressée en face de son bureau. La table est couverte de rapports, de livres pas encore lus, d'échantillons prélevés sur des cadavres, de bocaux de formol remplis de fragments d'organes. Ses yeux se sont fixés sur une petite valise bon marché et usée. Le genre d'article en vinyle que les grands magasins vendent pour 5 dollars 99. La valise est vieille et fatiguée. Constellée de boue et de vieux insignes d'université. C'est la valise qui a servi à transporter à l'Institut médico-légal les deux têtes tranchées exhumées sous la baraque de Coentis Slip.

Soudain Konig se revoit nettement en train d'ouvrir cette valise, de forcer les serrures rétives de ses doigts tremblants d'impatience, il se revoit frémissant d'espoir et retenant son souffle en train de débarrasser les deux têtes des journaux qui les enveloppaient... les journaux.

Aussitôt il se lève d'un bond et, coupant court au bavardage de Flynn, se met à parler avec animation :

« Ecoutez... où êtes-vous ?

— Quoi ?

— J'ai dit, où êtes-vous ? Où êtes-vous en ce moment, bon dieu ?

— Où je suis ? s'exclame Flynn d'une voix geignarde. Mais nom de dieu, ici, dans c'te saloperie de cabine et en train de vous parler.

— Où ? Où est-elle, cette cabine ?

— Dans la 8e Rue, en face d'un restaurant Howard Johnson. Je voudrais foutre bien savoir en quoi...

— Donnez-moi le numéro.

— Le numéro ?

— Oui, le numéro de la cabine. Vous êtes bouché ou quoi ? Nom de dieu, donnez-moi ce numéro. Je vous rappelle dans cinq minutes. »

A peine Konig a-t-il raccroché qu'il se précipite vers la table à tréteaux; il se baisse, hisse la petite valise fatiguée sur la table, force la fermeture rouillée et plonge à deux mains dans les liasses de feuilles chiffonnées et souillées.

Ce ne sont pas les pages du *Daily News* ni du *Post* qui l'intéressent. Il y en a tout un paquet — des feuilles maculées de boue, encore souillées par endroits de bribes de sang séché, d'où monte une faible odeur putride. D'après la date, toutes remontent à la période entre le 27 et le 31 mars, ce qui est parfaitement compatible avec l'hypothèse selon laquelle le meurtre a été commis aux alentours du 1er avril.

Mais celles-ci ne l'intéressent pas. Il y a plusieurs jours, lorsqu'on lui a apporté les têtes, il se souvient qu'après avoir réussi à les apparier aux torses, il est revenu ouvrir la macabre petite mallette et fouiller parmi les feuilles de journaux. Et puis, chose bizarre, il se souvient de s'être assis sur une chaise près de la fenêtre et de les avoir lus — en particulier l'un d'eux.

Il se remet à feuilleter fébrilement ces mêmes vieux journaux, en même temps qu'il se creuse la cervelle pour essayer de se rappeler ce qu'il a lu et pourquoi le souvenir s'est ancré si obstinément dans quelque recoin inaccessible de sa mémoire.

Une masse de nouvelles de politique internationale et de politique intérieure, qu'il survole. Combats au Moyen-Orient. Explosions de bombes à Londres. Famine au Pakistan. Enquête sénatoriale sur les activités de l'Exécutif. Le visage d'un agent de police assassiné s'étale sur les pages jaunies et moisies du *Daily News,* et Konig s'y arrête un instant; une photo de groupe, une patronne de bordel de l'East Side entourée de son écurie, au tribunal des flagrants délits; puis le portrait d'un petit barbichu à l'air timide et aux yeux de fouine, coupable d'avoir rossé à mort sa petite fille âgée de trois ans.

Pourtant, ce n'est toujours pas ce qu'il cherche. Il se remet à fouiller, parcourt les feuilles d'un regard fébrile, tourne brutalement les pages nauséabondes d'où tombent des bribes de cheveux et de tissu cervical. Si seulement il parvenait à se rappeler ce qu'il a lu ce soir-là. A moins que ce ne soit de bonne heure le lendemain matin, après avoir passé la nuit à travailler? Oui, c'était bien cette nuit-là, après le départ de McCloskey, la nuit où, sur le coup de quatre ou cinq heures du matin, il avait finalement réussi à apparier chacune des deux têtes à un corps. Il s'était assis là-bas près de la fenêtre, sur cette chaise au dossier raide. Il faisait chaud et il avait ouvert la fenêtre. L'air frais de la nuit lui avait fait du bien. Avait détendu son esprit fatigué. C'est alors qu'il s'était mis à lire. Quelque chose au sujet... Quelque chose au sujet... d'un concours. Un concours de beauté. Voilà, c'était ça, un concours de beauté. En proie à une excitation croissante, il marmonne tout haut les mots : un concours de beauté, et alors même qu'il articule, et que les mots sont encore sur ses lèvres, lui revient une image. La photo d'une grande fille osseuse en maillot de bain. Elle porte une banderole en travers de la poitrine et tandis qu'un homme, plus petit qu'elle, se hisse sur la pointe des pieds pour la couronner d'une tiare de pacotille, elle arbore un grand sourire gourmand.

Puis brusquement, alors même qu'il revoit la page dans son esprit, la voici — chiffonnée, bouchonnée, enfouie sous les autres, une des dernières de la pile. Ses mains tremblantes s'en saisissent aussitôt, chassent les débris, plaquent la feuille sur la surface de la longue table pour en lisser les plis. Et là, enfin, la photo, celle-là même dont il avait gardé le souvenir — la fille au grand sourire; le petit personnage à la tiare. Au-dessus, un titre, en partie déchiré et à demi effacé :

COURON   MENT D'UNE REINE   CARNAVAL

Puis une pyramide renversée, le sous-titre : « Gloria Melendez représentera Clinton aux Eliminatoires du Concours de Beauté de notre ville. »

Ses yeux effleurent vivement l'article et, brusquement, tous les détails lui reviennent en bloc. C'est alors qu'il comprend ce qui l'avait frappé, il y a plusieurs jours, sans que sur le moment il en mesure pleinement la signification. Ce n'était pas l'histoire, anodine et banale, de celles qu'on oublie sitôt après les avoir lues. Non. Il s'agit plutôt de la page où elle est publiée. Pas une des pages de grands quotidiens dont la mallette est bourrée. Non, il s'agit de la première page d'un petit journal appelé le *Clintonian*, une de ces petites feuilles de chou locales publiées trois ou quatre fois l'an et distribuées en supplément spécial par les grands journaux.

Légèrement plus petite qu'une page de quotidien illustré, celle-ci est bourrée de nouvelles de Clinton, cette immense zone aux allures de ghetto qui vers le nord et le sud englobe toutes les rues de la 40ᵉ à la 60ᵉ, et vers l'est et l'ouest, tout le secteur compris entre la 8ᵉ Avenue et l'Hudson. Le quartier, jadis surnommé la Cuisine de l'Enfer, est maintenant en pleine expansion. De vieilles maisons de pierre croulantes y voisinent avec de grands ensembles tout neufs. Usines et entrepôts côtoient de petites boutiques — boucheries grecques, boulangeries italiennes, *bodegas* portoricaines et marchands des quatre-saisons. Maquereaux noirs et leurs putes. Petits-bourgeois chassés par la criminalité en plein essor.

C'est cela qui s'était ancré dans la mémoire de Konig. Non pas la jolie petite Portoricaine coiffée de sa tiare de pacotille. Non. C'était cette petite feuille de chou bourrée d'insignifiants potins concernant les célébrités locales. Mr. Karolides, le boucher, annonce les fiançailles de sa fille, Rosanna, avec Nicholas Magos, un fleuriste de notre quartier. Mr. Joseph Pappalia, le petit mercier, massacre ses prix. Une photo de Miss Lottie Munoz, la propriétaire d'un salon de coiffure, occupée à faire une permanente à Miss Flossie Jewel, caissière du cinéma local, et ainsi de suite.

Konig fouille dans la valise en quête d'autres pages du bulletin, mais il n'en trouve pas. Il n'y a que la première page. Elle est datée du dimanche 31 mars 1974. Le numéro de série de l'exemplaire figure dans le coin supérieur droit, 3118. Au verso, la photographie de Gloria Melendez.

L'instant d'après, Konig est de nouveau pendu au téléphone; il appelle la cabine de la 8e Rue où attend toujours Flynn.

« Où diable étiez-vous passé? grommelle Flynn sans laisser à Konig le temps d'ouvrir la bouche. Y a trois types qui font la queue à la porte de c'te saloperie de cabine en me faisant des grimaces.

— Vous n'avez qu'à en faire autant, gronde Konig. Et maintenant écoutez-moi.

— Vous aviez dit cinq minutes, ergote Flynn. Et v'là que vous me faites poireauter...

— Ecoutez-moi bordel de dieu. Où aviez-vous trouvé ce journal ?

« — Quel journal ?

— Le journal dans lequel vous avez empaqueté les têtes ?

— Je les ai trouvées enveloppées dedans.

— Vous les avez trouvées dans le journal ?

— Ouais, bonté divine... c'est ce que je viens de dire, non ?

— D'accord, c'est tout ce que je voulais savoir, hurle Konig. Je vous envoie une des pages de ce journal.

— Qu'est-ce que vous voulez que j'en foute ?

— Vous tracassez pas pour ça. Je vais vous le dire, ce que vous allez en foutre.

— Inutile de vous mettre à gueuler...

— Gueuler ? tonne Konig dans l'appareil. Vous voulez que je me ramène et que je vous le fasse bouffer, ce journal. Alors écoutez-moi, nom de dieu...

— Dites donc, une sec...

— Ne m'interrompez pas. Contentez-vous de la fermer et de faire ce que je vous dis. »

Longtemps après avoir raccroché, Konig est toujours assis à son bureau, tandis que l'ombre de l'après-midi finissant envahit peu à peu la pièce. Par les fenêtres ouvertes, la rumeur des enfants qui jouent à la crosse et filent sur leurs patins à roulettes monte de la rue en contrebas. Mais Konig n'entend rien. Il s'est remis à guetter le téléphone et il attend.

La novocaïne a cessé de faire son effet et une douleur sourde s'est remise à lui mordre la mâchoire à l'endroit où le matin l'a triturée la fraise du dentiste. Une douleur, il ne le sait que trop, qui ne fera qu'empirer au cours des heures qui viennent.

Il ouvre son tiroir du bas où est rangé tout un assortiment de fioles, de boîtes de cachets et de capsules, et prend deux pilules, un Démérol, et une pilule de nitrite d'amyle pour lutter contre la sensation d'étouffement qui l'oppresse de plus en plus.

Peu après, le garçon de courses entre dans la pièce, lance sur son bureau un paquet de lettres retenu par un élastique et ressort. Konig ne bouge pas. En fait, c'est à peine s'il a remarqué l'arrivée et le départ du gosse. Le courrier reste là au milieu de ses paperasses, intact, en souffrance.

Une heure plus tard, il n'a toujours pas bougé. Carver a depuis longtemps entrebâillé la porte pour lui souhaiter le bonsoir, comme elle le fait religieusement chaque jour depuis douze ans. Elle lui recommande de ne pas trop s'attarder et s'en va.

Mais il attend toujours et guette le téléphone, tout seul dans le crépuscule d'avril qui tombe sur la ville.

Peu après sept heures, il repousse son fauteuil et, les jambes raides, se lève en titubant. Il a décidé de partir. Où, il n'en sait rien. En tout cas, pas chez lui. Surtout pas chez lui. Fait incroyable, il a faim. L'idée lui vient tout à coup qu'à part du café et du scotch, il n'a rien avalé depuis trois jours.

Alors qu'il enfile sa veste, son œil tombe sur le paquet de lettres resté sur le bureau, cerclé d'un large élastique. « On verra ça demain », marmonne-t-il en se dirigeant vers la porte. Pourtant, quelque chose le retient. Une lettre urgente. Son courrier de l'université. Ses problèmes de budget. Une réponse à sa demande de subvention fédérale. Les lettres de ses correspondants étrangers. Quelque chose...

Avec un soupir résigné, il retire l'élastique et feuillette sans enthousiasme une pile d'enveloppes qui lui paraissent sans intérêt. Mais au milieu de cet amas rebutant de missives officielles, toutes marquées de leur sigle arrogant et de mauvais augure, une petite enveloppe lilas d'aspect étrangement anonyme. Un papier lilas pâle, ce qui suggère un correspondant féminin. Sur l'enveloppe, le nom « Paul Konig », calligraphié d'une grosse écriture maladroite, une écriture enfantine, et le cachet de la poste de Grand Central Station. Pas d'adresse de l'expéditeur. A l'intérieur, il sent quelque chose de plat, lourd, métallique.

Il examine quelques instants la lettre, la soupesant, la retournant entre ses doigts, sans pouvoir s'expliquer le spasme qui lui noue soudain les viscères. Ses jambes flageolent et il est obligé de se rasseoir. Il demeure un long moment ainsi, la petite enveloppe lilas dans sa main, l'examinant avec circonspection, répugnant à l'ouvrir, pareil à un homme qui s'efforce de fuir une mauvaise nouvelle depuis longtemps attendue. Enfin, lentement, il déchire le rabat.

La première chose qui sort de l'enveloppe est une grosse clef de cuivre, une clef à tête plate marquée d'un numéro : 2384, et de la mention : « Grand Central Station. Propriété du Service de la Consigne. »

Dans l'enveloppe, toujours sur papier lilas, un message formé de mots découpés dans divers journaux et revues puis collés sur le papier. Le message stipule : « Vendredi, 12 heures 15. 300000 dollars. Pas de coupures supérieures à 20. Déposer consigne casier numéro 2384. Partir aussitôt; PAS D'ENTOURLOUPES S'IL VOUS PLAIT. »

Le billet n'est pas signé mais, tout en bas, une petite empreinte, l'empreinte d'un pouce trempé dans ce qui est indubitablement du sang. En dessous, le mot « Lolly », comme pour suggérer qu'il s'agit de son sang.

Un moment encore il demeure sans bouger, la clef de

cuivre dans la main, froide et moite au toucher, tandis que devant ses yeux dansent et vacillent les petites lettres tordues du message, l'empreinte du pouce de sa fille qui évoque la piste sanglante d'un petit animal blessé.

Son premier réflexe le pousse à cacher la lettre. Son second à fuir. A foutre le camp en vitesse, de crainte que Haggard n'ait la mauvaise idée d'entrer et qu'il ne voie la lettre. Ou à supposer qu'il ne voie pas la lettre, qu'il le voie, lui. Qu'il voie la tête qu'il fait et devine tout. Une catastrophe. Le commissaire insisterait pour y aller à sa place. Pour envoyer une équipe de policiers en bourgeois. Pour monter un piège dans la consigne. Il n'en avait rien à foutre, lui, de tout ça. Il n'en avait rien à foutre de Haggard. Non, pas question. La vie de sa fille est en jeu. « Pas d'entourloupes, s'il vous plaît », disait le message avec, dans ce tranquille parti pris de civilité, quelque chose de très menaçant et de très sinistre. « Pas d'entourloupes s'il vous plaît. » Ils parlaient sérieusement. Ils n'avaient pas hésité à signer avec son sang. Des bêtes fauves, ces salauds. Des dingues. Des psychopathes. « Pas d'entourloupes s'il vous plaît. » D'accord, Wally Meacham. D'accord. C'est toi le patron. On fera comme tu l'entends.

Mais l'instant d'après il se lève et se précipite hors de son bureau comme un homme transformé en torche vivante. Il fonce à travers les couloirs vers le bureau du lieutenant Francis Haggard où brille encore la lumière.

50

« 299 940... 960... 980... et voilà, 300 000 dollars.
— En coupure de 10 et 20 ?
— Oui, monsieur. Comme vous l'avez demandé. »

Vendredi 19 avril. 9 heures 15. Chemical Bank, angle de la Cinquième Avenue et de la 42ᵉ Rue.

« Un peu compliqué de réunir une grosse somme pareille en aussi petites coupures dans un délai aussi bref, mais enfin, on s'est arrangé. »

Mr. Whitney Graybard rayonne, pareil à un chiot qui quémande des caresses.

« Les coupures de 20, nous les avions sous la main, mais pour celles de 10, nous avons dû nous adresser à une demi-douzaine de nos agences.

— Désolé de vous avoir causé tant de problèmes, dit Konig.

— Mais pas du tout, monsieur. Nous sommes ici pour ça. N'empêche que, quand votre avocat nous a téléphoné hier, nous avons été plutôt surpris.

— Il était un peu tard, n'est-ce pas ?

— Seize heures quinze environ. J'étais déjà parti, mais il a eu la chance de tomber sur mon assistant, Peters. Pour être franc, ça fait une *très grosse* somme à réunir en si peu de temps. »

Mr. Graybard se carre d'un air important dans son grand fauteuil de cuir derrière son immense bureau recouvert de cuir et vierge de toute paperasse.

« Aucun motif particulier ?

— Pour quoi ?

— Pour les petites coupures, réplique Mr. Graybard, dont soudain la jovialité et l'affabilité font place à une expression circonspecte et sceptique. Pas très régulier, vous savez.

— Oh ! vraiment », dit Konig, d'un ton qui se veut impassible.

Rien ne pourrait l'embarrasser davantage à ce stade que la curiosité d'un directeur de banque. Il comprend parfaitement que l'autre éprouve des soupçons. N'a-t-il pas déjà dû affronter le même problème avec Barstow, l'homme de loi qui depuis des années gère ses affaires de famille ? Il lui avait téléphoné la veille en fin d'après-midi pour lui servir une incroyable histoire de placement qu'il se proposait de faire en faveur de Lolly. Il avait exigé un retrait immédiat de 300 000 dollars en espèces sur le capital que la famille de Ida avait placé sur la tête de Lolly. Barstow était le fondé de pouvoir de Lolly et, comme tel, était chargé de gérer sa fortune en attendant qu'elle ait vingt-cinq ans.

Bien entendu, Barstow avait posé des questions. Il ignorait tout de la situation de Lolly et, plus Konig s'était montré évasif, plus l'homme d'affaires s'était fait intraitable. Lolly se rendait-elle compte qu'en amputant prématurément son capital d'une somme aussi rondelette, elle perdrait une part considérable

461

des revenus qu'elle tirait chaque année de la capitalisation de ses intérêts ?

Oui, elle s'en rendait compte, avait assuré Konig, en essayant de garder son calme. Dans quel genre d'affaire se proposait-elle d'investir ? Avaient-ils pris soin de se faire conseiller par de bons experts financiers ? Pourquoi ne l'avaient-ils pas consulté, lui ? Pourquoi du liquide et pourquoi des petites coupures ?

Naturellement, l'autre cherchait à gagner du temps. Il voulait temporiser pour pouvoir examiner l'affaire en détail. Bien entendu, avait poursuivi Barstow à contrecœur, Lolly avait parfaitement le droit de puiser dans son capital avant son vingt-cinquième anniversaire, mais seulement avec l'accord de son fondé de pouvoir, et à condition d'avoir des raisons valables pour le faire.

« Mais nom de dieu, si ce n'était pas le cas, je ne vous aurais pas appelé pour vous demander de vous en occuper », avait hurlé Konig dans l'appareil, sans détacher les yeux de la feuille marquée de l'empreinte sanglante posée sur son bureau.

Cette explosion de violence n'avait servi qu'à accroître la méfiance de Barstow. Il s'était mis à questionner Konig sur sa santé. Puis il avait ajouté :

« Au fait, comment va Lolly ? »

Konig alors s'était déchaîné. Et pendant dix minutes les deux hommes s'étaient bombardés de jurons et de grossièretés. A force de gueuler et de vitupérer, Konig avait fini par réduire l'autre au silence. L'avocat avait capitulé, sur une ultime exclamation de lassitude et de dégoût. L'argent serait prêt et l'attendrait à la Chemical Bank dès le lendemain matin, avait-il promis, sur quoi il avait raccroché brutalement.

« Un simple placement que ma fille et moi souhai-

462

tons faire, explique maintenant Konig, incapable d'affronter le regard cordial mais glacé de Mr. Graybard, qui trône majestueux derrière son bureau.

— Oui, docteur, je sais. Vous me l'avez dit. Mais n'empêche, tout ça n'est pas très régulier.

— Vous voulez parler de la somme ou des petites coupures ?

— Des deux.

— Ma foi, c'est possible, réplique Konig qui, derrière son petit sourire crispé, commence à bouillonner dangereusement. Pourtant, c'est de ça que nous avons besoin. »

Mr. Graybard ne fait aucun commentaire, mais il le contemple avec un sourire bizarre.

« Eh bien, dit-il enfin, en se levant brusquement, comme pour signifier que l'entretien est terminé, si c'est comme ça, c'est comme ça. Je vous souhaite bonne chance, à votre fille et à vous, dans cette nouvelle entreprise. Vous avez ce qu'il faut pour transporter tout ça, docteur ? »

Mr. Graybard se lève et se dirige d'un pas résolu vers une longue console où, à l'autre bout de la pièce, les billets sont rangés en gros tas réguliers.

« 300 000 en coupures de 10 et de 20, ça fait du poids, glousse-t-il. Je peux vous prêter une ou deux de nos caisses.

— Merci, ça ne sera pas nécessaire, refuse Konig, pressé de s'en aller. J'ai apporté ce qu'il faut. »

Il hisse sur une chaise voisine un vieux sac en cuir fatigué qu'il avait déposé à ses pieds.

Mr. Graybard examine le sac à distance, d'un coup d'œil rapide mais consciencieux.

« Je crois que ça fera l'affaire, dit-il. Bon, laissez-moi vous aider. »

Rapides et méthodiques, les deux hommes se mettent alors à faire la chaîne et, empoignant les billets par piles entières, les fourrent dans l'ouverture béante du sac qui ne tarde pas à être plein jusqu'à la gueule. Quelques instants plus tard, la longue étagère est débarrassée des billets et les serrures du vieux sac fatigué claquent avec un bruit sec.

Graybard raccompagne Konig jusqu'à la porte de son bureau. Il s'arrête sur le seuil et tend la main.

« Si jamais je puis vous être encore utile, docteur..

— Merci, marmonne Konig, sans lui accorder un regard. Vous avez été très aimable.

— En tout cas, n'hésitez pas. »

Sans se départir de son bizarre sourire énigmatique, Mr. Graybard suit des yeux la silhouette en vêtements froissés qui traverse le hall de marbre de la banque et d'un pas lourd se dirige vers la sortie.

« Voulez-vous que je demande à l'un de nos gardes de vous accompagner, docteur, lance-t-il à la silhouette qui s'éloigne.

— Non merci, réplique Konig sans se retourner. Il y a une voiture de police qui m'attend dehors. »

51

PROFONDES écorchures en forme de V renversé sur le cou, provoquées par de la bourre de matelas; cicatrices de coupures sur la face cubitale du poignet gauche; traces d'aliments récemment absorbés dans l'estomac, grains de riz et fragments de haricots encore entiers; écorchure d'un centimètre et demi au-dessus du sourcil gauche; fracture du crâne, récente; ecchymose sur la surface du scalp au-dessus de la fracture.

**10 heures. Bureau du procureur du district.
Palais de Justice, 100, Centre Street.**

« Si je vous suis bien, docteur Konig, tels sont, à votre connaissance, les points essentiels du rapport officiel d'autopsie?

— C'est exact.

— Et si je comprends bien, ce rapport établit en substance que les blessures énumérées ici ont été provoquées lorsque le corps est tombé du plafond où il était pendu? En d'autres termes, alors que Robinson était déjà mort?

— Oui, réplique avec vivacité Konig. C'est en effet l'essentiel de notre thèse. »

Il pose un regard aigu sur les trois personnages rassemblés devant lui — l'adjoint au maire Benjamin, le docteur Charles Carslin et Clifford Binney, le procureur du district.

Le procureur du district, un grand type olivâtre aux manières hypocrites, médite quelques instants en silence. Puis il se tourne vers Carslin :

« Par ailleurs, docteur, la seconde autopsie pratiquée par vos soins établit certains faits qui ne figurent pas dans le rapport de l'Institut médico-légal ou qui le contredisent : voulez-vous nous les présenter.

— Avec plaisir, dit Carslin en se levant.

— Inutile de vous lever, docteur, fait Binney en l'invitant d'un geste à se rasseoir. Nous ne faisons pas de cérémonies ici. »

Quelque peu déconfit, Carslin se rassoit gauchement. Puis, plantant d'une main ferme ses lunettes sur l'arête de son nez, il entreprend de lire tout haut son rapport.

Tandis que Carslin poursuit sa lecture de sa voix la plus officielle, le regard de Konig dérive vers le plafond et parcourt le bureau poussiéreux du procureur, encombré de rayons chargés de livres et de volumes de références — actes dommageables, lois de l'Etat de New York, procès criminels — qui tapissent les murs du sol au plafond. Le bureau doit être bourré de milliers de volumes, de vrais nids à poussière qui dévorent tout l'espace disponible et raréfient encore l'atmosphère confinée.

« ... plus deux blessures à la tête nettement distinctes dont il n'est pas fait mention dans le rapport de l'Institut médico-légal, poursuit Carslin d'une voix stridente d'indignation. Importantes traces d'hémorragies sur une partie du dos de la main droite, dont il n'est nulle part fait état. Contusion de coloration rouge

466

foncé sur le tibia droit. Et, au lieu de l'écorchure superficielle au-dessus du sourcil gauche décrite dans le rapport officiel d'autopsie, je trouve une plaie profonde et béante qui va jusqu'au niveau de l'os du crâne. En outre, la blessure relevée sur le côté droit de la tête a été lamentablement minimisée. Elle est deux fois plus importante que celle décrite par le rapport officiel. »

On dirait presque que, tandis qu'il administre cet ultime *coup de grâce,* les yeux de Carslin flambent d'une lueur de triomphe.

Mais c'est à peine si le chef de l'Institut médico-légal semble avoir conscience de ce qui se passe autour de lui. Il est assis nonchalamment dans son fauteuil, l'air absent et indifférent. A un certain moment, son regard distrait télescope celui de l'adjoint au maire, qui le contemple avec une expression perplexe, comme s'il attendait − comme s'il espérait − que Konig contredise le rapport de Carslin. Mais on dirait qu'il n'y pense même pas.

« Pourrions-nous en venir au nœud de l'affaire, je vous prie, docteur Carslin ? intervient Clifford Binney, d'un ton calme et posé. Dites-nous si le détenu, Robinson, est mort à la suite de blessures infligées par des tiers ou si les blessures ont été provoquées par le détenu lui-même au cours d'une tentative de suicide par pendaison.

− J'y arrive, dit Carslin en bombant le torse et en remontant ses lunettes. Mon examen m'a permis de conclure que cinq blessures distinctes au moins ont été infligées antérieurement à la mort et que, selon toute vraisemblance, elles proviennent d'un passage à tabac. »

Benjamin, qui ne cesse de s'agiter et de se tortiller

dans son fauteuil, contemple Konig bouche bée, dans l'attente d'une réponse. Mais Konig ne bronche pas. L'adjoint au maire se tourne brusquement vers Carslin :

« Qu'est-ce qui vous permet de dire ça ? Qu'est-ce qui vous autorise à affirmer avec cette assurance et cette prétention que...

— Maury... »

Binney a forcé la voix, juste assez pour dompter l'adjoint au maire.

« Si vous consentiez à me laisser finir, dit Carslin en foudroyant Benjamin du regard, je vous le dirais avec plaisir. D'ailleurs, le docteur Konig pourrait vous le dire à ma place. »

Suivent quelques instants d'embarras tandis que tous les regards convergent vers Konig, toujours immobile, les yeux baissés, l'air indifférent, les cheveux en bataille, bizarrement tassé sur son siège.

« En tout état de cause, reprend Carslin, la nature des blessures suggère qu'elles ont été causées par un instrument contondant; qu'elles étaient suffisamment graves pour provoquer une douleur intense. Et d'après les résultats des examens des tissus auxquels j'ai procédé sur place, examens que le médecin légiste avait négligé d'effectuer, je m'estime en mesure de dire sans l'ombre d'un doute que les blessures et les contusions que j'ai relevées sur le corps de Robinson lui ont été infligées avant sa mort. Et non pas après, comme le prétend le rapport officiel d'autopsie. Et que l'explication la plus plausible concernant les causes de sa mort est qu'il a été rossé à mort ou du moins assommé par les gardiens de la prison, qui l'ont ensuite pendu pour faire passer sa mort pour un suicide.

— Absurde, hurle Benjamin qui se lève d'un bond, le

468

visage cramoisi, en agitant les mains. Absurde. Je refuse de continuer à...

— Maury, aboie le procureur.

— ...laisser cet homme salir la réputation de notre système pénitentiaire simplement sous prétexte que...

— Maury... »

Cette fois le procureur a quasiment hurlé.

« Non... désolé, Cliff. Mais pas question de laisser...

— Rasseyez-vous et restez tranquille, dit Binney, les mâchoires crispées, d'une voix basse et menaçante, ou bien sortez. »

Quelque chose dans le calme et les manières sournoises du procureur font que l'adjoint au maire s'arrête court, vaincu et désorienté; il se laisse retomber sur son siège, déconfit et pantelant.

« Voyons si je comprends bien, reprend Binney en pivotant de nouveau sur son siège pour faire face à Carslin. Vous suggérez que le défunt ne s'est pas pendu tout seul, mais a été pendu par les gardiens après avoir été battu au point de perdre connaissance, et ce, dans le but de laisser croire qu'il avait lui-même attenté à ses jours.

— Vous ne voyez donc pas ce qu'il essaie de faire, Cliff, plaide Benjamin en se tournant vers le procureur. Il fait tout ce qu'il peut pour se tailler une réputation en calomniant nos institutions pénitentiaires.

— Maury, si vous ne voulez pas la fermer, tonne soudain Binney, je vous fous dehors. »

Benjamin est à deux doigts de lui répondre sur le même ton. Mais il se ravise et, grinçant des dents, croise les bras et se détourne.

Malgré tout démonté, Binney soupire, se passe fiévreusement la main dans les cheveux, et s'adresse à Konig :

« Et vous Paul, qu'avez-vous à dire ? »

Konig demeure silencieux, immobile, à croire qu'il n'a pas entendu la question.

« Paul », répète de nouveau Binney.

Sa voix est de nouveau calme, empreinte d'une patience infinie.

Konig reste impassible, les yeux rivés au plancher.

« Paul, avez-vous suivi tout ce qui vient d'être dit ?

— Oui, répond Konig distraitement.

— Est-ce vrai, Paul ? Vos services ont-ils omis de procéder à ces examens des tissus qui, pour ma part, me paraissent essentiels ?

— Oui, dit Konig, les yeux baissés, les épaules voûtées de lassitude. C'est vrai. Et le responsable de cette négligence a fait l'objet d'un blâme.

— Et, intervient Benjamin, il refuse de révéler l'identité de celui qui a été chargé de procéder à la première autopsie.

— Attendons avant de soulever ce lièvre », dit Binney, qui se rassoit, les bouts des doigts croisés sur son gilet.

Il n'a pas quitté Konig des yeux et l'observe intensément.

« Et maintenant, Paul, maintenant que vous avez eu l'occasion d'examiner les prélèvements de tissus effectués par le docteur Carslin, que pensez-vous de ses conclusions ?

— Parfaitement plausibles », réplique aussitôt Konig.

La tête de Benjamin pivote brusquement. Bouche bée, incrédule, il contemple le médecin-chef, avec l'expression blessée, perplexe, d'un homme qui se voit soudain trahi.

Carslin arbore un sourire discret.

Les yeux de König se détachent lentement du plancher et parcourent l'assistance.

« Il ne fait aucun doute que ce genre de choses s'est déjà produit dans d'autres institutions pénitentiaires. Personne n'a jamais prétendu que la prison des Tombs était une colonie de vacances pour jeunes déshérités.

— Voyons si je vous suis bien, Paul, dit Binney. Seriez-vous en train de rejeter les conclusions de votre propre service ?

— Oui, monsieur, précisément. Mais seulement en ce qui concerne les aspects du rapport qui touchent au temps écoulé entre le moment de la mort et le moment où les blessures en question ont été infligées. Et je dois aussi reconnaître que les remarquables examens de tissus effectués par le docteur Carslin établissent suffisamment l'existence d'une infiltration leucocytique sur le pourtour des plaies pour me convaincre sans l'ombre d'un doute que lorsque les blessures ont été infligées, le défunt était encore en vie et qu'elles ont été indubitablement l'œuvre des gardiens ou d'autres détenus

— Plus vraisemblablement des gardiens, Paul. »

Constatant qu'on lui fait des concessions substantielles, Carslin déborde de sollicitude et de cordialité à l'égard de son ancien maître.

« Robinson avait été isolé, il y avait deux semaines au moins qu'il se trouvait au cachot au moment de sa mort.

— Parce que c'était un foutu emmerdeur, gronde Benjamin. Vous le savez aussi bien que moi, Carslin. Il ne se passait pas de jour sans qu'il se bagarre ou se querelle avec les autres détenus et les gardiens.

— C'est ce qu'on m'a dit, fait Carslin en haussant les

épaules. Mais quoi qu'il en soit, n'empêche qu'il se trouvait au cachot. Ce qui fait que les autres détenus n'auraient pas pu s'en prendre à lui.

— Les gardiens ou les détenus, qu'est-ce que ça peut foutre, s'emporte soudain Konig. Le fait demeure qu'il a été battu. Je le concède. J'admets aussi que mes services ont négligé d'effectuer les examens qui s'imposaient pour prouver qu'il avait été battu. J'admets que la conclusion du rapport d'autopsie attribuant les blessures à la chute du corps sur le plancher de la cellule au moment où il a été dépendu... eh bien oui, ça aussi c'était faux, complètement faux. Je l'admets. »

Le regard de Konig se pose tour à tour sur les trois hommes rassemblés devant lui, qui, de leur côté, le contemplent fascinés.

« Mais je pense aussi, reprend-il — et son regard happe soudain Carslin comme un piège —, que de son côté le docteur Carslin devrait admettre que ses remarquables prélèvements de tissus révèlent également que les blessures en question remontaient au moins à quarante-huit heures.

— Ce qui implique, intervient Binney en se penchant vivement en avant, que Robinson est mort deux jours au moins après avoir été passé à tabac.

— C'est exact, dit Konig.

— Et que les blessures n'ont pas été en elles-mêmes la cause directe de la mort ?

— C'est exact. »

Konig gratifie Carslin d'un sourire las.

« C'est là un point que vous avez omis de mentionner dans votre excellent rapport, Charley. »

Benjamin éclate de rire, mais son hilarité est aussitôt étouffée par le froncement de sourcils menaçant du procureur.

472

« Comment pouvez-vous en être certain, Paul ? demande Binney.

— Demandez au docteur Carslin. Il se fera un plaisir de vous le dire.

— Est-ce exact, docteur Carslin, demande Binney en se tournant vers le jeune médecin. Les blessures que montrent vos photos et les examens de tissus ont-elles véritablement été infligées quarante-huit heures avant la mort ?

— Oui, monsieur », murmure Carslin d'un air quelque peu lugubre.

Cette fois il ne sourit plus.

« Ce que le docteur Konig souligne avec tant de perspicacité est le simple fait, le fait indiscutable que le corps humain réagit à toute blessure en mobilisant aussitôt des milliers de globules blancs — nous les appelons des leucocytes — qui convergent vers la zone de la plaie. Il s'agit d'une réaction vitale. Elle ne peut se produire que chez un être vivant. Il existe plusieurs types fondamentaux de globules blancs et ils parviennent à la blessure selon un rythme assez régulier. C'est un processus qui prend de deux à quarante-huit heures. Les cellules de secours se manifestent en abondance environ vingt-quatre heures après qu'une blessure a été infligée ; le microscope permet de repérer très facilement ces cellules de secours en même temps que les leucocytes. Dans les échantillons de tissus que nous avons prélevés sur le corps de Robinson, le nombre et la nature des cellules dont nous avons constaté la présence tendent à prouver que non seulement ses blessures lui ont été infligées de son vivant, mais plus précisément quarante-huit heures avant sa mort. »

Pour concéder ce point, la voix de Carslin a baissé

d'une bonne octave. Et il est clair qu'un peu de sa morgue l'a abandonné.

« Très intéressant. »

Pour la première fois de la matinée, l'adjoint au maire rayonne de satisfaction.

Le visage de Carslin s'est empourpré.

« Mais bon dieu, qu'est-ce que ça signifie? Seulement qu'il n'est pas mort immédiatement après avoir reçu sa raclée. Cela ne prouve pas qu'il ne soit pas mort des *suites de cette raclée.* Voici une radio du crâne de Robinson; que le docteur Konig examine donc le dessin de la fracture; je le défie d'affirmer qu'une blessure au crâne de cette gravité n'aurait pas pu entraîner la mort... même quarante-huit heures après avoir été infligée. »

Une fois de plus tous les regards se portent vers Konig, qui semble vouloir peser sa réponse avec le plus grand soin.

« J'ai déjà admis un certain nombre de choses ici ce matin, soupire-t-il avec lassitude. Que Robinson était encore en vie lorsque ses blessures lui ont été infligées; qu'elles provenaient indiscutablement d'un passage à tabac; que le médecin légiste avait omis d'effectuer les examens nécessaires pour prouver que ce passage à tabac avait eu lieu. Tout cela je l'ai admis. J'ai même rejeté les conclusions de l'autopsie officielle quant aux véritables causes de la mort. Et maintenant, oui... je suis également disposé à concéder ce dernier point au docteur Carslin. Des blessures telles que celles que nous montre cette radio peuvent, dans certains cas, être interprétées comme la *cause directe* de la mort, même lorsqu'elles ont été infligées quarante-huit heures plus tôt. Je concède ce point à Charley, mais malheureusement, ce n'est pas le cas ici. »

Suit un moment de silence absolu tandis que les trois hommes s'efforcent de digérer la signification du point que vient d'établir Konig. Puis soudain Carslin bondit et hurle :

« Pas le cas ici ? rugit-il à la cantonade. Pas le cas ici ?

— C'est bien ce que je viens de dire. »

Konig prend une radio sur le bureau. Le cliché montre le profil d'un crâne zébré sur toute sa longueur par la ligne sombre d'une fracture, nettement identifiable.

« En réalité, poursuit-il, bien que cette fracture soit longue, elle est anodine.

— Anodine ? Anodine ? bafouille Carslin, incapable de trouver d'autre mot. Vous avez le culot colossal d'oser décrire cette fracture comme anodine. Ma foi, il se peut qu'elle vous paraisse anodine, à vous. Mais je parie que ce pauvre Robinson ne l'aura pas trouvée anodine au moment où on lui a broyé la tête.

— Je proteste contre le terme de « broyer », aboie Benjamin.

— Pourtant, je vous assure que ce n'est pas une caresse qui a pu causer cette fracture. »

Carslin plaque brutalement un autre cliché sur le bureau, sous le nez du procureur.

« Qui espérez-vous mener en bateau, Carslin, raille Benjamin. Vous vous fichez pas mal du petit Robinson. Tout ce qui vous intéresse, c'est de vous faire mousser en brossant un tableau inhumain et barbare du système pénitentiaire de cette ville. Un vestige du Moyen Age.

— Comment, ça n'est pas le cas ? hurle Carslin qui de nouveau s'est levé. N'est-ce pas précisément ce que prouvent ces prélèvements de tissus et ces radios ? Et

475

je proteste quand vous insinuez — c'est la deuxième fois — que j'essaie de me faire mousser sous prétexte que je cherche à établir la vérité. L'abcès aurait-il crevé si je n'avais pas essayé de le découvrir ? Pas si ça n'avait dépendu que de vous. Pas si ça n'avait dépendu que de Paul Konig. Tout ça est beaucoup trop gênant, pas vrai ? Ça risque de déclencher un scandale. Alors pas de vagues, d'accord ? Quant à moi tout ce que je peux dire c'est : rendons grâce à la vigilance d'un entrepreneur de pompes funèbres de Yonkers qui a eu la perspicacité de relever les contradictions énormes entre le rapport d'autopsie et le témoignage de ses propres yeux.

— Vous venez d'insinuer, siffle Benjamin entre ses dents serrées, que le service pénitentiaire, l'Institut médico-légal et la mairie sont de connivence pour étouffer...

— Eh bien oui, nom de dieu, hurle Carslin. C'est exactement ce que j'insinue.

— Messieurs, messieurs, dit Binney en martelant son bureau à pleine paume, nous nous écartons du sujet. Nous ne sommes pas ici ce matin pour juger des mérites de notre système pénitentiaire. Ce que nous voulons déterminer, c'est la cause de la mort de Robinson, et s'il existe assez de présomptions quant aux circonstances du décès pour convoquer un jury d'enquête. Paul — Binney s'est retourné vers Konig — vous avez tout à l'heure qualifié ces blessures à la tête d'« anodines ».

— Anodines ! » s'esclaffe Carslin avec amertume.

Par-dessus ses lunettes, le procureur décoche à Carslin un regard furibond, puis poursuit :

« Qu'entendiez-vous exactement par « anodines » ? »

Konig hésite, brusquement gêné et sur la défensive.

476

« Je voulais dire, fait-il enfin, que ni les radios du crâne du défunt ni notre propre examen du cerveau lors de la première autopsie ne nous ont permis de déceler de traces visibles de lésions graves ou d'hémorragies du cerveau. Je ne crois pas que le docteur Carslin puisse réfuter ce point. »

Partagé entre la fureur et l'incrédulité, Carslin se rassoit, frappé de mutisme, secouant la tête comme s'il ne pouvait en croire ses oreilles. Le sang s'est retiré de son visage. Ses lèvres, pincées l'une contre l'autre, ressemblent à deux élastiques tendus à se rompre.

« Voudriez-vous répéter ça, je vous prie. »

Sa voix n'est plus guère qu'un murmure.

« Très bien, soupire Konig. Ni vos radios ni notre autopsie ne révèlent le moindre signe permettant de conclure que cette fracture a entraîné des lésions ou des hémorragies importantes. En fait de preuves, ces radios ne pourraient être qualifiées que de preuves indirectes. Ce qui fait que je refuse de façon formelle que la fracture que nous voyons ici soit la cause de la mort.

— Ce qui fait que vous me dites, enchaîne Carslin qui lutte pour maîtriser le tremblement de sa voix, que des coups à la tête entraînant la mort laissent toujours des traces visibles de graves lésions ou d'hémorragies cervicales ?

— Mais enfin, que signifie tout ceci, geint piteusement Benjamin.

— Il s'agit d'un point de pathologie très important, le coupe Carslin sans quitter Konig des yeux. Répondez à ma question, Paul. Oui ou non ?

— Oui, répond Konig d'une voix très calme.

— *Tous* les coups à la tête, Paul ?

— Oui, chuchote Konig. Tous.

— Et qu'est-ce que ça signifie exactement ? demande

Binney, conscient qu'il touche du doigt le nœud de l'affaire.

— Demandez au docteur Konig, siffle Carslin, bouillonnant de fureur. Qu'il vous dise lui-même ce que ça signifie.

— Qu'est-ce qu'il essaie d'insinuer, Paul? demande l'adjoint au maire, devinant, lui aussi, que quelque chose ne va plus. Que quelque chose leur échappe. Qu'est-ce qu'il mijote, bon dieu?

— J'ai dit tout ce que j'avais à dire, fait Konig le nez au plancher.

— Eh bien; s'il refuse de vous le dire, reprend Carslin, moi je vais le faire. Il n'existe pas de nos jours un seul neurologue qui n'ait décrit avec preuves à l'appui des cas où des coups portés à la tête ont entraîné la mort immédiate, quand bien même un examen méticuleux du cerveau lors de l'autopsie ne permet pas de relever le moindre signe de lésion du cerveau. Importantes, bénignes, ou tout ce qu'on voudra. J'ai été témoin de cas de ce genre, et le docteur Konig aussi. »

Suit un long silence, troublé seulement par le tic-tac de la grosse pendule posée sur le bureau de Binney. Enfin le procureur parle, d'une voix très douce :

« Paul? »

Nouveau silence, puis :

« Peut-être le docteur Carslin en a-t-il été témoin, dit Konig plus circonspect et évasif que jamais. Pas moi. »

Quelques instants, tous paraissent frappés de mutisme. Tout le monde a l'impression qu'un cap vient d'être franchi, un pont traversé; l'impression d'une catastrophe irrémédiable.

Finalement Carslin rompt le silence. Toute colère paraît l'avoir abandonné. Son expression est calme; empreinte de perplexité, de stupeur.

478

« Si je ne venais pas d'entendre ça de mes oreilles, je refuserais d'y croire. Voir Paul Konig, une des autorités mondiales en matière de médecine légale, peut-être *la* grande autorité, un grand savant, un grand maître, un chercheur, réduit à ce numéro méprisable pour sauver la face. »

Carslin se lève et commence à rassembler ses paperasses. Tandis què Carslin parlait, Konig a gardé les yeux rivés au plancher, comme pour y chercher refuge. Tassé dans son fauteuil, les mains croisées sur les cuisses, les yeux obstinément baissés, pareil à un enfant qui essuie un sermon, il a tout du vaincu écrasé par la défaite. Pire, par la honte. Une défaite née du mépris de soi.

« Amen. »

L'adjoint au maire se lève, avec un soupir de soulagement.

« Donc, la fracture du crâne n'a pas été la cause directe de la mort.

— Ça c'est votre version, aboie Carslin, en fourrant ses radios et ses papiers dans une serviette, ce n'est pas la mienne. Et je n'ai pas l'intention de rester les bras croisés et de laisser la mairie, le procureur, le service pénitentiaire, l'Institut médico-légal, toute votre foutue bande de salauds enterrer la vérité que j'ai... »

Carslin continue encore à vitupérer de fureur en fourrant ses documents dans sa serviette quand, soudain, Konig se lève lentement. Sans regarder ni à droite ni à gauche, les yeux vides, absents, pareil à un homme en transe, il se baisse et soulève le sac de cuir fatigué posé à ses pieds. Stupéfaits, les autres le suivent des yeux tandis qu'il se détourne et, sans un mot, s'éloigne lentement et sort de la pièce.

« Vous mentez, Paul, lance Carslin à la silhouette qui s'éloigne. Je sais que vous mentez. »

Konig ne s'arrête pas, il ne se retourne pas. Rien ne montre qu'il a entendu. Ployant légèrement sous le poids du sac, il continue d'avancer droit devant lui; il franchit la porte et sort sans la refermer.

52

« Ouais, ça vient de chez nous. C'est nous qui avons fait ça.
— Vraiment ?
— Bien sûr... ici même, dans cet atelier. Pourquoi ?
— J'aimerais qu'on en discute un peu, d'accord ? »

Midi. Triangle Printing and Linotype Corp., angle de la 22ᵉ Rue et de la 8ᵉ Avenue.

Mr. Murray Bloom mord à belles dents dans un sandwich au pain de seigle et au corned-beef. Il mâche avec énergie, en même temps qu'il désigne d'un geste quelque peu grandiloquent la feuille de journal déchirée et froissée que lui montre Flynn.

« Bien sûr. Qu'est-ce que vous voulez savoir ? »

Flynn se penche par-dessus le bureau et pose la feuille devant lui.

« Je vois ici que ce journal a été imprimé le 31 mars.
— Erreur. Le 31 mars, c'est le jour où il a été mis en vente. »

Mr. Bloom mord à belles dents dans un cornichon, puis prend une bouteille de Coca-Cola, y plonge une paille et sirote bruyamment.

« On l'a tiré environ une semaine et demie avant. »

Il prend une serviette et éponge fébrilement le jus de cornichon qui vient d'éclabousser sa cravate.

Le téléphone posé sur le bureau de Mr. Bloom se met à sonner. Il décroche aussitôt, écoute quelques instants, en gratifiant Flynn d'une série de mimiques exaspérées.

« Ecoutez... pas le temps de discuter maintenant. J'ai quelqu'un. Rappelez-moi dans une demi-heure. »

Il raccroche, empoigne une fois de plus son sandwich et d'un signe de tête invite Flynn à poursuivre.

« Regardez ça, continue Flynn, ici dans le coin supérieur gauche, le numéro 118. Qu'est-ce que c'est ?

— Le numéro de série.

— Ce qui veut dire que ça, c'est l'exemplaire numéro 3118 du journal que vous avez imprimé.

— Tout juste. C'est exactement ça, confirme Mr. Bloom en enfournant carrément un bon quart de son sandwich.

— Et tous les journaux qui sortent de chez vous portent un numéro de série ?

— C'est exact, opine Mr. Bloom la bouche pleine.

— Pouvez-vous me dire combien vous en avez imprimé ?

— Oh ! grands dieux... Comment diable voulez-vous que je le sache ? Vous avez absolument besoin de le savoir ?

— Ça serait utile », sourit Flynn.

Bloom presse un timbre placé devant lui et tourne un regard impatient vers la paroi vitrée qui isole son bureau. De l'autre côté s'alignent des rangées de linotypes et d'énormes presses offset d'où monte un tintamarre monstrueux. Devant chaque machine est assis un homme en manches de chemise retenues par un élastique et coiffé d'une visière. Derrière la vitre, la salle grouille de correcteurs et de coursiers, de typos et de secrétaires, pareils à d'innombrables petits poissons enfermés dans un aquarium.

Bientôt une énorme femme à la stature de Bouddha s'approche en se dandinant de la porte de verre. Elle a un visage de poupée, outrageusement fardé, et transpire abondamment.

« Entrez, Tessie. »

Bloom lui fait signe d'entrer, sans cesser de siroter son Coca-Cola.

« Tessie, voici le sergent Flynn, qui est inspecteur de police. Tessie Balbato. »

Tessie et Flynn marmonnent de vagues salutations et, quelques instants, la grosse fille paraît tout émue, accablée par la timidité.

« Tessie, poursuit Bloom en lui désignant la page de journal, pouvez-vous nous donner au pied levé le tirage de cette édition du *Clintonian* ?

— 7 500 exemplaires, répond sans hésiter la fille.

— Ce qui fait que ce numéro est sorti en gros au milieu du tirage, demande Flynn.

— Etant donné que c'est le 3 118, intervient Bloom en ingurgitant la deuxième moitié de son cornichon, ça veut dire qu'on en a sorti en gros 4 000 de plus... d'accord ?

— 4 382 de plus », précise la grosse, en fournissant sur-le-champ le chiffre exact.

Mr. Bloom lui décoche un regard aigu.

« Tout juste... 4 382 de plus. »

Flynn reste un instant déconcerté, tandis que son regard passe de l'un à l'autre.

Mr. Bloom mord avec énergie dans son sandwich au pain de seigle.

483

« Bon, autre chose?

— Eh bien, dit Flynn, où est-ce qu'ils vont ces journaux, en sortant de chez vous?

— Chez les commissionnaires, les grossistes. Et eux les distribuent ensuite aux kiosques et aux bureaux de tabac. Ce journal n'est distribué que dans le secteur de Clinton. Il sort quatre fois par an. C'est le *News* ou le *Post* qui le diffusent, Tessie?

— Le *News,* dit la grosse. Les revendeurs se chargent sur place d'ajouter le supplément. »

Flynn hoche la tête et griffonne une note sur son bloc.

« Ces commissionnaires... il y en a combien dans le secteur de Clinton? »

Bloom s'arrête brusquement de mastiquer, un bout de corned-beef coincé à la commissure des lèvres. Il interroge la fille du regard.

« Tessie?

— Nous en avons quatre, répond-elle aussitôt. Spiegel, Kristofos, les frères Wagoner et Charles.

— Au fait, Charles a-t-il réglé sa facture, Tessie? coupe Bloom.

— Non, dit la fille en le regardant d'un air inquiet. Marty est passé le voir aujourd'hui. Ils ont promis de le faire vendredi prochain.

— Je commence à en avoir marre. »

Bloom enfourne l'ultime morceau de son sandwich, sans cesser de parler.

« Allez-y, sergent, allez-y. Désolé de vous avoir coupé.

— Aucune importance, dit Flynn en souriant. D'ailleurs j'ai presque fini. Encore une question, la dernière. Seriez-vous capable de me préciser lequel de vos quatre distributeurs a eu cet exemplaire entre les mains? »

484

Bloom mâche pensivement pendant quelques instants.

« Vous avez le double des factures pour cette édition, Tessie ?

— Je crois bien que oui. Une minute, je reviens tout de suite », ajoute-t-elle avec un coup d'œil inquiet à Flynn.

Elle sort en hâte du bureau, de sa démarche dansante empreinte de cette grâce qui caractérise souvent les gens gros. Pendant quelques instants les deux hommes échangent des propos ineptes sur le temps, tandis que Bloom expédie le reste de son déjeuner. Il a maintenant devant lui un gros gobelet de papier rempli de thé au citron.

Bientôt la grosse fille est de retour, chargée d'un épais classeur bourré de factures. Elle les feuillette rapidement, en s'humectant de temps à autre le pouce.

« Voilà... nous y sommes, dit-elle, manifestement ravie. *Clintonian...* C'est Spiegel qui a pris les deux premiers mille. Charles a pris les deux mille suivants. Puis les frères Wagoner en ont pris huit cents, autrement dit, du numéro 4 001 au numéro 4 800. Et Kristofos a pris le reste... de 4 801 à 7 500. Quel est le numéro qui vous intéresse, déjà, sergent ?

— Le 3 118.

— Alors il s'agit de Charles, fait Tessie, en refermant son classeur avec un bruit sec.

— Charles... mon bon ami Charles. »

Mr. Bloom lâche un rot discret.

« Et où est-ce qu'on peut le trouver, ce Charles ? » demande Flynn.

La grosse jette un coup d'œil sur sa facture :

« 452, 49ᵉ Rue Ouest.

— De l'autre côté de la 10ᵉ Avenue, dit Bloom. Vous comptez y aller ?

— A l'instant même, dit Flynn.

— Si vous voyez Stanley, essayez donc de me récupérer mon argent, glousse Bloom. Dites-lui que vous êtes de la police et que c'est moi qui vous envoie. »

Bloom rit à gorge déployée, la grosse lui fait écho.

« Dites donc, qu'est-ce que c'est que cette histoire, au fait ? »

Bloom plante les dents dans son macaron et brandit la feuille froissée sous le nez de Flynn.

« Pourquoi tant d'histoires pour ce fichu bout de papier, hein ?

— Rien de bien grave, assure Flynn en entrant dans le jeu. Sinon qu'on a retrouvé une tête tranchée enveloppée dedans. Et on essaie de retrouver celui qui l'a charcutée, c'est tout. »

Le rire meurt sur les lèvres de Mr. Bloom, ses maxillaires se figent et, quelques instants, un silence total règne dans la pièce. Puis la feuille de journal froissée lui glisse des doigts et, pareille à un flocon de neige, tombe languissamment sur son bureau. Pour un homme qui quelques instants seulement auparavant se tordait de rire et savoure encore les délices de son repas, il paraît soudain avoir le cœur au bord des lèvres.

« Finissez donc votre macaron, l'encourage Flynn avec un grand sourire, ça m'a l'air bon. Et merci pour tout. »

Il avance la main et rafle la feuille déchirée et froissée qui s'est posée sur le papier paraffiné et les reliefs du déjeuner de Mr. Bloom.

Il tourne les talons et, en passant devant la grosse, il soulève son chapeau d'un air coquin et lui décoche un clin d'œil.

53

**12 heures 10. Gare de Grand Central,
niveau supérieur.**

MIDI, l'heure du déjeuner. Des foules se pressent aux portillons de sortie, envahissent les galeries. Partout, déjà
des queues se sont formées. Devant l'O.T.B., devant les
guichets de la Loterie de l'Etat de New York, devant le
restaurant Big Board de Merrill Lynch, devant la mini-
banque de la First National City qui encaisse les chèques du vendredi, devant le Ticketron, devant le
Bureau de Renseignements situé au centre de la gare. A
l'entrée du quai de la voie 17, l'habituelle foule des
débuts de week-end attend le train de douze heures
trente pour New Haven et Boston.

Les gens se précipitent à l'Oyster Bar, chez Charlie
Brown, à la *trattoria,* chez Zum Zum, à la *cafétéria*
Liggett, aux comptoirs de pizza et de saucisses
chaudes, chez Carvel. Ils flânent aux étalages des librai-
ries Doubleday ou attendent leur tour pour faire cirer
leurs chaussures chez Esquire.

L'escalier roulant qui relie la mezzanine du Pan Am
Building à la gare entraîne Paul Konig dans le monde
souterrain de Grand Central, où règnent un étrange

silence et une lueur irréelle. Au pied de l'escalier, Paul Konig s'écarte avec un petit saut, un saut mal assuré de vieillard fragile. Sa main droite agrippe la poignée du sac de cuir. Il sait exactement où il va, car la police a pris soin de lui décrire l'emplacement exact de la consigne automatique où, perdu dans l'immense mur de casiers gris, se trouve le numéro 2384.

Au pied de l'escalier roulant, Konig tourne carrément à droite et longe un comptoir d'enregistrement de bagages. Puis au niveau du cireur Esquire, il tourne carrément à gauche. Quelques pas plus loin et toujours sur sa gauche, les longues rangées de casiers de la consigne automatique, gris cuirassé et éraillés de graffiti et d'inscriptions variées. Exactement en face, une *cafétéria* Savarin.

Konig survient au moment où le train de douze heures quinze en provenance de Stamford entre en gare; le flot des voyageurs s'engouffre par la porte 34 et s'égaille aussitôt dans toutes les directions. Pris dans le raz de marée étourdissant, Konig se faufile à travers cette humanité grouillante. Quelques instants plus tard il arrive devant la muraille de casiers que ses yeux balaient de haut en bas et de droite à gauche à la recherche de son numéro, tandis que son cœur bat la chamade. Le casier numéro 2384 est logé à peu près au centre de la consigne automatique, à hauteur de poitrine, et il est fermé à clef. La clef, que sa main tremblante n'a pas lâchée un instant depuis qu'il est descendu du taxi pour pénétrer dans la gare, vise le trou et griffe fébrilement la serrure. Deux ou trois fois encore, elle ripe sur le métal avant de toucher enfin son but — la clef glisse sans effort dans le trou. Une sèche torsion à droite, la serrure joue, et la porte s'ouvre sur un compartiment vide à l'odeur confinée et plutôt fétide.

Sans hésiter, Konig soulève le sac de cuir et le fourre dans le casier, claque la porte, la verrouille et glisse de nouveau la clef dans sa poche.

Puis il tourne vivement les talons et, sans regarder ni à droite ni à gauche, se hâte de sortir de la gare.

Francis Haggard est posté en face, au snack Savarin, et sirote une bière, le dos au bar; il suit des yeux Konig qui passe devant la vitrine à pas lourds et bientôt disparaît au coin, lui laissant une vue claire de la consigne automatique.

Le commissaire sirote lentement sa bière. Il sait qu'il se passera un certain temps avant que Meacham se manifeste, à supposer qu'il s'y décide. Haggard est prêt à parier qu'il n'en fera rien. Pas maintenant. Il s'agit d'un simple coup d'essai. Un test pour mettre Konig à l'épreuve. Haggard est certain que, tout comme lui, les hommes de Meacham ont quadrillé l'endroit fixé pour le dépôt de la rançon. Au milieu de ces hordes de passants qui grouillent comme des bancs de poissons, de l'autre côté de la vitre, parmi ces silhouettes innombrables qui pour des raisons quelconques flânent dans les parages, sont postés les hommes de Meacham. Et ils font précisément ce qu'il fait — ils tiennent le casier 2384 sous stricte surveillance.

Il s'octroie une gorgée de bière, mais ses yeux, par-dessus le bord de son verre, ne cessent d'épier le secteur. Un type corpulent est en train de se faire cirer ses souliers chez Esquire, apparemment plongé dans l'étude d'un ticket de pari mutuel. Il s'agit, il le sait, du sergent Donnello, du commissariat du 41ᵉ secteur. A quelques mètres de là, au snack Neddick, est posté Freddie Zabriskie, qui dévore un frankfurter arrosé de jus d'orange. Il porte un trench-coat et une casquette écossaise à visière. Avec sa mallette et ses manières quelque peu agitées, il ressemble à un banlieusard harassé qui casse une croûte en attendant son train. Derrière le comptoir de livraison des bagages, s'active un des hommes de Wershba, Morrissey, du 17ᵉ commissariat, rubicond et jovial sous sa casquette rouge; tandis qu'un peu plus loin dans le hall, l'individu aux allures de clochard, plus vrai que nature avec ses vêtements crasseux et sa longue barbe pouilleuse, est le jeune Sam DeSoto, un homme avec qui Haggard n'a jamais encore travaillé. Et comme toujours lorsqu'il travaille avec quelqu'un qu'il ne connaît pas, il se sent inquiet. De plus, ce DeSoto est jeune, quasiment un débutant. Mais ses états de service sont remarquables. Il ne lui a pas fallu longtemps pour se faire un nom au 41ᵉ. Pour l'instant, il donne l'impression de rôder dans des intentions vaguement immorales.

Haggard commande une deuxième bière, grignote un œuf dur offert gracieusement par la maison, et se prépare à une longue attente.

Il s'agit maintenant de garder l'œil ouvert. Si jamais ils viennent, raisonne le commissaire, ce sera après l'heure du déjeuner, quand la foule commencera à se faire moins dense. Les gens qui traîneront alors dans le secteur seront faciles à repérer. C'est pourquoi Haggard et sa petite équipe ont mis au point un système de relève. Si personne ne s'est pointé devant le casier 2384 d'ici une heure, Haggard quittera le Savarin et s'éloignera nonchalamment pour rejoindre une voiture de police banalisée garée au dehors et d'où, par radio et grâce à divers appareils de transmission hautement sophistiqués, il gardera le contact avec les quatre hommes demeurés à l'intérieur.

Donnello, ses souliers enfin cirés, est déjà parti. Mais il n'est guère allé loin — il s'est posté sur la mezzanine près du Ticketron, le distributeur de billets qui surplombe la gare principale. De là, il ne peut pas voir la consigne automatique. Pas plus que de là-bas quelqu'un ne peut le voir. Mais il peut voir Morrissey qui s'active derrière le comptoir aux bagages et, de son côté, Morrissey le voit suffisamment bien pour que tous deux puissent communiquer en clair par des gestes de main parfaitement innocents.

Freddie Zabriskie a gagné nonchalamment un kiosque à journaux et feuillette maintenant *Playboy* et *Penthouse,* sous le regard hostile du vendeur. Bientôt il partira à son tour. Ensuite, le dernier, DeSoto. Il ne restera plus alors que Morrissey qui, grâce à son poste officiel derrière le comptoir aux bagages, peut se permettre de s'attarder indéfiniment sans éveiller les soupçons. Ensuite, si à treize heures quinze, personne ne s'est pointé pour ramasser le sac, une nouvelle équipe de quatre hommes prendra la relève. Quatre nouveaux visages, impossibles à reconnaître pour quelqu'un chargé de surveiller les parages.

A treize heures, Haggard est toujours accoté au bar du Savarin. Mis à part Morrissey, il est le dernier de son équipe encore sur place. Bien qu'il soit décidé à attendre jusqu'à treize heures quinze comme prévu, il ne pense pas sérieusement que quelqu'un se montrera. Du moins, pas cette première fois. Il s'agit simplement d'un test pour mettre Konig à l'épreuve, et pour lequel, Haggard en est convaincu, ils n'auront rien laissé au hasard. Car si les gens de Meacham s'apercevaient que la consigne automatique est sous surveillance ou si, finalement, ils envoyaient un homme ramasser la rançon et s'apercevaient que leur homme était suivi, la vie de Lauren Konig ne vaudrait plus un rotin. Haggard sait qu'il y a deux choses qu'ils ne doivent faire à aucun prix. Si un type se pointe pour ramasser la rançon, ils ne doivent pas passer trop vite à l'action, ils doivent laisser le temps à l'homme de les conduire à Meacham; et s'ils prennent effectivement l'homme en filature, quoi qu'il advienne, ils ne doivent pas perdre sa trace.

Tout en gardant un œil sur le casier 2 384, toujours fermé à clef et au contenu intact, Haggard s'essuie la bouche avec une serviette et ramasse sa monnaie, en laissant un demi-dollar de pourboire au garçon. La grosse horloge qui surplombe la gare indique treize heures quinze et, à l'instant où le commissaire franchit la porte vitrée du Savarin, un petit type trapu au crâne glabre et aux énormes moustaches fait son entrée dans le bar. Le sergent Leo Wershba attaché au commissariat du 17e secteur, le premier homme de la seconde équipe, est maintenant à pied d'œuvre.

Dans la galerie où la foule est toujours aussi dense, Haggard s'arrête pour allumer une cigarette. Un autre homme du nom de Degarmo, envoyé par le 22e, s'installe au même moment dans le fauteuil de l'Esquire pour faire cirer ses souliers.

Haggard va maintenant sortir de la gare sans se presser pour prendre sa faction dans la voiture banalisée garée juste à l'extérieur, devant la sortie côté Vanderbilt Avenue. Il croise Morrissey, occupé à hisser à grand-peine une volumineuse caisse en carton sur le comptoir aux bagages, sous l'œil sévère d'une vieille dame hargneuse qui l'accable de reproches véhéments.

Au même instant le 12.15 en provenance de Hartford entre en gare. Les portillons s'ouvrent et Haggard est pris dans le flot des voyageurs qui descendent du train. Quelque chose le pousse à jeter un coup d'œil en arrière comme il tourne l'angle du mur, et il voit, ou s'imagine voir, quelqu'un planté devant la consigne automatique à proximité immédiate du casier 2384. Le personnage se prépare-t-il à glisser une clef dans la serrure? Il ne peut en être sûr. Son angle de vision est tel qu'il ne peut savoir avec certitude à quel endroit se tient exactement l'individu par rapport au casier 2384. Et en outre, deux autres personnes qui n'ont rien à voir avec ce qui se passe se préparent maintenant à retirer leurs bagages enfermés dans la même rangée de casiers.

Haggard n'a aperçu la silhouette que le temps d'un éclair, mais il a eu l'impression qu'il s'agissait d'un individu de taille moyenne, un personnage plutôt miteux et d'aspect inoffensif vêtu d'un imperméable. Mais il ne pourrait en jurer. Il est tenté de rebrousser chemin pour revenir jeter un nouveau coup d'œil. Ou au moins de se retourner un instant. Deux choses qui seraient dangereuses et stupides. Au cas où quelqu'un serait embusqué dans les parages et verrait un homme de la taille et de la stature de Haggard se retourner brusquement, faire volte-face, ou même rebrousser négligemment chemin, il pigerait aussitôt. Non... il n'avait plus le choix... il devait continuer, sortir immédiatement de la gare pour rejoindre la voiture en stationnement.

A l'instant de sortir, il lève vivement les yeux, et voit Donnello, sur la mezzanine, se retourner brusquement, puis s'éloigner en hâte. Puis, un peu plus à droite, son regard tombe sur Morrissey qui, au même instant, lui adresse un signe de tête presque imperceptible.

54

« ET comment diable pourrais-je le savoir ?

— Vous avez les numéros de série du bordereau, là en plein sous votre nez, pas vrai ?

— Et alors, je vois foutre pas ce que ça veut dire ?

— Que l'exemplaire numéro 3 118 du *Clintonian* est passé par chez vous.

— Bon, il est passé par chez nous. On est bien avancés, hein. 1 999 autres exemplaires de cette saloperie de feuille de chou en ont fait autant. Vous croyez tout de même pas que je sais où j'ai expédié chacun d'eux ?

— Pourquoi pas ? »

**13 heures 45. Stanley Charles & Cie.
452, 49ᵉ Rue Ouest.**

Stanley Charles s'arrête pile et éclate de rire. Un rire bref et féroce. Flynn manque de l'emboutir et s'arrête court derrière lui.

« Pourquoi pas ? s'esclaffe de nouveau Charles. Vous vous payez ma tête ou quoi ? »

Les deux hommes se tiennent au centre d'un grand entrepôt bourré jusqu'au toit de magazines et de journaux. Le hangar est divisé en une série d'allées et de travées délimitées par de véritables murailles de publications de toutes sortes en instance d'expédition. Une demi-douzaine d'employés circulent dans les travées et manipulent d'énormes cartons au moyen d'un chariot élévateur.

Mr. Stanley Charles est un petit homme aux manières brusques et débordant d'énergie. Un petit maigre à l'air bilieux qui semble toujours sur le point d'exploser. Planté au milieu d'une de ces étroites travées encaissées entre des tonnes de papier et où stagne une atmosphère confinée, Mr. Charles foudroie Flynn du regard.

« Je dois m'occuper d'au moins quarante points de vente dans ce secteur. Alors, si vous vous imaginez que je peux savoir où j'ai expédié une de ces saloperies de foutus canards en particulier. Bonté divine. Ecoutez... j'ai pas de temps à perdre... »

Planche et bloc en main, Mr. Charles fonce résolument dans la travée poussiéreuse, Flynn sur ses talons.

« Vous voulez dire qu'il est possible que ce journal ait été expédié à n'importe lequel de vos quarante points de vente ?

— Dites plutôt une centaine, mon pote. J'ai oublié de parler des bureaux de tabac, des snacks, des drugstores, des supermarchés... »

Nouvel éclat de rire féroce. Flynn reste un instant déconfit.

« D'accord... pouvez-vous au moins me dire ceci...

— Vous dire quoi ?

— Quand Triangle vous expédie ces journaux, comment est-ce qu'ils vous arrivent ?

— Par camion. Comment diable voulez-vous qu'ils arrivent ? Sur le dos d'un foutu chameau ? »

Flynn vire à l'écarlate.

« Je le sais qu'ils arrivent par camion. Mais je veux dire... dans des cartons? Par paquets séparés? Comment?

— Par paquets de 50.

— Des paquets de 50. »

Le visage de Flynn s'illumine. Pour Mr. Charles, cette discrète manifestation de joie est une source d'intense irritation.

« Mais bon dieu, je vois pas en quoi ça peut vous avancer? Ça veut simplement dire qu'il y a 40 paquets de journaux à distribuer. Ça dit pas où on les a envoyés, bon dieu.

— Comment est-ce qu'on les décharge du camion? » poursuit avec obstination Flynn.

Mr. Charles s'arrête de nouveau, grinçant de fureur.

« Si vous croyez qu'on les décharge par ordre numérique avec leurs bordereaux et qu'après je les réexpédie par ordre numérique avec leurs bordereaux joints à une centaine de factures différentes...

— Et alors, c'est pas comme ça que ça se passe? »

Les yeux globuleux de Mr. Charles saillent de façon plus menaçante encore que de coutume. Incapable de parler, il en est réduit à des crachotements étranglés. Flynn se souvient des derniers mots de Mr. Murray Bloom au moment où il a quitté l'imprimerie Triangle... cette idée de se présenter à Charles comme un flic envoyé pour encaisser des factures en souffrance. Et Mr. Charles qui, frémissant d'indignation, le contemple de ses yeux exorbités, Mr. Stanley Charles a précisément l'air d'un homme qui croule sous un tas de factures en souffrance.

« Faut que vous soyez encore plus dingue que je croyais, gronde-t-il. Ecoutez, j'ai assez perdu de temps.

Moi aussi j'ai mes problèmes et même que j'en ai plein le cul. »

Brandissant sa planche, il se remet à cavaler comme un fou dans la travée.

« D'accord, d'accord, fait Flynn en galopant derrière lui. Vous dites que vous avez une centaine de clients dans ce secteur ?

— Mon bon monsieur, des clients, j'en ai des milliers. Aux quatre coins de cette saloperie de ville. Des milliers. Vous comprenez ?

— Mais vous avez dit une centaine dans ce secteur.

— Si je l'ai dit, c'est que c'est vrai. »

Charles s'arrête soudain devant une caisse arrivée depuis peu et remplie de magazines porno aux couvertures et aux titres plutôt sinistres — *Cuir noir, Nuits sataniques, Cœurs et Croupes,* et autres trucs du même genre. Charles jette un coup d'œil à l'une des couvertures et secoue la tête.

« Regardez-moi cette saloperie, marmonne-t-il en repartant comme un fou.

— Eh bien, ce que je veux savoir, risque Flynn qui lui colle aux talons, c'est si chacun de vos cent clients a reçu un exemplaire de ce numéro du *Clintonian* ?

— Certains oui. D'autres non.

— Quels sont ceux qui l'ont reçu ?

— Oh !... c'est tout ce que vous voulez savoir ? fait Charles avec un sourire railleur. Facile, mon gars. Suffit que je me plonge dans mes registres et que je vous sorte tous mes bordereaux du 30 mars et que je pointe les noms de ceux qui ont pris le *Clintonian*. Dingue. Parfaitement dingue, marmonne-t-il en se remettant en marche.

— C'est si difficile que ça ? »

Charles part d'un nouvel éclat de rire. D'un rire qui

cette fois n'est ni bref ni féroce. Plutôt languissant et résigné. Teinté de lassitude et d'impuissance.

« Vous êtes un chou, mon pote. Un vrai chou.

— Dans ce cas, pourquoi tant d'histoires, fait Flynn en cavalant derrière le petit homme. Je me charge de les retrouver. Suffit que vous me montriez où sont vos registres.

— Mes registres. Mes registres, se lamente Mr. Charles avec un sourire lugubre. Des registres, j'en ai jusque-là. A croire que je les chie, les registres. Faut que je fasse construire un nouvel entrepôt rien que pour stocker les registres. Les registres ? Vous ne pourriez même pas... Regardez, plaide-t-il soudain d'une voix pleine d'indulgence en faisant volte-face, vous pensez sans doute que ces centaines de noms sont tous empilés là quelque part, un joli petit tas, avec un ruban autour ? Eh bien, non, ils sont dans un énorme fichier qui fait bien cent cinquante mètres de long. Tous classés par ordre alphabétique. Il faudrait feuilleter tous les classeurs, vérifier toutes les adresses et tous les numéros de code postal pour voir ceux qui habitent Clinton. Y a des milliers de fiches. Vous avez une idée du temps que ça prendrait ?

— Vous n'avez pas un service de comptabilité capable de retrouver ces renseignements au pied levé ?

— Bien sûr qu'on a un service de la comptabilité, s'obstine Mr. Charles d'un ton de plus en plus patient. Même qu'on a mis tous nos clients sur ordinateur. Le dernier cri. La technique moderne. Pas vrai ? Mais n'empêche que pour dégoter ce renseignement, pour trier les clients d'après leurs numéros de code postal, il faudrait atteler au moins une ou deux personnes aux machines pendant au moins un ou deux jours. Pas vrai ? Ensuite, quand je vous aurais trouvé les noms, faudrait que je dégote tous les bordereaux pour savoir qui avait commandé le journal ce jour-là. Ça représente beaucoup de temps. Vous comprenez? Et beaucoup d'argent. J'aimerais bien vous aider, mon vieux. Vrai. Je le voudrais. Vous me faites l'effet d'un brave type. Mais c'est impossible. J'ai un tas de problèmes moi aussi, comprenez? Et puis pourquoi tant d'histoires à propos de c'te saloperie de canard? »

Flynn s'arrête et contemple l'homme en silence. Puis il se décide :

« Il est possible que le type qui a acheté cette saloperie de canard ait assassiné deux autres types.

— Assassiné! s'exclame Mr. Charles en haussant les sourcils. Quand est-ce que ça s'est passé?

— Il y a environ trois semaines. On a repêché les restes cette semaine dans l'East River.

— Des cadavres en morceaux?

— Tout juste. De la chair à pâté.

— Bien sûr... bien sûr, fait Mr. Charles de plus en plus intrigué. J'ai lu cette histoire. C'est un chien qui a retrouvé la main, pas vrai?

— C'est ça.

— Le fumier, gronde Mr. Charles, soudain débordant de stupéfaction et de terreur. Et vous pensez que c'est un de mes clients qui a fait le coup.

— C'est possible... ou plus probablement, le client d'un de vos clients. »

Mr. Charles secoue la tête et sifflote doucement.

« C'est une hypothèse risquée, glisse Flynn, attisant ainsi l'évidente curiosité de l'autre. Je l'admets, mais je peux bien vous le dire, l'une des têtes était enveloppée dans cette feuille de journal. »

Les yeux ronds, Mr. Charles contemple la première page déchirée et froissée où la photo de la reine de beauté portoricaine semble les regarder entre les plis.

« Enveloppée là-dedans. Le fumier. »

Il sifflote de nouveau et secoue la tête d'un air médusé.

Sa tension et sa fureur paraissent fondre à vue d'œil. Brusquement vidé de son énergie, il s'accote avec lassitude contre une des murailles de journaux qui grimpent jusqu'au plafond.

« Elle était pourtant chouette cette ville, dans le temps. Une ville superbe. La plus belle ville du monde, bordel de dieu. Maintenant c'est un dépotoir. A cause des voyous et des cinglés qui ont fait main basse dessus. Tiens, un de mes cousins s'est fait descendre y a deux mois. A Flatbush. Deux cinglés... des camés... ils ont braqué son magasin. Et ils l'ont abattu. Pourquoi ? Pour rien. Pour treize dollars et une poignée de petite monnaie. Il allait fermer boutique quand ils se sont ramenés et l'ont descendu. Comme ça. Comme on écrase une mouche. Un jeune. Trente ans. Y commençait juste à s'en sortir. Et les autres, deux gosses. Des salauds de cinglés. »

Les deux hommes demeurent quelques instants silencieux.

« Et vous n'avez pas de piste ? demande soudain Charles.

— Pas grand-chose. Rien que ce bout de papier. Et même si je retrouve le type qui l'a acheté, ça ne signifiera pas forcément que c'est lui qui a fait le coup.

— Non... bien sûr, murmure Mr. Charles perdu dans ses pensées. Ecoutez... les contrôleurs du fisc et les polyvalents me sont tombés sur le poil hier. Ce matin, c'est un flic fédéral qui m'a apporté une assignation. Et j'attends un type des impôts d'une minute à l'autre. Pour l'instant, je suis dans la merde jusqu'au cou. Vous comprenez. Donnez-moi un jour ou deux, je vous contacterai. »

En sortant, Flynn se retourne pour adresser un geste d'adieu à Charles. Mais déjà le petit homme farouche a repris sa planche et son bloc. Il est planté à l'extrémité d'une des interminables avenues bordées de journaux, entre deux énormes tours d'invendus. Leur masse monumentale l'écrase et souligne sa petite taille. Elles penchent dangereusement en avant et semblent sur le point de s'abattre comme les colonnes croulantes de quelque temple antique. Mr. Stanley Charles, planté là à leur pied, planche et bloc brandis, le regard tourné vers le sommet, paraît enfin dompté. La ridicule posture de défi qu'il arborait tout à l'heure pour affronter ces tours a disparu. Désormais, il a tout d'un homme qui aurait perdu quelque chose et s'évertuerait à le retrouver. Et de fait, il a perdu un certain nombre de choses... une ville, un cousin, et maintenant, dirait-on, peut-être est-il même à la veille de perdre son affaire.

15 heures. Forest Park, Queens.

Le jeune Sam DeSoto est assis solitaire sur un banc du parc, dans l'ombre fraîche d'un marronnier en fleur. Tout autour de lui, les branches ploient sous le poids des grosses grappes de fleurs blanches, pareilles à d'énormes touffes de coton. Le sol alentour est jonché de milliers de minuscules pétales qui, depuis trois quarts d'heure qu'il est là, pleuvent par intermittence jusque sur ses pieds.

Il est un peu plus de trois heures et, avec la sortie des écoles, le parc commence à grouiller d'enfants. Assis sur son banc et plongé dans un numéro de *Sports Illustrated,* DeSoto ressemble un peu à un clochard; devant lui c'est un défilé incessant : gamins montés sur leurs vélos ou leurs patins à roulettes, mères qui poussent des landaus. Plus loin sur la gauche, sur l'aire de ciment d'un terrain de jeux entouré d'une clôture de fer forgé, des gamins poussent des escarpolettes, glissent sur des toboggans, montent et descendent sur des balançoires, s'ébattent sur un portique. Dans un champ au-delà, d'autres gosses font voler des cerfs-volants et disputent une partie de ballon. Presque dans son dos, au milieu d'un épais bouquet d'arbres, un vieux manège chargé de gamins braillards tourne inlassablement aux accents poussifs de valses de Strauss.

Il y a les très jeunes, mais aussi bien sûr, les très vieux — les retraités, les malades et les solitaires — qui flânent ou sont assis eux aussi sur les bancs, assoupis ou plongés dans leur lecture.

DeSoto détache soudain ses yeux des photos de son *Sports Illustrated*. Son regard glisse un bref instant vers la droite, se pose sur un banc situé à une centaine de mètres plus loin, où est assis un autre homme, un type à l'air inoffensif, aux cheveux filasse et au menton veule, habillé pauvrement mais de façon correcte — cravate, chemise, complet et imperméable, bien qu'il n'y ait pas un seul nuage dans le ciel. A l'aspect froissé et quelque peu crasseux de ses vêtements, il est clair qu'il ne s'est pas changé depuis un certain temps. Il lit un journal; le vieux sac de cuir fatigué est posé près de lui sur le banc.

Sam DeSoto n'a pas lâché l'homme d'une semelle depuis la ville, depuis la gare de Grand Central. Pentant toute la première partie du trajet, il l'a suivi dans la voiture de police banalisée, la voiture-radio grise, en compagnie de Haggard, Zabriskie et DeGarmo; plus tard, il est monté à sa suite dans le métro, après avoir relevé Donnello, qui avait pris l'homme en filature à Grand Central et l'avait pisté jusqu'à la 42ᵉ Rue et de là jusqu'à la Sixième Avenue, où tous deux étaient descendus dans le métro.

Grâce aux puissants petits émetteurs dont Donnello était muni, la voiture de police qui les accompagnait en surface n'avait eu aucune peine à suivre ses déplacements. Juste avant de monter dans le train, Donnello s'était arrangé pour les prévenir qu'il prenait la ligne F en direction de l'est. Ensuite, il leur avait été relativement simple de se guider sur les bip-bip réguliers et rythmés tout au long de l'itinéraire familier de la ligne F, qui se dirige vers l'est et passe sous le fleuve avant de rejoindre Queens.

Le point faible de cette technique était que les poursuivants risquaient d'être à leur tour filés par les hommes de Meacham. Les trains étant relativement vides en début d'après-midi, quiconque se serait attardé trop longtemps à proximité de l'homme au sac de cuir aurait été sûr de se faire remarquer. Soucieux de réduire ce risque au minimum, ils avaient cette fois encore mis au point un système de rotation, relativement simple, qui supposait que la voiture de police atteindrait chaque gare quelques instants avant le train. En principe, ceci également était relativement simple. Et c'était ainsi que lorsque Donnello avait quitté le train à l'angle de Lexington et de la 53e, Zabriskie avait pris le relais. Laissant un wagon d'écart entre le suspect et lui, il était resté dans le couloir pour le surveiller par la porte vitrée et, pendant tout le trajet sous l'East River, de la 23e jusqu'à Ely et jusqu'à Long Island, il ne l'avait pas perdu de vue. Lorsque Zabriskie était descendu à son tour, à l'angle de Roosevelt Avenue et de Jackson Heights, le jeune Sam DeSoto, qui l'avait devancé de sept minutes, avait pris le relais.

Tout s'était passé sans incidents. Lorsque l'homme au sac de cuir était descendu à l'angle de la 71e et de Continental Avenue, DeSoto l'avait imité. Ensuite, en prenant soin de rester loin derrière et d'avancer d'un pas nonchalant, il avait filé l'homme dans le dédale des rues vieillottes et étroites de Forest Hill Gardens, bordées de maisons style Tudor, puis de là, jusqu'à Wood-

504

haven Boulevard et à travers le parc où il s'était installé sur un banc, à distance suffisante pour ne pas éveiller les soupçons.

Il y a près d'une heure maintenant qu'il est sur son banc, feignant d'être plongé dans la lecture d'un magazine, mais en réalité il guette les moindres gestes de l'homme au sac de cuir. Les ordres de Haggard étaient clairs, ne pas perdre l'homme de vue, mais ne l'appréhender en *aucune* circonstance.

DeSoto jette un coup d'œil à sa montre. Cette fois il n'est pas loin de quinze heures trente et il s'inquiète un peu de voir que personne ne s'est encore pointé pour le relayer. Si des gens de Meacham sont planqués dans le secteur pour ramasser la rançon, il est sûr qu'ils l'auront repéré. Depuis le temps, il est tout bonnement impossible qu'il soit passé inaperçu. Il est hors de question que les autres se manifestent s'ils nourrissent des soupçons à son sujet. DeSoto ne bouge pas, en proie à un malaise grandissant.

Pourtant il ne s'inquiète pas outre mesure. Il sait que DeGarmo doit venir le remplacer. Certes, DeGarmo a une demi-heure de retard, mais le petit émetteur radio que DeSoto porte sous sa chemise continue à couiner de façon rassurante, lançant de puissants signaux électroniques capables de guider jusqu'à lui les hommes de la voiture banalisée.

DeSoto pose le magazine et se laisse aller contre le dossier du banc; il ferme les yeux et feint d'être endormi, mais à travers la grille de ses cils moites, il observe l'homme immobile sur son banc. Le manège continue à égrener ses valses de Strauss dont les tralalala-la rythmés flottent sur le parc, stridents et métalliques. Et dans l'air, mêlée à la senteur du jasmin, des jacinthes et de l'herbe tendre, plane l'odeur de frankfur-

505

ters et de choucroute qui monte du stand installé près du manège.

Sans la tension à laquelle sa mission le soumet, le spectacle qui l'entoure n'aurait rien que de très agréable pour le jeune DeSoto, gamin des rues habitué aux trottoirs torrides de la grande ville, aux immeubles de briques crasseux et étouffants de Hunt's Point. Pour lui, l'herbe et les arbres, les cris des enfants qui disputent une partie de ballon, ou piaillent sur le manège, tout cela représente un plaisir si rare qu'en dépit de l'importance de sa mission, il s'y abandonne. Il ne sait pas, il n'a aucun moyen de savoir que Haggard, ainsi que DeGarmo le collègue qui doit le remplacer et plusieurs autres, se trouvent coincés quelque part dans Jackson Heights; la batterie de la voiture banalisée est tombée en panne et toute liaison radio entre ses collègues et lui est coupée. A cet instant précis, et tandis que l'on change la batterie, Haggard n'a pas la moindre idée de l'endroit où est passé le jeune Sam DeSoto.

56

« Quinze extractions, anciennes.

— D'accord.

— Couronne en or sur la troisième molaire de la mandibule droite.

— D'accord.

— Dentier partiel.

— D'accord.

— Y compris l'incisive latérale supérieure gauche, la canine et la première prémolaire.

— D'accord. Pas de cicatrices ? Pas de signes particuliers ?

— Cicatrice de vaccin. Bras droit.

— Pas de peau sur le bras droit.

— Pas de peau ? Bon, et il n'y a pas une cicatrice de coup de baïonnette, sur le côté gauche du pelvis ?

— Pas de peau sur le pelvis non plus. Complètement arrachée. Au moment du démembrement.

— Seigneur. »

15 heures 25. Institut médico-légal.

« Est-ce qu'il prenait des médicaments ? » demande Konig. D'un dispensaire de l'hôpital militaire de Fort

Bragg, Caroline du Nord, à neuf cents kilomètres de là, la voix du colonel Angus McCormick, sèche, détachée, lui transmet aussitôt la réponse. Les deux hommes discutent depuis maintenant trois quarts d'heure. Ils confrontent leurs renseignements. Ils ont commencé par des caractéristiques physiques générales — âge, taille, poids, groupe sanguin, et ainsi de suite. Puis ils sont passés à des détails cliniques de plus en plus spécialisés.

« Codéine, cortisone et stéroïdes, répond sèchement McCormick.

— Nous avons relevé des traces de codéine sur les clichés du chromatographe. Abondance de codéine dans le sang. Il faisait de l'arthrite, n'est-ce pas ?

— Ça m'en a tout l'air. Au cours de la dernière année qu'il a passée chez nous, il a bien dû faire une trentaine de séjours à l'infirmerie. Il tenait à coup d'APC. Il souffrait de...

— ...de la hanche et du sacro-iliaque ? coupe Konig, tandis qu'une vision fugitive de Haggard lui traverse soudain l'esprit.

— C'est exact, mais ce n'était pas très visible sur ses radios. Comment l'avez-vous découvert ?

— En réassemblant la colonne vertébrale. Traces de lésions d'origine ostéoarthritique dans la hanche droite de l'os sacro-iliaque. Altérations des orifices des vertèbres cervicales. Il devait souffrir comme un damné. »

Où donc est passé Haggard en ce moment ? se demande-t-il. Quelqu'un est-il venu ramasser l'argent ?

« Il souffrait, mais pas uniquement de douleurs physiques. Son état impliquait aussi un tas de troubles pyschologiques. Browder passait pour un original ici.

— C'est ce que j'ai cru comprendre », fait Konig.

Très loin dans un coin de son esprit, retentit un hurlement, le cri d'une jeune fille qui hurle au milieu d'un carrefour et, plus loin encore, un autre hurlement, plus terrifié encore, plus angoissé.

McCormick continue. Il a surmonté ses réticences initiales et ne demande qu'à parler.

« Browder était un homme d'un courage extraordinaire. Cinq fois décoré. Un tas de citations. Un super patriote. Un baroudeur, disons. Il s'était engagé tout gosse. En dehors des paras, il ne connaissait rien. Il avait servi au Vietnam, et n'avait pas tardé à monter en grade. Très fier d'être un para. Mais il commençait à prendre de la bouteille pour ce qui était de sauter et, quand on a vu que son arthrite empirait, il a bien fallu qu'on le laisse au sol. Il a été affecté comme instructeur à l'école des cadres. Une vraie planque. La plupart des types ne demandent que ça, mais lui, il a pris ça comme une défaite. Il n'a pas pu supporter d'être cloué au sol. Il s'est mis à boire. C'est à ce moment-là qu'Ussery a été affecté dans son unité. Et c'est alors qu'il a vraiment craqué. »

Bientôt, McCormick et Konig en sont à confronter leurs informations sur Billy Roy Ussery. Konig, armé de ses radios et de ses fiches dentaires, ronronne avec lassitude dans l'appareil.

« Et avant, pas d'extractions ?

— Non. Il avait toutes ses dents, mais toutes en piteux état.

— Caries prononcées. Profondes abrasions dues au bruxisme.

— Vrai dans les deux cas.

— Aucune des quatre dents de sagesse n'était encore sortie.

— D'accord.

— Traces d'impaction de la supérieure gauche.

— Exact.

— Calcification incomplète de nombreuses racines.

— Exact, nasille McCormick. Normal, d'ailleurs. Ce n'était encore qu'un gosse. »

Konig feuillette les radios qui jonchent son bureau, en sort une de la pile.

« Auriez-vous par hasard un cliché de son incisive centrale inférieure gauche ?

— Incisive centrale inférieure gauche », murmure à mi-voix McCormick pour lui-même.

Konig attend tandis que l'écouteur lui transmet un bruit de paperasses feuilletées à la hâte. Puis, s'infiltrant dans le flot de sa pensée consciente, un autre son — une voix d'homme, douce, d'un raffinement extrême, d'une douceur mortelle, qui lui chuchote à l'oreille, chuchote tout autour de lui : « Docteur Konig. Docteur Konig. »

« Nous y voilà, ronronne la voix de McCormick à l'autre bout. Je l'ai là devant moi. Incisive centrale inférieure gauche.

— Parfait, dit Konig. Et maintenant, regardez le tiers supérieur de la surface externe.

— Tiers supérieur, surface externe. Oh oui, une petite tache blanche, une tache floue.

— C'est ça, dit Konig en proie à une excitation grandissante. Regardez au milieu, vous ne voyez pas une petite tache ?

— Ma foi oui. Qu'est-ce que ça peut bien être, bon sang ?

— Je n'en sais rien. J'allais vous le demander. Nos dentistes n'en ont aucune idée eux non plus. »

Les deux hommes restent quelques instants silencieux, plongés dans l'examen de la mystérieuse petite tache floue visible sur les radios.

510

« Ça me la coupe, soupire McCormick. Sans doute une simple décoloration congénitale de l'émail.

— Possible, concède Konig. Et lui, il prenait des drogues ? Il suivait un traitement ?

— Réserpine.

— Exact. Ça on le sait.

— Un peu d'hypertension naturelle. Un garçon très nerveux. A vrai dire, je crois que ce n'était qu'une affection passagère chez lui, mais n'empêche qu'on le tenait à l'œil.

— Sans doute une conséquence de la situation dans laquelle il se trouvait.

— Exact. L'un dans l'autre, Ussery était un garçon relativement sain. Rien d'autre que des troubles mineurs.

— Aucun ennui de pieds à votre connaissance ? demande Konig.

— Ça alors, bon dieu, comment l'avez-vous su ?

— En réassemblant le pied. On a fait des radios. On a diagnostiqué un hallux valgus.

— Au pied droit ou au pied gauche ?

— Le gauche. »

Konig patiente pendant que McCormick consulte ses dossiers.

« Rien du tout, dit enfin la voix. Aucune mention d'hallux valgus dans le dossier d'Ussery. Du moins n'avons-nous jamais rien diagnostiqué. Mais c'est vrai qu'il était obligé de porter des chaussures spéciales.

— Quelle pointure ?

— Huit et demi, triple E, d'après la fiche du magasin que j'ai ici. Il avait les orteils en marteau et aussi des oignons. Sans doute une conséquence de son hallux valgus. »

Konig pousse un sifflement.

511

« Alléluia ! Le nôtre aussi avait des oignons. Et lui aussi portait du huit et demi triple E, des tennis. »

Un bon moment encore ils continuent à bavarder, confrontant d'autres détails, mais déjà Konig pense à autre chose. Il est satisfait et pour lui le dossier de Ferde et de Rolfe est classé. Les deux cadavres réassemblés en bas dans la morgue sont bien ceux de Browder et d'Ussery. Aucun doute. Déjà il se désintéresse de cette conversation clinique et dépourvue de passion, accablé par le sentiment de sa propre terreur qui de nouveau l'envahit lentement. Il a l'esprit ailleurs. Les hurlements reviennent et, cette fois, il ne peut plus les faire taire. Il continue à bavarder avec le colonel, mais il a du mal à rester assis. Il a l'impression d'avoir le visage en feu, il a peine à respirer. Ses joues le brûlent. Il lui semble qu'il est sur le point d'éclater. Les hurlements retentissent de nouveau, tandis que l'envahit un sentiment d'impuissance et de fureur rentrées. Il est comme un homme qui fonce tête baissée contre un mur de ciment. C'est à peine s'il peut encore s'arracher quelques paroles courtoises.

« Ma foi, soupire finalement McCormick, on dirait qu'on peut classer ce dossier.

— C'est ma foi vrai, renchérit Konig qui ne tient plus en place. Il ne nous manque plus que les dossiers médicaux pour boucler l'affaire. Pour que tout soit officiel.

— Vous avez déjà leurs empreintes.

— C'est vrai. On a reçu celles de Browder hier.

— Parfait. Je les ai envoyées directement à votre homme.

— Flynn ?

— C'est bien ça. Il m'a raconté toute l'histoire. Une sale affaire.

512

— Comme vous dites.

— Je les connaissais assez bien tous les deux, dit McCormick, d'une voix soudain lasse. De chouettes gars, tous les deux. Browder faisait partie du décor chez nous. Je n'ai pas connu Ussery très longtemps. Mais il est souvent passé à l'infirmerie.

— Pour ses histoires de pied?

— Ses pieds. Ses dents. Sa tension. Un tas de vagues ennuis. Rien d'assez sérieux pour formuler un vrai diagnostic. Des histoires psychosomatiques pour la plupart. C'était un gosse qui avait une foule de problèmes. Et il le savait. Un joli petit gars, fragile. Un peu efféminé. Browder était comme un père pour lui. Bon dieu, savoir comment un gosse pareil a pu échouer dans ce genre d'unité... glousse McCormick. Tiens, c'est marrant. On voit souvent ça dans les paras. Des gosses terrorisés qui essaient de jouer les durs. Des gamins pleins de problèmes qui essaient de se prouver qu'ils n'en ont pas.

— Assez banal, non, dit Konig. Nous aussi on voit souvent ça dans la police.

— Quant à Browder, poursuit McCormick, personne n'aurait jamais cru qu'il avait des problèmes. Un sacré dur, ce fumier. Celui-là, j'aurais pas voulu lui tomber dans les pattes, s'esclaffe-t-il soudain. Dommage que vous les ayez pas vus ensemble. Mutt et Jeff[1]. Copains comme cochons.

— Je suppose que tout ça, c'était devenu assez gênant, dit Konig, tellement désespéré qu'il a peine à parler.

— Gênant? Seigneur... une situation épouvantablement embarrassante vous voulez dire. N'empêche que

1. Personnages de bandes dessinées, deux inséparables. *(N.d.T.)*

513

jamais on n'aurait dû essayer de les séparer. On aurait dû les démobiliser tous les deux. Les réformer pour raison de santé. Facile et sans bavures. Sans doute seraient-ils encore tous les deux de ce monde s'ils n'avaient pas été obligés de filer pour se terrer de cette façon.

— Eh bien... soupire Konig dont la voix se meurt, Konig qui souhaite désespérément raccrocher pour lui aussi filer se terrer quelque part.

— Triste, se lamente toujours McCormick. De gentils garçons. Tous les deux. Ils ne faisaient de mal à personne. Savoir un peu d'ailleurs comment ils se sont jamais fourrés dans ce pétrin?

— Qui sait? fait Konig, en se forçant à paraître poli. Croyez-moi, de gentils petits garçons et des gentilles petites filles dans le pétrin, c'est pas ce qui manque ici. Cette ville est un enfer, énorme, terrifiant. Et pourtant je l'aimais autrefois, cette ville. Mais maintenant, très franchement, colonel... — Konig éclate d'un rire amer — cette foutue ville me donne la chair de poule. Qui sait? Qui sait? »

Sa voix se meurt puis, brusquement, retrouve un regain de vigueur.

« Pensez-vous qu'il vous serait possible de nous communiquer leurs dossiers médicaux et dentaires? Il nous en faudrait des doubles, des copies conformes pour nos archives.

— J'essaie de vous obtenir le feu vert en ce moment même. Sans doute pourrai-je vous les envoyer par courrier spécial ce week-end.

— Merci, dit Konig. Vous m'avez beaucoup aidé.

— C'est tout naturel, docteur Konig. Je suis heureux que nous ayons pu clarifier tout ça. Vous avez fait un travail incroyable là-bas.

514

— Pas tellement incroyable finalement, dit Konig, la voix rauque de fatigue. L'important maintenant, c'est d'épingler le salaud qui a fait le coup.

— Aucune piste.

— Rien de très spectaculaire, je le crains. Oh, au fait... s'interrompt bizarrement Konig, comme s'il était sur le point de dire et d'ajouter quelque chose, mais se ravisait brusquement.

— Oui ? »

McCormick attend.

« Rien. Rien du tout à vrai dire. Je me demandais simplement...

— Oui ?

— ...S'il vous serait possible de m'envoyer leurs photos. J'ai formé une image de ces deux hommes dans ma tête et je suis curieux de voir à quel point elle coïncide avec la réalité. »

McCormick éclate de rire.

« Pas de problème. Je vous enverrai leurs photos d'identité en même temps que les dossiers.

— Merci, dit Konig, merci infiniment.

— Pas du tout, soupire McCormick. Et maintenant, il faut que je passe à la partie la plus désagréable du boulot.

— Oh ! Et quoi donc ?

— Avertir les parents. »

57

16 heures. Forest Park, Queens.

Une fois de plus, DeSoto jette un coup d'œil à sa montre. Il le sait maintenant, quelque chose cloche. Il y a eu un pépin quelque part. L'homme au sac de cuir paraît inquiet lui aussi. A plusieurs reprises depuis une heure, il a jeté un coup d'œil à sa montre-bracelet, puis promené un regard impatient à la ronde, comme s'il attendait quelqu'un. Pour l'instant, le principal souci de DeSoto est de savoir ce qu'il ferait si tout à coup l'homme se levait et paraissait vouloir s'éloigner. Il serait alors contraint de l'imiter, et du même coup, se démasquerait. Ce qui serait très gênant. Vraiment très gênant.

A peine quelques minutes plus tôt, le type s'était levé, s'était retourné et avait scruté l'épais bosquet situé derrière le manège, comme s'il s'attendait à voir quelqu'un en émerger. Quelques instants, il avait paru sur le point de s'éloigner et DeSoto s'était figé sur place en retenant son souffle, jusqu'au moment où l'homme s'était rassis.

Coincé là sur son banc, le jeune flic a de plus en plus envie de changer de poste d'observation, pour s'embusquer quelque part d'où, sans être vu, il pourra continuer à tenir l'autre à l'œil.

Devant le parc, sur Woodhaven Boulevard, un double flot de voitures s'écoule dans un bourdonnement paresseux. DeSoto jette un coup d'œil mélancolique dans cette direction, espérant à tout moment voir surgir la silhouette grise de la voiture de police banalisée. Mais à supposer que Haggard se trouve dans les parages, il ne se montre pas.

Soudain, l'homme se lève en marmonnant et commence à s'éloigner. Tous les muscles de DeSoto se tendent; il est prêt à bondir, mais de crainte de se trahir, il ne peut se permettre aucune précipitation. Au contraire, il se force à demeurer immobile, les yeux rivés sur son *Sports Illustrated,* tandis que l'homme à l'imper enfile l'allée et s'éloigne à grandes enjambées dans la direction opposée.

Dans son agitation et tandis que ses pensées tourbillonnaient follement dans son esprit, DeSoto a gardé toute son attention rivée sur l'homme. Ce n'est que maintenant qu'il remarque que le sac de cuir, bourré de ses 300 000 dollars en coupures de 10 et de 20 non marquées, gît abandonné sur le banc.

Une vague de panique submerge le jeune flic. Déjà le type à l'imper a tourné le coin de l'allée. A moins de se lancer à sa poursuite, il est condamné à le perdre. Néanmoins, il est hors de question d'abandonner le sac plein d'argent. Peut-être s'agit-il d'un piège monté par les types de Meacham pour forcer un suiveur éventuel à se démasquer. Haggard avait prévu tout un faisceau d'éventualités. Mais pas celle-ci.

Au bord de la panique, DeSoto scrute désespérément lès alentours dans l'espoir de repérer ses collègues. Ne voyant personne, il se lève et fonce. L'instant d'après, il se dirige vivement vers le banc où le sac de cuir semble l'attendre, ironique et vaguement menaçant. L'empoignant au passage, il enfile en trombe l'allée à la poursuite de la silhouette en imper qui déjà se perd parmi les arbres, les buissons et la foule. DeSoto a brûlé sa couverture et il n'a plus le choix. Il doit arrêter l'homme.

Arrivé au coin de l'allée, il aperçoit un bref instant l'homme qui, avec plus de deux cents mètres d'avance, se dirige vers l'une des sorties du parc, côté Woodhaven Boulevard. Plus loin, un arrêt d'autobus, où plusieurs bus stationnent, moteur au ralenti, dégorgeant et embarquant des voyageurs. DeSoto voit l'homme se diriger vers les bus.

Aussitôt, il s'élance comme un fou vers la sortie en coupant à travers la pelouse, gêné dans sa course par le sac dont les boucles lui meurtrissent cruellement le genou.

L'homme à l'imper attend dans une file derrière trois autres personnes. Il est le dernier de la queue et, à peine est-il grimpé dans le bus que les portes se referment. Au même instant DeSoto franchit les grilles en trombe, en gesticulant comme un fou pour attirer l'attention du conducteur. De l'intérieur du véhicule, on doit simplement le prendre pour un homme résolu à attraper son bus. Mais le conducteur ne le voit pas, ou du moins feint de ne pas le voir, et le bus, dans un chuintement de ses énormes diesels, s'ébranle pour s'engager sur le boulevard.

C'est alors que DeSoto, pantelant comme un animal aux abois, capte du coin de l'œil un mouvement flou. Puis c'est un affreux hurlement de freins, un grincement de métal embouti, un fracas de verre brisé, un hurlement de klaxons et des cris. L'instant d'après, il voit le bus immobilisé au milieu du boulevard, l'embouteillage qui déjà se forme derrière et, à l'endroit même où elle a braqué pour lui couper la route, la voiture de police banalisée, aile avant droite emboutie, qui bloque tout le passage.

Déjà DeSoto s'est rué en avant et tambourine contre les portières, lorsqu'il aperçoit Francis Haggard qui fonce vers lui au milieu de l'embouteillage, le visage cramoisi de fureur.

Dans le parc, les tra-tra-lalala de *L'Or et l'Argent* grincent capricieusement dans les haut-parleurs, tandis que sur le vieux manège, les chevaux montent et descendent en cadence, emportés dans leur ronde inlassable. Les gosses s'interpellent d'un cheval à l'autre avec des cris ravis. Sur l'un de ces chevaux de bois, un gros percheron gris-blanc au museau rose et aux yeux magnifiques, est assis un jeune homme. Un jeune homme qui pourrait avoir de dix-huit à trente-cinq ans, avec un de ces visages éternellement enfantins qui même dans la vieillesse paraissent toujours aussi jeunes. Un visage raffiné, intelligent, aux traits aristocratiques, minces et aigus. Un visage d'étudiant sage, dont la pâleur et les lunettes à monture d'acier rehaussent encore l'expression érudite. Le plaisir évident qu'il prend à son tour de manège ne le cède en rien à celui des gamins braillards qui l'entourent.

Il a les yeux tournés en direction du boulevard de l'autre côté du parc, où semble maintenant régner une certaine agitation. La circulation est bloquée; la foule grossit d'instant en instant, les klaxons hurlent. Plusieurs voitures du 53ᵉ commissariat de Queens sont déjà sur les lieux et la chaussée grouille de policiers. Plusieurs hommes sont montés dans le bus et bientôt ils redescendent — deux agents en uniforme, suivis d'un civil, un grand type aux cheveux blancs; on dirait qu'ils escortent le type à l'imper.

Le jeune homme assis sur le manège se sourit à lui-même de façon bizarre, tandis qu'aux accents des flon-flons, le superbe vieux percheron de bois aux énormes yeux et aux naseaux dilatés l'entraîne dans sa ronde infatigable.

58

« Désolé.

— T'arrêtes pas de dire ça.

— Je sais. Je peux pas m'en empêcher. Je suis désolé. Tout est de ma faute.

— Je m'en fous de savoir si c'est de ta faute ou pas, nom de dieu. Et elle? Qu'est-ce qu'elle devient ma gosse dans tout ça? »

17 heures 15. Institut médico-légal.

« Je ne sais pas. Tu peux me croire, ce type ne sait rien. »

La voix de Haggard croasse lugubrement dans l'écouteur.

« Un petit clochard minable qui vient de débarquer en ville. Il a déjà fait un ou deux séjours en taule. Pour vol avec effraction. Une ou deux inculpations pour vagabondage. Attentats à la pudeur et ainsi de suite. Rien. Tu peux me croire, rien du tout. Tout ce qu'il sait, c'est qu'il a rencontré un ou deux types dans un bar du Village.

— Et il ne sait pas qui ils sont.

— Première fois qu'il les voyait de sa vie. Il ne

connaît même pas leurs noms. Tout ce qu'il sait, c'est qu'on lui a offert vingt-cinq dollars pour aller prendre un sac à Grand Central et l'emmener à Queens.

— Et il l'a fait? Sans poser de questions?

— Si tu voyais le type, grommelle Haggard d'une voix presque implorante, tu comprendrais tout de suite que ce n'est pas le genre à poser des questions. Ils lui ont filé dix dollars cash; en principe il devait toucher le reste à la livraison. Il avait besoin de fric. Il était à la côte. Crois-moi, Paul... le type ne sait rien. Il est trop demeuré. »

Konig est assis prostré à son bureau, une montagne de lettres en équilibre précaire devant lui. Une douleur lui martèle les tempes et il s'efforce à grand-peine de réprimer sa fureur.

« Alors comme ça, c'était un piège? marmonne Konig entre ses dents serrées.

— J'en ai bien peur. Simplement histoire de nous mettre à l'épreuve.

— Et ils se sont foutus de ta gueule.

— Tout juste... on a tout gâché. C'te saloperie de foutue batterie, fulmine Haggard. Tout ça c'est de ma faute. J'aurais pourtant dû me méfier et prévoir une voiture de réserve. Et ce pauvre gosse, DeSoto... le fourrer dans un pétrin pareil. Il n'a pas eu le choix. Il a fallu qu'il se découvre. C'était ça, ou alors il risquait de perdre l'argent ou le type.

— Il aurait dû rester où il était, nom de Dieu, hurle Konig, dont le poing martèle le bureau avec une violence telle que paperasses et crayons s'éparpillent de tous côtés. Mais bon Dieu, pourquoi ne s'est-il pas contenté de rester où il était? Si les types de Meacham étaient là, ils n'auraient pas laissé longtemps le sac tout seul sur le banc.

522

— Je sais, je sais, fait Haggard d'une voix pleine de contrition. Il est jeune, ce gosse, il manque d'expérience. Je sais.

— Et tu confies la vie de ma fille à un petit con de bleusaille...

— C'est pas une bleusaille, Paul. C'est...

— Oh ! Seigneur.

— Désolé, je suis désolé.

— Jésus... vas-tu arrêter de répéter ça. Ce n'est pas avec tes regrets que tu vas la tirer de là. Et maintenant qu'est-ce qu'on fait ? »

A l'autre bout du fil le silence, un silence de catastrophe. Un aveu de défaite. Finalement Haggard retrouve assez de courage pour parler.

« Je ne sais pas ce que nous allons faire maintenant. Franchement, je suis au bout de mon rouleau. Je ne sais pas par quel bout reprendre l'affaire. Zéro. Chou blanc. J'ai parlé aux gars du F.B.I. aujourd'hui. Et bon dieu, ils ne sont guère mieux lotis. Ils continuent à creuser l'histoire des bombes. Il y a eu un certain nombre d'attentats à la bombe dans le Nord-Est, soi-disant des attentats politiques, et ils croient possible de les coller sur le dos de Meacham et d'autres types qui étaient en taule avec lui à Danbury.

— Et en quoi est-ce que ça nous aide ?

— Ils essaient de remonter les pistes de tous ces types-là dans l'espoir d'apprendre où se trouve Meacham. J'en ai identifié un dans ce secteur. Un nommé Klejewski dont, incidemment, le dernier domicile connu était l'usine de bombes du Bronx. Même que j'ai débusqué sa vieille là-bas, à Astoria. Je suis sûr que ce type est en contact avec Meacham. Y a eu un ou deux attentats à la bombe dans le secteur, ce qui prouve qu'ils travaillent encore ensemble. Si je pouvais mettre

523

le grappin dessus, je retrouverais Meacham. Je lui ferais cracher le morceau.

— Seulement voilà, gronde Konig, d'une voix insultante et pleine de mépris, tu ne peux pas le trouver, pas vrai ? Tu ne peux rien trouver. Et ces foutus cons du F.B.I. ne peuvent rien trouver non plus. Une poignée de révolutionnaires à la manque sont en train de se foutre de votre gueule à tous.

— Paul...

— Tu es un imbécile. Vous êtes tous des imbéciles.

— Paul, écoute...

— Laisse tomber.

— Ecoute-moi, Paul. Ecoute.

— Laisse tomber, je te dis. Ça suffit. J'ai suivi tes conseils et tout a foiré. A partir de maintenant, à moi de jouer. Je préfère payer pour mes erreurs que pour les tiennes. La prochaine fois, ça se passera comme je l'entends... c'est-à-dire, si nous avons la chance qu'il y ait une prochaine fois.

— Paul, écoute-moi. Attends une minute... écoute... »

Mais Konig a déjà raccroché. Baigné d'une sueur froide, il reste là immobile dans son bureau qu'envahit peu à peu le crépuscule, tandis qu'une douleur pareille à celle que provoque une lame de hache lui fouille les côtes et lui bloque la poitrine.

Un long moment encore, Konig reste là tassé devant son bureau, se frottant les côtes pour atténuer la souffrance, se torturant à l'idée des choses abominables qu'en cet instant précis Meacham et ses amis sont en train de faire subir à Lolly pour se venger du ridicule épisode du parc. Aucun doute, cette fois-ci il allait s'en prendre à elle. Lui faire payer la trahison de son père.

Il s'attend à ce que le téléphone sonne d'un instant à l'autre; il décrochera et entendra un de ces longs hurlements affreux, puis à l'arrière-plan, le petit ricanement obscène. Ce serait bien dans le style de Meacham de se venger de cette façon — en exploitant l'angoisse et la terreur de sa fille. D'ailleurs lui aussi était coupable. Il était responsable de ses souffrances. S'il n'avait rien dit à Haggard, s'il s'était contenté de verser l'argent, de faire ce que les autres demandaient, elle serait peut-être déjà rentrée et, en ce moment même, serait ici avec lui.

Et soudain, bien sûr, le téléphone sonne. Il se fige, incapable de faire un geste. L'appareil sonne plusieurs fois tandis qu'il le contemple avec un regard fixe, un regard dément, en espérant que Carver va décrocher. Puis il se rend compte qu'il est cinq heures passées et qu'elle est déjà partie, et il bondit.

« C'est vous ? dit une voix familière au bout du fil.

— Oui. C'est vous, Maury ?

— J'étais à peu près sûr de vous trouver. »

L'adjoint au maire s'exprime d'une voix hésitante, contrainte, un rien honteuse, dirait-on même. Il paraît curieusement gêné tandis qu'il s'empêtre dans des propos insignifiants qui ne sont pas du tout son genre. Puis soudain, sans transition, il en vient au fait :

« Le maire voudrait vous voir à son bureau demain matin, Paul.

— Oh ? réplique Konig distraitement, d'une voix indifférente. A quelle heure ?

— A l'heure qui vous conviendra. »

Voilà qui en soi, Konig le sait, est un mauvais présage. Il y a assez longtemps qu'il connaît le maire pour savoir qu'il ne reçoit pas les gens à l'heure qui leur convient dans l'intention de leur épingler des médailles.

« Quelque chose de particulier le tracasse? »
demande-t-il froidement.

Dans le silence qui suit, il croit entendre Benjamin
se tortiller au bout du fil.

« Vous n'avez rien entendu dire, pas vrai?

— A quel propos?

— En deux mots, qu'un reporter du *Daily News* a
mis la main sur un des gardiens des Tombs.

— Non, personne ne m'a rien dit. Et alors?

— Personne ne vous a parlé de ça? demande de nouveau Benjamin.

— Je viens de vous dire que non. »

Konig se tasse un peu plus sur son siège et attend.

« Ma foi, continue l'adjoint au maire avec un long
soupir las, je suppose que ça devait finir par arriver.
Avec cette histoire de racket de cadavres. Et là-dessus,
votre pote Carslin qui en rajoute et fait tout un plat de
l'affaire Robinson. Je suppose que ça devait finir par
arriver.

— Qu'est-ce qui devait arriver? grince Konig. Et
qu'est-ce que c'est que toute cette histoire du *Daily
News?*

— Un de leurs enquêteurs...

— Oui?

— ... a mis la main sur un gardien des Tombs...

— Je sais... vous l'avez déjà dit.

— Eh bien, le gardien s'est mis à table et a avoué
qu'il avait assisté au passage à tabac de Linnel Robinson. D'après le type, au moment où il est arrivé, il y
avait déjà un gardien dans la cellule de Robinson. Ce
qu'il faisait là, je n'en sais rien. Il existe une règle formelle et appliquée de façon stricte, selon laquelle en
aucune circonstance un gardien ne doit pénétrer seul
dans la cellule d'un prisonnier. Si vous voulez mon

526

avis, le type a dû entrer pour régler quelques vieux comptes avec Robinson et puis, il se sera aperçu qu'il avait eu les yeux plus grands que le ventre. Ce qui fait que trois autres gardiens sont accourus en renfort avec des nerfs de bœuf.

— Tout ça se trouve dans la déclaration du gardien ? coupe Konig.

— Oui. Là-dessus, le premier gardien a immobilisé Robinson tandis que les trois autres entreprenaient de le dérouiller. D'après le type qui a fait la déclaration au *News*, après son passage à tabac, Robinson s'est traîné à quatre pattes pour sortir de sa cellule et il avait la tête et la figure en sang. Il a demandé à voir un docteur, mais les autres ont refusé. Au lieu de ça, ils lui ont passé les menottes et l'ont refourré au cachot, et c'est là qu'on l'a retrouvé deux jours plus tard pendu aux barreaux.

— Et alors ? dit Konig perdu dans la pénombre qui envahit son bureau.

— Blaylock a déjà suspendu trois gardiens, poursuit l'adjoint au maire. Un quatrième est parti de lui-même pour raisons de « santé ».

— Et comme de juste, Blaylock joue les vertus indignées, pas vrai ?

— Je voudrais que vous entendiez ça, fulmine Benjamin. Y a de quoi dégueuler. Tous ces cocoricos de père la morale. « Ce genre de choses est intolérable. » « Je ne permettrai pas... » Et ainsi de suite. Vous le connaissez, le fumier. »

Les doigts de Konig tambourinent machinalement sur le bureau et le bruit, sonore et rythmé, se répercute dans la pièce obscure.

« J'ai fait une connerie ce matin avec Binney, Maury, annonce-t-il brusquement. Carslin savait que je décon-

527

nais et Binney aussi. Et vous, bien entendu, vous vouliez que je déconne, pas vrai, Maury? Inutile de le nier.
« Pas de vagues », voilà en gros ce que vous n'arrêtez
pas de me répéter depuis huit jours.

— Ecoutez, une minute voulez-vous...

— Pas exactement en ces termes. Mais vous m'avez
dit en substance que l'Institut médico-légal ne pouvait
pas s'offrir le luxe d'un nouveau scandale. Assez de
mauvaise publicité.

— Ma foi, gronde Benjamin, avec une pointe de sa
vieille hargne, si vraiment je vous ai dit ça, en tout cas
ça n'a pas servi à grand-chose. Et pour ce qui est de la
mauvaise publicité, c'est gagné. A la pelle. Dès demain
matin l'histoire fera la une de tous les journaux. En
plus, j'ai omis de vous dire que comme par hasard il y
a, dans la circonscription de Robinson, un ou deux
membres du Congrès qui comptent bien se faire réélire
cette année; du coup ils exigent que la lumière soit faite
et demandent un jury d'enquête. Binney n'a plus le
choix, il faut qu'il convoque le jury d'enquête.

— Parfait.

— Parfait? crachote l'adjoint au maire.

— Je mérite tout ce qui m'arrive. »
Konig éclate de rire, un long rire amer et sarcastique.

« Je ne vois pas ce que cette foutue histoire a de si
marrant.

— Tout. Tout est marrant. Vous et moi, Maury. Nous
sommes des marrants. Et le maire est un marrant lui
aussi. Tout le monde est marrant. Il y a une justice, pas
vrai? Oh! je ne parle pas de cette putasserie de justice
des tribunaux où un tas de fumiers se livrent à leurs
petits jeux de société. Je parle d'une justice bien au-
delà de tout ça. »

De nouveau il éclate de rire, glousse comme s'il était ravi.

« Et le plus marrant dans tout ça, c'est encore moi. Toute ma vie j'aurai combattu ce genre de choses. Tous ces hypocrites. Ces margoulins et ces salauds. Ces fumiers de menteurs qui essaient de camoufler leurs traces dans la boue. Et maintenant Maury, le plus marrant c'est que moi aussi je suis l'un d'eux. Prévenez Son Honneur le Maire que je serai chez lui à dix heures. »

Lorsque Konig raccroche, son bureau est presque complètement plongé dans l'obscurité. Une obscurité charitable, pour cacher le désespoir qui l'accable.

59

« DOCTEUR KONIG.

— Oui.

— Allez jusqu'à votre porte.

— Quoi?

— Ouvrez-la, mais ne sortez pas et surtout n'essayez pas de faire le malin.

— Quoi? Mais nom de dieu qu'est-ce que... »

19 heures. La maison de Konig.

Un déclic, puis le silence.

« Allô... allô... allô. »

Konig reste le téléphone à la main, les yeux rivés sur le micro, avec la sensation d'avoir reçu un coup de pied dans l'estomac.

« Qui est-ce? » hurle-t-il, mais rien ne lui répond sinon le rugissement du silence que lui renvoie la ligne.

« Qui est-ce? » marmonne-t-il de nouveau, engourdi de frayeur.

Mais il a deviné qui parlait. Cette voix, cette voix calme, suprêmement raffinée, il l'aurait reconnue entre toutes.

Il se retourne et fixe un regard éperdu sur la fenêtre. L'instant d'après il s'élance et, trébuchant, titubant, traverse à grandes enjambées la salle à manger, la bibliothèque, le salon, s'engouffre dans le vestibule d'entrée, ouvre la porte et, enfin, se fige sur le seuil en manches de chemise.

Le doux crépuscule d'avril paraît frissonner, sur le point de basculer dans les ténèbres. Encadré par la lueur orange des vieilles lanternes de fiacre accrochées au chambranle, Konig fouille du regard la pénombre qui envahit l'allée. Il ne voit rien. C'est l'heure du dîner. Des lumières brillent aux fenêtres des maisons avoisinantes, mais les rues sont curieusement désertes

Ses yeux s'habituant à l'obscurité, Konig distingue soudain au bout de son allée la silhouette trapue d'une petite voiture de marque étrangère, arrêtée presque dans l'axe de la porte d'entrée, capot tourné vers le haut de la rue. Dans la lumière indécise, il ne distingue ni la couleur ni le modèle du véhicule, mais il entend le moteur tourner au ralenti.

L'instant d'après lui parvient le déclic d'une portière qui s'ouvre. La faible lueur d'un plafonnier inonde brusquement l'intérieur du véhicule. Les têtes des occupants sont nettement visibles, quatre têtes.

Il tend le cou et plisse les yeux pour mieux voir, distingue une certaine agitation à l'intérieur de la voiture. Puis une silhouette apparaît, une silhouette qui s'extirpe ou que l'on expulse par une des portières arrière.

Il n'oublie pas qu'on lui a intimé l'ordre de ne pas franchir le seuil et attend en retenant son souffle. Quelqu'un se tient maintenant debout près d'une des portières arrière, ou plutôt appuyé contre la carrosserie ou encore soutenu par des mains invisibles. On dirait que la silhouette flageole, comme ivre et, à la faible lueur du plafonnier, il voit des mains s'avancer par-derrière et agripper la silhouette flageolante par le haut des bras, pour l'empêcher de tomber.

La silhouette debout à l'entrée de son allée a quelque chose d'une poupée de chiffon. Ses jambes refusent de la porter. Sa tête ballotte sur une épaule comme celle d'une marionnette. Puis, lentement, la tête se soulève et, comme au prix d'un immense effort, semble fixer son regard sur lui. Il ne distingue pas le visage dans la pénombre, mais il sait que c'est un visage de femme, et il reconnaît le dessin de la tête, la stature...

C'est bien Lolly Konig qui se tient là debout à l'entrée de l'allée, à cinq mètres tout au plus, dans le crépuscule, si proche qu'il lui suffirait presque d'avancer la main pour pouvoir la toucher. A la façon dont elle titube et vacille, il a l'impression qu'elle est ivre. Ou plus probablement sous l'effet d'un sédatif puissant. Sans les deux mains qui la soutiennent par-derrière, elle s'effondrerait sur place. On dirait qu'elle garde la tête droite au prix d'un effort terrible, pour essayer de le voir. A l'arrière-plan, il perçoit un murmure de voix étouffées. Lui aussi ne la quitte pas des yeux, s'efforçant de distinguer son visage.

Tout à coup, elle s'effondre. Un cri s'étrangle dans la gorge de Konig. Il s'élance. A peine a-t-il bougé, cependant, qu'une bousculade se déclenche près de la voiture. Une secousse ramène la poupée de chiffon à l'intérieur. Puis plusieurs portières claquent et un moteur vrombit.

Au bout de l'allée, paralysé et le cœur lourd, Konig suit des yeux les deux feux arrière qui s'éloignent dans l'obscurité, tournent le coin du pâté de maisons et disparaissent. Quelques instants encore, et bien que la voiture soit déjà hors de vue, il perçoit le vrombissement narquois de son moteur.

Il demeure quelques instants immobile, rivé sur place, les yeux fixés sur l'endroit où la voiture vient de disparaître, comme pour la contraindre à rebrousser chemin. Un parfum languissant de chèvrefeuille et de lilas plane dans l'air. La nuit semble empreinte de paix et de sérénité. Bien souvent, par des nuits pareilles, il s'est attardé dans le jardin en compagnie de Lolly et d'Ida, pour griller des steaks, prendre un verre, rire et bavarder en évoquant son travail de la journée. Dans tout le quartier, les maisons sont éclairées et les fenêtres scintillent doucement. Derrière ces fenêtres, des familles sont rassemblées pour le repas du soir. Des gens parlent et bavardent et rient en évoquant les menus événements de la journée, bercés par l'illusion qu'un monde bienveillant les entoure.

Soudain Konig sursaute, tiré de sa rêverie par une sonnerie brutale qui retentit à l'intérieur de la maison. Quelques instants lui suffisent pour remonter l'allée, gravir les marches, franchir le seuil et se ruer dans le vestibule où l'accueille le hurlement du téléphone.

« Docteur Konig.

— Lui-même.

— Affreusement stupide ce que vous avez fait aujourd'hui.

— Oui, je sais. Je suis désolé.

— En toute justice, j'aurais dû la tuer sur-le-champ.

— Je vous en prie, ne lui faites pas de mal. C'était de ma faute... je...

— Il ne faut jamais faire confiance à la police. Les policiers sont des gaffeurs. Et les agents du F.B.I. sont encore pires. Eux, ce sont des demeurés.

— Je suis navré de toute cette histoire. Je ne voulais pas...

— Mes associés sont furieux. Ils savent que vous avez essayé de nous baiser aujourd'hui. Et maintenant, ils exigent que j'exécute votre fille sur-le-champ. En représailles.

— Je vous en prie, ne lui faites pas de mal. »

Konig se rend compte qu'il parle d'une voix implorante.

« Je ne veux pas faire de mal à Lolly. En fait j'ai beaucoup d'affection pour elle. C'est une fille charmante. Sensible. Une artiste. J'ai beaucoup apprécié sa compagnie. Si le monde était différent, si les circonstances étaient différentes... »

La voix de Wallace Meacham sombre un instant dans la nostalgie, puis reprend aussitôt son intonation affable mais impérieuse.

« J'ai amené Lolly ce soir exprès pour que vous puissiez la voir. Voir qu'elle est en vie et qu'elle va bien. Je ne voulais pas que vous vous rongiez. Nous ne sommes pas des barbares. Nous sommes très humains en fait. Je sais ce que c'est que l'amour d'un père et quand on n'a qu'une fille, il est normal de se ronger...

— Ramenez-la, plaide Konig en réprimant à grand-peine son émotion. J'ai l'argent ici. Ramenez-la tout de suite et...

— Je crains bien que ça ne soit pas possible, docteur Konig, poursuit Meacham d'une voix posée, persuasive, une voix au pouvoir quasi hypnotique. Vous comprenez, je suis un type très confiant. Très naïf. Je laisse toujours le bénéfice du doute aux gens. Si quelqu'un conclut un marché avec moi, je pars du principe qu'il est honnête. Qu'il jouera franc jeu. »

Il glousse et continue :

534

« Mes associés me traitent d'imbécile. Ils me disent :
« Ne fais plus confiance à ce type-là. Il a essayé de te
« baiser une fois et il recommencera. » A la lumière de
ce qui s'est passé aujourd'hui, je crains bien d'être
obligé de les croire. Vous ne pensez pas que ce serait
idiot de ma part de vous ramener Lolly chez vous
maintenant ? Très facile, très tentant, mais idiot. Qui
me dit qu'en ce moment même, une demi-douzaine de
vos flics ne sont pas planqués chez vous à m'attendre.

— Il n'y a pas de flics ici en ce moment, je vous le
jure. Ramenez-la et...

Brusquement, la voix d'une standardiste fait irrup-
tion sur la ligne en réclamant vingt-cinq cents de plus.
Le front luisant de sueur, Konig attend impatiemment
que la conversation reprenne. Bientôt à l'autre bout, il
entend une pièce tomber dans l'appareil, puis un claquement sec.

« Docteur Konig ?

— Oui... je suis toujours là.

— Nous sommes vendredi soir.

— Oui.

— Dimanche matin, à trois heures, je veux que vous
soyez à l'entrée du pont de Brooklyn, côté Brooklyn.

— Compris.

— Vous verrez une Chevrolet blanche, une décapotable modèle 74, capote noire.

— Oui.

— Vous la suivrez.

— Oui. Je comprends.

— Où qu'elle aille, suivez-la.

— Oui. C'est promis.

— Quand elle s'arrêtera, arrêtez-vous. Quand elle
roulera, roulez.

— Je comprends.

— A un moment donné, la voiture vous fera signe de stopper et de vous garer à sa hauteur. Obéissez.

— Oui.

— Quelqu'un baissera la vitre. Ne tentez pas de lui parler ni d'entrer en contact d'une façon ou d'une autre.

— Oui. Je vois.

— Contentez-vous de lui remettre l'argent.

— Je comprends.

— C'est clair?

— Oui. Oui, c'est clair.

— Je tiens à vous mettre en garde... à trois heures du matin le dimanche, il y a très peu de circulation à Brooklyn. En particulier dans les quartiers que vous traverserez. Par conséquent, si un certain nombre de voitures, ou même une seule voiture, s'avisaient de vous suivre, vous et la Chevrolet blanche, c'en serait fait de la vie de votre fille. Vous comprenez ça, docteur?

— Oui. Je comprends.

— Très bien. Parce que je dois vous le dire, en raison de votre manque de loyauté d'aujourd'hui, mes associés sont d'une humeur massacrante. Si cette fois il devait y avoir la moindre anicroche, je ne pense pas que je serais capable de les retenir plus longtemps.

— Il n'y aura plus d'anicroche, assure Konig, le souffle court, le cœur battant la chamade. Je comprends très bien. Ne lui faites pas de mal, je vous en supplie.

— Ça dépend de vous maintenant, docteur. Dimanche matin. Trois heures du matin à l'entrée du pont de Brooklyn côté Brooklyn.

— Oui... trois heures du matin... Une Chevrolet 74 blanche, décapotable. J'y serai. Quand je vous aurai remis l'argent, quand est-ce que vous me la rendrez?

— Si tout se passe bien dimanche matin, vous la récupérerez vingt-quatre heures plus tard.

— Très bien, bafouille Konig. J'y serai. J'y serai. Mais je vous en supplie ne lui faites plus de mal.

— Ne vous tracassez pas, docteur, murmure Wallace Meacham d'un ton apaisant. Faites-moi confiance, de façon à ce que moi aussi je puisse vous faire confiance. Oh! au fait docteur?

— Oui?

— Ce mouchard que j'entends sur votre téléphone. Affreusement bruyant. Vous devriez le faire changer. »

60

« PERSONNELLEMENT je n'en crois pas la moitié.

— Il y en a la moitié de vrai.

— Dans ce cas, c'est l'autre moitié qui est importante.

— J'ai bien peur que ça ne soit pas cette moitié-là qui fasse vendre les journaux. »

**Samedi 20 avril. 10 heures du matin.
Le bureau du maire, Gracie Mansion.**

« De plus, le chiffre d'un million de dollars par an est grandement exagéré. »

Le maire arpente à grandes enjambées son bureau. C'est un homme petit mais solidement bâti, dont le visage banal reflète néanmoins une certaine force intérieure. C'est un samedi matin, et le samedi n'étant pas en principe un jour ouvrable, il n'est pas encore habillé, mais simplement vêtu d'un peignoir en cachemire et soie. Un pot de café est posé sur son bureau.

« Lorsque les commissaires aux comptes en auront terminé avec leurs vérifications, j'ai l'impression que nous nous apercevrons que les sommes encaissées par ces escrocs des pompes funèbres sont considérablement moins...

— N'empêche, dit Konig avec amertune, qu'il y a eu des pots-de-vin. C'est vrai, ça s'est passé comme ça. J'étais au courant et je n'ai rien fait. »

De l'endroit où il est assis, morne et résigné, dans un vaste fauteuil de cuir placé sous une grande baie, Konig embrasse du regard le panorama de l'East River qui coule en contrebas.

« D'accord, mais ce n'est pas ce qui me tracasse. »

Le maire s'approche d'un pas décidé, en agitant un exemplaire de l'édition matinale du *Times*.

« Nous pouvons passer sur toutes ces histoires. Parmi toutes les agences et tous les services qui émargent au budget de la ville, il n'y en a pas un seul qui n'ait son lot d'escrocs ni de margoulins. Dans une certaine mesure, c'est inévitable. Bonté divine, Paul... vous n'êtes pas le Bon Dieu. Pourquoi votre service serait-il différent des autres? Ce n'est pas ça qui me tracasse.

— C'est l'histoire Robinson qui vous tracasse. »

Une ombre d'appréhension et d'inquiétude passe sur le visage du maire qui s'assoit à son bureau.

« S'il ne s'agissait que de votre service, Paul. Mais ce n'est pas le cas. D'autres administrations sont impliquées dans l'affaire. Même le bureau du district attorney. Binney est aux cent coups. Tout ça à cause de ce type.... comment s'appelle-t-il déjà?

— Carslin.

— C'est ça, Carslin. Ce salaud est venu me voir et il a eu le culot d'insinuer que les services du district attorney lui-même sont de mèche avec un tas d'autres agences municipales pour étouffer cette affaire. Avez-vous vu les journaux?

— J'ai jeté un coup d'œil au *Times* ce matin. Je crois

539

comprendre que nous sommes bons pour un jury d'enquête.

— C'est l'avis de Binney. Et bien entendu, on vous a
parlé de l'histoire des deux membres du Congrès ?

— Oui. »

Konig contemple obstinément le fleuve.

« Tous les deux se représentent aux élections cette
année, et bien entendu, c'est pour eux le moyen le plus
économique de faire leur propagande.

— Je comprends », dit Konig, en suivant des yeux un
remorqueur qui remonte péniblement le courant.

Vers le sud, il distingue les tours du pont de Queensboro qui semblent vaciller comme des spectres dans la
brume jaunâtre de ce début de journée.

« Qu'aimeriez-vous que je fasse ? »

Le maire croise les mains sur son bureau et
contemple fixement Konig.

« J'aimerais que vous songiez à demander une
retraite anticipée. »

Konig demeure immobile, le regard toujours rivé sur
le pont dont les flèches drapées de brume se profilent
dans le lointain.

« Voulez-vous simplement que j'y songe ou voulez-
vous que je le fasse ?

— Oh ! pour l'amour de Dieu, Paul, fulmine le maire.
Inutile de me rendre les choses encore plus difficiles.
Je ne vous demande pas de faire quoi que ce soit pour
l'instant. Dans les semaines à venir, les journaux vont
faire un foin de tous les diables et exiger des têtes. Il y
a dans cette ville pas mal de fonctionnaires que je ne
demanderais pas mieux que d'expédier à l'échafaud
sur-le-champ. Vous n'en faites pas partie. Vous avez
servi six municipalités successives avec loyauté. Vous
avez fait une carrière remarquable. Vous avez mis sur

540

pied un des meilleurs instituts de médecine légale du monde. Vous l'avez dirigé avec une intégrité et un cran irréprochables. Je refuse de laisser les tartufes et les salauds des mass media faire leurs choux gras d'un malencontreux faux pas. Mais aussi bon dieu, quelle idée d'avoir voulu couvrir Strang? »

La tête de Konig se relève vivement, son regard fiévreux happe celui du maire.

« Qui est-ce qui vous a raconté ça?

— Oh! allons donc, Paul, fait le maire en tirant une cigarette de sa poche. Il y a des semaines que je suis au courant. De même que Strang brûlait d'envie de vous moucharder à propos de ce scandale des pompes funèbres, il y en a d'autres qui eux aussi brûlent d'envie de le moucharder. Vous avez chez vous des petits gars qui ont les dents drôlement longues, vous savez. »

Le maire grimace un sourire entendu.

« Mais à vrai dire, je n'ai pas eu besoin que quelqu'un m'en parle. Dès l'instant où Strang est entré dans ce bureau, je l'ai étiqueté. Pour moi, tout fonctionnaire qui se pique d'altruisme et de zèle est forcement un ambitieux.

— Qui vous a raconté ça? demande de nouveau Konig.

— Que l'autopsie Robinson avait été faite par Strang?

— Oui... qui vous a dit ça? »

Une fois de plus, le petit sourire rusé passe sur le visage du maire.

« Vous gardez vos secrets, Paul, moi aussi je garde les miens.

— Probablement Bonertz. Ou Delaney... il est suffisamment mal dans sa peau pour faire ça. »

Le maire hausse les épaules, sourit, porte ses doigts

à ses lèvres pour montrer qu'il reste bouche cousue.

« En tout état de cause, reprend-il, je ne veux pas que vous partiez dans l'immédiat. Ça serait donner l'impression qu'il s'agit d'un coup de balai et, pour moi, c'est hors de question. »

De nouveau Konig regarda par la fenêtre, l'air sinistre.

« Dans ce cas qu'est-ce que vous suggérez ?

— Je veux qu'au cours des trois mois qui viennent vous réduisiez peu à peu vos responsabilités.

— Que je me fasse rare ?

— Si l'on veut.

— Il ne me reste plus que deux ans à tirer, Georges, plaide soudain Konig. Ne pourriez-vous vraiment pas...

— Non. »

La réponse est catégorique, elle est tombée avec l'implacabilité d'un portail qui se ferme. Une expression de souffrance passe dans les yeux de Konig qui s'attardent quelques instants sur le visage du maire, sévère mais nullement hostile. Puis de nouveau ses yeux glissent et se portent vers le pont, là-bas au sud.

« Il ne s'agit pas seulement de l'affaire Robinson, n'est-ce pas Georges ?

— Non, réplique sans ménagements le maire, il y a aussi votre santé. »

Konig secoue la tête et part d'un rire amer.

« On vous raconte vraiment tout, pas vrai, Georges ? »

Le maire s'esclaffe bruyamment.

« Mon bureau est bourré de fonctionnaires pleins d'altruisme et de zèle. Mais parlons sérieusement, Paul. Il faut que vous passiez la main. Vous êtes en train de vous tuer à la tâche. Si vous ne partez pas bientôt, on vous emmènera les pieds devant.

— Je préférerais ça à la retraite graduelle et discrète que vous m'avez concoctée.

— Pas de misérabilisme, Paul, aboie le maire avec irritation. Ça vous va mal. A la minute même où vous cesserez d'être employé par la ville, une bonne douzaine de fondations, d'universités et d'hôpitaux seront déjà en train de tambouriner à votre porte. Vous avez encore pas mal de temps à vivre. Pourquoi diable n'avez-vous pas demandé à un médecin de s'occuper de vous?

— Je suis assez grand pour m'occuper de moi-même, dit Konig d'une voix soudain rude et stridente. Qui sera mon successeur?

— C'est à vous de le désigner. Je suppose qu'il n'est pas question que ça soit Strang.

— Pearsall est l'homme qu'il vous faut, poursuit Konig d'un ton neutre. Un médecin de grande classe, et un bon administrateur. J'ai confiance en lui. »

Le maire griffonne le nom sur un bloc.

« Dans ce cas, moi aussi.

— Et au fait, pour votre information future, continue Konig, il y a quelqu'un d'autre chez moi en ce moment, encore un gosse, en réalité, mais qui mérite d'être suivi.

— Quel âge?

— Pas loin de la trentaine. Il n'y a que quelques années qu'il a terminé ses études, mais il est clair qu'il promet.

— Son nom?

— McCloskey... Tom McCloskey. »

Une fois de plus, le maire griffonne en hâte sur son bloc. L'entretien est terminé et Konig se lève pour prendre congé. Le maire se lève à son tour et, quelques instants, tous deux restent gauchement plantés l'un en face de l'autre, cherchant un moyen élégant de mettre un terme à leur conversation. Soudain le maire éclate de rire :

« Voilà trente ans que je vous connais, Paul, et vous n'avez pas changé d'un brin. En rien. Vous êtes resté le même vieil ours mal léché, le même vieux dur-à-cuire que vous étiez déjà dans ce temps-là. »

Sans cesser de rire, le maire contourne son bureau et plaque amicalement le bras sur les épaules de Konig.

« Il n'y a qu'Ida qui savait comment s'y prendre pour vous amadouer. Pour vous empêcher de vous hérisser. Mon Dieu, je me la rappelle tellement bien Ida, que Dieu ait son âme. Vous vous souvenez de nos pique-niques avec les gosses ? »

Il a laissé son bras sur l'épaule de Konig et tous deux avancent de concert vers la porte.

« Votre petite fille...

— Lauren ? C'est une grande fille maintenant. Vingt-deux ans.

— Vingt-deux. »

Le maire répète pensivement le chiffre, cependant que toutes ces années enfuies défilent soudain devant ses yeux.

« Vingt-deux, vraiment. Moi, je suis déjà trois fois grand-père. Et qu'est-ce qu'elle fait dans la vie ?

— Elle peint.

— Elle peint ?

— Une galerie expose ses toiles en ce moment, dit Konig, non sans une bouffée d'orgueil. Une galerie à la mode de l'East Side. Et leurs prix aussi sont à la mode. Elle rentre demain », lâche-t-il irrésistiblement, bien qu'il n'ait jamais eu l'intention de discuter de Lolly. Mais à peine a-t-il parlé, à peine les mots sont-ils sortis de sa bouche, qu'il se sent soulagé d'un fardeau

544

énorme, comme si de les avoir prononcés donnait réalité à la chose. Brusquement, la tête lui tourne de bonheur.

« Oui, elle rentre demain.

— Elle a été absente ? demande le maire.

— Oh ! seulement pour quelque temps, élude Konig le regard soudain fuyant. Un petit malentendu. Mais tout ça c'est du passé.

— Bien... très bien, Paul, fait le maire avec une poignée de main chaleureuse. Tout va donc pour le mieux. Comme ça, les loisirs dont vous allez disposer au cours des prochains mois tomberont à pic pour vous permettre de renouer connaissance tous les deux.

— Oui... Vous avez sans doute raison, acquiesce Konig dont le visage s'empourpre. Je crois que la première chose que nous allons faire sera de rouvrir la maison de Montauk. Nous pourrons y passer tout l'été. Lolly adore l'océan, vous savez.

— Ce n'est pas moi qui lui donnerai tort, tonne le maire. Dites-lui bonjour de ma part. Dites-lui aussi que ma petite Joanie a maintenant deux gosses. »

Toujours planté sur le seuil, Konig arbore un sourire plutôt idiot, tandis que le maire s'obstine à lui secouer chaleureusement la main, sans cesser pour autant de le repousser doucement dans le couloir, à croire qu'il représente désormais un risque politique dont il convient de se débarrasser, sans brutalité, mais au plus vite.

« Et au fait, Paul, ajoute-t-il en baissant la voix et d'un ton quelque peu complice, inutile de vous faire du souci à cause de toutes ces conneries que racontent les journaux. Vous êtes toujours le meilleur. »

Un peu plus tard Konig se retrouve installé devant

545

son bureau et s'efforce une fois de plus de s'attaquer à sa paperasserie en souffrance. Le courrier en instance s'empile devant lui comme un reproche muet et paraît l'attendre.

C'est le samedi matin et l'immeuble désert lui appartient tout entier; il en savoure le calme. Il continue à ressasser dans son esprit l'entretien qu'il vient d'avoir avec le maire. Le coup de la retraite anticipée l'avait découragé, mais bien entendu, et il le savait, c'était inévitable. Que le maire eût préféré s'entretenir sans cérémonie avec lui à son propre domicile plutôt qu'à l'hôtel de ville, que Konig ait eu le loisir de fixer lui-même le moment du rendez-vous, autant d'indices qui révélaient sans ambiguïté le but de la rencontre. Si bien qu'il n'avait éprouvé aucune surprise. Mais il était parfaitement vrai qu'il se sentait démoralisé. Pourtant en sortant de là-bas ce matin, il s'était en même temps senti soulevé d'une étrange allégresse, comme débarrassé d'un immense fardeau. Tout ça, il le savait, était en rapport avec Lolly. La perspective de son retour imminent, et aussi cette remarque qu'avait faite le maire (tout à fait par hasard, car il ignorait tout de la situation dans laquelle se trouvait Lauren Konig), comme quoi ils auraient « du temps pour renouer connaissance ». C'était cette remarque qui l'avait stimulé, lui avait remonté le moral, lui avait fait parcourir en sifflotant tout le trajet de la 89ᵉ à la 30ᵉ Rue, où se trouvait l'Institut médico-légal. Dans un peu plus de vingt-quatre heures maintenant, ils seraient réunis. Après cinq mois de séparation, ils formeraient de nouveau une famille.

Et puis, ce matin aussi, quand il était rentré sur le coup de onze heures trente, après avoir préparé son café sur le bec Bunsen, arrosé ses plantes et allumé son premier cigare de la journée, il avait trouvé sur son bureau une simple enveloppe blanche barrée de son propre nom tapé à la machine. La lettre de démission de Strang. Sèche, succincte, dénuée de toute acrimonie, elle annonçait simplement son départ. Elle ne demandait rien, ni faveurs ni références. Konig s'était senti soulagé. Et du même coup, son allégresse s'était accrue. Il s'était alors attelé à sa correspondance.

Cher Docteur Griswald,
J'ai pris connaissance avec le plus grand intérêt de vos comptes rendus et de vos rapports d'autopsie et je crois pouvoir dire...

Des heures s'étaient écoulées avant qu'il ne voie poindre le moment de donner le coup de grâce à son monceau de courrier. Il avait lui-même tapé ses réponses à la machine et pris un réel plaisir à son travail de l'après-midi. Le sentiment familier de communiquer avec d'autres collègues, de tendre la main, si l'on peut dire, par-delà les continents, par-delà les mers, à de parfaits inconnus qui eux aussi lui tendaient la main et quêtaient ses conseils, les liens communs qui les unissaient, tout cela lui causait un immense plaisir. Il s'était absorbé dans sa besogne. Il s'était senti l'esprit alerte. Mieux encore, il s'était senti soulevé par un regain de son énergie d'antan.

Soudain il consulte sa montre, constate à sa grande surprise qu'il n'est pas loin de quinze heures. Aussitôt il se lève, impatient de rentrer chez lui. Il lui reste diverses courses à faire avant la nuit. Avant l'heure de son rendez-vous sur le pont. Il lui faut garnir le réfrigérateur en prévision du retour de Lolly. Il lui faut faire des provisions. Sans doute la jeune fille avait-elle été privée de nourriture, ou du moins chichement nourrie, pendant son épreuve. Et puis, naturellement, il y avait les toiles. Ses toiles. Celles qu'il avait achetées à la Galerie Fénimore. Il les accrocherait aux murs pour lui faire une surprise en l'honneur de son retour. Plein de joie, il imagine ses réactions en les apercevant, accrochées un peu partout dans la maison. Rien que d'y penser, il a du mal à se contenir.

Il rince le pot de café, ferme le gaz sous le Bec Bunsen, écrase son cigare à demi consumé, puis éteint les lampes et enfin se trouve prêt à partir.

Soudain, comme il franchit le seuil de son bureau, il aperçoit une petite carte de visite blanche glissée sous le panneau extérieur. D'un côté : « Francis Haggard. NYD. » De l'autre, d'une écriture hardie et griffonnée à la hâte, ces simples mots : « Je t'en prie, n'essaie pas d'y aller seul. »

61

« Non... y a pas de clients de l'Armée du Salut chez nous, mon pote. A voir comment mes clients paient leurs dettes, l'Armée du Salut, c'est moi.

— Je vois ce que vous voulez dire. Merci beaucoup.

— Tout le plaisir est pour moi, mon pote. »

17 heures 15. Angle de la Dixième Avenue et de la 50e Rue.

Le sergent Edward Flynn est planté devant une petite épicerie de quartier qui vend également des journaux et des revues. Sur la devanture, en lettres jaune passé, « Bodega QUINONES ». Puis dessous, en caractères plus petit, le mot « Epicerie ».

Flynn est planté sur le trottoir qu'inonde le soleil d'avril et il étudie une liste de soixante-dix noms; celui de Mr. Quinones est le quarante-troisième. Incroyablement, ce matin à neuf heures trente, Mr. Stanley Charles lui a communiqué une liste de noms. Par ordre alphabétique, établie par élimination à partir des noms de la centaine de revendeurs susceptibles d'avoir, le 31 mars, vendu le numéro 3118 du *Clintonian* à un individu soupçonné à tort ou à raison d'appartenir à l'Armée du Salut.

« Pas la peine de me dire merci, avait grondé Stanley Charles, au comble de l'exaspération et de la fureur, tout en fulminant de temps à autre contre « ces sangsues d'avocats » et ces « salauds du fisc ». Remerciez plutôt le petit Noir de quatorze ans qui bosse sur mes camions. Il est plus fortiche à lui tout seul que toutes ces saloperies d'ordinateurs.

— Vous voulez dire qu'il a réussi à dresser une liste à partir des numéros de série? demande Flynn incrédule.

— Ouais, mais pas la peine de me demander comment il s'y est pris. Il a essayé de me l'expliquer, mais je veux bien être pendu si j'y pige quelque chose. Tout ça à partir de l'ordre dans lequel il les range sur le camion pour les livraisons. Bref, sur une centaine de noms que comportait la liste, il en a éliminé le plus possible. Il en reste soixante-dix. Par ordre alphabéique. Je peux pas faire mieux. A vous de jouer maintenant. »

Et c'était ce qu'il avait fait. Depuis dix heures du matin, il avait vu quarante-trois personnes. Il avait arpenté la 8ᵉ et la 9ᵉ Avenue de la 40ᵉ à la 59ᵉ Rue. Puis il avait obliqué vers l'ouest et s'était traîné jusqu'à la 11ᵉ Avenue, d'où il apercevait le fleuve et sentait ses remugles. Il s'était arrêté un peu partout, kiosques à journaux, gargotes, drugstores, supermarchés, épiceries, stands à journaux du métro — partout où il y avait des journaux en vente. Partout, il avait posé les mêmes questions, pour recueillir partout les mêmes réponses frustrantes. Bien entendu personne n'avait reconnu le numéro de série, et pour cause, le distributeur ne l'ayant jamais fait figurer sur les bordereaux.

Et jusqu'à présent, personne n'avait reconnu avoir de client qui se baladait en uniforme d'officier de l'Armée du Salut.

Il fait chaud maintenant et, de l'endroit où Flynn est posté, son regard porte jusqu'aux quais en bordure du fleuve et distingue les hautes cheminées blanches d'un paquebot italien amarré au débarcadère; fanions multicolores ondulant nonchalamment au vent, et les mouettes qui tournoient en piaillant au-dessus. Du coup lui viennent des pensées de voyage; pays lointains; longues plages de sable blanc; palmiers qui se balancent dans le vent; belles femmes peu farouches — autant de choses qu'il n'a jamais connues.

Un petit vent d'est monte du fleuve, charriant des effluves de marée basse. Flynn a chaud, il est fatigué. Il a mal aux pieds et de plus son slip lui colle aux fesses et lui a mis l'aine à vif.

Il reste vingt-sept noms sur la liste. Il le sait, il est physiquement incapable d'arriver au bout avant le soir. Mais avant de tout plaquer, il tient à en vérifier encore quelques-uns.

Le prochain sur la liste est un gérant de kiosque du nom de Resnikoff — angle de la 10e Avenue et de la 49e Rue. Ensuite, viennent la confiserie Siegel — 11e Avenue et 49e Rue — et un épicier du nom de Salerno — 11e et 46e.

A ce moment précis, Francis Haggard sort du quartier général new-yorkais du F.B.I., 69e Rue Est. Il a passé tout l'après-midi au sommier à feuilleter des photos anthropométriques, à comparer des empreintes et d'autres indices avec les agents fédéraux qui s'occupent de l'affaire Lauren Konig.

En raison d'une série d'incidents curieusement similaires qui tous impliquent des attentats à la bombe contre des édifices publics de la région de Boston, le F.B.I. est d'avis que Wally Meacham et Janos Klejewski se trouvent tous deux dans ce secteur en compagnie d'un certain nombre de leurs complices, et également de Lauren Konig. C'est pourquoi ils ont concentré leurs recherches sur le secteur de Boston, en poussant des pointes jusqu'à Concord au nord et jusqu'à Walpole au sud.

Parmi le faisceau de preuves substantielles qu'ils ont communiquées à Haggard pour étayer leur théorie, la plus impressionnante est une identification de Janos Klejewski, reconnu de façon catégorique sur un écran de télévision en circuit fermé au cours d'un hold-up de banque survenu à Boston près d'une semaine plus tôt. Le deuxième maillon de cette théorie est corroboré par certains rapports d'indicateurs à la solde du F.B.I. qui affirment que Meacham et Klejewski, vieux amis depuis leur séjour à la prison de Danbury, ont recommencé à opérer ensemble.

Enfin, les agents du F.B.I. ont conclu sur une note nettement plus sinistre. Trois jours plus tôt, le cadavre d'une jeune fille a été retiré d'une tourbière près de Worcester. Elle avait été battue, étranglée, fourrée dans un sac, puis précipitée dans la tourbière. Elle aussi avait appartenu à la clique de Meacham — en fait, il s'agissait de son ex-maîtresse.

Les deux premiers faits sont lourds de sens. La signification du troisième est telle que le commissaire préfère ne pas s'y attarder. Pourtant Haggard demeure sceptique. Il ne peut nier le témoignage d'un vidéotape ni des informations obtenues à grands frais de sources dignes de foi. Mais tout son instinct lui souffle que

Meacham se trouve ici même, en ville. Ce n'est pas seulement le fiasco de la veille à Forest Park qui lui donne cette certitude. Il aurait pu s'agir tout bonnement de quelques-uns des types de Meacham qui auraient opéré en ville à sa place tandis que lui-même serait resté planqué dans le nord, en Nouvelle-Angleterre. En réalité, se dit Haggard, avec tous les flics de la ville à ses trousses, Meacham n'aurait rien pu faire de plus intelligent.

Pourtant, le commissaire ne peut se défaire de l'idée que Wally Meacham est dans les parages. Sous son nez, pour ainsi dire. A sa barbe. Plus important encore, cependant, et fait qui jouait nettement contre lui, il n'avait aucun moyen de savoir que, la nuit précédente, Meacham et Lolly étaient passés chez Konig. Comment l'aurait-il su? Konig ne lui avait rien dit. Il n'y avait d'ailleurs même pas songé. Et même si Haggard avait su que Konig lui cachait un renseignement aussi essentiel, sans doute ne lui en aurait-il pas voulu. Pas après la colossale bourde de la veille.

Plus perplexe que jamais, et peu à peu envahi par un sentiment de panique implacable, le sentiment que le temps lui file entre les doigts, le commissaire se met en route pour rentrer chez lui.

A Riverdale, Konig vient de finir d'accrocher le portrait d'Ida. Il l'a posé à une place d'honneur, juste au-dessus de la cheminée de marbre, après avoir décroché un superbe tableau ancien qui représente l'Hudson. En conséquence, la pièce paraît infiniment plus gaie. On dirait que la lumière éclatante de la plage de Montauk miroite sur la toile. Elle perce la pénombre confinée comme un trait de lumière, tandis que le sourire rayonnant d'Ida, là sur le mur, a un effet salubre sur la pièce. Au point que, pendant quelques brefs instants, il se sent très proche d'elle. Une fois encore, elle est venue le rejoindre en esprit dans la maison.

Il vérifie l'heure à sa montre. Il n'a cessé de la vérifier depuis le matin. Il est près de dix-huit heures et le compte à rebours est déjà bien entamé; trois heures du matin approchent. Il se met à circuler à travers la maison, d'une démarche presque élastique. Le réfrigérateur est bourré de provisions, pour la première fois depuis des mois. Sur les murs de l'escalier, il a accroché les trois petites toiles de Lolly. Il les contemple une fois de plus en montant au premier et il glousse de joie. Et en haut, dans sa tanière, où ses cannes à pêche et sa boîte à lignes sont déjà sorties, c'est un fouillis de bouchons multicolores, de burettes d'huile et de chiffons qui lui serviront bientôt à graisser les moulinets qu'il est allé chercher au grenier.

Une fois de plus, il jette un coup d'œil à sa montre.

62

« Mais, comment pourrais-je me souvenir du numéro ?

— Je n'en espérais pas tant.

— Le journal, oui je m'en souviens. Il est sûr que j'en ai vendu un certain nombre d'exemplaires, mais sans savoir si j'ai vendu précisément celui que vous me montrez...

— Ah ? ah ?

— ...ça, je n'ai aucun moyen de m'en assurer. »

17 heures 55. Une petite confiserie.
49ᵉ Rue, entre la 10ᵉ et la 11ᵉ Avenue.

Une fois de plus, Flynn fourre la page maintenant toute froissée et écornée du *Clintonian* dans sa poche. Poussant un soupir las, il se glisse sur un des tabourets en simili-cuir rouge alignés devant le comptoir.

« Je peux avoir une citronnade ? dit-il. Avec beaucoup de glace.

— Avec plaisir, sergent. »

Mr. Saul Siegel est un gros homme à la carrure puissante, de soixante-dix ans bien sonnés. Un vieillard magnifique au torse puissant et aux longs cheveux blancs qui lui donnent l'air d'un prophète de l'Ancien Testament. Il est coiffé d'une petite calotte noire. Flynn le regarde prendre une louche et remplir de glace pilée un verre de Coca-Cola, un verre à l'ancienne mode serti dans un gobelet d'acier. Puis d'un geste vif, le vieil homme enfonce le bouton d'un grand bocal à jus de fruits et entreprend de préparer la limonade verte et glacée.

La calotte noire, le liquide vert et glacé qui pétille dans ce verre à monture d'acier, l'odeur du vieux comptoir de zinc, et voilà soudain Flynn ramené de quarante bonnes années en arrière, à l'époque où tout gamin il chipait des caramels à un sou dans la boutique de Kastle, le marchand de bonbons de Hester Street, tandis que le vieux Mr. Kastle, harcelé par une bande de jeunes garnements, détournait obligeamment les yeux.

Oui, la boutique de Mr. Siegel fait vibrer une corde sentimentale chez Edward Flynn. En fait ce n'est rien d'autre qu'une petite échoppe sympathique mais minable, un simple trou dans le mur (à peine plus grand que deux placards de bonne taille), avec, face à la rue, un comptoir muni d'une fenêtre à glissière. L'inspecteur n'y a jamais mis les pieds et pourtant l'endroit lui est parfaitement familier. Là, au fond du magasin, comme autrefois chez Mr. Kastle, deux petites cabines téléphoniques. Et garnissant le mur du fond du sol au plafond, les mêmes rayons chargés de revues. Sur un autre mur, une vitrine bourrée de jouets à quatre sous — cerfs-volants, modèles réduits d'avions, figurines d'argile, poupées de plastique, soldats de plomb, canifs, pochettes de timbres étrangers et jeux de dînettes pour petites filles.

La plus grande partie de l'espace disponible est réservée au vieux comptoir de zinc rutilant, orné de réclames pour glaces Breyer et d'affiches fanées de hamburgers et de Coca-Cola. Directement au-dessus, accrochés à une longue corde noire, d'innombrables cartons de chaînes à clefs, pinces à ongles, cure-pipes briquets Zippo, taille-crayons et élastiques.

Mais c'est le zinc lui-même qui plus que tout fait vibrer le cœur de Flynn, le magnifique vieux bar equipe de ses robinets luisants et de ses énormes bocaux de pharmacie renversés remplis de sirops multicolores — rouge vif du sirop de cerise, vert frais du citron, jaune éclatant du pamplemousse , noir somptueux de la bière de gingembre. Sans oublier l'énorme cloche de verre pleine de fromage et de pruneaux danois. Et, merveille des merveilles, tout au bout du comptoir, une vitrine bourrée de bonbons à un sou — caramels durs, pâtes de fruits, acidulés, caramels à la banane, marshmallows à la noix de coco, bonbons au miel; rien n'y manque. Pas même un distributeur à boules de chewing-gum — une boule de couleur et un minuscule jouet de plastique, le tout pour un sou.

Pour un homme qui a passé sa journée à arpenter les rues, à harceler un tas de gens irascibles, l'endroit est empreint d'une agréable nostalgie. Et puis il y a le vieux Siegel, le vieux Siegel qui, avec sa calotte noire et ses longs cheveux, ressemble trait pour trait aux vieux juifs irréductibles de Hester Street, avec leurs grands chapeaux de castor, leurs longues redingotes noires, leurs cheveux tressés qui passent sous leurs chapeaux à larges bords.

Tout enfant, Edward Flynn éprouvait une crainte étrange, une sorte de fascination, à l'égard de ces vieillards qui passaient leurs jours et leurs nuits enfermés dans la synagogue, plongés dans la lecture et l'étude.

Tout en sirotant lentement son jus de citron et de

557

limette, il observe Mr. Siegel qui, penché sur le comptoir, ses lunettes à double foyer perchées sur le bout du nez, s'absorbe dans sa lecture.

« Vous connaissez bien le quartier ? » lui lance-t-il.

Mr. Siegel lève la tête et lui décoche un coup d'œil perplexe par-dessus ses lunettes.

« Je vous demandais si vous connaissiez bien le quartier.

— Ça fait trente ans que je suis ici.

— Dans ce cas, vous devriez le connaître.

— Pour ça oui... mais ça change.

— Comme tout le reste, fait Flynn en souriant. Des ennuis ?

— Bien sûr. Mais à mon âge, à quoi bon se tracasser ? D'ailleurs, tout le monde a des ennuis, pas vrai ? »

Mr. Siegel sourit et son visage buriné de vieux patriarche semble rayonner d'une sorte de paix intérieure.

« C'est vrai, opine Flynn. Je peux vous demander ce que vous êtes en train de lire ?

— La Bible. Le samedi soir, je lis la Bible.

— Quel livre ?

— Les Nombres. Un très vieux livre. Les anciennes lois des Hébreux. »

Flynn médite quelques instants, puis il dit :

« Vous ne voudriez pas m'en lire quelques passages ? »

Une expression de léger amusement passe sur le visage du vieillard.

« Vous voulez que je vous lise la Bible ? »

— Mais oui... j'aurais bien besoin d'un peu de Bible ce soir. »

Mr. Siegel réfléchit un instant.

« Ma foi, si ça peut vous faire du bien, je ne vois pas

pourquoi je vous en priverais. Un passage en particulier ?

— Reprenez donc où vous vous êtes arrêté, ça sera parfait... »

Mr. Siegel sourit toujours. Un sourire intérieur, comme s'il savourait une satisfaction intense. Puis remontant ses lunettes sur son nez, il reprend d'une voix calme mais empreinte d'une force étrange :

« Et s'il le frappe avec un instrument de fer...

— Pas en anglais, s'il vous plaît », le coupe Flynn.

Mr. Siegel lève de nouveau les yeux. Cette fois, le sourire amusé a fait place à une expression de légère perplexité.

« Vous comprenez l'hébreu ? »

— Non... mais j'en aime la mélodie. Ça me rappelle des souvenirs. »

Mr. Siegel hausse les épaules, hoche la tête et, l'instant d'après, sa basse paisible mais sonore s'élève et semble planer dans la petite boutique.

לְֽאָם שָׂמָה כָל־מִכַּה־נֶפֶשׁ בִּשְׁנָגָה: וְאִם־בְּכַל בַּרְזֶל |
הִכָּהוּ וַיָּמֹת רֹצֵחַ הוּא מוֹת יוּמַת הָרֹצֵחַ: וְאִם בְּאֶבֶן יָד
אֲשֶׁר־יָמוּת בָּהּ הִכָּהוּ וַיָּמֹת רֹצֵחַ הוּא מוֹת יוּמַת הָרֹצֵחַ:
אוֹ בִּכְלִי עֵץ־יָד אֲשֶׁר־יָמוּת בּוֹ הִכָּהוּ וַיָּמֹת רֹצֵחַ הוּא
מוֹת יוּמַת הָרֹצֵחַ: גֹּאֵל הַדָּם הוּא יָמִית אֶת־הָרֹצֵחַ

Mr. Siegel relève les yeux et gratifie Flynn d'un de ses sourires débordants de bonté.

« Très beau. Très beau. Qu'est-ce que ça veut dire ? demande Flynn avec un hochement de tête appréciateur.

— C'est un passage qui parle des Cités Sanctuaires. Les endroits où les criminels peuvent chercher et parfois trouver asile. Vous voulez que je traduise ?

— Oui... ça me ferait plaisir. »

Le vieillard remonte ses lunettes sur son nez et se replonge dans son livre :

Et s'il frappe avec un instrument de fer,
et que sa victime meure, il est un meurtrier :
le meurtrier
devra être mis à mort.

Et s'il prend une pierre et frappe,
Et que sa victime meure, il est un meurtrier :
le meurtrier
devra être mis à mort.

Ou s'il frappe avec une arme de bois,
et que sa victime meure, il est un meurtrier :
le meurtrier
devra être mis à mort.

C'est le vengeur lui-même que devra occire le meurtrier :
quand il le rencontrera, il devra l'occire.

Mr. Siegel referme son livre. Un éclair de chaleur illumine la rue et le tonnerre gronde dans le lointain.

« La pluie, murmure-t-il paisiblement.

— On dirait, opine Flynn. Ecoutez, je voudrais savoir quelque chose. Parmi vos clients du quartier, vous n'auriez pas par hasard un officier de l'Armée du Salut ?

— Un officier de l'Armée du Salut ? »

Mr. Siegel plisse les yeux et réfléchit quelques instants.

. « Un de ces types en uniforme noir à col rouge, avec une casquette à visière ?

— C'est ça. »

Mr. Siegel s'illumine d'un grand sourire.

« J'en ai un. »

Le cœur de Flynn fait un bond.

« Vraiment ?

— Mais oui... c'est sûrement le colonel.

— Le colonel ? »

Quelques instants de silence.

« Le colonel qui ? »

Le vieil homme lève les yeux au plafond en fouillant dans ses souvenirs.

« Voyons un peu... il prend le *Post* les jours de semaine, et le *Daily News* le dimanche matin. Il se les fait livrer à domicile.

— Vous connaissez son nom ?

— Attendez une minute. »

Mr. Siegel passe dans le fond du magasin, disparaît dans l'arrière-boutique, pour reparaître l'instant d'après porteur d'un petit registre gris, un de ces registres brochés à bon marché, remplis de lignes à l'encre rose et de chiffres tachés d'encre. Le vieil homme se met à le feuilleter avec frénésie, en s'humectant de temps en temps le doigt pour tourner plus rapidement les pages.

« Ah ! nous y voici », dit-il, en s'arrêtant et en remontant ses lunettes qui n'arrêtent pas de glisser.

« Colonel Divine, annonce-t-il triomphalement. Colonel Joseph Divine. C'est le type dont je vous parle... 610, 49ᵉ Rue Ouest. A deux pas d'ici. »

Flynn éprouve soudain un bizarre picotement au creux

de l'estomac, tandis que, lentement mais inexorablement, une vague d'excitation l'envahit.

« Je peux jeter un coup d'œil ?

— Bien sûr. »

Mr. Siegel tend le registre à l'inspecteur.

Flynn griffonne le nom et l'adresse sur son calepin.

« Vous dites que c'est au bout de la rue ?

— Mais oui. Le vieil immeuble de grès près du carrefour. Il a fait quelque chose de mal ?

— Qui sait ? élude Flynn en haussant les épaules, le visage légèrement empourpré. Je peux passer un coup de fil ?

— Bien sûr. Le téléphone est au fond. Allez-y. »

Dans l'arrière-boutique, Flynn appelle le commissariat et demande qu'on envoie une voiture de ronde le rejoindre devant l'immeuble de grès de la 49ᵉ Rue. Puis il va retrouver Mr. Siegel.

« Combien est-ce que je vous dois ?

— Pour quoi ?

— Pour la citronnade ? »

Mr. Siegel, l'air plus patriarcal que jamais, secoue sa crinière blanche et repousse l'offre d'un grand geste princier.

Une fois la porte vitrée refermée derrière lui et alors que tintent encore les petites clochettes de l'entrée, Flynn se retourne pour adresser un geste d'adieu à Mr. Siegel. Mais déjà penché de nouveau sur le comptoir, coudes sur le zinc et joues nichées dans le creux des mains, le vieil homme s'est replongé dans sa Bible.

Il fait maintenant presque nuit dans la rue. Les lampadaires viennent de s'allumer. Sur le trottoir, des gosses jouent à chat perché au milieu des poubelles et, bras dessus, bras dessous, des couples de jeunes Portoricains se dirigent en flânant vers l'est où, au-dessus dc

Times Square, comme tous les samedis soir, le ciel s'embrase d'un immense chatoiement de lumières blanches. Assis dans l'embrasure de leurs fenêtres, les vieux se contentent de regarder.

De nouveau la longue balafre d'un éclair de chaleur blêmit un instant le ciel au-dessus du fleuve; l'atmosphère lourde et chargée d'odeurs annonce l'imminence de la pluie.

Le 610, 49ᵉ Rue Ouest est un immeuble de grès de trois étages situé presque à l'angle de la rue, à deux pas de la 11ᵉ Avenue. Un de ces immeubles élégants construits à la fin du siècle dernier, à l'époque où la ville était encore éclairée au gaz et qui, après avoir sans doute servi de résidence à un quelconque banquier ou à un riche commerçant, avait été scindé en une série de petits logements (appartements utilitaires comme on dit) et n'avait pas tardé à devenir vétuste.

Dans le petit vestibule du rez-de-chaussée aux murs carrelés de faïence, huit boîtes aux lettres vilainement éraflées sont encastrées dans une mince cloison. C'est à peine si la lueur vacillante de la faible ampoule accrochée au-dessus permet de déchiffrer les noms : Moody — Grayson — Donnelly — Terhune — Horwitz — deux autres noms à peine lisibles — puis, en caractères élégants sur une petite carte de visite, le nom qu'il cherche, Divine, appartement 3 B.

Il n'y a pas de sonnette et Flynn ne peut donc s'annoncer. La porte vitrée qui sépare le vestibule du couloir est ouverte, sa serrure ayant été enlevée *in toto* sans que personne se soucie de la remplacer. Aussi l'inspecteur entre-t-il directement.

Dans le couloir, des voix filtrent derrière les portes,

des bruits de pas, les braillements d'un électrophone qui passe l'*Eroica*, des bruits de vaisselle, de gens qui prennent leurs repas et vaquent à leurs occupations.

Avant de s'engager dans l'étroit escalier aux marches branlantes, Flynn effleure de la main son étui à pistolet niché sous son aisselle. Le bruit de la pluie qui commence à crépiter sur les trottoirs monte de la rue.

Il commence à gravir l'escalier, dont les marches craquent à chacun de ses pas, en proie à un bizarre sentiment d'exaltation, comme un homme qui au terme d'une longue ascension aperçoit enfin le sommet quelques pas en avant, en même temps qu'il savoure cette griserie qu'apporte le second souffle. Tout lui paraît avoir quelque chose d'inéluctable. D'autant plus que le nom de Divine, relevé sur le bordereau de Stanley Charles, figurait aussi sur la liste nominative du général Pierce, la liste vieille de dix ans du personnel de l'ancien asile de l'Armée du Salut de South Street.

Le numéro 3 B est situé tout au bout du couloir et, du moins Flynn le suppose-t-il, il doit donner sur l'arrière de l'immeuble. La plaque apposée sur la porte annonce « J. Divine ». Avant de sonner, l'inspecteur se fige un instant sur le seuil, l'oreille aux aguets. Mais il n'entend rien. De même aucune lumière ne filtre sous la porte. Il reste immobile dans l'ombre, secouant la tête, un sourire bizarre sur les lèvres. Enfin il appuie sur la petite sonnette blanche fixée sur le chambranle.

Le timbre résonne au fond de l'appartement, puis un chat miaule. Ensuite c'est le silence. Il patiente quelques instants et sonne de nouveau. Cette fois il entend — ou s'imagine entendre — un couinement de ressorts. Comme si quelqu'un se levait de sur un canapé ou s'asseyait dans un lit. Puis un son qui ressemble à un raclement de gorge, suivi par deux mots : « Une minute », qui lui parviennent étouffés par le plâtre des cloisons. L'instant d'après il perçoit un bruit de pas, puis un rai de lumière filtre sous la porte.

Il se trouve maintenant face à un homme d'une beauté saisissante, grand, aux épais cheveux gris acier. Derrière les verres des lunettes sans monture, deux yeux démesurément grossis le fixent d'un regard digne et sévère — légèrement désapprobateur.

« Colonel Divine ? »

Flynn a l'impression que sa propre voix lui parvient de très loin.

« Oui.

— Inspecteur Flynn — de la police de New York, Sixième Brigade criminelle. J'aimerais avoir une petite conversation avec vous. »

63

18 heures 15. L'appartement des Haggard, Parkchester, dans le Bronx.

En manches de chemise, un petit tablier à pois noué autour de la taille, Francis Haggard est penché au-dessus d'un évier plein de vaisselle sale. Tandis que le bac se remplit et que la mousse monte le long de ses avant-bras, il repasse dans son esprit les événements de la journée. Les éléments d'information qu'il a recueillis cet après-midi au F.B.I. tourbillonnent dans sa tête et il se demande s'il ne devrait pas faire un saut jusqu'à Boston.

Son inquiétude et sa perplexité sont plus grandes que jamais, mais son principal souci est que maintenant Konig, si l'occasion se présente, ne décide d'agir seul, sans prévenir la police. Etant donné la catastrophe de la veille, il ne pourrait à vrai dire lui en tenir rigueur.

Le sifflement strident d'une bouilloire l'arrache à ses méditations. Il jette quelques pincées de thé dans une petite théière de porcelaine, la remplit d'eau bouillante, laisse infuser le liquide, puis le verse sur un mélange sirupeux fait de crème et de miel.

L'air vaguement grotesque avec son tablier rose, il soulève un plateau et, d'un pas hésitant, traverse le salon, enfile un petit couloir et pénètre dans une chambre.

Mary Haggard est assise dans un lit, drapée dans une robe de chambre de soie bleue; elle regarde la télévision. C'est une jolie petite femme aux yeux vifs et aux cheveux blonds qui grisonnent prématurément. Sur la table de chevet, une pile de livres, des romans et des livres d'histoire, et aussi un plateau chargé de médicaments. Sur le grand châle écossais qui recouvre le lit, s'étale un puzzle presque achevé représentant le *Primavera* de Botticelli et un échiquier encore à moitié garni qui attend que Frank Haggard vienne reprendre la partie en cours.

Dans l'angle de la pièce et à côté du lit, le fauteuil roulant de Mary Haggard. Frappée peu après son mariage d'une maladie neuro-musculaire qui n'a cessé d'empirer insensiblement avec le temps, elle utilise ce fauteuil depuis bientôt vingt ans.

Repoussant les livres qui encombrent la table, Haggard pose précautionneusement le plateau sur le bord du grand lit à deux places. Puis il étale une serviette sur les genoux de sa femme et lui sert son thé.

« Tu ne trouves pas ça magnifique, Frank, dit-elle en prenant la tasse qu'il lui présente, sans détacher les yeux de l'écran de la télé en couleur où défile un paysage grandiose de la chaîne des Grands Tetons.

— Le Wyoming ? demande-t-il.

— Oui. Une conférence avec projections. Tu devrais t'asseoir et regarder un moment. »

Elle débarrasse le bord du lit pour lui faire place, mais il ne veut pas la gêner.

567

« Je préfère rester debout. J'ai été assis toute la journée. »

C'est ainsi que, bras croisés et tablier autour de la taille, le commissaire reste debout à côté de sa femme, appuyé contre le mur et les yeux fixés sur l'écran, mais l'esprit absorbé par son projet de voyage à Boston. Aucune trace en lui maintenant des manières brusques et bourrues qu'il affecte dans son bureau ou les commissariats. En présence de Mary Haggard, il se comporte en époux plein de prévenances, et même, presque docile.

« Incroyable ce que ça peut être beau », dit-elle.

Sur l'écran, un grand cerf à six cors trottine d'une allure majestueuse en direction de la berge d'un de ces minuscules lacs isolés, calmes et éternels, sertis comme des joyaux très haut dans les montagnes boisées de Yellowstone. Soudain elle le regarde avec un sourire radieux :

« Dommage qu'on ne puisse pas y aller.

— Un jour, peut-être. »

Il la contempla avec un sourire paisible, mais il sait qu'elle ne serait pas capable de supporter le voyage.

Brusquement le téléphone sonne dans la cuisine. Haggard se précipite aussitôt.

« Je reviens tout de suite. »

« Qui ça ? »

Une voix rauque et bourrue, alourdie par des consonnes gutturales et un accent prononcé, jacasse frénétiquement dans l'écouteur.

« Qui ça ?

— Guzman... Guzman, Antonio Guzman.

— Oh ! oui... Mr. Guzman.

— C'est ça. Vous vous souvenez, commissaire ? Vous êtes venu me voir. On a parlé ensemble y a un ou deux jours.

— C'est exact. Je me souviens. »

Mr. Guzman se remet à jacasser de plus belle. Sa voix n'est qu'un murmure, comme s'il redoutait que quelqu'un l'écoute. Ses consonnes sifflent et crépitent avec tant de violence que Haggard est contraint d'écarter l'écouteur. Il parvient à capter des bribes de mots intelligibles.

« Ces types...

— Qui ?

— Ces types. Ces types. Avec les bombes...

— Ils sont là ?

— Ouais... c'est ce que j'essaie de vous dire. Ils sont revenus. Exactement comme vous l'aviez dit. Ils sont ici en ce moment. »

Sa voix se fêle et une violente quinte de toux fuse dans le combiné.

« En train de déménager leurs affaires. De les charger dans une voiture. Vous m'aviez dit de vous appeler vous vous souvenez ?

— Je me souviens, hurle Haggard en arrachant son tablier. Pouvez-vous vous arranger pour les retenir un moment ?

— Ça non, mon vieux. Pas question que je m'y frotte. Rien à faire. C'est des sales types. Des sales types.

— Combien ?

— Quatre. Feriez bien de vous grouiller. Y vont pas passer toute la nuit ici.

— Entendu. J'arrive. »

Haggard raccroche brutalement, s'éloigne de quelques pas, rebrousse chemin, passe deux coups de fil en vitesse. Puis il regagne la chambre à coucher, en s'efforçant au calme pour ne pas alarmer sa femme.

« Il faut que je sorte », dit-il en rabaissant ses manches.

Mary Haggard l'observe tandis qu'il passe son étui d'épaule.

« Des ennuis ? demande-t-elle, sans se laisser émouvoir par ce départ précipité.

Il y a assez longtemps qu'elle partage la vie de Frank Haggard pour comprendre et accepter le rythme irrégulier de son style d'existence.

Il hausse les épaules.

« Peut-être. De toute façon, j'ai appelé Mrs. Grogin. Elle va arriver d'une minute à l'autre. Et défense de toucher à cet échiquier. Dis-toi que je t'ai coincée et que tu ne peux pas jouer pendant au moins trois coups. »

Il enfile sa veste puis, empoignant le menton de sa femme dans sa grosse patte rougeaude, il se penche pour l'embrasser.

« Sois prudent, chéri.

— Ne te tracasse pas, grommelle-t-il d'une voix enjouée. Ne m'attends pas pour dormir. Pense aux Grands Tetons et fais de beaux rêves. Il me reste une ou deux semaines de congé à prendre. Qui sait ? Peut-être qu'on pourrait y aller au printemps. »

Parkchester, dans le secteur sud du Bronx, est à deux pas de Fox Street dans le secteur sud. Quinze minutes suffisent à Haggard pour sortir son coupé Pontiac Le Mans du garage, prendre Tremont Avenue en direction de l'est, traverser en trombe West Farms jusqu'à Southern Boulevard et filer vers le sud en coupant à travers ce no man's land que les flics ont baptisé Fort Apache. Un quartier lugubre couvert d'une lèpre de H.L.M. et d'immeubles abandonnés où grouille toute une faune de rats et de camés. Le quartier ressemble a une ville bombardée, à un territoire en proie a une guerre larvée où, sans trêve, sinistre et au niveau le plus sordide, se déroule l'âpre lutte pour la vie. Un dernier virage en direction de l'ouest et Haggard s'engage dans Fox Street.

Il fait maintenant nuit noire et seule la lueur orange d'un réverbère solitaire perce les ténèbres, tous les autres ayant été fracassés par des gangs de jeunes voyous en maraude.

Fox Street est une rue étroite, coincée entre des immeubles locatifs dont les façades semblent s'incurver au-dessus de la chaussée, masquant ainsi le ciel. Des voitures sont garées le long des trottoirs, mais la rue elle-même est déserte. La nuit tombée, personne ne circule jamais à pied dans Fox Street.

A l'instant même où Haggard tourne le coin de la rue, il aperçoit ce qu'il cherche. Là, garé un peu plus haut en double file, en plein sous l'unique lampadaire, stationne un break noir dernier modèle. Ses portières sont ouvertes et le hayon arrière rabattu. Plusieurs silhouettes s'activent dans la pénombre autour du véhicule.

Le commissaire avance au ralenti jusqu'à moins de dix mètres et observe quelques instants la scène sans être repéré. Finalement il tire le 38 Spécial Police de son étui, ouvre sa portière et plonge dans l'obscurite. Il s'approche du break d'un pas nonchalant, mais il a conscience que son cœur bat à coups précipites et que ses pas résonnent sur le trottoir désert.

Comme il arrive au niveau du break, une silhouette sort à pas lourds de l'immeuble, un gros type pantelant qui trimbale une énorme télé à console. A l'intérieur du break c'est un remue-ménage intense tandis que plu-

sieurs personnes, inconscientes de la présence du policier, s'activent fébrilement à ranger des vêtements, des
bagages et des petits meubles. A l'instant où le costaud,
qui grogne sous le poids de son fardeau, se prépare à
enfourner le poste de télé sous le hayon, il lève les yeux
et repère la silhouette du grand type aux cheveux
blancs plantée patiemment près de la voiture.

Haggard demeure immobile et silencieux, les yeux
rivés sur le visage stupéfait . Un visage que le commissaire connaît bien, pour l'avoir vu des douzaines de fois
ces derniers jours sur des photos anthropométriques,
des avis de recherche, des fiches de police, des dossiers
du F.B.I. Sous le halo rougeâtre du lampadaire, les
traits grossiers et lourdement acromégales, la tête
anormalement grosse, paraissent encore plus simies-
ques, plus grotesques que sur les photos.

Toujours chargé du poste de télé, Janos Klejewski
dévisage d'un regard vide le grand type à l'épaisse crinière blanche, puis baisse les yeux sur le 38 Spécial
Police pointé d'une main ferme sur son ventre. La
seconde d'après, sa tête pivote sèchement, à droite,
puis à gauche, tandis que ses yeux balaient toute la
longueur de la rue à l'instant précis où à chaque extrémité surgissent les deux voitures de ronde du 16ᵉ commissariat que Haggard a appelées de chez lui et qui maintenant se rapprochent lentement.

« Salut, Kunj, dit le commissaire avec un sourire
chaleureux, en pointant le doigt vers le poste de télé.
Est-ce que je peux te donner un coup de main ? »

64

Dimanche 21 avril. 2 heures 55 du matin.
Canal Street.

SEUL dans sa voiture stationnée à la lisière de Chinatown, Paul Konig attend. Il est garé le long du trottoir sud de Canal Street, près de l'extrémité est de la rue. Le capot de la voiture est tourné face aux énormes tours illuminées du Brooklyn Bridge. Le sac de cuir est posé à côté de lui sur la banquette avant.

Il a quitté Riverdale à environ une heure trente et il y a donc largement une demi-heure qu'il attend. Une petite pluie fine a succédé à une grosse giboulée et de temps à autre Konig passe une poignée de Kleenex sur son pare-brise pour l'empêcher de s'embuer. Alignés comme des sentinelles le long de la rue, les lampadaires sont auréolés de halos de brume blanche.

Une nouvelle fois, Konig vérifie l'heure à sa montre-bracelet et suit des yeux la course de la petite aiguille qui trottine tout autour du cadran.

Si Meacham cherchait un coin tranquille pour régler leur transaction, aucun doute, il avait bien choisi. A cette heure de la nuit la circulation est nulle et, exception faite des inévitables poivrots du Bowery tapis çà et là sous les porches ou encore d'un garçon de restaurant chinois qui se hâte de rentrer chez lui, la rue est pratiquement déserte. La plupart des restaurants ont mis leurs lumières en veilleuse et fermé leurs portes. Konig est arrêté en face de l'unique enseigne éclairée, un dragon rouge solitaire ruisselant de lumières qui s'allument et s'éteignent, clignotent de façon fascinante dans la nuit tamisée de brume.

A 2 heures 58 très exactement, Konig met le contact. Le moteur démarre et il passe en première. Avant de s'engager sur la route qui mène au pont, il jette un coup d'œil par-dessus son épaule pour vérifier qu'il n'est pas lui-même suivi par la police. Ce n'est qu'une fois rassuré sur ce point qu'il se décide à démarrer.

Sur le tablier du pont, la chaussée pavée est luisante de pluie et il avance lentement, moins par souci de prudence que pour respecter son horaire. Il veut arriver au lieu de rendez-vous à trois heures précises. A l'exception des énormes voitures du métro aérien qui filent en grondant sur le pont, il n'y a aucun véhicule en vue.

Konig vient de dépasser le milieu du pont lorsqu'il constate qu'il a la bouche desséchée et les paumes moites. Mais en dépit de vagues bouffées d'inquiétude, il reste résolument optimiste quant à la suite des événements.

Avant d'atteindre l'extrémité du pont côté Brooklyn, il passe une nouvelle fois sa boule de Kleenex sur le pare-brise et scrute l'obscurité à travers la vitre. Constatant que devant lui la route est déserte, il sent son cœur se serrer.

Il jette un coup d'œil au cadran lumineux de sa montre et constate qu'il est maintenant trois heures précises. Konig se laisse couler jusqu'à l'extrémité du

574

pont, s'arrête, coupe le moteur, éteint ses phares et se met à attendre. La bruine glacée tambourine lugubrement sur le toit et le capot. Il n'y a pas un chat en vue et il se sent profondément seul. Il lui paraît impensable que les autres aient pu l'attirer là à trois heures du matin afin de le mettre à l'épreuve ou peut-être simplement de se venger, pour décider en fin de compte de ne pas se montrer. Impensable. Mais qui sait?

A 3 heures 20, personne ne s'est encore montré et il est bien près de conclure que personne ne se montrera. Le cœur lourd de chagrin, au bord de la nausée, il est à deux doigts de remettre son moteur en marche et de fuir à jamais ce lieu abandonné perdu dans la grisaille et le froid. Mais au même instant, comme par pur sadisme, comme si elle n'avait cessé de le guetter avec une sorte de joie haineuse, une voiture tourne placidement le coin de la rue, phares braqués droit sur lui et, émergeant de la brume, s'avance lentement, comme une masse blanche et fantomatique.

Soudain, à trois mètres de distance à peine, elle exécute sans se presser un gracieux virage en U puis, passant en marche arrière, se range avec précision devant lui. Le moteur et les phares s'éteignent aussitôt.

Retenant son souffle, Konig attend, pétrifié sur son siège. Il y a assez de lumière sur le pont pour lui permettre de voir que la plaque minéralogique arrière de la voiture rangée devant lui a été masquée avec un morceau de grosse toile. Il continue d'attendre, les yeux fixés sur la voiture, se demandant si quelqu'un va en descendre, s'il va recevoir de nouvelles instructions, s'il ne devrait pas s'approcher. Mais rien ne se passe dirait-on... et il attend toujours.

Brusquement, les phares de la décapotable blanche s'allument. Le moteur gronde. Puis le clignotant droit lui fait signe de déboîter et, lentement, enfin, ils démarrent et s'enfoncent dans la nuit.

L'itinéraire qu'ils suivent est bizarre, fantasque, tortueux. Délibérément. Ils tournent ici et là au hasard, s'arrêtent et repartent sans raison apparente, sans jamais dépasser trente-cinq kilomètres à l'heure. Il est clair que les autres surveillent la route, et de près, pour s'assurer qu'aucune voiture ne tente de suivre Konig.

A cette heure de la nuit et dans ce fouillis de rues étroites, personne ne pourrait les suivre sans se faire aussitôt repérer par la voiture de tête. En fait, à part eux, les rues sont désertes. La petite pluie froide a chassé jusqu'aux rares taxis qui patrouillent parfois dans le quartier.

A la sortie du pont, ils descendent Flatbush Avenue et pénètrent dans Prospect Park. Plus ou moins au milieu du parc, sur une route bordée d'arbres, la décapotable blanche s'arrête. Konig s'approche lentement par-derrière et s'arrête à son tour. Il baisse sa vitre et demeure immobile, écoutant la pluie qui s'égoutte sous les arbres et le bruit de son cœur qui cogne dans sa poitrine; il attend.

Quelques instants plus tard, la décapotable blanche démarre de nouveau pour, cette fois, sortir du parc et prendre Ocean Parkway. Et le trajet se poursuit, coupé d'arrêts et de départs exaspérants — ils s'arrêtent une fois sur Ditmas Avenue et plusieurs sur Kings Highway.

Une demi-douzaine de fois au moins, la décapotable blanche braque brutalement, inexplicablement, pour s'enfoncer au cœur de quartiers résidentiels, se faufilant lentement dans le dédale des rues bordées de grands immeubles dont tous les habitants dorment, plongés dans un sommeil innocent et paisible. C'est

576

ainsi que, poursuivant son itinéraire absurde, la voiture de tête se faufile, vire sur place, rebrousse chemin, et Konig ne peut que l'imiter.

A plusieurs reprises au cours de ces arrêts interminables, contemplant la voiture immobile devant lui, feux arrière éclairés, hostile et exaspérante, Konig est persuadé qu'ils sont parvenus à destination. Que le moment est venu. D'un instant à l'autre maintenant, ils vont lui faire signe de se ranger à leur hauteur et de leur passer l'argent. Mais non. Bien au contraire, ils repartent, rejoignent une nouvelle fois Ocean Parkway, mettent le cap sur Shore Parkway, tandis que les horribles méandres, les zigzags et les demi-tours sur place reprennent de plus belle. Se dirigeraient-ils vers le fleuve ? Pourtant ils ne prennent pas Shore Parkway. Au dernier moment, ils passent sous l'autoroute, coupent Emmons Avenue, et filent vers Coney Island.

Il n'est pas loin de quatre heures du matin maintenant et ils ne lui ont toujours fait aucun signal, aucun geste. C'est toujours le même trajet exaspérant, coupé d'arrêts et de départs, suivis d'interminables attentes dans le sillage rouge des feux arrière qui le précèdent de quelques pas.

Il est trop tôt dans la saison pour que le parc d'attractions soit ouvert et ils filent maintenant le long de l'interminable trottoir en planches dans l'ombre des énormes charpentes irréelles et désertes — le Grand Toboggan, la Grande Roue, le Cyclone, la Tour des Parachutes —, passent au pied de l'étrange édifice de style baroque qui abrite le Steeple-Chase. Tout semble figé dans l'attente du maître de ballet cosmique qui branchera le courant. Alors une fois encore, un embrasement de lumières, une explosion de musique, une frénésie de bruit et de mouvement — embardées, plon-

577

geons, cahots, tourbillons, grondements, rugissements — se déchaîneront dans la nuit inondée de lueurs crues.

La décapotable blanche vire et pénètre lentement dans un des parkings de la foire. L'aire est déserte, bordée de petites baraques aux fenêtres masquées par des planches — stands à pizza et saucisses chaudes, marchands de glaces et d'épis de maïs. La décapotable ralentit et s'arrête, moteur coupé et phares éteints, et attend. Ils sont au bord de l'eau et le brouillard est plus épais. Loin au large, les cornes de brume lancent leurs beuglements sinistres. L'air sent le sel et les algues pourries. Konig attend, immobile, vitre baissée, le visage baigné par l'air froid de la nuit, et il entend le tintement lugubre d'une bouée amarrée non loin du rivage.

A la faible lueur de son tableau de bord, il vérifie l'heure à sa montre — 4 heures 15. Il tapote le sac de cuir posé près de lui et attend.

Peu après, le moteur de la décapotable gronde de nouveau et, le cœur de plus en plus lourd, il se prépare à se remettre une fois de plus en route. Mais cette fois, il y a du nouveau — une main gantée de blanc surgit dans l'encadrement de la vitre avant droite et fait signe d'avancer.

Pressé de s'exécuter, Konig démarre avec une secousse et la voiture fait un bond en avant, tandis que la main blanche lui fait signe de s'arrêter exactement à sa hauteur. Il obéit et stoppe brutalement exactement en face d'une portière à la vitre baissée.

Il fait nuit noire dans le parking et avec cette brume à couper au couteau il lui est impossible de distinguer les occupants de la voiture, ou même de deviner combien ils sont. Il sait qu'ils sont plusieurs, mais entre

578

eux et lui il n'y a rien d'autre que cette main gantée de blanc, cette main sans bras qui se tend vers lui, patiente et immobile.

Gauchement mais sans hésitation, il attire d'une secousse le sac de cuir, le soulève et, éperdu d'impatience, le passe par la portière à cette main blanche qui attend. Tout cela sans un mot.

Le sac et la main disparaissent aussitôt à l'intérieur de la décapotable plongée dans les ténèbres, puis le moteur s'emballe et la voiture s'éloigne en trombe dans la nuit, feux arrière toujours éteints. Loin en avant, Konig entend un hurlement de freins dans un virage, puis c'est le silence.

Il se retrouve seul maintenant dans le parking désert, abandonné là au bord de l'eau, tandis que le brouillard et les bouées de la rade beuglent et tintent, pareilles à de pauvres âmes meurtries perdues en mer.

Il n'est pas loin de cinq heures du matin lorsque Konig repasse le pont de Brooklyn pour regagner Manhattan. Le ciel est toujours aussi noir et, à l'ouest, une lune pâle plane bas sur l'horizon, au ras du profil déchiqueté de la ville endormie.

La voiture file maintenant à bonne allure entre les hautes tours drapées de brume et les pneus chantent sur les pavés luisants. Konig est vanné, mais pourtant en proie à un bizarre sentiment d'allégresse. Il n'a aucun moyen de savoir qu'à peine cinq minutes plus tôt, et talonné par deux voitures du 23ᵉ commissariat, Frank Haggard a franchi en trombe ce même pont avec, au fond de sa poche, une feuille de papier froissée où il a gribouillé l'adresse qu'il a réussi à arracher à Klejewski.

Il lui paraît impensable de rentrer maintenant à Riverdale. En outre, lui avait dit Meacham, Lolly ne serait relâchée que vingt-quatre heures après le paiement de la rançon, sans doute pour lui laisser le temps de filer loin de l'Etat. Où Konig pourrait-il aller maintenant, même un dimanche matin à cinq heures, sinon à son bureau. Après tout, depuis près de quarante ans, c'est le seul refuge, le seul réconfort qu'il ait jamais eu.

Dix minutes environ pour remonter FDR Drive, sortir à la 23ᵉ Rue, remonter la 1ʳᵉ Avenue jusqu'à la 30ᵉ Rue, et il est arrivé. Il gare sa voiture dans le parking privé situé à l'arrière du bâtiment, fait le tour et entre par la grande porte, à la grande stupéfaction du veilleur assoupi qui n'a pas encore terminé son service.

Bientôt il est assis à son bureau; déjà le café bout sur le bec Bunsen et un cigare se consume dans le cendrier bourré de mégots. Il s'active, s'évertuant de toutes ses forces à ne penser ni à la nuit qu'il vient de vivre ni aux cinq mois qui viennent de s'écouler. A ne penser à rien d'autre qu'à l'avenir et à Lolly et à ce qu'ils devront faire pour « renouer connaissance ». C'était bien ça qu'avait dit le maire. Eh bien, il allait rattraper le temps perdu. Il allait rattraper un tas de choses.

Sifflotant doucement, il se met à arroser ses plantes, qu'il a sérieusement négligées depuis quelque temps — les malheureux dragonniers qui ploient sur leurs tiges et les philodendrons, les ophrys et les plantes grasses, tout cela recroquevillé et flétri. Seules les somptueuses hirnéoles s'épanouissent encore dans l'embrasure de la fenêtre.

Puis, avec un sentiment de soulagement, il se réinstalle devant son bureau, goûtant le contact familier du bois et du vieux cuir craquelé, savourant l'odeur nullement désagréable de fumée de cigare et de formol qui imprègne la pièce.

Là, au sommet de la pile de paperasses, l'attend une grande enveloppe de papier bulle marquée du cachet de Fort Bragg. Il en tire les dossiers médicaux et les fiches dentaires de Browder et d'Ussery, au grand complet. Jointes et agrafées aux dossiers, deux photos d'identité militaire format réglementaire. Il se cale contre son dossier et les examine.

Browder est exactement comme Konig se l'était imaginé d'après la structure de son crâne — un visage dur et buriné au type slave plutôt brutal. Les cheveux tondus de près à la mode GI et la lourde mâchoire prognathe que lui avait révélée l'examen du crâne contribuent à souligner la brutalité latente de l'expression. Pourtant les yeux, eux, n'ont rien de brutal; en réalité, on dirait presque qu'ils ont quelque chose de timide et de plutôt vulnérable.

Ussery, par ailleurs, le prend tout à fait par surprise. Et même il en éprouve un choc. Se souvenant de la main aux ongles grotesquement laqués, Konig s'attendait naturellement à quelque chose de gracile et d'efféminé. Mais devant l'image qui s'offre à lui, il reste pantois. Le visage est d'une beauté saisissante — ossature frêle et délicate, grands yeux au regard d'une intensité bizarre —, un Nefertiti mâle. Une orchidée rare, exquise, éphémère, une fragilité de feu follet. En outre, une expression de tristesse indicible marque le visage. Peut-être à cause du drame auquel il est associé.

Une lettre du colonel McCormick accompagne les dossiers, précisant que l'Armée a prévenu les familles. Browder avait une femme dont il était séparé. Elle les avait informés de son désir de se charger des funérailles et avait demandé qu'on lui envoie le corps.

Quant à Ussery, il venait d'une famille baptiste de fermiers du Sud — des gens pieux, durs au labeur, bons paroissiens. Ils n'avaient pu surmonter le scandale et refusaient de s'occuper des restes du jeune homme.

Ecartant les dossiers, Konig s'apprête à s'attaquer à la pile de lettres posée sur son bureau. Lettres de cliniques, de fondations, d'universités et d'hôpitaux; missives de collègues, d'anciens camarades d'université en poste aux quatre coins du monde, qui immanquablement sollicitent son aide, quêtent ses conseils, lui demandent son avis sur des sujets divers, affections cardio-vasculaires, lésions du système nerveux central, décès par absorption de narcotiques, brusques morts naturelles impossibles à expliquer.

D'autres lettres : un chef de police de Philadelphie chargé d'éclaircir le meurtre d'un vieil épicier et qui lui demande son avis sur un point de balistique. Un coroner de Cincinnati qui l'interroge sur un épineux problème de toxicologie. Un avocat de Comté de Coos dans le New Hampshire qui le supplie de venir témoigner comme expert dans une affaire de crime passionnel. Un médecin de Rangoon, Birmanie, qui lui demande conseil pour l'aider à monter un département de médecine légale dans son université.

Puis des lettres d'un caractère plus personnel — une mère désespérée, un père éploré. Toutes ces lettres, même si elles diffèrent de beaucoup par le détail, sont en fait identiques. Le même sentiment de chagrin et d'incompréhension les imprègne. Ecrites par de braves gens, des gens souvent simples, des gens que la vie a blessés et qui voudraient savoir pourquoi. Le plus souvent, il ne peut rien leur dire. Le mystère demeure aussi profond pour lui que pour eux. Mais quand il se sent capable de répondre ou de consoler, il le fait. Une femme de Topeka qui venait de perdre son bébé emporté par une maladie infantile. Elle avait lu quelque part qu'il se livrait à des recherches dans ce domaine et voulait savoir pourquoi son bébé avait été frappé et si par hasard elle n'était pas responsable de sa mort. Une lettre de Wilmington, un père qui le remerciait d'avoir conclu que la mort de sa fille était due, non à un suicide, mais à des causes naturelles. Sa femme et lui étaient catholiques, expliquait-il, et l'idée que leur enfant avait pu se suicider leur avait paru intolérable.

« Cher Paul, lui écrivait un vieux camarade d'université qui exerçait à Topeka, voici quelque chose qui va te faire bicher... »

Konig éclate de rire, au souvenir du jeune homme au visage enfantin et radieux qui s'asseyait toujours sur le même banc que lui pour assister aux conférences de Banhoff.

Quand il s'arrache à sa lecture, il est six heures et demie et les premiers doigts grisâtres d'une aube sale griffent le ciel derrière ses fenêtres. Il est sur le point de se replonger dans sa lecture quand le téléphone sonne. Impassible, il contemple l'appareil comme s'il n'avait jamais vu ce genre d'objet. La sonnerie recommence; dans le grand immeuble vide et à cette heure matinale, le bruit a quelque chose d'irréel et de menaçant.

Son irritation se mue alors en crainte. Qui peut bien l'appeler à une heure pareille ? Qui peut même savoir qu'il est ici ? Quelqu'un qui aurait tenté de le joindre à Riverdale et ne l'aurait pas trouvé chez lui.

La sonnerie retentit de nouveau, stridente, impérieuse, et se répercute dans les longs couloirs déserts. Il fait un geste pour décrocher, puis se ravise. Nouvelle sonnerie. Il se rend compte tout à coup que la sueur perle sur son front. Il se sent le corps poisseux sous ses vêtements.

Lorsque enfin il décroche, il ne porte pas immédiatement l'écouteur à son oreille. Il se contente de le tenir à bout de bras, à quelques centimètres seulement du berceau, et il entend alors une voix d'homme, très lointaine, qui, inlassablement, répète le mot « Allô ».

« Allô, murmure Konig dans l'appareil, d'une voix hésitante.

— Allô. »

Un silence, embarrassé et sinistre; chacun des deux hommes guette la respiration de l'autre.

« Paul, c'est moi.

— Où es-tu? aboie Konig, le cœur soudain plus lourd.

— Sheepshead Bay, annonce Haggard d'une voix bourrue. Je tiens Meacham... »

Suit une nouvelle pause, interminable.

« Mais j'ai bien peur que... »

Konig n'entend pas vraiment la fin de la phrase, mais il sait ce que le commissaire est en train de dire.

Pendant un long moment, semble-t-il, ni l'un ni l'autre ne dit rien. Konig se borne à rester assis là, les yeux fixés sur les lettres qui jonchent son bureau et il ne sent rien. A croire que quelqu'un vient de s'adresser à lui dans une langue qu'il ne comprend pas, une vieille langue oubliée. Pour lui communiquer quelque chose qu'il ne peut même pas deviner. Puis, enfin, il se racle la gorge et parle :

« Quand?

— Juste avant qu'on arrive. Ils ont attendu d'avoir ton sac avec l'argent. Et alors... Ils n'ont jamais eu l'intention de la relâcher. Quand on leur est tombés dessus, ils se préparaient à la jeter dans la baie. »

Konig hoche imperceptiblement la tête et se tasse sur son bureau, tandis qu'à l'autre bout Haggard attend en silence ses réactions. Mais il n'y a aucune réaction. Pas de cris. Pas de gémissements. Pas même quelque juron bien senti lancé à la face des dieux.

« Amenez-la, dit-il simplement. Amenez-la tout de suite. »

65

A six heures quarante-cinq, le dimanche matin, la ville a quelque chose de souillé et d'épuisé. L'orgie et le carnage nocturnes sont enfin terminés et bientôt les chiffonniers et les balayeurs arriveront pour commencer à nettoyer le gâchis. Les gros camions-poubelles à la silhouette de scarabée stationneront en double file dans les rues latérales et broieront les débris de la veille de manière à faire de la place pour ceux du lendemain.

Debout dans l'embrasure d'une fenêtre, Konig contemple la ville, le regard tourné vers l'ouest. La lueur rose et pourpre des enseignes au néon embrase le ciel au-dessus du Times Square où des lumières brûlent encore. On dirait que la ville est en flammes.

En bas dans la rue, les chats en maraude cherchent leur pitance dans le trop-plein des poubelles. Des pigeons sales se dandinent dans les caniveaux tandis qu'une vieille putain vêtue d'une robe toute froissée descend la 30ᵉ Rue d'une démarche flageolante. Ses cheveux sont rouges de henné et son visage de poupée de foire barbouillé de fard ressemble à un masque, à un *maquillage* hideux. A un certain moment, elle bute dans une poubelle qui manque de se renverser et dont le couvercle saute et dégringole sur le trottoir dans un grand fracas de métal.

A part de rares personnes tombées du lit pour promener leurs chiens, aller chercher leur lait ou le *New York Times*, les rues sont quasi désertes. Bientôt les cloches vont se mettre à carillonner — les cloches de toutes les églises, Saint-Patrick, Saint-Bartholomew, Saint-Clement, Saint-Mark —, toutes les cloches de l'immense ville de New York sonneront pour appeler les fidèles à leurs dévotions. Les grandes cloches somptueuses qui carillonneront de concert, lançant leur chant vers le ciel, les immenses anneaux de plomb jaillis de leurs gorges de bronze.

Très loin au sud, sur FDR Drive, retentit un hurlement de sirène qui se déplace vers le nord. Konig contemple maintenant le fleuve. Un clapotis maussade agite l'eau. Au milieu, un remorqueur et une péniche chargés de sable remontent à grand-peine le courant.

Jamais il n'avait remarqué à ce point combien la morgue était proche du fleuve. L'idée lui vient tout à coup qu'elle n'a pas été bâtie là par hasard, que depuis toujours et dans le monde entier les morgues ont été construites sur les rives ou à proximité des grands fleuves. De même, toutes les grandes nécropoles de l'Antiquité. De tout temps, on les avait édifiées sur l'eau ou tout au bord de l'eau. Sans doute quelque antique superstition, médite-t-il, en essayant de se remémorer le passage d'Hérodote qui soulève ce point. Peut-être le désir de faciliter le voyage de l'âme lorsqu'elle rejoint l'immense océan du temps. Et soudain, comme dans un éclair, il voit en imagination tous les grands fleuves du monde entier se jeter, en cet instant précis, dans l'East River : le Nil majestueux et le Tibre, le Tigre et l'Euphrate, le Danube et le Gange, le Rhin et la Volga, et le Père des Eaux, le Mississippi, qui tous s'écoulent sous sa fenêtre, charriant et entraînant vers la mer leurs cargaisons d'âmes mortes. Puis brusquement, dans un nouvel éclair, il voit toutes les immenses nécropoles du monde entier surgir là en bas sur les rives du fleuve — Memphis, Thèbes, Carthage, Tyr, Persépolis. Là, le noble tombeau du roi Djoser, Saqqara, et les énormes pentagones de ses colonnes de marbre. Là-bas, les grands temples mortuaires édifiés tout au long du Nil — Louksor, Karnak, Birket Habu. Il voit les catacombes romaines — Saint-Calixte et Saint-Sébastien — ces tunnels qui serpentent comme des entrailles sous la via Appia, et aussi les bûchers funéraires, les ghâts enveloppés de flammes, sur les rives boueuses du Gange. Et plus loin, les immenses crématoires fonctionnels de Buchenwald et d'Auschwitz. Et enfin, suprême merveille d'efficacité technologique — Hiroshima et ses centaines de milliers d'êtres humains incinérés en un éclair. Il voit tout cela. Tous ces champs funéraires. Toutes ces tombes soudain ouvertes et béantes. Toutes ces âmes qui soudain défilent devant lui charriées par le fleuve qui passe sous sa fenêtre.

Une fraction de seconde encore et, déjà, la vision s'est évanouie, emportée par un tourbillon, engloutie lentement dans les eaux mornes et noires de l'East River, et rien ne subsiste à sa place sinon en toile de fond le panorama de Queens qui se profile sordide et gris sur l'horizon.

Le ululement des sirènes est maintenant plus fort et plus proche. On dirait qu'elles convergent par douzaines droit sur Konig, toujours plongé dans la contemplation de la rue. Peu après, plusieurs voitures de ronde s'engagent dans la 30° Rue, suivies par un grand fourgon de police, qui tangue et oscille en prenant son virage. D'autres voitures et un second fourgon suivent et, aussitôt, une petite foule se rassemble devant la cour à l'arrière du bâtiment.

Une demi-douzaine d'hommes de l'équipe de nuit se précipitent dans la cour et poussent leurs chariots jusqu'au pied des fourgons. Tandis que les gyrophares tournent encore au ralenti, les portières des voitures s'ouvrent et claquent. Des agents descendent en hâte; beaucoup sont tête nue, les yeux rougis, le visage noir de fumée, leurs uniformes souillés de cendres. Les chauffeurs des grands paniers à salade sont descendus à leur tour et déjà s'affairent dans la cour, ouvrant toutes grandes les portes arrière des fourgons.

Des deux fourgons à la fois, on commence alors à décharger une macabre cargaison. Près de vingt cadavres, brûlés et calcinés au point d'être méconnaissables, victimes d'un incendie dans le ghetto de Bed Stuy. Les sacs se succèdent — femmes, enfants, des vieillards, des jeunes — que l'on charge sur les chariots luisants pour aussitôt les entraîner vers le grand portail qui mène au sous-sol et à la morgue.

D'autres sirènes et Konig voit une voiture du 41ᵉ commissariat tourner le coin de la rue, un troisième fourgon dans son sillage. Une nouvelle cargaison de victimes, étranglées, tombées sous les balles, les couteaux, les matraques. Rien d'autre qu'un banal échantillonnage d'un samedi soir lui aussi parfaitement banal.

Enfin une dernière voiture de ronde s'engage lentement dans la rue. Cette fois aucun fourgon ne la suit. Elle avance lentement, avec une sorte de majesté sinistre, se faufilant au milieu de la foule qui grossit d'instant en instant, et vire juste sous sa fenêtre pour pénétrer dans la cour. L'instant d'après, Konig aperçoit à

589

travers la vitre la crinière blanche de Haggard, puis sa grande silhouette voûtée s'extirpe de la banquette avant. Il est nu-tête, imperméable froissé et déboutonné, cravate dénouée. Deux agents en uniforme descendent et se dirigent vers l'arrière du véhicule.

Planté au milieu de la cour dans l'aube maussade, sous le petit crachin tenace, Haggard lève soudain les yeux et aperçoit Konig qui deux étages plus haut observe la scène par la fenêtre ouverte. Tous deux restent quelques instants immobiles à se contempler.

Bientôt, Konig est lui aussi dans la cour; il avance en boitillant au milieu du bruit et de la bousculade, se faufile au milieu des petits groupes de policiers et d'employés qui bavardent à voix basse au milieu des sacs et des chariots, passe devant la foule des badauds que contient à grand-peine un cordon de police improvisé. Sans s'arrêter un instant, il se dirige vers la voiture d'où Haggard et deux agents en uniforme s'évertuent à sortir un grand sac de toile posé sur la banquette arrière.

Haggard lève un instant les yeux lorsque Konig les rejoint, puis, sans un mot, ils soulèvent doucement le sac et le sortent. Un des porteurs, ignorant ce que contient le sac, se précipite avec un chariot et entreprend aussitôt de les débarrasser de leur fardeau. Le visage de Konig s'empourpre, ses yeux paraissent prêts à jaillir de leurs orbites. Il repousse brutalement l'homme. C'est l'auxiliaire de la morgue — le petit Albanais aux yeux fuyants.

« Ne la touchez pas, tonne Konig. Bas les pattes, espèce de salaud. »

Le petit homme recule craintivement et le contemple bouche bée, puis fait demi-tour et se perd dans la cohue qui entoure les fourgons.

Haggard et les deux agents entreprennent de hisser le sac sur le chariot.

« Laissez-la tranquille, hurle Konig en les repoussant, forçant leurs mains à lâcher la toile. Je m'en charge. Laissez-la, je m'en charge. N'y touchez pas. »

Sans un mot, les hommes le regardent déposer doucement le sac sur le chariot; puis il saisit les poignées et, sans aide, descend la rampe et s'engouffre sous le large porche qui mène à la morgue.

Au sous-sol, c'est une agitation fébrile. Un immense grouillement. Des chariots entrent et sortent sans arrêt. Des gens crient. Des téléphones sonnent. Les portes des casiers frigorifiques s'ouvrent et claquent dans un fracas de métal.

Lorsque Konig pousse son chariot dans une des salles d'autopsie encore disponibles, son arrivée passe quasi inaperçue. Ici rien ne le distingue des autres, c'est un homme absorbé dans son travail, qui vaque à ses occupations. Personne ne sait rien de son chagrin.

Alors qu'il décharge son fardeau sur une des tables d'autopsie, la gueule du sac s'ouvre, libérant une mèche de cheveux couleur miel.

Il est maintenant penché sur le sac entrebâillé; ses jambes flageolent et il lui semble qu'il va vomir. Mais il ne se passe rien. C'est bien là le pire, il ne se passe rien. Il ne sent rien. Quarante ans de ce métier ont fait de lui un zombie et, sa faiblesse passagère et sa légère nausée surmontées, il est une fois encore redevenu le clinicien impassible, l'outil de haute précision, soigneusement calibré, qui mesure, note et suppute.

Lolly Konig est maintenant sortie de son enveloppe de toile et allongée sur la table. Elle a été rouée de coups; il voit clairement les traces, les énormes contusions qui couvrent le visage et la tête, les horribles zébrures qui marquent les épaules et les flancs, les auréoles noir-bleu qui marbrent les tempes comme de noires planètes. Il voit les traces d'ongles et, sur la gorge, les sombres meurtrissures jaune-violet laissées par les doigts qui l'ont étranglée. Palpant doucement le cou, il repère la fracture sur le cartilage thyroïde et en conclut bientôt que la mort résulte d'une avulsion de la membrane hyoïde provoquée par les fractures de la grande branche de l'os hyoïde.

La langue de Lolly saille légèrement, couverte de profondes meurtrissures causées par les dents au cours de la strangulation. Il repousse doucement la langue à l'intérieur de la bouche, atténuant quelque peu l'horreur du rictus qui déforme les traits. Ses yeux sont encore entrouverts et il remonte délicatement les paupières du bout du pouce, révélant la large plaque de l'hémorragie sous-épidermique sous les conjonctives ainsi que les traces caractéristiques de *tache noire* qui commencent seulement à s'irradier au pourtour des pupilles.

Il n'y a que peu de traces de rigidité et pas encore de lividité cadavérique. Le corps est tiède, et selon ses estimations, sa température doit être à peine inférieure à la normale. Très bientôt maintenant, elle commencera à se refroidir.

Il ferme doucement les paupières du bout du pouce. On dirait presque qu'elle dort maintenant, le visage étrangement paisible. L'expression qu'elle avait tout enfant lorsque, les soirs où il rentrait tard du bureau, il passait la tête à la porte de sa chambre pour la regarder dormir un instant. C'est à cela qu'elle ressemble maintenant, à une enfant endormie, une enfant innocente, le visage couronné de boucles couleur miel en désordre, plongée dans des rêves de robes et de jouets et de joyeux anniversaires. Soudain il la revoit juchée sur un tricycle et pédalant vers lui. Pauvre petit oiseau. Joli petit oiseau. Cette petite chose endormie, cette chose déchiquetée et recroquevillée a été son enfant. Il suffirait qu'il la pousse doucement du coude pour qu'elle s'agite dans la douce chaleur de son lit. Pour qu'elle se retourne et bâille, pose sur lui le regard de ses yeux assoupis et sourie.

Un chien, un cheval, un rat, seraient donc doués de
[vie,
Et toi, toi tu ne respirerais pas ?

Un bref instant, il est de nouveau le vieux roi fou, affublé d'un costume trop grand, qui arpente lourdement la scène à l'occasion d'une grotesque et inepte représentation théâtrale montée par son université. « Hurle, hurle, hurle. »
Il la contemple de nouveau, repousse les cheveux emmêlés qui retombent sur le visage et les lisse. Soudain, tandis qu'il la regarde, il a l'impression d'affronter les traits de son propre visage. Il avait toujours trouvé qu'elle ressemblait à Ida. Mais maintenant, dans la mort, c'est son propre visage qu'il distingue dans ses traits sereins.
« C'est ton portrait vivant, Ida. »
Il éclate de rire, transporté à plus de vingt ans en arrière dans la chambre d'une maternité de Long Island.
« Ton portrait tout craché. »
« Non... je l'ai vue moi aussi. C'est ta fille, Paul Konig. Elle a ton menton. Tous tes... »

« *Arrête donc de bousculer cette enfant, Paul.* »

« *Je la bouscule, moi ? Bon Dieu, il faut bien qu'elle apprenne.* »

« *Vite, Lolly, vite. L'autobus arrive. Si tu manques ce foutu bus, ne compte pas sur moi pour te conduire jusqu'à ton fichu camp...* »

Soudain, la porte de la salle d'autopsie s'ouvre brutalement.

« Docteur ? »

C'est le veilleur de nuit.

« On vous demande au téléphone.

— Qui ça ?

— Le sergent Flynn.

— Dites que je ne suis pas là. »

Le planton le regarde bouche bée, l'air ahuri.

« Je ne veux pas lui parler, dit posément Konig. Je ne veux parler à personne. »

L'homme hausse les épaules. La porte se referme et Konig se retrouve seul. Quelques instants encore il demeure immobile, tenant toujours dans sa main les doigts de son enfant qui se crispent peu à peu, attendant qu'elle se réveille, se remémorant de vieux souvenirs oubliés — excursions, pique-niques, longues vacances au bord de la mer. Ida est là et Lolly est là elle aussi. Lolly, toujours Lolly — une petite fille enjouée et drôle, pleine de vie, indomptable, tellement invulnérable au malheur. Ils sont là tous les trois. De nouveau réunis.

La porte s'ouvre de nouveau, et une fois de plus le

veilleur de nuit se plante devant lui, bredouillant et l'air honteux.

« Désolé, docteur. C'est encore Flynn. Y dit qu'il faut qu'il vous parle. Il dit que c'est urgent.

— Dites-lui de me foutre la paix. »

Konig contemple son enfant d'un regard distrait.

« Dites-lui de me foutre la paix.

— C'est ce que j'ai fait, mais y dit qu'il faut absolument qu'il vous parle.

— Dites-lui... »

Konig soupire, sans détacher ses yeux de Lolly. Puis sachant bien qu'il ne peut rien faire de plus, il la recouvre doucement et se détourne pour suivre le veilleur de nuit, gravir la spirale verte de l'escalier D, et échapper au monde souterrain de la 30ᵉ Rue.

« Vous aviez raison, bon dieu de bon dieu, vous aviez raison.

— Raison ? Raison à propos de quoi ?

— Le journal avec son numéro de série...

— Oh ! murmure Konig d'un ton lugubre.

— Un coup de génie, rugit Flynn dans l'écouteur. Un sacré coup de génie.

— Vous avez ramassé le type ?

— Ramassé ? Si je l'ai ramassé ? Et comment que je l'ai ramassé, ce salaud. Ne me demandez pas de vous raconter les détails. J'ai les pieds pleins d'ampoules, je vous montrerai ça bientôt. Mais je l'ai eu. Chez lui que je l'ai ramassé, c't enfant de salaud. Et je lui ai pas plus tôt eu mis le grappin dessus, que le pauvre bougre a craqué, y s'est mis à brailler. Il a tout avoué. Y m'a dit qu'il était content que je l'aie trouvé, vu qu'il sentait qu'il n'allait pas tarder à remettre ça. Même qu'il avait

595

déjà choisi les types. Deux autres pédés qui habitent à deux pas de chez lui, dans la même rue. Y peut pas sentir les tantouses, ce mec, mais si vous voulez mon avis, lui aussi y tortille un peu de la croupe. »

Flynn hurle d'allégresse :

« Je vous le dis... »

Konig est immobile devant son bureau, la main planquée sur les yeux pour se protéger de l'éclat du soleil levant qui pénètre à flots par la fenêtre.

« C'était le type de l'Armée du Salut ?

— Et comment. Je le savais depuis le début. Une intuition, rugit Flynn, galvanisé par la joie de la victoire. Quand je suis entré, l'enfant de salaud portait encore son col à manger de la tarte. Colonel Divine, qu'il se fait appeler. *Divine*. Non mais, vous vous rendez compte ? Le type a été missionnaire en Afrique.

— Médecin ?

— Non, mais il a reçu une formation médicale. Il a travaillé dans un hôpital au fin fond de la brousse. Très calé en médecine. Y donnait un coup de main au dispensaire. Il était capable d'arracher les dents. De recoudre les plaies. Des trucs comme ça. Sa piaule était pleine de vieilles revues médicales. Il avait un plein tiroir d'instruments médicaux. Des forceps, des agrafes, tout le toutim.

— Ça colle, murmure distraitement Konig. Comment ça se fait qu'il a plaqué l'Eglise ?

— Je vous ai dit qu'il avait plaqué l'Eglise, moi ?

— Vous avez dit qu'il avait été missionnaire.

— Oh !... oui, c'est vrai, j'ai dit ça, s'esclaffe Flynn. Vous êtes drôlement futé pour un toubib. En fait, il a pas vraiment plaqué l'Eglise. A ce qu'il dit, il a perdu la foi. Mais en fait ce qui s'est passé, c'est qu'il a été foutu dehors.

596

— Défroqué?

— Quoi?

— Rien. Continuez.

— Mais oui mais oui, dit Flynn, un instant perplexe et bloqué net dans son élan. Bref, j'ai pris contact avec l'organisation religieuse qui l'avait envoyé là-bas, mais ils ont refusé de discuter l'affaire. Ils m'ont juste dit qu'on l'avait prié de partir. De rendre son col, si on peut dire. »

Flynn part d'un petit rire féroce.

« Là-dessus, il est rentré aux Etats-Unis et y s'est engagé dans l'Armée du Salut. Eux aussi ils l'ont coincé. Y a à peu près sept ans de ça. Je viens de passer un coup de fil au commandant de la Division de New York. Un type du nom de Pierce. Lui non plus y tenait pas tellement à en parler. Y m'a seulement dit que Divine avait été prié de se retirer pour mauvaise conduite et d'autres trucs du même goût. Un tas de boniments à la gomme, mais vous voyez le tableau.

— Ouais, je vois. Et c'est depuis qu'il se balade partout avec cet uniforme?

— Bien sûr. Comme je vous l'ai dit — j'ai dégoté son nom dans un registre du personnel de l'Armée du Salut, un registre qui datait de dix ans. Il avait gardé une clef de l'ancien asile de South Street. Et depuis des années, il venait y faire un tour quand ça lui chantait; y faisait marcher la boîte tout seul. Il prêchait la bonne parole à ses ouailles. Il sauvait les âmes en perdition. Que Dieu nous aide. »

Flynn hurle de joie.

« La Brigade criminelle a au moins une bonne demi-douzaine de meurtres non résolus dans ses dossiers et toutes les victimes étaient des clochards, des habitués du secteur de South Street. Et maintenant, ils sont à peu près certains que c'est notre type qui les a zigouillés. A vrai dire, moi y me plaît ce type. Je l'ai trouvé très sympa. Un vrai gentleman.

— Un vrai chou à vous entendre, dit Konig, la voix lourde de chagrin. Content que vous l'ayez coincé. Ecoutez... je ne peux pas...

— Hé! Attendez une minute. Ne raccrochez pas. J'ai du pain sur la planche.

— Comment?

— Je suis dans un vrai merdier ici.

— Comment?

— Une chouette maison. Gramercy Park. Un véritable abattoir.

— Oh! n'insistez pas, Flynn.

— Comment ça, n'insistez pas?

— Je ne peux pas venir maintenant.

— Comment ça, vous pouvez pas venir maintenant? Faut que vous veniez. Je peux pas me débrouiller tout seul.

— Eh bien, faudra pourtant que vous vous débrouilliez. Je suis lessivé. Je suis fini, ici, moi.

— Fini? Comment ça « fini »? La journée fait que commencer. Y a pas de meilleur jour que le dimanche pour le boulot.

— Non... je veux dire qu'ici pour moi, c'est fini pour de bon.

— Pour de bon? »

Un silence, Konig devine la perplexité de l'inspecteur.

« Pour toujours, poursuit-il. Pour moi, c'est fini. Fini à jamais.

— Comment ça « à jamais »? Mais bon dieu qu'est-ce que ça veut dire toutes ces foutaises?

598

— Exactement ce que je dis. C'est fini à jamais. Au revoir », murmure doucement Konig qui raccroche.

Il reste un long moment prostré devant son bureau, le corps et l'esprit gourds; c'est à peine s'il entend les cris et les pas précipités, les portes qui claquent, le brouhaha et l'agitation qui vont croissant sous sa fenêtre à mesure que d'autres sacs de grosse toile arrivent du ghetto incendié de Bed Stuy. L'immeuble a fini par s'effondrer et c'est par douzaines qu'on amène les corps pour les identifier, des corps calcinés et déchiquetés, arrachés aux décombres.

Une fois de plus le téléphone sonne. Konig décroche, porte l'écouteur à son oreille.

« J'ai pigé. Cette fois j'ai pigé, lui lance Flynn d'un ton railleur. Tout ça c'est à cause de ces saloperies de journaux du matin. Pas vrai?

— Quels journaux du matin?

— Le *Times*. Le *News*. »

Flynn part d'un rire féroce et sarcastique.

« Ecoutez. Moi aussi je les ai lus. Je sais tout. L'affaire Robinson. L'histoire du vol de cadavres. L'enquête du grand jury. Ils vous collent tout sur le dos, hurle Flynn avec une joie maligne. Cette fois ils vous ont coincé.

— La ferme, Flynn. »

La joie de l'inspecteur se fait encore plus stridente.

« Ils vous ont flanqué la trouille, pas vrai? Première fois de ma vie que je vous vois avec la trouille. Alors comme ça, vous iriez vous planquer simplement parce qu'ils vous font porter le chapeau. Faut que vous les baisiez, ces salauds d'hypocrites. Ces salauds qui passent leurs journées le cul sur leurs chaises devant leurs machines à écrire et qui arrêtent pas de faire la morale aux autres. Qu'est-ce qu'ils y connaissent, nom de Dieu?

Allez, ramenez-vous. J'ai besoin de vous. Je baigne dans le sang jusqu'aux fesses.

— Impossible, je vous l'ai dit.

— Il le faut.

— Impossible », hurle Konig qui raccroche brutalement.

Quelques secondes plus tard, le téléphone sonne de nouveau. Il empoigne le combiné.

« Je ne peux pas. Je vous en supplie, pour l'amour de Dieu, implore-t-il, fichez-moi la paix. »

Un son qui ressemble à un sanglot s'étrangle dans sa gorge. Un peu de suie est coincé dans son œil, il le frotte avec son poing et soudain des larmes brûlantes et lasses ruissellent sur ses joues.

« Je ne peux pas, répète-t-il d'une voix brisée.

— Mais qu'est-ce qui se passe ? Vous avez une drôle de voix. Qu'est-ce que...

— Il ne se passe rien. Mais je ne peux pas venir. Laissez-moi tranquille, c'est tout.

— Je demanderais pas mieux, mais je peux pas me débrouiller tout seul. C'est une trop grosse affaire.

— Je vais envoyer quelqu'un d'autre.

— Je ne veux pas d'un bleu. C'est vous que je veux.

— Mais nom de dieu, de quoi s'agit-il donc ? »

Konig passe une main fébrile dans ses cheveux emmêlés.

« Toute une foutue famille, au grand complet. La mère. Le père. Trois gosses. On dirait qu'on les a descendus à la mitraillette. Un vrai carnage. Des bouts de cervelle partout sur ces saloperies de murs.

— Il y a eu vol ? demande Konig qui sent poindre un vague intérêt.

— Aucune trace de vol. Le type aurait fait ça pour prendre son pied à mon avis. Allez, ramenez-vous.

— D'accord, d'accord, soupire Konig. Ne touchez à rien. J'arrive.

— Je vous reconnais bien là, glousse Flynn. Ecoutez... v' voulez que je vous en raconte une bien bonne ? Je vais me remarier.

— Avec qui ?

— Mon ex-femme. On a enterré la hache de guerre. On se remet ensemble. Qu'est-ce que vous dites de ça ? Allez. Allez ramenez-vous Konig, bougre de vieux salopard. »

Un rugissement affectueux fuse dans l'écouteur

« Surveillez votre langage, Flynn.

— Foutez-moi donc à la porte. Allez-y, foutez-moi à la porte. Y a un job qui m'attend comme détective privé dans un magasin de Bloomingdale. J'ai qu'un mot à dire. Allez, ramenez-vous Konig. Venez faire joujou avec moi.

— J'arrive. J'arrive, bonté divine. Laissez-moi le temps de prendre ma bagnole.

— Vous bilez pas pour ça, hurle l'inspecteur au comble de la joie. Je vous en ai déjà envoyé une. Je parie qu'elle est déjà là-bas à vous attendre. Allez. Allez. Secouez-vous un peu. On les aura, ces salauds »

Du même auteur

AUX MÊMES ÉDITIONS

Nécropolis
Grand Prix de littérature policière
roman, 1978
coll. «Seuil/Policiers», 1991

La Traque
roman, 1979
coll. «Points Roman», n° 16

Trois Heures du matin à New York
roman, 1983
coll. «Points Roman», n° 232

La Maison près du marais
roman, 1984
coll. «Points Roman», n° 311

La Nuit du solstice
roman, 1985
coll. «Points Roman», n° 283

Le Train vert
roman, 1988
coll. «Points Roman», n° 361

Le Tueur et son ombre
roman
coll. «Seuil/Policiers», 1990

AUX ÉDITIONS DENOËL

La Huitième Case
roman, 1975

IMPRIMERIE BUSSIÈRE À SAINT-AMAND (3-91)
DÉPÔT LÉGAL 2ᵉ TRIM. 1981. Nᵒ 5883-6 (804)